Oliver Twist

Charles Dickens

Oliver Twist

Traducción y notas
de Pollux Hernúñez

ALIANZA EDITORIAL

Título original: *Oliver Twist; or The Parish Boy's Progress*

Primera edición: 2005
Cuarta edición: 2015
Primera reimpresión: 2019

Diseño de cubierta: Elsa Suárez Girard
Imagen: © Latinstock / Corbis

© de la traducción y notas: Pollux Hernúñez
© Grupo Anaya, S. A.
© Alianza Editorial, S. A., Madrid, 2005, 2019
  Calle Juan Ignacio Luca de Tena, 15
  28027 Madrid
  www.alianzaeditorial.es
  ISBN: 978-84-9104-095-8
  Depósito legal: M. 17.294-2015
  Printed in Spain

SI QUIERE RECIBIR INFORMACIÓN PERIÓDICA SOBRE LAS NOVEDADES DE ALIANZA EDITORIAL, ENVÍE UN CORREO ELECTRÓNICO A LA DIRECCIÓN:

alianzaeditorial@anaya.es

Introducción

Unos amigos del autor exclamaron: «Miren, señores, este hombre es un canalla, pero con todo es la Naturaleza misma», y los jóvenes críticos de la época, los escribanos, los aprendices, etc., dijeron que aquello era sórdido y se pusieron a berrear.

FIELDING[1]

La mayor parte de esta historia se publicó originalmente en una revista. Cuando la terminé y la publiqué en su forma presente se le pusieron objeciones por razones de moral elevada en determinados círculos de elevada moral.

A lo que pareció es grosera y escandalosa circunstancia que algunos de los personajes de estas páginas hayan sido escogidos de entre la población más criminal y degradada de Londres; que Sikes sea un ladrón y Fagin un perista, que los muchachos sean rateros y la muchacha prostituta.

Yo todavía tengo que aprender que el bien más puro no puede extraerse del mal más ruin. Siempre creí que esto fuera verdad sentada y reconocida, establecida por los hombres más grandes que el mundo haya conocido, seguida constantemente por las naturalezas más nobles y sabias y confirmada por la razón y la experiencia de cualquier mente pensante. No vi razón, cuando escribí este

---

1. Henry Fielding (1707-1754), dramaturgo, novelista, publicista y probo magistrado inglés, padre de la novela inglesa.

libro, de que las heces de la sociedad, mientras no ofendieren al oído por su forma de hablar, no sirvieran para establecer una moraleja, al menos en la misma medida en que sirven su flor y nata. Ni dudé de que en Saint Giles se pudren tan buenos materiales para llegar a la verdad como los que puedan encontrarse en Saint James[1].

Con este ánimo, cuando se me ocurrió mostrar en el pequeño Oliver el principio del Bien que prevalece sobre toda circunstancia adversa y al final triunfa, y cuando consideré entre qué compañeros podría ponerlo mejor a prueba, teniendo en cuenta el tipo de hombres en cuyas manos caería de la manera más natural, pensé en aquellos que figuran en este volumen. Cuando llegué al punto de discutir este asunto más profundamente conmigo mismo, encontré muchos argumentos sólidos para proseguir el camino hacia el que me llevaba mi inclinación. Había leído montones de cosas sobre ladrones: tipos atractivos (en su mayoría amables), impecables de vestido, repletos de bolsillo, entendidísimos en caballos, decididos de porte, afortunados en el galanteo, estupendos con una copla, una botella, una baraja o un cubilete, y dignos émulos del más valiente. Pero nunca me había topado (excepto en Hogarth[2]) con la lamentable realidad. Me pareció que agavillar a los criminales que existían en la vida real, describirlos en toda su fealdad, en toda su miseria, en toda la sórdida pobreza de sus vidas, mostrarlos tal y como son, zafándose eterna y desasose-

---

1. Dickens contrasta dos clases sociales aludiendo a los núcleos de dos zonas londinenses que les eran propias: la iglesia de *Saint Giles* Cripplegate, en Barbican, uno de los antiguos barrios bajos de Londres, y *Saint James*, en la zona aristocrática de la ciudad.
2. William Hogarth (1697-1764), dibujante y pintor inglés, famosísimo por sus grabados satíricos y costumbristas que reflejan de manera fidelísima y humana la sociedad de su tiempo.

gadamente por los más inmundos senderos de la vida, con una enorme, negra y espantosa horca cerrándoles el camino se vuelvan hacia donde se vuelvan, me pareció, digo, que emprender esto era cosa que se estaba necesitando y que sería rendir un servicio a la sociedad. Por eso lo hice lo mejor que pude.

En todos los libros que conozco en que aparecen personajes como estos, se les da un aura de atractivo y fascinación. Incluso en *La ópera del mendigo*[1] se representa a los ladrones llevando una vida que suscita más la envidia que otra cosa, y a Macheath, por todos los atractivos que le da el mando y el que le adore la muchacha más hermosa y único personaje puro de la obra, los espectadores débiles deben admirarlo e imitarlo como si fuera un noble caballero de casaca roja que ha comprado, como dice Voltaire, el derecho a dar órdenes a dos mil hombres o más y a enfrentarse a la muerte a la cabeza de todos ellos. La pregunta de Johnson[2], de si un hombre se hará ladrón porque se indulta a Macheath me parece ajena a la cuestión. Yo me pregunto si a un hombre le disuadirá de hacerse ladrón el hecho de que a Macheath se le condene a muerte y que Peachum y Lockit existan; y, recordando la clamorosa vida del cabecilla, su imponente apariencia, sus grandes éxitos y sus sólidos beneficios, estoy seguro de que nadie propenso a seguir el mismo camino escarmentará en él o verá en la obra otra cosa que un camino florido y ameno que, a su debido

1. Comedia musical del poeta John Gay (1685-1732), estrenada en 1728, que constituyó el éxito más grande hasta entonces del teatro inglés (sesenta y dos representaciones).
2. Samuel Johnson (1709-1784), escritor inglés cultivador de todos los géneros, que ha pasado a la historia como uno de los más grandes eruditos de Inglaterra. La pregunta en cuestión aparece en su biografía de Gay.

tiempo, conduce a un hombre de honrada ambición al Tyburn Tree[1].

En realidad la ingeniosa sátira de Gay contra la sociedad perseguía un fin general, que le liberó de las preocupaciones de dar buen ejemplo en este sentido y le proporcionó otros objetivos. Lo mismo puede decirse de la admirable y poderosa novela de Sir Edward Bulwer sobre Paul Clifford[2], que en justicia no puede considerarse que tenga o pretendiera tener relación alguna con este aspecto del asunto en uno u otro modo.

¿Qué forma de vida se describe en estas páginas como existencia cotidiana de un ladrón? ¿Qué encantos tiene para los jóvenes y mal preparados, qué atractivos para el adolescente más atontado? No hay aquí galopes por un erial al claro de luna, ni jolgorios en la caverna más placentera que pueda imaginarse, ni los atractivos del vestir, ni bordados, ni encajes, ni botas altas, ni casacas y chorreras carmesí, ni nada del brío y libertad que desde tiempo inmemorial invaden «la calle». Las calles frías, húmedas y sin abrigo de la medianoche londinense, los tugurios inmundos y cerrados donde se hacina el vicio sin espacio para revolverse, la morada del hambre y la enfermedad, los raídos harapos que apenas se tienen juntos: ¿dónde está el atractivo de todas estas cosas? ¿No contienen una lección y no sugieren algo más que la desoída advertencia de un precepto moral abstracto?

La manera de ser de algunas gentes es tan exquisita y delicada, que no pueden soportar la contemplación de tales horrores. No es que se aparten instintivamente de lo

---

1. Lugar donde se ahorcaba en Londres, frente a Hyde Park Corner, donde se levanta hoy el Marble Arch.
2. Edward Bulwer-Lytton (1803-1873), político y escritor inglés, muy popular en su tiempo por sus novelas. En *Paul Clifford* describe el autor las aventuras del bandolero escocés del mismo nombre.

criminal, sino que los criminales, para que les sienten bien, deben aparecer, como sus manjares, delicadamente disfrazados. Un Massaroni vestido de terciopelo verde es una criatura encantadora, pero un Sikes con ropas de fustán es insoportable. Una señora Massaroni, dama de enaguas cortas y disfraz, es cosa que se imita en cuadros vivos y se imprime en litografía con coplillas, pero una Nancy, criatura con vestido de algodón y mantón barato, es algo impensable[1]. Es asombroso cómo la Virtud se aparta de los calcetines sucios, y cómo el Vicio, aliándose con cintas y una alegre indumentaria, cambia de nombre, como las señoras casadas, y se transforma en lo Romántico.

Pero como la verdad rigurosa, aun en ropas de esta raza tan exaltada (en las novelas), era parte del propósito del presente libro, no quité, para dichos lectores, ni un roto de la levita del Perillán, ni una brizna de papel de bigudí del desaliñado cabello de la muchacha. Yo no creo en la delicadeza que no puede soportar contemplarlos. Entre esa gente no tengo deseo ninguno de hacer prosélitos. Ni respeto su opinión, buena o mala, ni codicié su aprobación, ni escribí para divertirlos. Me atrevo a decir esto sin reservas porque no conozco en nuestra lengua a ningún escritor que se respete o a quien la posteridad respete que se haya rebajado jamás a dar gusto a esa clase quisquillosa.

Por otra parte, si busco ejemplos y precedentes, los hallo en las filas más ilustres de la literatura inglesa: Fielding, Defoe, Goldsmith, Smollett, Richardson, Mackenzie, todos ellos, por sabios motivos, y especialmente los dos primeros, sacaron a la luz a la mismísima escoria y

---

1. *Sikes* y *Nancy* son dos personajes de la presente obra. Los *Massaroni* parecen ser un apareja equivalente del género artificial y romantico que Dickens critica.

basura del país. Hogarth, el moralista y censor de su siglo, en cuyas grandes obras nunca cesarán de reflejarse la época en que vivió y los personajes de todos los tiempos, hizo lo propio sin transigir ni un pelo. ¿Qué lugar ocupa ahora este coloso en la estima de sus compatriotas? Y, sin embargo, si me vuelvo a la época en que él o cualquiera de estos hombres floreció, hallo que a todos ellos, cada uno en su tiempo, les lanzaron el mismo reproche los zánganos del momento, que entonaron su bordoneo, murieron y fueron olvidados.

Cervantes espantó a la caballería española a carcajadas, mostrando a España en su imposible y absurda extravagancia. En mi modesto y alejado predio traté de rebajar el falso brillo que envolvía algo que de verdad existía, mostrándolo en su realidad poco atractiva y repelente. Consultando mi propio gusto, no menos que las costumbres de la época, me preocupé, aun retratándolo en toda su perdición y degradación, de retirar de los labios del más bajo de los personajes que introduje cualquier expresión que pudiera resultar ofensiva y de sugerir la inevitable conclusión de que su existencia era de las más degradadas y viciosas, en vez de probarlo detalladamente con palabras y hechos. En el caso de la muchacha en particular, tuve siempre presente este propósito. Si esto se nota o no en el relato y cómo se logra, quede a juicio del lector.

Se ha dicho que el afecto de Nancy por el violento ladrón no parece natural. Y en la misma ocasión se ha objetado –me atrevo a suponer que con una cierta falta de lógica–, que Sikes está muy exagerado porque no parece que haya en él ninguno de los trazos redentores que se critican por no naturales en la muchacha. De esta última objeción sólo diré que me temo que en el mundo hay algunos temperamentos duros e insensibles que acaban siendo malos del todo y sin remedio. Tenga o no razón, de una cosa estoy seguro: de que hay hombres como Sikes que, estudiados minuciosamente el mismo periodo de tiempo y a través del mismo caudal de circunstancias, no mostrarán ni por un instante el mínimo indicio de mejora en su naturaleza. Que en tales corazones estén muertos todos los mejores sentimientos humanos o que se haya entumecido la fibra que haya que pulsar y sea difícil encontrarla es algo que no pretendo saber, pero que lo que afirmo es verdad, de eso estoy seguro.

Es inútil discutir si la conducta y el carácter de la muchacha parecen naturales o no naturales, probables o improbables, buenos o malos. SON REALES. Cualquiera que haya observado estas tristes imágenes de la vida sabe que esto es así. Surgió en mi mente tiempo ha por lo que a menudo veía y leía de la vida real a mi alrededor, lo he rastreado por muchos caminos libertinos y malolientes, y he hallado que es siempre lo mismo. Desde la primera aparición de aquella pobre desgraciada hasta que inclina la cabeza cubierta de sangre sobre el pecho del ladrón, no hay ni una palabra de exageración o de añadido. Es categóricamente la verdad de Dios, pues esa es la verdad que Él tolera en pechos tan depravados y miserables, aunque alguna esperanza quede todavía en ellos, la última gotita de agua en el fondo de un pozo cegado por las malas hierbas. Afecta a los mejores y peores aspectos de nuestra naturaleza, a muchos de sus más feos matices y a algunos de los más bellos; es una contradicción, una anomalía, una aparente imposibilidad, pero es la verdad. Me alegro de que se haya puesto en duda, pues en ella habría encontrado justificación suficiente (si me hubiera hecho falta) de que era necesario contarla.

CHARLES DICKENS

Oliver Twist

o las andanzas de un muchacho
de la parroquia

Personajes

Barney, malvado mozo judío
Charley Bates, ladrón, uno de los aprendices de Fagin
Bill, sepulturero
Blathers, policía de Bow Street
Brittles, criado en la casa de la señora Maylie
Señor Brownlow, anciano benévolo
Señor Bumble, celador parroquial
Tom Chitling, uno de los aprendices de Fagin
Noah Claypole, inclusero, aprendiz del señor Sowerberry
Toby Crackit, ladrón
John Dawkins («el Artero Perillán»), joven ratero al servicio de Fagin
Little Dick, niño pobre
Duff, policía de Bow Street
Fagin, astuto viejo judío, perista
Señor Fang, autoritario comisario de policía
Gamfield, deshollinador
Señor Giles, mayordomo y despensero de la señora Maylie
Señor Grimwig, amigo del señor Brownlow
Kags, ex presidiario
Señor Limbkins, presidente de la junta del hospicio
Señor Lively, comerciante y perista
Señor Losberne, («el Doctor»), amigo de la familia Maylie
Harry Maylie, hijo de la señora Maylie

MONKS, hermanastro de Oliver Twist
BILL SIKES, violento ladrón y allanamoradas
SEÑOR SOWERBERRY, encargado de la funeraria parroquial
OLIVER TWIST, niño huérfano pobre y sin nombre

ANNY, pobre
BECKY, camarera de la posada *El León Rojo*
SEÑORA BEDWIN, ama de llaves del señor Brownlow
BET (O BETSY), ladrona al servicio de Fagin
CHARLOTTE, criada de la señora Sowerberry
SEÑORA CORNEY, gobernanta de un hospicio, luego esposa del señor Bumble
AGNES FLEMING, madre de Oliver Twist
SEÑORA MANN, gobernanta de una filial del hospicio
MARTHA, pobre
SEÑORA MAYLIE, dama que ofrece su amistad a Oliver Twist
ROSE MAYLIE, hija adoptiva de la precedente
NANCY, ladrona al servicio de Fagin
VIEJA SALLY, interna del hospicio
SEÑORA SOWERBERRY, arpía amargada

Capítulo primero

Del lugar donde nació Oliver Twist y de las circunstancias que rodearon su nacimiento

Una ciudad que por muchas razones será prudente abstenerse de mencionar y a la cual no asignaré nombre imaginario se jacta, de entre otros edificios públicos, de uno que existe en casi todas las ciudades, grandes o pequeñas, a saber: un hospicio[1]; y en este hospicio nació, en un día y fecha que no necesito molestarme en revelar, puesto que no puede ser de provecho alguno al lector, al menos a estas alturas de los acontecimientos, el elemento mortal cuyo nombre aparece en el encabezamiento de este capítulo. Largo tiempo después de que el cirujano parroquial lo introdujera en este mundo de penas y preocupaciones, seguía siendo materia harto dudosa si el muchacho sobreviviría para poder llevar nombre, en cuyo caso es más que probable que esta crónica nunca se hubiera publicado o, si lo hubiese sido, habría cabido en un par de páginas, que habrían tenido el ines-

---

1. Por «hospicio» se entiende aquí una especie de asilo de régimen carcelario, instituido por la Ley de Pobres, en que se recluía a los indigentes y se les hacía trabajar. De ahí el nombre con que se le designaba en inglés: *workhouse* ('casa de trabajo'). Había un hospicio de este tipo en cada parroquia, término que también precisa alguna aclaración. Dada la no separación de la Iglesia y del Estado en Inglaterra, las divisiones territoriales administrativas coincidían con las eclesiásticas, y la palabra «parroquia», como ocurre en Galicia, tenía una significación más amplia, siendo casi equivalente a «municipio» o «concejo».

timable mérito de ser el más conciso y fiel ejemplar de biografía en la literatura de cualquier época o país. Aunque no voy a sostener que el nacer en un hospicio sea en sí mismo la más afortunada y envidiable circunstancia que pueda acaecer a un ser humano, mantengo que en este caso particular fue lo mejor que pudo ocurrirle a Oliver Twist dentro de lo que cabe. La verdad es que fue bastante difícil persuadir a Oliver de que se hiciera cargo de respirar –enojoso menester, pero que la costumbre ha hecho necesario para vivir tranquilamente–, y por algún tiempo estuvo jadeando en un colchoncito de borra, desigualmente suspendido entre este mundo y el otro, pero con la balanza decididamente a favor del último. Ahora bien, si durante aquel breve rato Oliver hubiera estado rodeado de abuelitas atentas, tiítas ansiosas, niñeras experimentadas y doctores de profunda sabiduría, segura e inevitablemente que lo habrían matado en un periquete. Pero, como no había nadie presente, excepto una vieja pobre un tanto achispada por una desacostumbrada ración de cerveza y un cirujano parroquial que hacía tales menesteres por contrato, Oliver y la Naturaleza se jugaron la partida mano a mano. El resultado fue que, tras algunos esfuerzos, Oliver respiró, estornudó y empezó a anunciar a los habitantes del hospicio el hecho de que sobre la parroquia caía una nueva carga, y con tan fuerte chillido como lógicamente podía esperarse de un niñito que no poseía ese utilísimo instrumento que es la voz desde hacía más de tres minutos y cuarto.

Al dar Oliver aquella primera prueba del funcionamiento desenvuelto y adecuado de sus pulmones, se oyó el roce de la colcha de retazos lanzada descuidadamente sobre la armadura de hierro de la cama, se irguió ligeramente de la almohada el pálido rostro de una joven y una voz apagada articuló imperfectamente estas palabras:

–Dejadme ver al niño y morir.

El cirujano había permanecido sentado con la cara vuelta hacia el fuego, ora calentándose ora frotándose las palmas de las manos, pero, al hablar la joven, se levantó y, yendo hasta la cabecera de la cama, con más bondad de la que podría haberse esperado de él, dijo:

–Ea, no debes hablar de morir todavía.

–¡Oh, no! Que el Señor la bendiga, corazoncito –repuso la enfermera, apresurándose a guardar en el bolsillo una botella de vidrio verde cuyo contenido había estado degustando en un rincón con evidente satisfacción–. Que el Señor la bendiga, corazoncito; cuando haya vivido tanto como yo, señor doztor, y haya parido trece niños y tós muertos menos dos, y tós en el hospicio conmigo, entonces sabrá que no hay que tomárselo así, corazoncito. Piensa lo que es ser madre, piénsalo, cielito.

A lo que parece esta consoladora perspectiva sobre las esperanzas de una madre no produjo el efecto debido. La enferma meneó la cabeza y tendió la mano hacia el niño.

El cirujano lo puso en sus brazos. Apretó ella apasionadamente sus fríos labios sobre la frentecita, se pasó las manos por la cara, lanzó una mirada extraviada, se estremeció, cayó hacia atrás y... murió. Le frotaron el pecho, las manos, las sienes, pero la sangre se le había helado para siempre. Le hablaron de esperanza y consuelo. Le habían faltado durante demasiado tiempo.

–Se acabó todo, señora Thingummy –dijo al cabo el cirujano.

–¡Ah, pobrecilla, así es! –dijo la enfermera, recogiendo el tapón de la botella verde, que se le había caído en la almohada al inclinarse a coger al niño–. ¡Pobrecilla!

–No se moleste en mandar a buscarme si el niño llora, enfermera –dijo el cirujano, poniéndose los guantes con mucha parsimonia–. Es muy probable que *dé* guerra. Si así es, déle unas gachas.

Se puso el sombrero y, deteniéndose junto a la cama según se dirigía a la puerta, añadió:

–Era bonita, también; ¿de dónde era?

–La trajeron anoche –replicó la vieja– por orden del inspector. La encontraron tirada en la calle; había caminado un buen trecho, pues traía los zapatos hechos trizas, pero nadie sabe de dónde venía o adónde iba.

Se inclinó el cirujano sobre el cadáver y levantó la mano izquierda.

–La historia de siempre –dijo meneando la cabeza–; sin alianza, según veo. En fin... Buenas noches.

El señor médico se marchó a cenar y la enfermera, tras aplicarse una vez más a la botella verde, se sentó en una silla baja junto al fuego y se puso a vestir a la criatura.

¡Qué excelente ejemplo constituía el pequeño Oliver Twist del poder del vestido! Envuelto en la manta que hasta entonces había sido su único abrigo podría haber pasado por el hijo de un noble o de un mendigo; al más altivo desconocido le habría sido difícil determinar su categoría social. Pero ahora, envuelto en las viejas ropas de percal, amarillas ya de hacer el mismo servicio, y marcado y etiquetado, encajaba perfectamente en su lugar: un niño de la parroquia... huérfano de hospicio... humilde esclavo muerto de hambre... carne de bofetadas y golpes dondequiera fuere... desprecio de todos y lástima de ninguno.

Oliver chillaba con ganas. Si hubiera sabido que era huérfano, abandonado a las poco compasivas manos de mayordomos eclesiásticos e inspectores, quizá habría chillado más fuerte.

Capítulo 2

Que trata del crecimiento, educación
y hospedaje de Oliver Twist

Durante los siguientes ocho o diez meses Oliver fue víctima de un tratamiento sistemático de traición y de engaño: lo criaron con biberón. Las autoridades del hospicio comunicaron debidamente a las autoridades de la parroquia el famélico y miserable estado del bebé huérfano. Las autoridades parroquiales preguntaron dignamente a las autoridades del hospicio si no residía en «la casa» una hembra que pudiera dispensar a Oliver Twist el consuelo y alimento que precisaba. Las autoridades del hospicio respondieron humildemente que no. Tras lo cual las autoridades parroquiales magnánima y caritativamente resolvieron que había que «cultivar» a Oliver, o, en otras palabras, enviarlo a una filial del hospicio a unas tres millas de allí, en la cual otros veinte o treinta jóvenes infractores de la ley de pobres[1] se revolcaban por el suelo todo el día, sin el inconveniente de la mucha comida ni el mucho vestido, bajo la maternal supervisión de una vieja que se encargaba de los culpables por y en consideración de siete peniques y medio semanales por cabecita. El valor de siete peniques y medio

---

1. De conformidad con esta ley de 1834, se recluía en una especie de hospicios campestres a los niños menores de quince años, cuyo delito era obviamente no tener familia.

semanales constituye un sustento perfecto para un niño; con siete peniques y medio pueden adquirirse muchas cosas... más que suficientes para recargarle el estómago y hacer que se sienta mal. Era la vieja mujer de mucho saber y experiencia, sabía lo que convenía a los muchachos y tenía un agudo sentido de lo que le convenía a ella. Así que se apropiaba la mayor parte del estipendio semanal para su propio uso y asignaba a la nueva generación parroquial una ración aún más menguada que la que en principio se les destinaba, descubriendo así en el hoyo más profundo uno más profundo todavía y mostrando ser una grandísima filósofa experimental.

Todo el mundo conoce la historia de aquel otro filósofo experimental que tenía una estupenda teoría de que un caballo podía vivir sin comer, y que la demostró tan bien, que llegó a mantener a su propio caballo con sólo una paja al día, y lo habría transformado indiscutiblemente en fogosísimo y revoltoso animal no dándole absolutamente nada, si no se le hubiera muerto justo veinticuatro horas antes de tomar su primer bocado de aire puro. Desgraciadamente para la filosofía experimental de la vieja a cuya cuidadosa protección se encomendó a Oliver, al funcionamiento de *su* sistema casi siempre le acompañaba un resultado parecido, pues en el mismísimo momento en que un niño había conseguido sobrevivir con la mínima porción posible de la comida más floja posible, sucedía sistemáticamente en ocho y medio de cada diez casos que, o bien el niño enfermaba de privaciones y frío, o se caía en el fuego por descuido o se medio chamuscaba accidentalmente; en cualquiera de los tres casos la infeliz criatura era normalmente llamada al otro mundo y allí se reunía con los padres que no había conocido en éste.

Alguna que otra vez, cuando la inspección se interesaba algo más de lo habitual por un niño cuya presencia había pasado desapercibida al dar la vuelta al armazón de una cama o había muerto escaldado inadvertidamente cuando acontecía que se hacía la colada, aunque este accidente era poco frecuente –ya que cualquier cosa que se pareciera a lavar era raro acontecimiento en la granja aquella–, al jurado se le metía en la cabeza hacer preguntas fastidiosas o con rebelde actitud los vecinos de la parroquia estampaban su firma en una protesta; pero estas impertinencias se cortaban en seguida con la declaración del cirujano y el testimonio del celador, el primero de los cuales siempre abría el cadáver sin encontrar nada dentro (cosa probabilísima en verdad), mientras que el segundo siempre juraba lo que la parroquia deseara, lo cual era auténtica abnegación. Además la junta hacía peregrinaciones periódicas a la granja y siempre enviaba al celador la víspera para que anunciara su llegada, de modo que, cuando llegaban, se veía que los niños estaban guapos y limpios, y ¿qué más podía pedir la gente?

No cabe esperar que tal sistema de cultivo pudiera producir una cosecha realmente extraordinaria o exuberante. El noveno cumpleaños de Oliver Twist le halló pálido y flaco, un tanto menguado de estatura y dedididamente reducido de contorno. Pero la naturaleza o la herencia habían implantado en el corazón de Oliver un carácter bien robusto, que había tenido mucho espacio para desarrollarse, gracias a la frugal dieta del establecimiento, y quizá pueda atribuirse a esta circunstancia el hecho de que consiguiera llegar a su noveno cumpleaños. Mas, fuera como fuera, lo cierto es que *era* su noveno cumpleaños y lo estaba celebrando en la carbonera con un grupo selecto de otros dos caballeritos que, tras participar con él en una azotaina soberana, habían sido encerrados allí por permitirse la atroz libertad de decir que tenían hambre, cuando la señora Mann, la buena señora de la casa, se sobresaltó de improviso con la aparición del señor Bumble, el celador, que trataba de abrir el postigo de la puerta del jardín.

–¡Dios mío! ¿Es usted, señor Bumble? –dijo la señor Mann asomando la cabeza por la ventana en un bien interpretado éxtasis de alegría–. Susan, sube a Oliver y a los dos mocosos y lávalos inmediatamente –dijo por lo bajo–. ¡Me da un vuelco el corazón! Señor Bumble, qué contenta estoy de verlo, ¡de verdad!

Ahora bien, era el señor Bumble hombre gordo y colérico, de modo que, en vez de responder a aquel saludo salido del corazón con el mismo humor, dio un tremendo meneo al postigo y luego le soltó una patada que no podía proceder de pierna alguna más que de la de un celador.

–¡Señor! ¡Sólo pensarlo –dijo la señora Mann, saliendo apresuradamente, (pues para entonces los tres niños ya estaban quitados de en medio)–, sólo pensarlo...! ¡Pensar que me olvidé de que la puerta estaba candada por dentro a causa de mis niños! Pase, señor; pase, por favor, señor Bumble, adelante.

Aunque aquella invitación iba acompañada de una reverencia que habría podido ablandar el corazón de un mayordomo eclesiástico, no apaciguó en modo alguno al celador.

–¿Le parece a usted respetuoso o apropiado, señora Mann –preguntó el señor Bumble, apretando el bastón–, hacer esperar a los funcionarios de la porroquia a la puerta del jardín cuando vienen por asuntos porroquiales relacionados con huérfanos de la porroquia? ¿Se da usted cuenta de que usted es, como si dijéramos, una delegada y una asalariada porroquial?

–Le aseguro, señor Bumble, que estaba diciendo a uno o dos de mis niños, que le quieren tanto, que era usted quien llegaba –replicó la señora Mann muy humildemente.

El señor Bumble tenía un gran concepto de sus facultades oratorias y de su propia importancia. Ya había mostrado unas y reivindicado la otra. Se relajó.

–Bueno, bueno, señora Mann –repuso en tono más tranquilo–, puede que sea como usted cuenta, puede ser. Lléveme dentro, señora Mann, pues vengo de negocios y tengo que decirle algo.

La señora Mann hizo pasar al celador a un saloncito de piso de ladrillo, le dispuso un asiento y servicialmente colocó su sombrero de tres picos y su bastón en la mesa que tenía delante. El señor Bumble se limpió de la frente el sudor que su caminata había provocado, miró satisfecho de sí mismo el sombrero de tres picos y sonrió. Sí, sonrió: los celadores también son hombres y el señor Bumble sonrió.

–Ahora no le parezca mal lo que voy a decirle –advirtió la señor Mann con cautivadora dulzura–. Acaba usted de darse una buena caminata, usted lo sabe, o si no yo no se lo mencionaría. Y se tomará una gotita de algo, ¿eh, señor Bumble?

–Ni una gota, ni una gota –dijo el señor Bumble, agitando la mano derecha con solemne pero apacible ademán.

–Creo que debería –dijo la señora Mann, que había notado el tono del rechazo y el gesto que lo acompañaba–. Sólo una *gotiíta*, con un poco de agua fría y un terrón de azúcar.

Tosió el señor Bumble.

–Hombre, que es sólo una gotita –dijo la señora Mann persuasiva.

–¿Qué es? –preguntó el celador.

–Pues lo que me veo obligada a tener en casa, sólo un poquito, para poner en el Daffy[1] de los benditos niños cuando no se encuentran bien, señor Bumble –replicó la señora Mann, abriendo una rinconera y sacando una botella y un vaso–. Es ginebra. No le engaño, señor Bumble, es ginebra.

–¿Da usted Daffy a los niños, señora Mann? –preguntó Bumble, siguiendo con los ojos el interesante procedimiento de mezclar.

–Claro que se lo doy, pobrecitos, a pesar de lo caro que es –repuso el aya–. No podría soportar verlos sufrir delante de mis ojos, ya me entiende, señor.

–Sí –dijo el señor Bumble con tono aprobatorio–, no podría soportarlo. Usted es mujer muy humana, señora Mann –aquí ella posó el vaso–. Tendré ocasión de mencionarlo pronto a la junta, señora Mann –dijo acercándoselo–. Usted siente como una madre, señora Mann –agitó la ginebra con agua–. A... a su salud, señora Mann, con toda cordialidad –y se tragó la mitad del vaso–. Y ahora a nuestros asuntos –dijo el celador, sacando una cartera de cuero–. El niño que se medio bautizó con el nombre de Oliver Twist cumple hoy nueve años.

–¡Dios le bendiga! –interpoló la señora Mann, provocándose una irritación en el ojo izquierdo con la punta del delantal.

–Y a pesar de que se ofreció una recompensa de diez libras, aumentada luego a veinte, y a pesar de los más supremos y, si puede decirse, sobrenaturales esfuerzos por parte de la porroquia –dijo Bumble–, no hemos podido llegar a averiguar quién es su padre o cuál era el domicilio, nombre o condición de la madre.

---

1. Del nombre de su inventor, era el Daffy una mezcla de sen con ginebra que se daba a los niños como medicamento.

La señora Mann levantó las manos asombrada, pero tras unos instantes de reflexión, añadió:

–¿Cómo se explica entonces que tenga nombre?

El celador se irguió muy orgulloso y dijo:

–Lo inventé yo.

–¿Usted, señor Bumble?

–Yo, señora Mann. Llamamos a los incluseros por orden alfabético. El último tenía la S: Swubble; se lo puse yo. A este le tocaba la T: Twist; se lo puse *yo*. El siguiente será Unwin, y el siguiente Vilkins. Tengo nombres preparados hasta el final del alfabeto y otra vuelta entera cuando lleguemos a la Z.

–Pues está usted hecho todo un hombre de letras, señor –dijo la señora Mann.

–Hombre, hombre –dijo el celador evidentemente satisfecho con el cumplido–, quizá lo sea, quizá lo sea, señora Mann.

Terminó la ginebra con agua y añadió:

–Como Oliver es ya demasiado mayor para permanecer aquí, la junta ha decidido que vuelva a la casa y yo he venido personalmente a buscarlo, así que déjeme verlo inmediatamente.

–En seguida lo traigo –dijo la señora Mann, saliendo de la habitación con tal propósito.

Y Oliver, libre ya de todo cuanto podía arrancarse en un lavado de la costra de suciedad que le cubría cara y manos, fue conducido a la habitación por su benévola protectora.

–Inclínate ante el caballero, Oliver –dijo la señora Mann.

Oliver hizo una inclinación repartida entre el celador que estaba en la silla y el sombrero de tres picos en la mesa.

–¿Te vienes conmigo, Oliver? –dijo el señor Bumble con voz majestuosa.

Oliver iba a decir que se iría con cualquiera con mucha presteza, cuando, al mirar para arriba, sus ojos toparon con la señora Mann, que se había colocado tras la silla del celador y agitaba el puño hacia él con furioso semblante. Entendió presto la señal, pues aquel puño se le había impreso en el cuerpo demasiado a menudo como para no sentirse profundamente impresionado al recordarlo.

–¿Vendrá ella conmigo? –preguntó el pobre Oliver.

–No, no puede –respondió el señor Bumble–. Pero vendrá a verte alguna vez.

Para el niño no era aquello gran consuelo; pero, aunque pequeño, le sobraba juicio para fingir que sentía un gran pesar de marcharse. No fue cosa difícil para aquel chico traer lágrimas a los ojos. El hambre y los recientes malos tratos son buena ayuda cuando se necesita llorar, y en verdad que Oliver lloró de manera muy natural. La señora Mann le dio mil abrazos y algo que a Oliver le hacía muchísima más falta: un trozo de pan con mantequilla para que pareciera que no tenía demasiada hambre cuando llegara al hospicio. Con la rebanada de pan en la mano y su gorrito parroquial de tela marrón en la cabeza, el señor Bumble se llevó luego a Oliver del miserable hogar en el que jamás una palabra o mirada bondadosa iluminaran la penumbra de sus años infantiles. Y sin embargo prorrumpió en un acceso de congoja infantil cuando la puerta de la casa se cerró tras él. Por muy desgraciados que fueran los compañeros de infortunio que dejaba atrás, eran los únicos amigos que jamás conociera y, por vez primera, penetró en el corazón del niño la sensación de su soledad en el grande y ancho mundo.

El señor Bumble andaba a grandes zancadas y el pequeño Oliver trotaba a su lado asido firmemente a su puño de galones dorados, preguntando a cada cuarto de milla si ya estaban «cerca». A tales preguntas el señor Bumble replicaba con respuestas lacónicas y fulminantes, pues la pasajera afabilidad que la ginebra con agua despierta en algunos corazones se había evaporado para entonces y ya era otra vez un celador.

No llevaba Oliver más de un cuarto de hora entre las paredes del hospicio y apenas si había terminado de triturar una segunda rebanada de pan, cuando volvió el señor Bumble, que lo había dejado al cuidado de una vieja, y, tras comunicarle que era tarde de junta, le informó de que la junta había dicho que apareciese ante ella inmediatamente.

Sin tener una idea muy clara de lo que era una junta viviente, a Oliver le asombró bastante aquella noticia y no estaba seguro del todo si debía reír o llorar. Mas no tuvo tiempo de pensar en ello, pues el señor Bumble le dio un golpecito en la cabeza con el bastón para que se despertara y otro en la espalda para que se despabilara y, ordenándole que le siguiera, le condujo a una habitación encalada en la que estaban sentados ocho o diez señores gordos alrededor de una mesa, al extremo de la cual, en un sillón bastante más alto que los demás, estaba un señor gordísimo de cara redonda y colorada.

–Inclínate ante la junta –dijo Bumble.

Oliver se limpió dos o tres lágrimas que le quedaban todavía en los ojos y, al no ver más juntas que las de los tableros de la mesa, por fortuna se inclinó ante ellas.

–¿Cómo te llamas, muchacho? –dijo el señor del sillón alto.

Asustado Oliver de ver a tantos señores, se puso a temblar y el celador le dio otro golpe por detrás que le hizo llorar, y ambas cosas le hicieron responder con voz apagada y vacilante, ante lo cual un señor de chaleco blanco dijo que era un tonto. Excelente manera de levantarle los ánimos y hacerle sentirse a gusto.

–Escucha, muchacho –dijo el señor del sillón alto–. Supongo que sabes que eres huérfano, ¿eh?

–¿Qué es eso, señor? –preguntó el pobre Oliver.

–Este muchacho *es* tonto... justo lo que me pareció –dijo el señor del chaleco blanco con tono convencidísimo.

Si en un grupo alguien posee el don de la percepción intuitiva de los demás de la misma especie, entonces sí que el señor del chaleco blanco estaba incontestablemente facultado para emitir una opinión sobre tal cosa.

–¡Chist! –dijo el señor que habló primero–. Sabes que no tienes ni padre ni madre y que la parroquia te ha criado, ¿no?

–Sí, señor –replicó Oliver, llorando amargamente.

–¿Por qué lloras? –preguntó el señor del chaleco blanco.

Y, a decir verdad, era cosa para maravillarse. ¿De qué *podía* estar llorando el muchacho?

–Supongo que haces tus oraciones cada noche –dijo otro señor con voz carrasposa– y que pides por quienes te sustentan y te cuidan, como cristiano.

–Sí, señor –balbució el chiquillo.

El último señor que habló tenía razón sin saberlo. Habría sido *muy* de cristiano y de requetebuenísimo cristiano que Oliver hubiera rezado por aquellos que *le* sustentaban y cuidaban, pero no lo hacía porque nadie le había enseñado.

–¡Bueno! Pues aquí has venido a educarte y a aprender un oficio útil –dijo el señor con cara colorada del sillón alto.

–Así que empezarás a rastrillar estopa[1] mañana por la mañana a las seis en punto –añadió el cascarrabias del chaleco blanco.

---

1. Entre los trabajos en que se empleaba a los pobres recluidos en los hospicios se cuentan el de picar piedra, pulverizar hueso y extraer la estopa de la cuerda vieja, utilizada luego en el calafateo de buques.

Por el conjunto de aquellas dos bendiciones en la sola operación de rastrillar estopa, Oliver se inclinó profundamente por indicación del celador y luego fue conducido a toda prisa a una sala enorme donde, en una cama tosca y dura se quedó dormido entre sollozos. ¡Qué noble ejemplo de las compasivas leyes de este bendito país, que permiten que los pobres duerman!

¡Pobre Oliver! Poco se imaginaba, mientras yacía felizmente dormido, inconsciente de todo lo que le rodeaba, que aquel mismo día la junta había tomado una decisión que influiría de la manera más trascendental en todas sus fortunas venideras. Pero así había sido. Y fue esto:

Los componentes de aquella junta eran hombres muy sabios, profundos y filosóficos y, cuando hubieron de dirigir su atención al hospicio, inmediatamente descubrieron algo que la gente normal jamás habría sospechado: ¡que a los pobres les gustaba! Era un lugar habitual de diversión pública para las clases pobres, taberna en la que no había que pagar nada: desayuno, comida, merienda y cena gratuitos todo el año, elíseo de ladrillo y mortero en el que todo era amenidad y nada trabajo.

—¡Ajá! –dijo la junta con aire entendido–. Nosotros somos quienes tenemos que poner las cosas en su sitio; acabaremos con todo esto en un santiamén.

Y así establecieron la norma de que todos los pobres tuvieran la posibilidad de elegir (pues no obligarían a nadie, ellos no) entre morirse de hambre poco a poco en la institución o de golpe fuera de ella. Con tales miras hicieron un contrato con el servicio de aguas para recibir un abastecimiento ilimitado de agua y otro con un tratante en granos para que les suministrara periódicamente pequeñas cantidades de avena molida, y distribuían tres comidas de gachas lavadas al día, con una cebolla dos veces por semana y medio bollo los domingos. Establecieron muchísimas, sabias y humanitarias normas aplicables a las señoras, que no hace falta repetir, emprendieron benévolamente la tarea de divorciar a los pobres casados en razón de los grandes gastos de un pleito en el juzgado de familia[1], y, en vez de obligar a un hombre a sustentar a su familia, como habían hecho hasta entonces, le arrebataban la familia ¡y le hacían soltero! Es imposible decir cuántos solicitantes de ayuda por estos dos últimos conceptos habrían surgido de las diferentes clases sociales, si no hubiera ido unida al hospicio; pero los hombres de la junta eran unos linces y habían previsto esta dificultad. La ayuda era inseparable del hospicio y de las gachas, y eso asustaba a la gente.

Durante los seis meses posteriores al envío de Oliver Twist el sistema estuvo en pleno funcionamiento. Al principio resultaba bastante caro, a causa del aumento de la cuenta de la funeraria y la necesidad de achicar la ropa de todos los pobres, que caía suelta sobre sus gastadas y encogidas anatomías al cabo de una o dos semanas de gachas. Mas el número de inquilinos del hospicio mermaba tanto como los pobres y la junta se extasiaba.

La habitación donde se daba de comer a los muchachos era una amplia sala de piedra con una caldera al fondo, de la cual el superintendente, ataviado con un delantal para tal propósito y secundado por una o dos mujeres, repartía a las horas de comer cazos de gachas, de las que cada muchacho recibía una escudilla y nada más, excepto en ocasiones de fiesta, en que recibía además dos onzas y cuarta de pan. Las escudillas nunca necesitaban lavarse. Los muchachos las bruñían con la cuchara hasta

---

1. En el original, *Doctors' Commons* ('refectorio de los doctores'), sede londinense del Colegio de Letrados de Derecho Civil, cerca de la catedral de San Pablo.

que volvían a brillar y, cuando concluían esta operación (que nunca duraba mucho, ya que las cucharas eran casi tan grandes como las escudillas), se quedaban mirando a la caldera con ojos tan ávidos como para devorar los mismísimos ladrillos de que estaba hecha, mientras se ocupaban en lamerse los dedos de la más afanosa manera con el fin de apañar cualquier perdida salpicadura de gachas que pudiera haberles caído encima. Por lo general los niños tienen un apetito excelente. Oliver Twist y sus compañeros sufrieron durante tres meses el tormento de la muerte lenta por inanición y finalmente el hambre los hizo tan voraces y frenéticos, que un muchacho, alto para su edad y no acostumbrado a aquello (pues su padre había tenido un figón), siniestramente insinuó a sus compañeros que, a menos que le dieran otra escudilla de gachas *per diem*[1], mucho se temía que alguna noche no fuera a comerse al niño que dormía a su lado, que a la sazón se trataba de un chiquillo debilucho de pocos años. Tenía el otro una mirada salvaje y hambrienta y le creyeron sin más. Se reunieron en consejo, echaron a suertes para ver quién iría al superintendente aquella noche después de la cena a pedir más y le tocó a Oliver Twist.

Llegó la noche y los muchachos ocuparon sus puestos. En su uniforme de cocinero el superintendente se colocó junto a la caldera, sus asistentas, pobres de la casa, se alinearon tras él, se sirvieron las gachas y se dijo una larga acción de gracias por la breve ración. Desaparecieron las gachas, los muchachos cuchicheaban entre sí y guiñaban a Oliver, mientras sus compañeros más cercanos lo empujaban con el codo. Niño como era, el hambre le apremiaba y el sufrimiento le hacía imprudente. Se levantó de la mesa y, llegándose hasta el superinten-

---

1. «Cada día», «diariamente.» (En latín en el original).

dente escudilla y cuchara en mano, dijo un tanto asustado de su propia temeridad:

–Por favor, señor, quiero un poco más.

Era el superintendente hombre gordo y lozano, pero se puso palidísimo. Por unos segundos se quedó mirando lleno de estupefacción al menudo rebelde y se agarró luego a la caldera, buscando apoyo. Las ayudantes se quedaron paralizadas de asombro y los muchachos de miedo.

–¿Qué? –dijo al cabo el superintendente con voz apagada.

–Por favor, señor –repuso Oliver–, quiero un poco más.

El superintendente asestó un cazazo a Oliver en la cabeza, le inmovilizó echándole los brazos alrededor y lanzó un fuerte grito, llamando al celador.

Hallábase reunida la junta en solemne cónclave, cuando el señor Bumble se precipitó en la sala con gran agitación y, dirigiéndose al señor del sillón alto, dijo:

–¡Señor Limbkins, usted perdone, señor! ¡Oliver Twist ha pedido más!

Se produjo un sobresalto general. El horror se dibujó en cada semblante.

–¡Ha pedido *más!* –dijo el señor Limbkins–. Compóngase, Bumble, y conteste claramente. ¿Debo entender que ha pedido más después de haber comido la cena asignada por el reglamento dietético?

–Así es, señor –replicó Bumble.

–A ese muchacho lo ahorcarán –dijo el señor del chaleco blanco–; seguro que lo ahorcarán.

Nadie contradijo la opinión del caballero profeta. Una animada discusión tuvo lugar. Se ordenó la inmediata reclusión de Oliver y a la mañana siguiente se pegó por fuera de la puerta un cartel ofreciendo cinco libras a quienquiera que tomara a Oliver Twist de manos de la parroquia. En otras palabras, que se ofrecían cinco libras y Oliver Twist a cualquier hombre o mujer que quisiera un aprendiz para cualquier oficio, negocio o profesión.

–Jamás estuve más convencido de nada en mi vida –dijo el señor del chaleco blanco al llamar a la puerta y leer el cartel a la mañana siguiente–. Jamás estuve más convencido de nada en mi vida que de que a ese muchacho acabarán ahorcándolo.

Como me propongo mostrar en lo que sigue si el señor del chaleco blanco tenía o no razón, quizá echaría a perder el interés de la narración (suponiendo que tenga alguno) si me aventurara a insinuar ahora mismo si la vida de Oliver Twist tuvo tan violento final o no.

Capítulo 3

Que cuenta cómo Oliver casi consigue
una colocación que nunca habría sido
una sinecura

Tras perpetrar el impío e irreverente delito de pedir más, Oliver permaneció una semana preso e incomunicado en el oscuro y solitario cuarto al que le había destinado la sabiduría y misericordia de la junta. Parece razonable suponer a primera vista que, si hubiera albergado un noble sentimiento de respeto por la predicción del señor del chaleco blanco, habría dejado sentado el don profético de aquel sabio individuo de una vez por todas, atando la punta del pañuelo a un gancho en la pared y colgándose de la otra. La realización de tal hazaña suponía, no obstante, un obstáculo, a saber, que, como los pañuelos son indudablemente artículos de lujo, habían sido retirados de las narices de los pobres para siempre jamás por mandato expreso de la junta reunida en asamblea, solemnemente formulado y emitido con sus firmas y sellos. Y había un obstáculo todavía mayor en el hecho de que Oliver fuera tan joven e inocente. Lloraba solo amargamente todo el día y, cuando, larga y tenebrosa, llegaba la noche, se llevaba las manecitas abiertas a los ojos para dejar fuera a la oscuridad y, acurrucado en el rincón, trataba de dormir, despertándose cada dos por tres con un respingo y tiritona y arrimándose cada vez más a la pared, como queriendo sentir que su superficie dura y fría fuera un refugio en la penumbra y soledad que le rodeaba.

No vayan a pensar los enemigos del «sistema» que durante aquel periodo de solitaria reclusión se le negaron a Oliver las ventajas de hacer ejercicio, el placer del contacto humano o el provecho del consuelo religioso. En cuanto a hacer ejercicio, en tiempo bien frío se le permitía cada mañana hacer sus abluciones bajo la bomba del agua en un patio empedrado y en presencia del señor Bumble, quien le impedía agarrar un resfriado haciendo que una sensación de hormigueo se apoderara de todo su esqueleto con generosas dosis de bastón. En cuanto al contacto humano, se le conducía un día sí y otro no a la sala donde los muchachos comían y allí se le azotaba en sociedad, como público escarmiento y ejemplo. Y lejos de negársele el provecho del religioso consuelo, cada noche a la hora de rezar le metían a patadas en la misma sala y allí le permitían escuchar, para confortarle el espíritu con ello, la súplica colectiva de los muchachos, que contenía una cláusula especial incluida por orden de la junta, en la que rogaban hacerse buenos, virtuosos, pacientes y obedientes y verse libres de los pecados y vicios de Oliver Twist, a quien la súplica inequívocamente presentaba como sometido al patronazgo y protección exclusivas de los poderes del mal y obra directamente salida de la mano del mismísimo Demonio.

Acaeció una mañana que, mientras la situación de Oliver conocía tan venturoso y agradable estado, el señor Gamfield, deshollinador, dirigía sus pasos por la calle Mayor, cavilando profundamente de qué modo y manera podría pagar unos atrasos de alquiler que su casero le pedía de manera bastante insistente. Los cálculos pecuniarios más optimistas del señor Gamfield no conseguían acercarle a las cinco libras que eran la cantidad deseada y, en una especie de desesperación aritmética, iba moliéndose ora los sesos ora los del burro, cuando, al pasar frente al hospicio, sus ojos toparon con el cartel en la puerta.

—¡Sooo! —dijo el señor Gamfield al burro.

Hallábase el burro en un estado de profundo ensimismamiento, preguntándose tal vez si el destino tenía previsto regalarle con uno o dos tronchos de berza cuando hubiera despachado los dos sacos de hollín con que el carro iba cargado, de modo que, sin percatarse de la orden, continuó adelante tranquilamente.

El señor Gamfield masculló una feroz maldición dirigida al burro en general, pero más en particular a su madre y, corriendo tras él, le asestó un golpe en la cabeza que indefectiblemente habría quebrado cualquier calavera excepto la de un asno; echando mano luego de la brida, le dio un violento retorcijón en la quijada como amable advertencia de que no era dueño de sí mismo y, habiéndole hecho dar la vuelta por tales medios, le soltó otro golpe en la cabeza para atontarlo un poco en lo que volvía y, dejando así las cosas en su sitio, se llegó hasta la puerta a leer el cartel.

El señor del chaleco blanco estaba a la puerta con las manos atrás después de haber manifestado algunas profundas opiniones en la sala de juntas. Testigo de la breve disputa entre el señor Gamfield y el asno, sonrió gozosamente cuando aquél se acercó a leer el cartel, pues en seguida entendió que el señor Gamfield era exactamente el tipo de amo que a Oliver Twist le hacía falta. El señor Gamfield sonrió también mientras leía atentamente el pliego, pues la suma de cinco libras era exactamente lo que él estaba deseando y, en cuanto al muchacho con que iban gravadas, el señor Gamfield, que sabía cuál era la dieta del hospicio, entendió bien que sería de talla menudita, justo lo propio para caber en las estufas de registro. Así pues, deletreó otra vez el anuncio de cabo a rabo y luego, tocándose la punta de su gorra de piel en señal de humildad, abordó al señor del chaleco blanco.

–Este chiquiyo, señor, que la pirroquia quié meter de aprendí... –dijo el señor Gamfield.

–¿Qué, amigo mío? –dijo el señor del chaleco blanco con una sonrisa condescendiente–. ¿Qué pasa con él?

–Si la pirroquia quié que aprenda un ofisio mu gustoso en un negosio bueno y respetable de deshoyinaor –dijo el señor Gamfield–, yo nesesito un aprendí y estoy dispuesto a cogerlo.

–Adelante –dijo el señor del chaleco blanco.

El señor Gamfield se volvió a dar al burro otro golpe en la cabeza y otro retorcijón en la quijada para advertirle que no se marchara en su ausencia y siguió al señor del chaleco blanco hasta la habitación donde vimos a Oliver por vez primera.

–Es oficio peligroso –dijo el señor Limbkins una vez que Gamfield hubo expuesto otra vez su deseo.

–Ya ha habido muchachitos que se han asfixiado en chimeneas –dijo otro señor.

–Eso es porque se moja la paja antes de ensenderla en la chimenea pa haserlos bajar –dijo Gamfield–; eso es tó humo, no yama, porque el humo no vale pa ná pa haser bajar a un muchacho, pos sólo le hase dormir, que es lo que él quiere. Los muchachos son mu cabesones y mu horgasanes, señores, y pa haserlos bajar a toa prisa no hay como una buena yamará calentita. Y también es por compasión, señores, pos si se quedan atascaos en la chimenea, al tostarles los pies patalean y así se desenrean.

Al señor del chaleco blanco pareció divertirle mucho aquella explicación, pero una mirada del señor Limbkins le cortó inmediatamente la risa. Luego la junta procedió a deliberar durante unos minutos, pero en tono tan bajo, que sólo pudieron oírse las palabras: «ahorrar gastos», «las cuentas saldrán mejor» y «publicar un informe impreso», que llegaron a oírse únicamente porque fueron repetidas una y otra vez con mucho énfasis.

Finalmente cesó el cuchicheo, los componentes de la junta volvieron a sus asientos y a su empaque y el señor Limbkins dijo:

–Hemos considerado su propuesta y no la aprobamos.

–En absoluto –dijo el señor del chaleco blanco.

–Decididamente no –añadió otro de la junta.

Comoquiera que sobre el señor Gamfield pesara la leve acusación de que ya había matado de magulladuras a tres o cuatro muchachos, se le ocurrió que tal vez a la junta, por algún extraño capricho, se le había metido en la cabeza que aquella ajena circunstancia debería influir en sus deliberaciones. Si así era, no correspondía en absoluto a su manera habitual de negociar, pero, de todos modos, como no tenía intención alguna de atizar el rumor, retorció la gorra entre las manos y se apartó lentamente de la mesa.

–¿Así que no dejan que me lo quede, señores? –dijo el señor Gamfield, deteniéndose cerca de la puerta.

–No –repuso el señor Limbkins–; o, al menos, como se trata de un negocio peligroso, creemos que debería recibir algo menos de lo que se ofrece de prima.

El semblante del señor Gamfield se iluminó mientras se acercaba a la mesa con paso rápido y dijo:

–¿Qué me dan, señores? ¡Venga! No se pongan difísiles con un probe. ¿Qué me dan?

–Yo diría que tres libras y diez chelines son más que suficiente –dijo el señor Limbkins.

–Los diez chelines están de más –dijo el señor del chaleco blanco.

–¡Vamos, hombre! –dijo Gamfield–; pongamos cuatro libras, señores. Pongamos cuatro libras y se desenrean de él de una ves pa siempre. ¡Venga!

–Tres libras y diez chelines –repitió el señor Limbkins con firmeza.

–Vamos, vamos. Mitá y mitá, señores –instó Gamfield–. Tres libras quinse chelines.

–Ni un céntimo más –replicó firmemente el señor Limbkins.

–Se me ponen demasiao difísiles, señores –dijo Gamfield, vacilando.

–¡Bah, bah, tonterías! –dijo el señor del chaleco blanco–. Saldría barato sin ninguna prima encima. Llévatelo, no seas tonto. Es exactamente el muchacho que necesitas. Le hace falta palo de vez en cuando, le vendrá bien; y la manutención no tiene por qué salirte cara, porque nunca ha comido de más desde que nació, ¡ja, ja, ja!

El señor Gamfield lanzó una mirada maliciosa a las caras que estaban alrededor de la mesa y, al observar una sonrisa en todas ellas, esbozó paulatinamente la suya. El trato se cerró e inmediatamente se ordenó al señor Bumble que llevara a Oliver Twist con el contrato al juez para que lo firmara y aprobara aquella misma tarde.

En cumplimiento de aquella decisión el pequeño Oliver vio con infinito asombro que se le liberaba de la esclavitud y que se le ordenaba ponerse una camisa limpia. Apenas hubo acabado tan inusitado ejercicio gimnástico cuando el señor Bumble le llevó en sus propias manos una escudilla de gachas y la ración dominguera de dos onzas y cuarta de pan. Ante aquella portentosa visión Oliver se echó a llorar de conmovedora manera, pensando no sin cierta lógica que la junta debía de haber decidido matarlo con algún fin útil, pues si no, no habrían empezado por cebarlo de tal modo.

–No te calientes los ojos, Oliver, y come estos alimentos y agradécelo –dijo el señor Bumble con un tono de impresionante pomposidad–. Van a hacer de ti un aprendiz, Oliver.

–¿Aprendiz, señor? –dijo el niño, temblando.

–Sí, Oliver –dijo el señor Bumble–. Esos señores buenos y benditos que son cada uno como un padre o una madre para ti, porque tú no tienes, Oliver, van a meterte de aprendiz y a situarte en la vida y a hacer de ti un hombre, aunque el gasto para la porroquia es de tres libras y diez chelines... ¡tres libras y diez chelines, Oliver...! setenta chelines... ¡ciento cuarenta monedas de seis peniques...! y todo eso por un huérfano travieso que nadie puede querer.

Mientras el señor Bumble hacía una pausa para recuperar el aliento tras pronunciar aquella alocución con terrible voz, las lágrimas rodaban por el rostro del pobre niño, que sollozaba amargamente.

–¡Vamos! –dijo el señor Bumble un tanto menos pomposo, pues halagaba a su sensibilidad observar el efecto que su elocuencia producía–. ¡Vamos, Oliver! Límpiate los ojos con los puños de la chaqueta y no llores en las gachas, que eso es de tontos, Oliver.

Y en verdad que lo era, pues ya había agua de sobra en ellas.

Mientras se dirigían a ver al juez, el señor Bumble indicó a Oliver que todo lo que tenía que hacer era mostrarse muy contento y, cuando el señor le preguntara si quería ser aprendiz, decir que de verdad que le gustaría mucho, ambas de cuyas instrucciones prometió obedecer Oliver, sobre todo cuando el señor Bumble le dio a entender amablemente que, si no cumplía una de las dos cosas, cualquiera podía saber lo que le harían. Cuando llegaron al juzgado le encerraron solo en un cuartito y el señor Bumble le advirtió que se quedara allí hasta que él volviera a buscarlo.

Allí permaneció el muchacho media hora con el corazón palpitándole, al cabo de la cual el señor Bumble asomó la cabeza, despojada del adorno del sombrero de tres picos y dijo en voz alta:

—Venga, Oliver, bonito, ven a ver al señor.

Diciendo lo cual el señor Bumble adoptó una mirada torva y amenazadora y añadió en voz baja:

—¡Acuérdate de lo que te dije, bribonzuelo!

Oliver se quedó mirando inocentemente a la cara del señor Bumble ante aquella manera un tanto contradictoria de dirigirse a él, pero el caballero obvió tener que dar cualquier tipo de explicaciones llevándoselo inmediatamente a una habitación contigua que tenía la puerta abierta. Era una estancia enorme con una ventana grande y, tras el escritorio, estaban sentados dos ancianos con la cabeza empolvada, uno de los cuales leía el periódico mientras el otro, ayudándose con unos anteojos de concha, leía atentamente un trozo de pergamino que tenía delante. Ante el escritorio, a un lado, estaba de pie el señor Limbkins, en el otro el señor Gamfield con la cara lavada en parte, mientras dos o tres hombres de aspecto arrogante y botas altas andaban ociosamente por allí.

El anciano de los anteojos se fue quedando dormido sobre el trozo de pergamino y, una vez que el señor Bumble hubo colocado a Oliver frente al escritorio, se produjo una breve pausa.

—Éste es el muchacho, señoría —dijo el señor Bumble.

El anciano que estaba leyendo el periódico levantó la cabeza un instante y tiró de la manga del otro anciano, con lo cual éste se despertó.

—¡Ah! ¿Éste es el muchacho? —dijo el anciano.

–Este es, señor –dijo el señor Bumble–. Inclínate ante el juez, bonito.

Oliver se despabiló e hizo la mejor reverencia que pudo. Había estado preguntándose, con los ojos clavados en el polvo de los jueces, si todos los componentes de juntas nacían con aquella cosa blanca en la cabeza y si por eso y desde entonces eran miembros de juntas.

–Bien –dijo el anciano–, supongo que le gusta lo de deshollinar chimeneas.

–Le encanta, señoría –repuso Bumble, dando a Oliver un furtivo pellizco para darle a entender que más le valía que no dijera que no.

–¿Y *será* deshollinador, no? –preguntó el anciano.

–Si mañana le obligáramos a cualquier otro oficio, se escaparía en el acto, señoría –replicó Bumble.

–Y este hombre que será su amo,... usted, señor... lo tratará bien y le dará bien de comer y hará todas esas cosas... ¿eh? –dijo el anciano.

–Cuando yo le digo a usté que lo hago, pos es que quié desir que lo hago –repuso el señor Gamfield porfiadamente.

–Usted habla mal, amigo, pero parece honrado y generoso –dijo el anciano, dirigiendo sus anteojos hacia el candidato a la prima por Oliver, cuyo malvado semblante era un certificado auténtico y con póliza de la crueldad.

Pero el juez era medio ciego y medio ingenuo, de modo que no se podía razonablemente esperar de él que percibiera lo que otra gente veía.

–A mí me paise que lo soy, señor –dijo el señor Gamfield con una fea mirada de reojo.

–No dudo que lo sea, amigo –replicó el anciano, ajustándose mejor los anteojos en la nariz y buscando el tintero.

Fue el momento crítico del destino de Oliver. Si el tintero hubiera estado donde el anciano creía que estaba, habría mojado en él la pluma y firmado el contrato, y a Oliver se lo habrían llevado a toda prisa. Pero, como por azar se encontraba justamente delante de sus narices, era natural, evidentemente, que lo buscara por todo el escritorio sin encontrarlo y, como en su búsqueda acaeciera que mirara justo en frente, toparon sus ojos con el rostro pálido y aterrorizado de Oliver Twist, que, a pesar de todas las represivas miradas y pellizcos de Bumble, miraba el repulsivo semblante de su futuro amo con una expresión de entre horror y miedo demasiado patente para escapar inadvertida incluso a un juez medio ciego.

El anciano se detuvo, dejó la pluma y de Oliver pasó a mirar al señor Limbkins, que intentaba tomar rapé con cara alegre y despreocupada.

–¡Muchachito! –dijo el anciano, apoyándose en el escritorio.

Al oír aquello, Oliver se sobresaltó. Podría excusársele por ello, ya que aquella palabra se había pronunciado con bondad y los sonidos extraños asustan. Se echó a temblar violentamente y prorrumpió en lágrimas.

–¡Muchachito! –dijo el anciano–. Pareces pálido y asustado, ¿qué te pasa?

–Apártese un poco de él, celador –dijo el otro juez, dejando a un lado el periódico e inclinándose con cara de interés–. Vamos, muchacho, dinos qué pasa, no tengas miedo.

Oliver cayó de rodillas y, juntando las manos, suplicó que le mandaran otra vez al cuarto oscuro... que le mataran de hambre... que le pegaran... que le mataran si querían... antes de mandarle con aquel hombre horrible.

–¡Vaya! –dijo el señor Bumble, alzando las manos y los ojos con la más impresionante prosopopeya–. ¡Vaya! De todos los huérfanos taimados e intrigantes que jamás vi, eres tú, Oliver, uno de los más descaradísimos.

–Cállese, celador –dijo el segundo anciano cuando el señor Bumble hubo dado libre curso a aquel adjetivo superlativo.

–Disculpe, señoría –dijo el señor Bumble creyendo que no había oído bien–. ¿Era a mí a quien hablaba su señoría?

–Sí. Cállese.

El señor Bumble se quedó estupefacto de asombro. ¡Mandar callarse a un celador! ¡Una revolución moral!

El anciano de los anteojos de concha miró a su compañero, que meneó la cabeza significativamente.

–Nos negamos a firmar este contrato –dijo el anciano, echando a un lado el trozo de pergamino.

–Espero –farfulló el señor Limbkins–, espero que los jueces no llegarán a la conclusión de que las autoridades somos culpables de ninguna conducta incorrecta por el testimonio sin fundamento de un simple muchacho.

–No es obligación de los jueces emitir opinión alguna sobre el asunto –dijo el segundo anciano acremente–. Llévense al muchacho otra vez al hospicio y trátenle bien. Parece que lo necesita.

Aquella misma tarde el señor del chaleco blanco afirmaba rotunda y tajantemente que Oliver no sólo sería ahorcado, sino que sería arrastrado y descuartizado por añadidura. El señor Bumble agitó la cabeza melancólica y enigmáticamente y dijo que ojalá acabara bien, a lo que el señor Gamfield replicó que ojalá acabara con él, lo cual, aunque él estaba de acuerdo con el celador en la mayor parte de las cosas, parecía deseo de índole totalmente distinta.

A la mañana siguiente se informaba de nuevo al público de que Oliver Twist se traspasaba otra vez y que se pagaban cinco libras a quienquiera que tomara posesión de él.

Capítulo 4

Habiéndosele ofrecido otra colocación, hace Oliver su primera entrada en la vida pública

En las grandes familias, cuando no puede obtenerse un puesto ventajoso, ya sea por adquisición, restitución, sucesión o expectativas para el jovencito que se está haciendo mayor, es costumbre generalizada mandarlo a la mar. Imitando tan sabio y saludable ejemplo, la junta se reunió a deliberar sobre la conveniencia de embarcar a Oliver Twist en algún barquito mercante con destino a algún puerto bien insalubre. Esto parecía lo mejor que podía hacerse con él, pues existía la posibilidad de que el patrón lo matara a latigazos, por divertirse algún día después de comer, o le machacara los sesos con un barrote de hierro, pasatiempos estos que, como bien se sabe, son entretenimiento favorito y frecuente entre caballeros de tal clase. Cuanto más consideraba el caso bajo este aspecto, más numerosas le parecían a la junta las ventajas de tal paso y así llegó a la conclusión de que la única manera de encargarse de Oliver de manera eficaz era mandarlo a la mar sin dilaciones.

El señor Bumble, enviado a realizar las diferentes pesquisas preliminares con el fin de encontrar a algún patrón o lo que fuera que necesitara un grumete sin amigos, volvía al hospicio para comunicar el resultado de sus diligencias, cuando encontró a la puerta nada menos que al señor Sowerberry, encargado de la funeraria parroquial.

Era el señor Sowerberry hombre alto, escuálido, huesi-largo, ataviado con un traje negro raído, medias de algodón zurcidas del mismo color y zapatos a juego. La naturaleza no había hecho sus facciones para exhibir un aspecto sonriente, pero por lo general era bastante dado a la jocosidad profesional. Al acercarse al señor Bumble y estrecharle cordialmente la mano, su andar era elástico y su cara denotaba guasa interior.

—Ya he medido a las dos mujeres que murieron anoche, señor Bumble —dijo el de la funeraria.

—Se hará usted rico, señor Sowerberry —dijo el celador, metiendo pulgar e índice en la caja de rapé, ingeniosa maquetita de ataúd patentado, que le tendía el enterrador—. Digo que se hará usted rico, señor Sowerberry —repitió el señor Bumble, golpeando amistosamente al de la funeraria en el hombro con el bastón.

—¿Usted cree? —dijo el de la funeraria con tono que medio admitía medio ponía en duda la probabilidad de tal acontecimiento—. Los precios que autoriza la junta son muy reducidos, señor Bumble.

—Como los ataúdes —dijo el celador con un esbozo tan exactamente cercano a la risa como un gran funcionario debería permitirse.

Al señor Sowerberry le hizo mucha gracia aquello, como era natural, y rió largo rato sin parar.

—Vale, vale, señor Bumble —dijo al cabo—; eso no se puede negar, ya que desde que se instauró el nuevo régimen de alimentación, los ataúdes son algo más estrechos y más bajos que antes, pero tiene que quedarnos alguna ganancia, señor Bumble. La madera bien curada es género caro, créame usted, y las asas de hierro vienen por canal desde Birmingham.

—Ya, ya —dijo el señor Bumble—, cada oficio tiene sus pegas. Naturalmente, debe permitirse una ganancia justa.

–Claro, claro –repuso el enterrador–; y si yo no gano con este género o el otro, pues tengo que recuperarlo a largo plazo, ya ve, ¡je, je, je!

–Así es –dijo el señor Bumble.

–Aunque debo decirle –prosiguió el de la funeraria, reanudando el caudal de observaciones que el celador había interrumpido–, aunque debo decirle, señor Bumble, que tengo que enfrentarme a un inconveniente muy serio, y es que toda la gente corpulenta la diña en seguida. Los que han vivido mejor y pagado impuestos muchos años son los primeros en sucumbir cuando llegan al hospicio, y permítame decirle, señor Bumble, que tres o cuatro pulgadas más de lo calculado le hacen a uno un buen agujero en las ganancias, sobre todo cuando uno tiene que mantener a una familia, créame usted.

Como el señor Sowerberry decía aquello con la indignación propia de un hombre ofendido y como al señor Bumble le parecía que aquello iba más bien encaminado a sugerir una crítica del honor de la parroquia, este último caballero consideró aconsejable cambiar de conversación. Y, como Oliver Twist le dominaba el pensamiento, lo tomó por tema.

–A propósito –dijo el señor Bumble–, ¿no conoce usted a alguien que necesite a un muchacho? Un aprendiz porroquial que es ahora una carga, una rueda de molino podría decirse, atada al cuello de la porroquia. Condiciones generosas, señor Sowerberry, condiciones generosas.

Mientras así decía, levantó el señor Bumble el bastón hasta el cartel que tenía encima y dio tres golpecitos marcados sobre las palabras «cinco libras» impresas en él con versales latinas de talla gigantesca.

–¡Recórcholis! –dijo el de la funeraria, tomando al señor Bumble por la solapa de borde dorado de su casaca oficial–. Eso es precisamente de lo que quería hablarle. Ya sabe usted que... hombre, ¡qué botón más elegante tiene usted, señor Bumble! Nunca me había fijado.

–Sí, creo que es muy bonito –dijo el celador, mirando orgullosamente para abajo a los grandes botones de latón que adornaban su casaca–. El cuño es el mismo que el del sello parroquial: el Buen Samaritano curando al hombre enfermo y herido. La junta me lo regaló la mañana de Año Nuevo, señor Sowerberry. Recuerdo que lo estrené para asistir a la investigación sobre aquel comerciante venido a menos que murió en un portal a medianoche.

–Ya recuerdo –dijo el de la funeraria–. El jurado concluyó: «Muerto de frío y carencia de lo indispensable para vivir», ¿no?

El señor Bumble asintió.

–Y dieron un veredicto especial, creo –dijo el enterrador–, añadiendo unas palabras en el sentido de que si el funcionario de auxilio público hubiera...

–¡Bah! ¡Tonterías! –interrumpió enojado el celador–. Si la junta hiciera caso de todas las necedades que dicen los jurados ignorantes, no harían otra cosa.

–Cierto –dijo el de la funeraria–, de verdad que sí.

–Los jurados –dijo el señor Bumble, apretando fuertemente el bastón, como solía cuando montaba en cólera–, los jurados son unos desgraciados anelfebetos, vulgares y rastreros.

–Así es –dijo el de la funeraria.

–De filosofía y de economía política no tienen ni esto –dijo el celador, haciendo despectivamente un chasquido con los dedos.

–Efectivamente –asintió el de la funeraria.

–Yo los desprecio –dijo el celador con la cara cada vez más roja.

–Y yo –dijo el de la funeraria.

–Y sólo quiero que durante una o dos semanas tuviéramos en la casa un jurado de los independientes –dijo el celador–, que pronto las reglas y reglamentos de la junta les bajarían los humos.

–Déjelos estar –replicó el de la funeraria, y mientras así decía sonrió aprobatoriamente para calmar la creciente ira del indignado funcionario parroquial.

El señor Bumble se quitó su sombrero de tres picos, sacó un pañuelo del interior de la copa, se enjugó la frente del sudor provocado por su enojo, se encajó otra vez el sombrero y, volviéndose al de la funeraria, dijo con voz más serena:

–Bueno, y del muchacho, ¿qué?

–¡Oh! –repuso el de la funeraria–, pues, como usted sabe, señor Bumble, yo pago un montón en impuestos para los pobres.

–Mmm... –dijo el señor Bumble–. ¿Y qué?

–Pues que –repuso el de la funeraria– pensaba que si pago mucho para ellos, tengo derecho a recibir de ellos todo cuanto pueda, señor Bumble, así que... así que... creo que me quedaré con el muchacho.

Tomó el señor Bumble al de la funeraria por el brazo y lo llevó dentro del edificio. El señor Sowerberry se encerró con la junta cinco minutos y se decidió que Oliver se fuera con él aquella noche «a condición de gustarse mutuamente», frase que, en el caso de un aprendiz parroquial, significa que si tras un breve periodo de prueba el amo ve que puede sacar trabajo suficiente del muchacho sin poner demasiada comida en él, se lo quedará años y años haciendo con él lo que le plazca.

Cuando llevaron al pequeño Oliver ante «los señores» aquella tarde y le informaron de que aquella noche iba a marcharse de criado a casa de un fabricante de ataúdes y que si se quejaba de tal empleo o volvía a la parroquia lo mandarían a la mar, donde lo ahogarían o golpearían en la cabeza, según el caso, mostró tan poca emoción, que por unánime acuerdo le declararon golfillo empedernido y ordenaron al señor Bumble que se lo llevara inmediatamente.

Ahora bien, aunque era muy natural que los miembros de la junta, más que cualquier mortal, se sintieran en un estado de virtuoso asombro y horror ante las mínimas muestras de falta de reacción de cualquiera, en aquel caso particular iban bastante descaminados. La simple realidad era que Oliver, lejos de tener poca sensibilidad tenía demasiada y se hallaba en la mejor vía para que lo redujeran de por vida a un estado de estupidez y resentimiento brutales por los malos tratos recibidos. Escuchó la noticia de su destino en absoluto silencio y, una vez que le hubieron puesto en la mano el equipaje –que no era difícil de llevar, ya que cabía todo en los pliegues de un paquete de papel de estraza de medio pie de lado por tres pulgadas de alto–, se echó la gorra sobre los ojos y, agarrado una vez más al puño de la casaca del señor Bumble, este dignatario lo condujo a un nuevo escenario de padecimientos.

Por algún tiempo, el señor Bumble tiró de Oliver sin hacer atención ni comentario, pues llevaba el celador la cabeza bien tiesa, como debe ir siempre todo celador, y, como fuera día de viento, a Oliver lo envolvían completamente los faldones de la casaca del señor Bumble, al abrirse y revelar para su mayor gloria un chaleco de solapas y unos calzones cortos de felpa parda. Mas, al acercarse a su destino, el señor Bumble estimó oportuno mirar hacia abajo y preocuparse de poner al muchacho presentable para la inspección de su nuevo amo, cosa que en efecto hizo con un apropiado y conveniente ademán de gracioso patronazgo.

–¡Oliver! –dijo el señor Bumble.

–Sí, señor –repuso Oliver con vocecita trémula.

–Quítate la gorra de los ojos y levanta la cabeza, hombre.

Aunque Oliver hizo al punto lo que le mandaban y se pasó enérgicamente el dorso de la mano que tenía libre por los ojos, se vio en ellos una lágrima cuando los levantó hacia quien le llevaba. Lágrima que fue deslizándose por la mejilla mientras el señor Bumble le miraba severamente. Siguió otra y luego otra. El niño hizo un gran esfuerzo, pero fue en vano. Soltó la otra mano de la del señor Bumble y con las dos se cubrió la cara y lloró hasta que las lágrimas brotaron por entre sus dedos delgados y esqueléticos.

–¡Vaya! –exclamó el señor Bumble, parándose en seco y lanzando una mirada malévola al encarguito que llevaba–. ¡Vaya! De *todos* los muchachos más desagradecidísimos y peor dispuestos que he visto en mi vida, tú eres, Oliver, el más...

–No, no, señor –sollozó Oliver, agarrándose a la mano que sostenía el bien conocido bastón–, no, no, señor; seré bueno, de verdad; de verdad, de verdad, señor. Soy muy pequeño, señor y estoy tan... tan...

–¿Tan qué? –preguntó el señor Bumble asombrado.

–¡Tan solo, señor! ¡Tan solito, señor! –gritaba el niño–. Todo el mundo me odia. Oh, señor, por favor, no, no se enfade conmigo.

Se golpeaba el niño el pecho y miraba a su acompañante en la cara con lágrimas de auténtica agonía.

Por unos segundos contempló el señor Bumble con un cierto asombro el lastimoso y desvalido aspecto de Oliver, carraspeó ásperamente tres o cuatro veces y, tras farfullar algo sobre aquella «molesta tos», ordenó a Oliver que se enjugara las lágrimas y fuera bueno y, volviendo a tomarle de la mano, continuó caminando con él en silencio.

El de la funeraria, que acababa de echar los cierres de la tienda, estaba anotando unas partidas en su diario a la luz de una vela lúgubre que ni pintiparada, cuando entró el señor Bumble.

—¡Ajá! —dijo el de la funeraria, levantando los ojos del libro y cortándose en mitad de una palabra—. ¿Es usted, Bumble?

—Y no otro, señor Sowerberry —repuso el celador—. Aquí estoy con el muchacho.

Oliver se inclinó.

—¡Ah! ¿Éste es el muchacho, eh? —dijo el de la funeraria, levantando la vela por encima de la cabeza para ver mejor a Oliver—. Señora Sowerberry, ¿eres tan amable de venir aquí un momento, querida?

La señora Sowerberry surgió de una exigua trastienda y exhibió la hechura de una mujer baja, flaca y exprimida con cara de arpía.

—Querida —dijo el señor Sowerberry respetuosamente—, este es el hospiciano del que te hablé.

Oliver volvió a inclinarse.

—¡Dios mío! —dijo la mujer del de la funeraria—. Es muy pequeño.

—Hombre, *es* bastante pequeño —replicó el señor Bumble, mirando a Oliver como si fuera culpa suya no ser mayor—. *Es* pequeño. No puede negarse. Pero ya crecerá, señora Sowerberry, ya crecerá.

—¡Oh! Seguro que sí —replicó la dama malhumorada—, con nuestra comida y bebida. No veo yo el ahorro de tener niños de la parroquia, no lo veo, pues siempre cuesta más mantenerlos que lo que valen. Pero los hombres creen que ellos saben más. ¡Venga! Baja para abajo, talego de huesos.

Y, así diciendo, abrió la mujer del de la funeraria una puerta lateral y empujó para abajo a Oliver por una empinada escalera hasta un sótano de piedra húmeda y oscura, antecámara de la carbonera y denominado «cocina», donde estaba sentada una desaseada muchacha con los tacones de los zapatos gastados y medias de estambre azules muy sin arreglo.

–Oye, Charlotte –dijo la señora Sowerberry, que había bajado tras Oliver–, da a este muchacho un poco de las sobras que estaban apartadas para Trip. No ha venido a casa desde por la mañana, así que bien puede pasarse sin ellas. Supongo que el muchacho no es tan fino como para no comerlas, ¿eh, muchacho?

Los ojos de Oliver se iluminaron al oír hablar de comida y, temblando de la ansiedad de devorarla, contestó que no y le pusieron delante un plato de groseras piltrafas.

Ojalá que un filósofo bien nutrido, cuya comida y bebida se le vuelven hiel en el estómago, cuya sangre es hielo y el corazón piedra, hubiera podido ver a Oliver aferrándose a los exquisitos manjares que el perro había desdeñado. Ojalá hubiera podido presenciar la horrible avidez con que Oliver desgarraba los trozos con toda la ferocidad de un muerto de hambre. Sólo hay una cosa que yo vería mejor: al dicho filósofo comiendo la misma comida con la misma fruición.

–Bueno –dijo la mujer del de la funeraria cuando Oliver hubo terminado de cenar, operación que había contemplado con silencioso horror y con temerosos presagios sobre su futuro apetito–, ¿terminaste?

Como no viera nada más comestible a su alcance, Oliver respondió que sí.

–Entonces, ven conmigo –dijo la señora Sowerberry, tomando un farol mugriento y de luz pálida y subiendo delante de él–; la cama la tienes debajo del mostrador.

Supongo que no te molestará dormir entre los ataúdes, ¿eh? Aunque poco importa que te moleste o no, pues no puedes dormir en otro sitio. ¡Venga, no me tengas aquí toda la noche!

Oliver no se demoró más y siguió dócilmente a su nueva ama.

Capítulo 5

Oliver se junta con nuevos compañeros.
Asiste por vez primera a un funeral
y adquiere una desfavorable idea
del negocio de su amo

Solo ya en la funeraria puso Oliver el farol en un banco de carpintero y miró tímidamente a su alrededor con un temor y aprensión que muchos mucho mayores que él entenderían perfectamente. Un ataúd sin terminar que estaba en medio de la tienda encima de unos caballetes negros parecía tan siniestro y sepulcral, que un escalofrío se apoderaba del muchacho cada vez que los ojos se le iban en dirección de aquel lúgubre objeto, del que casi esperaba ver erguir lentamente la cabeza a alguna espantosa criatura que le volviera loco de terror. Contra la pared se hallaban colocados en orden regular una larga fila de tableros de olmo cortados de la misma forma, que en la penumbra parecían fantasmas de altos hombros con las manos en los bolsillos de los calzones. Por el suelo yacían esparcidas chapas de ataúd, virutas de olmo, tachuelas de cabeza brillante y jirones de tela negra; y la pared detrás del mostrador estaba decorada con una realista representación de dos acompañaentierros a sueldo con sus corbatines bien almidonados y de servicio ante la puerta enorme de algún particular, mientras a lo lejos se acercaba un coche fúnebre tirado por cuatro corceles negros. La tienda estaba mal ventilada y caliente. El aire parecía corrompido por el olor de los ataúdes. Y el hueco bajo el mostrador en el que estaba encajado el colchón de borra de Oliver parecía un sepulcro.

Y no eran aquéllas todas las emociones tristes que deprimían a Oliver. Estaba solo en un lugar extraño, y todos sabemos cuán acobardado y desconsolado se siente a veces el más valiente de nosotros en semejante situación. El muchacho no tenía amigos en quienes pensar ni que pensaran en él. No le atribulaba el pensamiento la pena de ninguna reciente separación, y la ausencia de todo rostro querido y muy añorado se le hundía pesadamente en el corazón. Mas, a pesar de todo, *tenía* el corazón oprimido y deseó, al deslizarse dentro del exiguo lecho, que aquélla fuera su tumba y que pudiera yacer en un sueño tranquilo y duradero en el camposanto de la iglesia, con la hierba alta meciéndose suavemente sobre su cabeza y que los sones de la vieja y potente campana le sosegaran mientras dormía.

Por la mañana a Oliver le despertaron unas violentas patadas en la puerta de la tienda, patadas que antes de que pudiera malamente vestirse se repitieron airada e impetuosamente unas veinticinco veces. Cuando empezó a descorrer la cadena, pararon las piernas y empezó una voz.

—¡Abre la puerta, ¿quieres?! —gritó la voz del de las piernas que habían pateado en la puerta.

—En seguida, señor —repuso Oliver, descorriendo la cadena y dando la vuelta a la llave.

—Supongo que eres el muchacho nuevo, ¿eh? —dijo la voz por el ojo de la cerradura.

—Sí, señor —respondió Oliver.

—¿Cuántos años tienes? —preguntó la voz.

—Diez, señor —respondió Oliver.

—Entonces ya te arrearé cuando esté dentro —dijo la voz—; ya verás si sí o si no, ¡y basta ya, mocoso de hospicio!

Y tras hacer tan amable promesa, la voz se puso a silbar.

Oliver había estado expuesto demasiado a menudo a la experiencia a que se refería el muy expresivo tetrasílabo que acabamos de citar para albergar la mínima duda de que el dueño de la voz, quienquiera que fuese, cumpliera su promesa de la manera más honrosa. Con mano temblorosa descorrió los cerrojos y abrió la puerta.

En uno o dos segundos miró Oliver a un lado y a otro de la calle y también en frente, creyendo que el desconocido que le había hablado por el ojo de la cerradura se había alejado unos pasos para entrar en calor, pues no vio a nadie salvo a un acogido[1] alto sentado en un mojón delante de la casa y comiéndose una rebanada de pan con mantequilla, que cortaba con una navaja de muelle en cuñas tan grandes como su boca y con harta destreza las engullía.

–Perdone, señor –dijo Oliver por fin, viendo que ningún otro visitante se ofrecía a la vista–, ¿es usted quien llamó?

–El que dio patadas –repuso el acogido.

–¿Desea usted un ataúd? –preguntó inocentemente Oliver.

A esto el acogido puso una cara de monstruo feroz y dijo que Oliver necesitaría muy pronto una buena si gastaba bromas de aquéllas a sus superiores.

–Creo que no sabes quién soy, ¿eh, hospiciano? –continuó el acogido mientras se bajaba del poste con ejemplar gravedad.

–No, señor –contestó Oliver.

–Soy el señor Noah Claypole –dijo el acogido– y tú estás debajo de mí. ¡Baja los cierres, bribonazo holgazán!

---

1. Muchacho acogido a la beneficiencia pública en una especie de escuela (distinta del hospicio), de la que salía para trabajar fuera.

Y así diciendo administró a Oliver una patada y entró en la tienda con un brío que decía mucho de él. Difícil es que un mozo de cabeza gorda y ojos chicos, torpe hechura y semblante pesado parezca brioso en cualquier circunstancia, pero lo es más todavía cuando a dichos atractivos personales se añaden una nariz colorada y calzones amarillos.

Tras bajar los cierres y romper un cristal en sus esfuerzos por conseguir llegar tambaleándose bajo el peso del primero hasta un pequeño patio junto a la casa en el que durante el día se guardaban, recibió Oliver la graciosa cooperación de Noah, que, asegurándole para consolarle que ya «lo pagaría», condescendió a ayudarle. En seguida bajó el señor Sowerberry. Poco después apareció la señora Sowerberry. Tras «pagarlo», en cumplimiento de la predicción de Noah, Oliver siguió a este caballerete escaleras abajo para desayunar.

—Acércate a la lumbre, Noah —dijo Charlotte—. Te he guardao un buen trocito de tocino del desayuno del amo. Oliver, cierra la puerta detrás del señor Noah y coge los trozos que he colocao en la tapadera de la panera. Aquí tienes el té; llévatelo a aquella caja y bébetelo allí, y de prisa, pues haces falta pa cuidar la tienda. ¿Has oído?

—¿Has oído, hospiciano? —dijo Noah Claypole.

—¡Por Dios, Noah! —dijo Charlotte— ¡qué maniático eres! ¿Por qué no dejas al muchacho en paz?

—¿Dejarle en paz? —dijo Noah—. Pero si tó el mundo le deja en paz, y más que de sobra. Ni su padre ni su madre le molestarán nunca. Y tós sus parientes le dejan hacer lo que quiera, ¿eh, Charlotte? ¡Je, je, je!

—¡Ay, qué elemento estás hecho! —dijo Charlotte, soltando una sonora carcajada, a la que se unió Noah, y luego miraron desdeñosamente los dos al pobre Oliver

Twist, sentado tiritando en la caja en el rincón más frío del cuarto y comiendo los rancios bocados especialmente guardados para él.

Noah era un acogido, no un huérfano de hospicio. No era hijo del azar, pues podía rastrear toda su genealogía hasta sus padres, que vivían cerquita, la madre lavandera y el padre un soldado borracho, dado de baja con una pata de palo y una pensión diaria de dos peniques y medio más un pico inapreciable. Los mozuelos de las tiendas del vecindario solían desde hacía tiempo tildar a Noah en la vía pública con los ignominiosos epítetos de «cueros», «acogío» y otros por el estilo, y Noah lo aguantaba sin replicar. Pero ahora que la fortuna le ponía en su camino a un huérfano sin nombre a quien incluso los más humildes podían señalar con el dedo del menosprecio, se resarcía en él con creces. Esto ofrece un exquisito manjar para la reflexión. Nos muestra lo hermosa que puede llegar a hacerse la naturaleza humana y cuán imparcialmente se desarrollan las mismas amables cualidades en el señor más refinado y en el más sucio muchacho acogido a la beneficiencia pública.

Ya llevaba Oliver unas tres semanas o un mes en casa del de la funeraria. El señor Sowerberry y la señora Sowerberry estaban cenando en la salita trasera –la tienda estaba cerrada–, cuando el señor Sowerberry, tras varias miradas respetuosas a su mujer, dijo:

–Querida...

Iba a decir algo más, pero la señora Sowerberry levantó los ojos con una cara particularmente poco propicia y se cortó en seco.

–¿Qué? –dijo la señora Sowerberry acremente.

–Nada, querida, nada –dijo el señor Sowerberry.

–¡Pero qué animal eres! –dijo la señora Sowerberry.

–Nada de eso, querida –dijo el señor Sowerberry humildemente–. Creí que no querías oírlo, querida. Sólo iba a decirte que...

–¡Ah! No me digas lo que ibas a decir –le interrumpió la señora Sowerberry–. Yo no soy nadie, no me consultes, por favor. *Yo* no quiero entrometerme en tus secretos.

Dicho lo cual soltó una histérica carcajada anunciadora de consecuencias violentas.

–Pero, querida –dijo Sowerberry–, quiero pedirte consejo.

–No, no; no me pidas el mío –repuso la señora Sowerberry melindrosa–. Pídeselo a algún otro.

Y soltó otra carcajada histérica que asustó al señor Sowerberry sobremanera. Esta manera de tratarse es muy común y está muy aceptada en el matrimonio, y a menudo es eficacísima. En un instante redujo al señor Sowerberry a tener que pedir como favor especial el que se le permitiera decir lo que la señora Sowerberry estaba deseando oír. Tras un breve altercado de menos de tres cuartos de hora, se le concedió graciosísimamente el permiso.

–Es sólo acerca del joven Twist, querida –dijo el señor Sowerberry–. Muchacho de muy buena traza, querida.

–Ya puede, con lo que come –observó la señora.

–Tiene una expresión de melancolía en la cara, querida –prosiguió el señor Sowerberry–, que es muy interesante. Haría un acompañaentierros estupendo, amor mío.

La señora Sowerberry alzó los ojos con cara de mucho asombro; el señor Sowerberry lo notó y, sin dar tiempo a que la buena señora pudiera hacer observación alguna, continuó:

–No quiero decir acompañante de gente mayor, querida, sino sólo para servicio de niños. Sería una novedad tener un acompañaentierros que hiciera juego, querida. Puedes estar segura de que causaría un efecto estupendo.

A la señora Sowerberry, que tenía mucho gusto por todo lo funerario, le impresionó mucho la novedad de aquella idea, pero, como decirlo en aquellas circunstancias habría significado comprometer su dignidad, preguntó simplemente, con gran acritud, por qué una idea tan evidente no se le había ocurrido antes a su marido. El señor Sowerberry coligió que aquello significaba la aceptación de su propuesta y en consecuencia decidieron inmediatamente que había que iniciar en seguida a Oliver en los misterios de la profesión, y que, con este propósito, debería acompañar a su amo en la primera ocasión en que se requirieran sus servicios.

La ocasión no se hizo esperar mucho. A la mañana siguiente, media hora después del desayuno, el señor Bumble entraba en la tienda, apoyaba el bastón contra el mostrador, sacaba su enorme cartera de cuero y extraía de ella un trocito de papel que dio al señor Sowerberry.

–¡Ajá! –dijo el de la funeraria, echándole una ojeada con vivo semblante–. Un encargo de ataúd, ¿eh?

–De un ataúd primero y de un funeral porroquial después –repuso el señor Bumble, apretando la correa de la cartera de cuero, que, como él, era muy voluminosa.

–«Bayton» –dijo el de la funeraria, trasladando los ojos desde el trozo de papel hasta el señor Bumble–. Nunca he oído este nombre.

Bumble meneó la cabeza diciendo:

–Gente terca, señor Sowerberry, muy terca. Y orgullosa también, me temo, amigo mío.

–¿Orgullosa, eh? –exclamó el señor Sowerberry con una sonrisa burlona–. Vamos, no exagere.

–¡Oh! Es repugnante –replicó el celador–. Nasuabundo, señor Sowerberry.

–Así es –asintió el de la funeraria.

–Hasta anteanoche no oímos de la familia –dijo el celador–, y no habríamos sabido nada de ellos si no es por una mujer que vive en la misma casa, que solicitó al consejo parroquial que mandaran al cirujano de la parroquia a ver a una mujer que estaba muy mala. Él había salido a cenar, pero el aprendiz (un muchacho muy listo) les mandó alguna medicina en un frasco de betún, así sin más preparativos.

–Eso se llama rapidez –dijo el de la funeraria.

–Rapidez, sí, señor –repuso el celador–. Pero, ¿cuál es el resultado, cuál la desagradecida conducta de aquellos rebeldes, señor mío? Pues que el marido manda a decir que la medicina no vale para el achaque de su mujer... y que no la toma... ¡va y dice que no la toma, señor! Una medicina buena y fuerte, que se había dado con excelente resultado a dos peones irlandeses y a un carbonero sólo dos semanas antes... ¡Mandarles un frasco, gratis, y él va y manda a decir que no lo toma, señor mío!

Al representársele en la mente con toda intensidad aquella flagrante atrocidad, el señor Bumble dio un golpe seco con el bastón en el mostrador y enrojeció de ira.

–¡Vaya! –dijo el de la funeraria–. Yo... nunca...

–¡Usted nunca, señor! –profirió el celador–. No, ni usted ni nadie, pero ahora está muerta y tenemos que enterrarla, y ahí está la dirección, y cuanto antes se haga, mejor.

Y así diciendo el señor Bumble se puso el sombrero de tres picos, lo de delante para atrás en un acceso de excitación parroquial, y salió de la tienda echando chispas.

–Tanto se ha enfadado, que hasta se ha olvidado preguntar por ti, Oliver –dijo el señor Sowerberry, mirando cómo el celador se alejaba a grandes zancadas calle abajo.

–Sí, señor –repuso Oliver, que se había mantenido cuidadosamente fuera de la vista durante la conversación y que temblaba de los pies a la cabeza con sólo recordar el sonido de la voz del señor Bumble.

Empero, no tenía por qué molestarse en hurtarse a los ojos del señor Bumble, pues este funcionario, en quien había causado gran impresión el vaticinio del señor del chaleco blanco, pensaba que ahora que el de la funeraria tenía a Oliver a prueba era mejor evitar el asunto hasta que quedara firmemente ligado a él por siete años y se eliminara así, eficaz y legalmente, todo peligro de que fuera devuelto a las manos de la parroquia.

–Bueno –dijo el señor Sowerberry cogiendo el sombrero–, cuanto antes se haga el trabajo, mejor. Noah, encárgate de la tienda. Oliver, ponte la gorra y ven conmigo.

Oliver obedeció y siguió a su amo en su cometido profesional.

Caminaron algún tiempo por la zona más concurrida y más densamente poblada de la ciudad y, metiéndose luego por una calle más sucia y miserable que todas por las que hasta entonces habían pasado, se detuvieron a buscar la casa a la que iban. Las casas de ambos lados eran altas y anchas, pero muy viejas y ocupadas por gentes de las clases más pobres, como suficientemente indicaba su abandonada apariencia sin el suplementario testimonio que ofrecía el miserable semblante de los pocos hombres y mujeres que de vez en cuando pasaban fugazmente con los brazos cruzados y el cuerpo medio encorvado. Muchas de las viviendas tenían escaparates, pero estaban cerrados a cal y canto y desmoronándose, ya que sólo estaban habitados los pisos superiores. Unas enormes vigas de madera apuntaladas contra los muros y clavadas sólidamente en la calzada impedían que algunas casas que los años y el deterioro habían hecho inseguras se derrumbaran sobre la calle, pero incluso aquellos antros en ruinas parecían haber sido elegidos como nocturnas guaridas por algunos miserables sin techo, pues muchos de los bastos tableros que hacían oficio de puertas y ventanas habían sido arrancados de su sitio con el fin de facilitar una abertura lo bastante amplia para dejar paso a un cuerpo humano. El arroyo de la calle estaba lleno de agua estancada y sucia. En su podredumbre las mismas ratas mostraban la espantosa huella del hambre y sus cadáveres yacían aquí y allá descomponiéndose.

No había ni aldaba ni cadena de campanilla en la puerta abierta ante la que Oliver y su amo se detuvieron, así que, abriéndose camino a tientas y cautelosamente por el oscuro pasillo y ordenando a Oliver que le siguiera de cerca y no tuviera miedo, subió el de la funeraria hasta arriba del primer tramo de escaleras. Al tropezar con una puerta que había en el rellano, golpeó en ella con los nudillos.

La abrió una mocita de trece o catorce años. Inmediatamente el de la funeraria vio suficiente del interior de la habitación para saber que era la vivienda que se le había indicado. Entró y Oliver le siguió.

No había lumbre en el cuarto, pero había un hombre agachado maquinalmente ante la chimenea vacía. Y una vieja, que había acercado un taburete hasta el frío hogar, estaba sentada a su lado. En otro rincón había unos niños harapientos, y en un cubículo frente a la puerta yacía en el suelo algo cubierto con una manta vieja. Oliver sintió un escalofrío al dirigir los ojos hacia aquel lugar e inconscientemente se fue acercando hasta su amo, pues, aunque estaba tapado, el muchacho sintió que se trataba de un cadáver.

El rostro del hombre era flaco y muy pálido, el pelo y la barba entrecanos, y los ojos inyectados de sangre. La mujer tenía la cara arrugada, los dos dientes que le quedaban sobresalían sobre el labio inferior y sus ojos eran brillantes y penetrantes. Oliver sentía miedo de mirar al uno o a la otra: tan parecidos eran a las ratas que había visto fuera.

–Que nadie se acerque a ella –dijo el hombre, levántandose enfurecido al aproximarse el de la funeraria al cubículo–. ¡Atrás! ¡Atrás, maldito, si en algo tiene la vida!

–Déjese de tonterías, buen hombre –dijo el de la funeraria, que estaba muy acostumbrado a la desgracia en todas sus formas–. ¡Tonterías!

–Le digo –dijo el hombre, apretando los puños y pateando furiosamente en el suelo–, le digo que no dejaré que la metan en tierra. No descansaría. Los gusanos la molestarían... no se la comerían... consumida como está ya.

El de la funeraria no dio respuesta alguna a aquel desvarío, sino que, sacando una cinta de medir del bolsillo, se arrodilló un momento junto al cadáver.

–¡Ah! –dijo el hombre, rompiendo a llorar e hincándose de hinojos a los pies de la difunta–, arrodillaos, arrodillaos... arrodillaos todos vosotros a su alrededor y escuchad bien lo que os digo. Y digo que la han matado de hambre. No me enteré de lo mal que estaba hasta que le entró la fiebre, y entonces los huesos se le salían por la piel. No había ni lumbre ni vela y murió a oscuras... ¡a oscuras! No pudo ni ver la cara de sus hijos, aunque la oímos pronunciar sus nombres entre resuellos. Fui a pedir por las calles para ella y me metieron en la cárcel. Cuando volví estaba muriéndose y se me ha secado toda la sangre del corazón, pues la han matado de hambre. ¡Lo juro por Dios que lo ha visto! ¡La han matado de hambre!

Hundió las manos en los cabellos y, con un potente alarido, cayó y se revolcó por el suelo, con los ojos crispados y los labios llenos de espumarajos.

Aterrorizados, los niños empezaron a llorar amargamente, pero la vieja, que hasta entonces había permanecido tan serena como si hubiera estado completamente sorda a todo lo que sucedía, los amenazó para que se callaran. Desató el corbatín del hombre, que seguía tendido en el suelo, y llegó tambaleándose hasta el de la funeraria.

—Era mi hija —dijo la vieja, señalando con la cabeza en dirección del cadáver y hablando con una idiota mirada de soslayo, más espantosa incluso que la presencia de la muerte en tal lugar—. ¡Señor, señor! Sí que *es* extraño que yo, que la di a luz y era entonces una mujerona, esté ahora viva y contenta y ella tendida ahí tan fría y tiesa. ¡Señor, señor...! Cuando pienso en ello... es mejor que una comedia... ¡mejor que una comedia!

La desgraciada mujer mascullaba aquello y reía entre dientes, presa de espantosa alegría, cuando el de la funeraria se dio la vuelta para marchar.

—¡Alto, alto! —dijo la vieja en un fuerte susurro—. ¿La enterrarán mañana, o pasado, o esta tarde? Ya la he amortajado y yo tengo que ir caminando, sabe usted. Mándeme una capa grande, buena y calentita, que hace un frío que pela. Y también tendríamos que comer bollo y vino antes de salir. No importa, mande un poco de pan... sólo un pan y un vaso de agua. ¿Nos mandará un poco de pan, querido? —dijo impacientemente, agarrando por la levita al de la funeraria, que otra vez se movía hacia la puerta.

—Sí, sí, por supuesto —dijo el de la funeraria—. ¡Lo que quieran!

Se desasió de la garra de la vieja y, tirando de Oliver, se marchó a toda prisa.

Al día siguiente (mientras tanto se había socorrido a la familia con dos libras de pan y un trozo de queso que les llevó el mismísimo señor Bumble) Oliver y su amo volvieron a la mísera vivienda, donde ya se hallaba el señor Bumble acompañado de cuatro hombres del hospicio que iban a cargar con el ataúd. Sobre los harapos de la vieja y del hombre habían echado una capa negra y vieja y, una vez que el sobrio ataúd estuvo clavado, los portadores se lo echaron a hombros y lo sacaron a la calle.

–Venga, tiene usted que mover las piernas lo más de prisa que pueda, abuela –susurró Sowerberry al oído de la vieja–; vamos un poco tarde y no conviene tener esperando al pastor. Adelante, muchachos... tan de prisa como podáis.

Con estas órdenes trotaban los cuatro hombres bajo la ligera carga y los dos dolientes se mantenían tan cerca de ellos como podían. El señor Bumble y Sowerberry caminaban en cabeza con buen paso y Oliver, de piernas no tan largas como las de su amo, corría a su lado.

No era necesario, empero, correr tanto como el señor Sowerberry había anunciado, pues, cuando llegaron al sombrío rincón del camposanto tras la iglesia, en el que crecían las ortigas y se cavaban las sepulturas de la parroquia, el pastor no había llegado y el sacristán, que estaba sentado al fuego en la sacristía, parecía pensar que no era en absoluto improbable que pudiera pasar una hora o cosa así antes de que llegara. De modo que dejaron el féretro al borde del hoyo y los dos dolientes esperaron pacientemente en la tierra mojada bajo la llovizna fría que caía, mientras los andrajosos muchachos que el espectáculo había atraído al cementerio jugaban bulliciosamente al escondite por entre las lápidas o, para cambiar de diversión, saltaban por encima del ataúd para adelante y para atrás. Amigos personales del sacristán, el señor Sowerberry y Bumble se sentaron con él a la lumbre a leer el periódico.

Al cabo, después de transcurrida una hora larga, allí vierais al señor Bumble, a Sowerberry y al sacristán corriendo hacia la sepultura. Inmediatamente después apareció el pastor poniéndose el roquete por el camino. Luego el señor Bumble dio unos meneos a uno o dos muchachos para guardar las apariencias y el reverendo, tras leer todo lo que del oficio fúnebre pudo comprimir en cuatro minutos, dio el roquete al sacristán y volvió a marcharse.

–¡Venga, Bill! –dijo Sowerberry al enterrador–. ¡Llénalo!

No fue ardua tarea, pues el hoyo estaba tan lleno, que el ataúd de arriba quedaba a pocos pies de la superficie. Paleó la tierra el enterrador, la pisoteó un poco con los pies, se echó la pala al hombro y se marchó de allí seguido por los muchachos, que se quejaban en voz alta de lo pronto que se les había acabado la juerga.

–¡Vamos, buen hombre! –dijo Bumble, dando una palmadita al hombre en la espalda–. Quieren cerrar el cementerio.

El hombre, que había permanecido completamente inmóvil desde que se plantara al borde de la tumba, se sobresaltó, levantó la cabeza, miró fijamente a quien le hablaba, avanzó unos pasos y se desplomó desvanecido. La vieja loca estaba demasiado ocupada llorando la pérdida de la capa (que el de la funeraria le había quitado) para prestarle atención alguna, así que le echaron encima una lata de agua fría y, cuando volvió en sí, lo acompañaron sin más contratiempos hasta fuera del camposanto, cerraron la puerta y se marchó cada cual por su camino.

–Bueno, Oliver –dijo Sowerberry de vuelta a casa–, ¿Te gusta esto?

–Bastante; gracias, señor –respondió Oliver con harta vacilación–. No mucho, señor.

–¡Oh! Ya te acostumbrarás con el tiempo, Oliver –dijo Sowerberry–. No es nada cuando te *acostumbras* a ello, mocito.

Oliver se preguntó para sus adentros si el señor Sowerberry había tardado mucho tiempo en acostumbrarse a ello. Pero pensó que era mejor no hacer aquella pregunta y regresó a la tienda, cavilando sobre lo que había visto y oído.

Capítulo 6

Picado por las pullas de Noah, reacciona Oliver y le deja patidifuso

Transcurrido el mes de prueba, pasó Oliver a ser aprendiz de manera oficial. Esto coincidió con una época bastante propicia a la enfermedad. En jerga comercial los ataúdes estaban trabajándose bien y en el plazo de pocas semanas Oliver adquirió mucha experiencia. El éxito de la ingeniosa premonición del señor Sowerberry sobrepasaba incluso sus más optimistas esperanzas. Los vecinos más viejos no recordaban un periodo en el que el sarampión hubiera estado tan extendido o fuera tan funesto para la vida de los niños, y muchos fueron los cortejos fúnebres que encabezó el pequeño Oliver con una cinta en el sombrero que le llegaba hasta las rodillas, ante la indescriptible admiración y emoción de todas las madres de la ciudad. Como Oliver acompañaba también a su amo en casi todas sus visitas a personas mayores, con el fin de que adquiriera aquella ecuanimidad de presencia y pleno dominio de los nervios que tan esenciales son en el perfecto encargado de funeraria, tuvo muchas ocasiones de observar la formidable resignación y entereza con que alguna gente resuelta sufre calamidades y pérdidas.

Por ejemplo, en aquellas ocasiones en que Sowerberry se encargaba del entierro de alguna anciana o anciano ricos, a quienes rodeaba una caterva de sobrinos y sobrinas que se habían mostrado totalmente inconsolables durante la enfermedad previa y cuya congoja había sido absolutamente incontenible incluso en las ocasiones más concurridas, pero que entre ellos estaban todo lo contentos que pueda estarse..., totalmente felices y satisfechos..., entreteniéndose juntos con tanta desenvoltura y alegría como si no hubiera sucedido nada que pudiera preocuparlos. También los maridos sufrían la pérdida de sus esposas con la más heroica serenidad. Y las esposas, lejos de afligirse en el atuendo del pesar, se ponían de luto por sus maridos como con intención de hacerlo todo lo favorecedor y atractivo que fuera posible. Podía observarse igualmente que las damas y caballeros que sufrían arrebatos de angustia durante la ceremonia del sepelio se recuperaban casi en el mismo momento de volver a casa y se restablecían completamente antes de terminar de tomar el té. Todo esto era muy agradable y edificante de ver y Oliver lo contemplaba con gran admiración.

Aunque soy su biógrafo, no puedo comprometerme a afirmar con ninguna certeza que el ejemplo de aquella buena gente indujera a Oliver Twist a la resignación, pero puedo decir sin equivocarme que durante muchos meses continuó sufriendo dócilmente el yugo y los malos tratos de Noah Claypole, que lo trataba mucho peor que antes, ahora que le picaba la envidia de ver al nuevo chico ascendido al bastón negro y a la cinta en el sombrero, mientras que él, el veterano, seguía sin moverse con el gorro mantecada y los cueros de acogido. Charlotte le trataba mal porque Noah le trataba mal, y la señora Sowerberry era su enemiga declarada porque el señor Sowerberry se mostraba dispuesto a ser su amigo, de modo que, entre aquellos tres por un lado y un atracón de funerales por otro, Oliver no se hallaba en general mejor que aquel cerdo hambriento que, por error, quedó encerrado en el cuarto del grano de una cervecería.

Y llego ya a un importantísimo episodio de la historia de Oliver, pues debo hacer constar un hecho, en apariencia quizá banal y sin importancia, pero que indirectamente produjo un cambio trascendental para todas sus perspectivas y acciones futuras.

Cierto día Oliver y Noah bajaron a la cocina a la hora habitual de comer para regalarse con una tajadita de cordero –libra y media de la peor parte del pescuezo–, y Charlotte no estaba de por medio porque la habían llamado, cuando se siguió un breve intervalo que Noah Claypole, hambriento y malicioso, consideró que de ninguna manera podía dedicar a mejor cosa que a zaherir y atormentar al pequeño Oliver Twist.

Empeñado en tan inocente diversión, puso Noah los pies encima del mantel, tiró a Oliver de los pelos y le retorció las orejas, manifestó su opinión de que era un «chivato», más aún: declaró su intención de ir a ver cómo le ahorcaban, cuandoquiera que tuviera lugar tan deseable acontecimiento, y se puso a decir otras cuantas cosas por fastidiar, como muchacho acogido, malicioso y desabrido que era. Mas como ninguna de aquellas pullas produjera el deseado efecto de hacer llorar a Oliver, trató Noah de mostrarse más gracioso todavía y en tal intento hizo lo que muchos bromistas de muchísima más categoría que Noah hacen a veces incluso en nuestros días cuando quieren hacer gracia. Empezó a atacarle personalmente.

–Hospiciano –dijo Noah–, ¿y tu madre?

–Está muerta –repuso Oliver–. ¡No digas nada de ella delante de mí!

A Oliver se le subió el color al decir aquello, se le aceleró la respiración, y la boca y la nariz empezaron a vibrarle de manera un tanto curiosa, cosas que el señor Claypole interpretó como inmediatas precursoras de un violento ataque de llanto. Con esta idea volvió a la carga.

–¿De qué murió, hospiciano? –dijo Noah.

–De pena, según me dijeron algunas de las viejas que nos cuidaban –respondió Oliver, más hablándose a sí mismo que respondiendo a Noah–. Creo que sé lo que debe de ser morirse de eso.

–Tra-la-lá, la-rá, la-rá, la-rí, la-ró, hospiciano –dijo Noah mientras una lágrima corría por la mejilla de Oliver–. ¿Por qué te pones a yoriquear ahora?

–No por *ti* –replicó Oliver, apresurándose a limpiarse la lágrima–. No lo pienses.

–¡Ah! No por mí, ¿eh? –dijo Noah con sonrisa burlona.

–No, no por ti –repuso Oliver acremente–. Bueno, ya basta. No vuelvas a mentarla, ¡será mejor para ti!

–¡Mejor para mí! –exclamó Noah–. ¡Bueno! ¡Mejor para mí! No tengas tantos humos, hospiciano. ¡*Tu* madre también! Era bonita, ¿eh? ¡Ay, Señor!

Y aquí Noah meneó la cabeza elocuentemente y arrugó su naricilla colorada todo lo que sus músculos le permitían para aquella circunstancia.

–Mira, hospiciano –prosiguió Noah, envalentonado por el silencio de Oliver y hablando con un tono burlón de lástima afectada, tono enojoso si los hay–. Mira, hospiciano, ahora ya no tiene remedio y por supuesto tú no pudiste hacer ná entonces y yo lo siento mucho, y estoy seguro de que tós nosotros lo sentimos mucho y nos das mucha lástima. Pero debes saber, hospiciano, que tu madre era una auténtica tipa de cuidao de la cabeza a los pies.

–¿Qué dices? –preguntó Oliver alzando los ojos rápidamente.

–Una auténtica tipa de cuidao de la cabeza a los pies, hospiciano –repuso Noah fríamente–. Y tanto mejor que muriera cuando murió, porque si no, ahora estaría a trabajos forzaos en Bridewell[1], o la habrían deportao o ahorcao, que es más probable que las otras dos cosas, ¿no?

Rojo de furia dio Oliver un salto, tiró la silla y la mesa, agarró a Noah por el cuello, presa de la violencia de su ira lo zarandeó hasta que los dientes le castañeteaban en la boca y, reuniendo todas sus fuerzas en un fuerte puñetazo, lo derribó al suelo.

Un minuto antes el muchacho parecía la criatura callada, apacible y abatida que el duro trato había hecho de él. Pero por fin se le animó el espíritu: el cruel insulto a su difunta madre le había encendido la sangre. Agitado el pecho, erguido el ademán, la mirada brillante y viva, toda su persona alterada, se quedó mirando al cobarde torturador que ahora yacía acurrucado a sus pies y desafiándolo con una energía que nunca había sentido.

–¡Que me mata! –gimoteaba Noah–. ¡Charlotte! ¡Ama! ¡Que el nuevo me está matando! ¡Socorro! ¡Socorro! ¡Oliver se ha vuelto loco! ¡Char-lo-tte!

Los gritos de Noah recibieron como respuesta un fuerte chillido de Charlotte y uno aún más fuerte de la señora Sowerberry, la primera de las cuales se precipitó en la cocina por una puerta lateral, mientras la otra esperó en la escalera hasta asegurarse de que bajar más era congruente con la conservación de la vida humana.

–¡Ah, pillastre! –gritó Charlotte agarrando a Oliver con todas sus fuerzas, que eran casi iguales que las de un hombre medianamente fuerte y bien entrenado–. ¡Ah, de-sa-gra-de-ci-do, a-se-si-no, in-so-por-ta-ble gra-nu-ja!

Y entre cada sílaba Charlotte daba a Oliver un golpe con todas sus fuerzas, acompañándolo con un grito para beneficio de la concurrencia.

---

1. Antiguo hospicio de St. Bride's Well, luego prisión.

El puño de Charlotte no era liviano en modo alguno, pero, no fuera a resultar insuficiente para calmar las iras de Oliver, la señora Sowerberry se precipitó en la cocina y ayudó a agarrarlo con una mano mientras le arañaba la cara con la otra. En este favorable estado de cosas Noah se levantó del suelo y le aporreó por detrás.

Era aquel ejercicio excesivamente violento para durar mucho. Cuando todos estaban agotados y no podían ni herir ni pegar más, arrastraron a Oliver, que forcejeaba y gritaba sin el menor desaliento, al sotanillo de la basura y allí lo encerraron. Hecho lo cual la señora Sowerberry se hundió en una silla y rompió a llorar.

—¡Pobrecilla, que se desmaya! —dijo Charlotte—. Un vaso de agua, Noah, querido. ¡De prisa!

—¡Ay, Charlotte! —dijo la señora Sowerberry hablando como mejor podía por faltarle la respiración y sobrarle el agua que Noah le había vertido sobre la cabeza y los hombros—. ¡Ay, Charlotte, qué suerte la nuestra, que no nos ha matado a todos mientras dormíamos!

—¡Ay, suerte de verdad, señora! —fue la respuesta—. Sólo espero que con esto el amo aprenda a no coger a más criaturas horribles de éstas, que nacen para ser asesinos y ladrones ya desde la cuna misma. ¡Pobre Noah! Ya casi lo había matado cuando yo llegué, señora.

—¡Pobre chico! —dijo la señora Sowerberry mirando compasivamente al acogido.

Noah, a quien la coronilla de Oliver llegaba más o menos al botón más alto del chaleco, se restregó los ojos con la parte interna de las muñecas mientras se le hacían aquellas lástimas y ejecutó unas lágrimas y gemidos conmovedores.

—¿Qué podemos hacer? —exclamó la señora Sowerberry—. El amo no está aquí, no hay ningún hombre en casa y en diez minutos ése habrá tirado la puerta a patadas.

Los enérgicos taconazos de Oliver contra el trozo de madera en cuestión hacían muy probable que tal cosa ocurriera.

–¡Ay, ay, ay! No sé, señora –dijo Charlotte–, a menos que mandemos llamar a la policía.

–O al ecérjito –sugirió el señor Claypole.

–No, no –dijo la señora Sowerberry acordándose del viejo amigo de Oliver–. Corre al señor Bumble, Noah, y dile que venga en seguida. ¡No te preocupes por la gorra! ¡De prisa! Puedes apretarte el ojo amoratado con una navaja según vas corriendo. Así no se te hinchará.

Noah no se detuvo a responder sino que echó a correr a toda velocidad y mucho fue lo que asombró a los viandantes ver a un acogido a galope tendido por las calles sin gorra en la cabeza y con una navaja de muelle en un ojo.

Capítulo 7

Continúa Oliver mostrándose rebelde

Corrió Noah Claypole por las calles al paso más rápido que pudo, sin pararse a respirar ni una vez hasta que llegó a la puerta del hospicio. Tras descansar allí cosa de un minuto para preparar un buen golpe de sollozos y un imponente aparato de lágrimas y terror, llamó fuerte en el postigo y puso cara tan pesarosa al viejo pobre que la abrió, que hasta él, que en el mejor de los casos no veía más que caras pesarosas a su alrededor, retrocedió estupefacto.

–Pero, ¿qué pasa, muchacho? –dijo el viejo indigente.

–¡Señor Bumble, señor Bumble! –gritó Noah con bien fingido espanto y con voces tan altas y agitadas, que no sólo llegaron a oídos del señor Bumble, que por casualidad estaba muy cerca de allí, sino que también le alarmaron tanto, que se precipitó al patio sin su sombrero de tres picos, cosa curiosísima y notable, pues muestra que incluso a un celador, movido por un impulso súbito y poderoso, puede aquejarle un momentáneo padecimiento de pérdida de autodominio y olvido de dignidad personal–. ¡Ay, señor Bumble! –dijo Noah–. Oliver, señor... Oliver se ha...

–¿Qué, qué? –le interrumpió el señor Bumble con un destello de gusto en sus metálicos ojos–. No... no se habrá escapado, ¿eh, Noah?

–No, señor, no. No se ha escapao, señor, pero se ha vuelto rabioso –replicó Noah–. Intentó matarme, señor, y luego intentó matar a Charlotte y al ama. ¡Oh, qué dolor más horrible! ¡Qué tortura, por favor, señor!

Y entonces Noah torció y retorció el cuerpo en una amplia gama de posturas como de anguila, dando así a entender al señor Bumble que el violento y sanguinario ataque de Oliver Twist le había producido serias lesiones y daños internos que en aquel momento le producían los más agudos tormentos.

Cuando Noah vio que la noticia que comunicaba al señor Bumble le paralizaba totalmente, le echó un poco más de efecto a la cosa lamentándose de sus heridas diez veces más alto que antes y, cuando vio a un señor de chaleco blanco atravesando el patio, se puso todavía más trágico en sus quejas, imaginando con razón que era sumamente oportuno llamar la atención y provocar la indignación del mencionado señor.

La atención del señor quedó bien llamada, pues no había dado tres pasos cuando se volvió enojado y preguntó por qué berreaba aquel granuja y por qué el señor Bumble no le obsequiaba con algo que hiciera de aquella serie de orales exclamaciones, como las llamó, un acto involuntario.

–Es un pobre chico de la escuela gratuita, señor –replicó el señor Bumble–, que acaba de escapar de la muerte, lo que se dice escapar, señor, a manos del pequeño Twist.

–¡Por Júpiter! –exclamó el señor del chaleco blanco, quedándose parado–. ¡Lo sabía! Desde el primer momento tuve el extraño presentimiento de que ese atrevido pequeño salvaje acabaría ahorcado.

–También intentó matar a la criada, señor –dijo el señor Bumble con una cara de palidez cenicienta.

–Y al ama –añadió Claypole.

–Y a su amo también, creo que dijiste, ¿eh, Noah? –añadió el señor Bumble.

–No, está fuera, que si no, lo habría matao –repuso Noah–. Dijo que quería matarlo.

–¡Oh! ¿Dijo que quería matarlo, muchacho? –preguntó el señor del chaleco blanco.

–Sí, señor –contestó Noah–. Y, por favor, señor, el ama quiere saber si el señor Bumble tiene tiempo disponible para acercarse inmediatamente y zurrarle... porque el amo está fuera.

–Por seguro, muchacho, por seguro –dijo el señor del chaleco blanco sonriendo benignamente y dando a Noah unas palmaditas en la cabeza, que sobresalía unas tres pulgadas por encima de la suya–. Tú eres un buen chico... un chico muy bueno. Toma, un penique. Bumble, acérquese a casa de Sowerberry con el bastón y vea qué es lo mejor que puede hacerse. No se apiade de él, Bumble.

–No, señor, no –replicó el celador ajustando el bramante encerado que llevaba enroscado en el extremo del bastón para necesidades de flagelación parroquial.

–Diga a Sowerberry que no se apiade de él tampoco. Nunca sacarán nada de él sin latigazos ni cardenales –dijo el señor del chaleco blanco.

–Me ocuparé de ello –replicó el celador.

Y, habiéndose ajustado el sombrero de tres picos y el bastón a su gusto, el señor Bumble y Noah Claypole se dirigieron a toda prisa a la funeraria.

El estado de cosas no había mejorado en nada. Sowerberry no había vuelto todavía y Oliver seguía dando patadas a la puerta de la bodega con no disminuida energía. Los pormenores de su ferocidad, según los narraron la señora Sowerberry y Charlotte, eran de tan alarmante naturaleza, que el señor Bumble juzgó prudente parlamentar antes de abrir la puerta. Con tal propósito dio una patada por fuera como preludio y luego, acercando los labios al ojo de la cerradura, dijo en voz baja e impresionante:

–¡Oliver!

–¡Venga, déjenme salir! –repuso Oliver desde dentro.

–¿Conoces la voz que te habla, Oliver? –dijo el señor Bumble.

–Sí –repuso Oliver.

–¿Y no te inspira miedo, jovencito? ¿No estás temblando de oírme hablar, amiguito? –dijo el señor Bumble.

–¡No! –respondió Oliver valientemente.

Aquella respuesta tan distinta de la que esperaba obtener y solía recibir desconcertó no poco al señor Bumble. Se apartó unos pasos del ojo de la cerradura, se estiró todo lo que daba de sí y miró uno tras otro a los tres presentes en silenciosa perplejidad.

–Oh, señor Bumble, mire que debe de estar loco –dijo la señora Sowerberry–. Ningún muchacho en su sano juicio se atrevería a hablarle a usted así.

–No es locura, señora –repuso el señor Bumble tras unos instantes de profunda reflexión–; es comida.

–¿Cómo? –exclamó la señora Sowerberry.

–Comida, señora, comida –replicó Bumble con firme insistencia–. Usted le ha dado de comer en demasía. Usted ha suscitado en él un alma y espíritu artificiales, señora, que no convienen a una persona de su condición, como le diría la junta, formada de filósofos prácticos, señora Sowerberry. ¿Qué tienen que ver los pobres con el alma o el espíritu? Ya es bastante que les dejemos tener cuerpos vivos. Si usted hubiera mantenido al muchacho con gachas, esto nunca habría ocurrido, señora.

–¡Ay, ay, ay! –exclamó la señora Sowerberry alzando piadosamente los ojos hasta el techo de la cocina–. ¡Esto me pasa por generosa!

La generosidad de la señora Sowerberry para con Oliver había consistido en dispensarle pródigamente todas las sucias sobras que nadie habría comido, de modo que mostró gran mansedumbre y abnegación permaneciendo voluntariamente bajo la pesada acusación del señor Bumble, de la cual, para hacerle justicia, era totalmente inocente y pura en pensamiento, palabra u obra.

–¡Ah! –dijo el señor Bumble cuando la señora volvió a bajar los ojos a la tierra–. La única cosa que a mi entender puede hacerse ahora es dejarlo en el sotanillo un día o así hasta que el hambre le calme un poco y luego sacarle y mantenerle con gachas todo el tiempo que esté de aprendiz. Viene de mala familia. ¡Gente excitable, señora Sowerberry! Tanto el médico como la enfermera dijeron que su madre consiguió llegar aquí a pesar de obstáculos y dolores que habrían matado semanas antes a cualquier mujer bien dispuesta.

En aquel punto del discurso del señor Bumble, Oliver, habiendo oído lo bastante para saber que se volvía a aludir a su madre, reanudó las patadas con una violencia que hacía inaudible cualquier otro sonido. En aquella coyuntura regresó Sowerberry. Habiéndosele explicado el delito de Oliver con tantas exageraciones como las señoras consideraron apropiado para despertar sus iras, abrió la puerta del sotanillo en un abrir y cerrar de ojos y sacó a rastras a su rebelde aprendiz por el cuello de la camisa.

Las ropas de Oliver habían resultado desgarradas en la paliza que recibiera, la cara amoratada y arañada, y el pelo revuelto sobre la frente. Con todo, el sofoco de la indignación no había desaparecido y, cuando lo sacaron de su encierro, miró valientemente a Noah frunciendo el entrecejo y sin muestras de desánimo ninguno.

–Y bien, tú eres un buen muchacho, ¿no? –dijo Sowerberry dando a Oliver un meneo y un bofetón en la oreja.

–Llamó cosas a mi madre –repuso Oliver.

–Bueno, ¿y qué si lo hizo, pillastre desagradecido? –dijo la señora Sowerberry–. Bien merece lo que dijo y peor.

–No lo merece –dijo Oliver.

–Sí lo merece –dijo la señora Sowerberry.

–Es mentira –dijo Oliver.

La señora Sowerberry prorrumpió en un mar de lágrimas.

Aquel mar de lágrimas dejó al señor Sowerberry sin otra alternativa. Si hubiera vacilado un instante en castigar a Oliver severísimamente, cualquier lector experimentado entendería perfectamente que, de conformidad con todos los precedentes sentados en disputas matrimoniales, habría sido un animal, un marido desnaturalizado, una ultrajante persona, una vil imitación de hombre y varias otras agradables referencias demasiado numerosas para recogerlas en los límites de este capítulo. Cabe decir en toda justicia que, en la medida de sus poderes –que no eran muy amplios–, mostraba buena disposición hacia el muchacho, tal vez porque redundaba en su propio interés, o quizá porque a su mujer le caía mal. Mas el mar de lágrimas no le dejaba otro recurso, así que en el acto le dio una zurra que satisfizo incluso a la señora Sowerberry e hizo bastante innecesaria la subsiguiente utilización del bastón parroquial del señor Bumble. Durante el resto del día lo dejaron castigado en la trascocina en compañía de la bomba del agua y una rebanada de pan, y a la noche la señora Sowerberry, tras hacer algunas observaciones desde detrás de la puerta, en absoluto enaltecedoras de la memoria de su madre, se asomó a la habitación y, entre las burlas de Noah y Charlotte, que le señalaban con el dedo, le ordenó subir a su triste lecho.

Hasta que no se encontró solo en el silencio y quietud del tétrico taller de la funeraria no pudo Oliver desahogarse de las emociones que bien puede suponerse suscitó el tratamiento de aquel día en un simple muchacho. Había escuchado sus pullas con una mirada de desprecio y había aguantado el azote sin un grito, pues sentía que el corazón se le henchía con un orgullo que habría contenido un chillido hasta el final aunque le hubieran quemado vivo. Pero ahora que no había nadie que pudiera verle u oírle, cayó de rodillas en el suelo y, cubriéndose la cara con las manos, lloró lágrimas que –Dios lo quiera para mayor honra de nuestra naturaleza– pocos tan jóvenes podrán jamás tener razones para derramar ante Él.

Por largo rato permaneció Oliver inmóvil en aquella postura. La vela ardía en su arandela cuando se puso en pie. Tras mirar cautelosamente a su alrededor y escuchar atentamente, corrió despacito los cerrojos de la puerta y se asomó al exterior.

Era una noche fría y oscura. A los ojos del muchacho las estrellas parecían más alejadas de la tierra que nunca, no hacía viento y las oscuras sombras que los árboles proyectaban sobre el suelo parecían sepulcrales y macabras de tan quietas. Volvió a cerrar la puerta sigilosamente. Aprovechando la moribunda luz de la vela, envolvió en un pañuelo las pocas prendas de ropa que tenía y se sentó en un banco a esperar el amanecer.

Con los primeros rayos de luz que se filtraban penosamente por las rendijas de los cierres, Oliver se levantó y volvió a desatrancar la puerta. Una tímida mirada alrededor…, un instante de duda… y ya la había cerrado y se hallaba en plena calle.

Miró a derecha e izquierda, no sabiendo por dónde huir. Recordó haber visto a los carros subiendo trabajosamente la cuesta cuando salían. Tomó el mismo rumbo y, llegado a un sendero por los campos que sabía volvía a la carretera tras un cierto trecho, echó por él y continuó adelante apresuradamente.

Oliver recordaba bien que por aquel mismo sendero había ido trotando al lado del señor Bumble cuando por vez primera lo llevó al hospicio desde la granja. Aquel camino llevaba directamente frente a la casa. El corazón le latió de prisa cuando se dio cuenta de aquello y medio decidió volverse. Pero había hecho un largo trecho y perdería mucho tiempo si así hacía. Además, era tan temprano, que poco temor había de que le vieran, de modo que siguó adelante.

Llegó a la casa. No había indicios de que sus ocupantes estuvieran levantados a hora tan temprana. Oliver se detuvo y se asomó al jardín. Un niño estaba desherbando uno de los pequeños bancales; cuando paraba, levantaba su cara pálida y revelaba las facciones de uno de sus antiguos compañeros. Oliver se alegró de verlo antes de marcharse, pues, aunque más pequeño, había sido amiguito y compañero de juegos suyo. Muchas y muchas veces les habían pegado y dejado sin comer y encerrado juntos.

–¡Chist, Dick! –dijo Oliver y ya corría el chiquillo hasta la puerta y metía su delgado brazo por entre los barrotes para saludarlo–. ¿Hay alguien levantado?

–Sólo yo –respondió el niño.

–No debes decir que me has visto, Dick –dijo Oliver–. Me he escapado. Me pegan y maltratan, Dick, y me voy a buscar fortuna en algún sitio lejos de aquí, no sé dónde. ¡Qué pálido estás!

–He oído al médico decirles que me estoy muriendo –replicó el niño con tenue sonrisa–. Estoy muy contento de verte, amigo, pero no te detengas, no te detengas.

–Sí, sí, me detengo para decirte adiós –replicó Oliver–. Volveré a verte, Dick. Seguro que sí. ¡Que te vaya bien y seas feliz!

–Eso espero –replicó el niño–. Después de muerto, no antes. Sé que el médico debe de tener razón, Oliver, porque sueño mucho con el cielo y con ángeles y caras bondadosas que nunca veo cuando estoy despierto. Bésame –dijo el niño aupándose sobre la puerta, que era baja, y echando los brazos alrededor del cuello de Oliver–. ¡Adiós, amigo! ¡Que Dios te bendiga!

La bendición venía de labios de un niño pequeño, pero era la primera que Oliver oía invocar sobre su cabeza y, a través de todas los combates y sufrimientos y dificultades y vicisitudes de su vida posterior, nunca la olvidó.

Capítulo 8

Camina Oliver a Londres y se encuentra por el camino con una extraña especie de señorito

Llegó Oliver a la escalerilla de la cerca donde terminaba el sendero y volvió a ganar el camino real. Eran ya las ocho. Aunque se hallaba a unas cinco millas de la ciudad, hasta el mediodía fue ya corriendo ya escondiéndose tras los setos por miedo de que pudieran seguirlo y darle alcance. Luego se sentó a descansar junto a un mojón y se puso a pensar, por vez primera, dónde sería mejor ir e intentar vivir.

El mojón junto al que estaba sentado ostentaba en grandes caracteres la indicación de que había exactamente setenta millas desde aquel punto hasta Londres. Aquel nombre suscitó un nuevo hilo de ideas en la mente del muchacho. Londres... ¡Aquel lugar grande y magnífico...! Nadie..., ni el mismo señor Bumble..., podría encontrarle jamás allí. Y además a menudo había oído decir a los viejos del hospicio que a ningún mozo de ánimo le faltaría nada en Londres, y que había en aquella inmensa ciudad medios de vida que no podían imaginar aquellos que se habían criado en el campo. Era el lugar perfecto para un muchacho sin hogar que se moriría en la calle a menos que alguien le ayudara. Mientras estas cosas se le pasaban por el pensamiento, se puso en pie de un salto y continuó adelante.

Había reducido la distancia que le separaba de Londres en otras cuatro millas completas antes de que se le ocurriera pensar lo que debería padecer antes de poder esperar llegar a su lugar de destino. Al apoderarse de él estas consideraciones, aflojó un poco el paso y meditó sobre los medios para llegar allá. Llevaba en el hatillo una corteza de pan, una camisa basta y dos pares de medias. También tenía, en el bolsillo, un penique, regalo de Sowerberry tras algún funeral en el que se había desenvuelto mejor que de costumbre.

«Una camisa limpia –pensó Oliver– no está mal, y tampoco lo están dos pares de medias zurcidas, y tampoco lo está un penique, pero son de poca ayuda para una caminata de sesenta y cinco millas en tiempo de invierno.»

Pero el pensamiento de Oliver, como el de la mayor parte de la gente, aunque rapidísimo y diligentísimo en indicarle las dificultades, estaba completamente desorientado para poder sugerirle cualquier método viable de superarlas, de modo que, tras mucho pensar en balde, cambió el hatillo al otro hombro y continuó su penoso caminar.

Oliver anduvo veinte millas aquel día y en todo él no probó nada sino la corteza de pan reseco y unos tragos de agua que pidió a las puertas de las casas junto al camino. Cuando llegó la noche, se metió en un prado y, deslizándose bajo un almiar, determinó permanecer echado allí hasta el amanecer. Al principio sintió miedo, pues el viento gemía lúgubremente sobre los campos desiertos, y tenía frío y hambre y se sentía más solo que nunca. Mas, como estuviera muy cansado por la caminata, pronto se quedó dormido y olvidó sus penas.

Cuando se levantó a la mañana siguiente, estaba helado y agarrotado y con tanta hambre, que se vio obligado a canjear el penique que llevaba por un panecillo en el primer pueblo por el que pasó. No llevaba andadas más de doce millas cuando la noche se le volvió a echar encima. Tenía los pies doloridos y las piernas tan flojas, que temblaban bajo su peso. Otra noche que pasó al aire gélido y húmedo le puso peor y, cuando emprendió el viaje a la mañana siguiente, apenas si podía arrastrarse.

Esperó abajo de una cuesta hasta que se acercó una diligencia y luego pidió limosna a los pasajeros que iban por fuera, pero hubo muy pocos que repararan en él, e incluso éstos le dijeron que esperara hasta que llegaran arriba de la cuesta y vieran a cuánta distancia podía correr detrás por medio penique. El pobre Oliver trató de mantenerse a la altura de la diligencia un breve trecho, pero no pudo a causa del cansancio y los doloridos pies. Cuando los que iban por fuera vieron aquello, volvieron a guardarse el medio penique en el bolsillo diciendo que era un mocoso gandul y no merecía nada, y el coche se alejó traqueteando, dejando sólo una nube de polvo detrás.

En algunos pueblos había unos grandes tableros pintados advirtiendo a todos quienes pidieran en el término del concejo que se les mandaría a la cárcel. Esto atemorizó mucho a Oliver y le hizo alegrarse de salir de tales pueblos tan de prisa como pudo. En otros se ponía a esperar en los patios de las posadas, mirando pesaroso a todo el que pasaba, actitud que por lo general terminaba con la orden del ama a uno de los postillones que por allí andaban de que echara fuera a aquel muchacho desconocido, pues estaba segura de que estaba allí para robar algo. Si pedía en casa de un labrador, de una vez que le daban, diez le amenazaban con echarle el perro y, cuando asomaba la nariz en una tienda, oía que hablaban del celador, y la angustia se le subía a la boca... a menudo la única cosa que tenía en ella durante horas y horas.

En verdad que, si no hubiera sido por un portazguero de buen corazón y una viejecita bondadosa, los apuros de Oliver se habrían acortado por el mismo procedimiento que puso fin a los de su madre, en otras palabras, que lo más seguro es que se hubiera caído muerto en el camino real. Pero el portazguero aquel le dio de comer pan y queso, y la viejecita, que tenía un nieto descarriado errando descalzo por algún lejano rincón de la tierra, tuvo lástima del pobre huérfano y le dio lo poco que podía y aun más, con tan bondadosas y amables palabras y con tales lágrimas de comprensión y compasión, que se clavaron más hondo en el alma de Oliver que todos los padecimientos que había sufrido.

Temprano la séptima mañana desde que abandonara su lugar natal entró renqueando Oliver en el pueblecito de Barnet. Los postigos estaban echados, la calle desierta, ni un alma se había despertado para las faenas del día. El sol se levantaba en toda su espléndida belleza, pero su luz sólo le sirvió al muchacho para ver su soledad y desconsuelo cuando se sentó en el umbral frío de una puerta con los pies en sangre y sucio de polvo.

Poco a poco fueron abriéndose los postigos, subían las persianas y la gente empezó a pasar de un lado para otro. Algunos se paraban a contemplar a Oliver un instante o se volvían a mirar según pasaban de prisa, pero ninguno le confortó o se molestó en preguntar qué hacía allí. No tenía ánimos para pedir y allí permaneció sentado.

Llevaba un rato acurrucado en el umbral, admirándose del gran número de tabernas (en Barnet una de cada dos casas era una tasca, grande o pequeña), mirando distraídamente a las diligencias que pasaban y pensando lo extraño que parecía que pudieran hacer tranquilamente y en pocas horas lo que a él le había costado realizar una semana entera de valor y determinación superiores a su edad, cuando le sacó de su ensimismamiento el ver que un muchacho, que había pasado despreocupadamente frente a él minutos antes, había vuelto y le miraba ahora de hito en hito desde la parte opuesta de la calzada. Al principio hizo poco caso de aquello, pero el muchacho siguió tanto tiempo en la misma actitud de escrutadora observación, que Oliver levantó la cabeza y le miró con la misma fijeza. A esto el muchacho cruzó y, acercándose a Oliver, dijo:

—¡Hola, coleguiya! ¿Cuál es el problema?

El chico que dirigía esta pregunta al joven viajero tenía aproximadamente su edad, pero era uno de los muchachos de más extraña apariencia que Oliver jamás viera. Era sólo un chaval, chato, de frente plana y cara vulgar, y mozo tan sucio como pudiera desearse, pero tenía aires y maneras de hombre. Era bajo para su edad, algo patizambo y con ojillos penetrantes y feos. Llevaba el sombrero tan mal calado en la cabeza, que amenazaba con caérsele continuamente, y se le habría caído a cada momento si el portador no hubiera tenido el tic de dar de vez en cuando un súbito meneo con la cabeza que volvía a ponerlo en su sitio. Llevaba una levita de hombre que casi le llegaba a los talones. Las mangas las llevaba arremangadas hasta medio brazo para sacar por ellas las manos, según parece con el objetivo final de meterlas en los bolsillos de su pantalón de pana, pues en ellos las tenía. En conjunto era caballerete tan farruco y presumido como jamás se vio en los cuatro pies y seis pulgadas, o algo menos, que levantaba sobre sus zapatones.

—¡Hola, colega! ¿Cuál es el problema? —dijo aquel extraño jovencito a Oliver.

—Tengo mucha hambre y estoy muy cansado —repuso Oliver, saltándosele las lágrimas mientras así decía—. He andado mucho. Llevo siete días andando.

—¡Siete días a pata! —dijo el jovencito—. ¡Ah! Ya veo, por orden del grajo, ¿eh? Pero claro —añadió al notar la cara de sorpresa de Oliver–, supongo que no sabes qué es un grajo, hermano granuja.

Oliver respondió inocentemente que con aquella palabra él siempre había oído designar a un pájaro.

–¡Madre mía, qué verde que estás! –exclamó el jovencito–. Tío, un grajo es un juez, y cuando uno anda por orden de un juez, nunca va rezto, sino p'arriba siempre y sin bajar nunca. ¿No has estao nunca en el molino[1]?

–¿Qué molino? –preguntó Oliver.

–¿Cómo que qué molino? Pos *el* molino…, el molino que ocupa tan poco sitio, que pué caber en un talego de piedra, y siempre anda mejor cuando la gente no está jumá que cuando sí, porque entonces se quedan sin obreros. Pero venga –dijo el jovencito–, tiés que jalar y jalarás. Yo también ando un poco pelao… sólo un chelín y medio penique, pero según están las cosas, me retrato y apoquino. Estira las gambas y arriba. ¡Venga! ¡Aúpa! ¡Andando!

Tras ayudar a Oliver a levantarse, el jovencito lo llevó a una tenducha al lado, donde compró cantidad suficiente de jamón adobado y una barra de pan de dos libras, o, como él dijo, «cuatro peniques de salvao», y para que el jamón no se ensuciara de polvo, recurrió al ingenioso expediente de hacer un agujero sacando parte de la miga y lo metió dentro. Con el pan bajo el brazo se metió el jovencito en una tabernucha y abrió la marcha hasta un cuarto trasero en el que servían cerveza a la espita. Traída que fue una jarra de cerveza que ordenó el misterioso joven, Oliver, a instancias de su nuevo amigo, puso manos a la obra e hizo una larga y abundante co-

---

1. En germanía inglesa se llamaba molino a una rueda enorme de madera, en la que por razones de disciplina se hacía dar vueltas a los prisioneros en las cárceles.

mida, mientras el desconocido muchacho le miraba de vez en cuando con gran interés.

—¿Vas pa Londres? —dijo el desconocido, cuando Oliver hubo terminado.

—Sí.

—¿Tienes dónde alojarte?

—No.

—¿Y dinero?

—No.

El desconocido lanzó un silbido y metió las manos en los bolsillos hasta donde las mangas de la levita se lo permitían.

—¿Tú vives en Londres? —preguntó Oliver.

—Sí, cuando estoy en casa —repuso el muchacho—. Supongo que nesesitas algún lugar pa dormir esta noche, ¿no?

—Claro —respondió Oliver—. No duermo bajo techado desde que salí de casa.

—No te comas el coco por eso —dijo el jovencito—. Yo tengo que estar en Londres esta noche y conozco a un anciano cabayero respetable que vive ayí, que te dará alojamiento gratis y nunca te pedirá cuentas, es decir, si te presenta a él algún cabayero que él conoce. ¿Y no conoce a menda? ¡Claro que no! ¡En arsoluto! ¡De ninguna manera! ¡Seguro que no!

El jovencito sonrió para dar a entender que los últimos fragmentos de su discurso eran en broma y con ello apuró la cerveza.

Este inesperado ofrecimiento de cobijo era demasiado tentador para resistirlo, especialmente porque inmediatamente después el otro le aseguró que el mencionado anciano caballero porporcionaría sin duda a Oliver una buena colocación sin pérdida de tiempo. Esto dio lugar a una conversación más amistosa y confidencial, en la cual

Oliver se enteró de que su amigo se llamaba Jack Dawkins y que era un favorito y protegido especial del antedicho anciano caballero.

El aspecto del señorito Dawkins no decía mucho a favor del bienestar que el interés de su patrón dispensaba a aquellos que tomaba bajo su protección, pero, como tenía una manera bastante frívola y suelta de hablar, y confesaba además que entre sus íntimas amistades se le conocía mejor por el alias de «*el Artero Perillán*», Oliver concluyó que, por ser de natural disipado y negligente, los preceptos morales de su benefactor habían caído por tanto en terreno baldío. Con esta impresión resolvió secretamente cultivar cuanto antes la buena opinión del anciano caballero y, si hallaba que el Perillán era incorregible, como más que medio sospechaba que lo fuera, declinar el honor de continuar siendo su amigo.

Como Jack Dawkins se opuso a que entraran en Londres antes del anochecer, eran casi las once cuando llegaron al portazgo de Islington. Cruzaron desde la posada del Ángel hasta la calle St. John, se metieron por la callejuela que desemboca en el Teatro Sadler's Wells, pasaron por la calle Exmouth y por la carrera Coppice, bajaron por la plazoleta junto al hospicio, atravesaron los históricos jardines que una vez llevaron el nombre de Hockley-in-the-Hole, pasaron de allí a Little Saffron Hill, y así entraron en Saffron Hill the Great, por donde el Perillán zanqueaba a toda prisa diciendo a Oliver que le siguiera pegado a sus talones.

Aunque para ocupar su atención Oliver tenía de sobra con no perder de vista a su guía, no pudo evitar echar unas rápidas miradas a una y otra parte, según pasaba. Jamás había visto lugar más sucio y miserable. La calle era muy estrecha y llena de barro y el aire estaba impregnado de olores inmundos. Había muchísimas tenduchas, pero la única mercancía disponible parecían ser montones de niños, que, incluso a aquellas horas de la noche, entraban y salían a gatas de las casas o gritaban dentro. Los únicos lugares que parecían prosperar en medio de la pestilencia general del lugar eran las tabernas y en ellas reñían con todas sus fuerzas los irlandeses de más baja estofa. Pasadizos cubiertos y patios, que se apartaban aquí y allá de la calle principal, dejaban ver grupitos de casas en las que hombres y mujeres borrachos se revolcaban seguramente en la inmundicia, y de algunos portales surgían cautelosamente tipos enormes y mal encarados que, a todas luces, se dirigían a realizar cometidos ni bien intencionados ni inofensivos.

Oliver iba precisamente pensando si no sería mejor salir corriendo, cuando llegaron abajo de la cuesta. Cogiéndole del brazo, abrió su guía de un empujón una puerta cerca de la travesía Field y, tras meterlo en el pasillo, la cerró.

–¿Quién es ahora? –gritó una voz desde abajo en respuesta a un silbido del Perillán.

–¡Guay del Paraguay! –fue la respuesta.

Esto pareció ser alguna contraseña o señal de que todo estaba en orden, pues la luz de una tenue vela iluminó la pared del lejano fondo del pasillo y la cara de un hombre apareció por una brecha en la barandilla de la vieja escalera de la cocina.

–Eres dos –dijo el hombre, apartando la vela y haciéndose sombra en los ojos con la mano–. ¿Quién es el otro?

–Un nuevo compinche –replicó Jack Dawkins empujando a Oliver.

–¿De dónde ha salido?

–De Verdilandia. ¿Está Fagin arriba?

–Sí, está ordenando los safos. ¡Sube!

Retirada la vela, la cara desapareció.

Tanteando con una mano y agarrado firmemente por la otra por su compañero, subió Oliver con gran dificultad por las oscuras y quebradas escaleras, que su guía ascendía con una facilidad y rapidez reveladoras de lo muy familiarizado que con ellas estaba. Abrió de par en par la puerta de un cuarto trasero y metió a Oliver tras él.

Los muros y el techo de la habitación estaban completamente negros de viejos y sucios. Había junto a la lumbre una mesa de pino y encima de ella una vela encajada en una botella de ginebra, dos o tres jarras de peltre, un pan y mantequilla y un plato. En una sartén que estaba al fuego y atada con una cuerda a la repisa de la chimenea se freían unas salchichas, y al tanto de ellas, con un trinchante en la mano, estaba un judío muy viejo y apergaminado cuyo rostro repugnante y de mala catadura cubría una mata enmarañada de pelo bermejo. Llevaba encima una bata de franela grasienta, con el cuello descubierto, y parecía repartir su atención entre la sartén y un tendedero del que colgaba gran número de pañuelos de seda. En el suelo se amontonaban, unos junto a otros, varios camastros hechos de costales viejos. Alrededor de la mesa se sentaban cuatro o cinco muchachos no mayores que el Perillán, fumando largas pipas de barro y bebiendo alcohol con aire de hombres maduros. Todos ellos se arremolinaron alrededor de su compinche cuando éste susurró unas palabras al judío y luego se volvieron y sonrieron a Oliver. Lo propio hizo el judío, trinchante en mano.

–Éste es, Fagin –dijo Jack Dawkins–; mi amigo Oliver Twist.

El judío sonrió y, haciendo una reverencia a Oliver, le tomó la mano y le dijo que esperaba tener el honor de ser su íntimo amigo. Tras lo cual los caballeretes de las pipas le rodearon y le estrecharon ambas manos con fuerza..., sobre todo aquella en la que llevaba el hatillo. Uno de los caballeretes estaba deseando hacerle el favor de colgarle la gorra y otro fue tan atento, que le metió las manos en los bolsillos con el fin de que, como estaba tan cansado, no tuviera que molestarse en vaciarlos cuando se fuera a la cama. Seguramente aquellas cortesías se habrían prolongado mucho más, si no hubiera sido por las generosas maniobras del trinchante del judío sobre las cabezas y hombros de los cariñosos jóvenes que se ponían a su alcance.

–Nos alegra mucho verte, Oliver, mucho –dijo el judío–. Perillán, saca las salchichas y acerca al fuego un cubo para Oliver. ¡Ah! Te quedas mirando a los pañuelos, ¿eh, querido? Hay muchos, ¿no es cierto? Acabamos de seleccionarlos, listos para lavarlos, eso es todo, Oliver, eso es todo. ¡Ja, ja, ja!

La parte final de estas palabras fue acogida con estrepitosa gritería por todos los prometedores discípulos del alegre vejete y en medio de ella se pusieron a cenar.

Comió Oliver su parte y el judío le mezcló luego un vaso de ginebra caliente con agua, diciéndole que tenía que beberlo de un trago, pues otro caballero necesitaba el vaso. Hizo Oliver como se le decía e inmediatamente después sintió que lo levantaban suavemente hasta uno de los costales y luego se sumió en un profundo sueño.

Capítulo 9

Que contiene más detalles sobre el simpático vejete y sus prometedores discípulos

La mañana siguiente iba avanzada cuando Oliver se despertó de un largo y profundo sueño. No había en la habitación nadie más que el viejo judío, que estaba hirviendo un poco de café en un cazo para desayunar y silbando suavemente para sí mientras lo meneaba y meneaba con una cuchara de hierro. De vez en cuando se interrumpía para escuchar el mínimo ruido que subía de abajo y, cuando quedaba satisfecho, volvía a silbar y a menear como antes.

Aunque Oliver se había despertado de su sueño, no estaba despabilado del todo. Hay un estado de somnolencia entre el sueño y la vigilia en el que uno sueña más en cinco minutos con los ojos semiabiertos, medio consciente de todo lo que está pasando alrededor, que en cinco noches con los ojos completamente cerrados y los sentidos envueltos en la inconsciencia total. En tales momentos sabe el mortal exactamente lo bastante de lo que su mente está haciendo para forjarse alguna vaga idea de sus poderosas facultades, su salto fuera de la tierra burlándose del tiempo y del espacio, liberado de las trabas de su compañero corporal.

Oliver se hallaba exactamente en dicho estado. Veía al judío con los ojos medio cerrados, oía su tenue silbar y reconocía el sonido de la cuchara rechinando contra las paredes del cazo, aunque, al mismo tiempo, aquellos mismos sentidos estaban ocupados mentalmente y en plena actividad con casi toda la gente que había conocido.

Hecho el café, el judío retiró el cazo hasta la repisa. Permaneció luego en indecisa actitud unos minutos, como si no supiera bien en qué ocuparse, luego se volvió y miró a Oliver y le llamó por su nombre. Éste no respondió y, según todas las apariencias, seguía dormido.

Satisfecho en este punto, anduvo el judío despacito unos pasos hasta la puerta y la cerró. Sacó luego, según le pareció a Oliver, un cofre de alguna trampilla en el suelo y lo colocó cuidadosamente en la mesa. Los ojos se le iluminaron al levantar la tapadera y mirar en el interior. Acercó una silla vieja hasta la mesa, se sentó y sacó del cofre un magnífico reloj de oro centelleando de brillantes.

—¡Ajá! —dijo el judío encogiendo los hombros y retorciendo todas sus facciones con una sonrisa aterradora—. ¡Qué sabuesos! ¡Qué sabuesos! Fieles hasta el final. Nunca dijeron al viejo capellán dónde estaban. ¡Nunca se chivaron del viejo Fagin! ¿Y por qué habrían de hacerlo? Eso no les habría aflojado el nudo o sostenido en la caída un minuto más. ¡No, no no! ¡Buenos chicos! ¡Buenos chicos!

Con aquellas reflexiones y otras parecidas que mascullaba, volvió el judío a depositar el reloj en su lugar seguro. Sacó del mismo cofre, uno tras otro, no menos de media docena más y los examinó con idéntico placer, y además sortijas, broches, pulseras y otras joyas de materiales tan magníficos y costosa fabricación, que Oliver no tenía idea ni de sus nombres.

Tras dejar aquellas alhajas, sacó el judío otra tan pequeña, que le cabía holgadamente en la palma de la mano. Parecía haber en ella alguna diminuta inscripción, pues el judío la puso en la mesa y, haciendo sombra con la mano, la estudió detenida y atentamente. Al cabo la volvió a dejar, como desistiendo de lograr lo que quería y, echándose para atrás en la silla, masculló:

–¡Qué buena cosa es la pena capital! Los muertos nunca se arrepienten, los muertos nunca sacan a relucir trapos sucios. ¡Ah, qué buena cosa para el oficio! Cinco de ellos colgaos en fila y ninguno vivo para hacer trampa o volverse cobarde.

Al pronunciar aquellas palabras los ojos oscuros y brillantes del judío, que habían estado perdidos en el infinito, se posaron en el rostro de Oliver. Los ojos del muchacho estaban clavados en los suyos con muda curiosidad y, aunque la percepción duró sólo un instante –el más breve espacio de tiempo que concebirse pueda– bastó para que el viejo se diera cuenta de que había sido observado. Cerró la tapadera del cofre con gran estrépito y, agarrando un cuchillo de cortar el pan que sobre la mesa estaba, se levantó furioso. Temblaba muchísimo, sin embargo, pues incluso en su espanto pudo Oliver ver que el cuchillo vibraba en el aire.

–¿Qué es esto? –dijo el judío–. ¿Por qué me miras? ¿Por qué estás despierto? ¿Qué has visto? ¡Habla, muchacho! ¡Rápido, rápido! ¡Por tu vida!

–No podía dormir más, señor –replicó Oliver sumisamente–. Lo siento si le he molestado, señor.

–¿No estabas despierto hace una hora? –dijo el judío frunciendo fieramente el entrecejo hacia el muchacho.

–¡No, no! ¡De verdad! –respondió Oliver.

–¿Estás seguro? –gritó el judío con una mirada aún más fiera que antes y en actitud amenazadora.

–Palabra de honor que no, señor –respondió Oliver sinceramente–. De verdad que no, señor.

–Chist, chist, querido –dijo el judío adoptando bruscamente su anterior compostura y jugueteando un poco con el cuchillo antes de dejarlo, como haciendo ver que lo había cogido por simple diversión–. Claro que no, querido, ya lo sé. Sólo quería asustarte. Eres un muchacho valiente. ¡Ja, ja, eres un muchacho valiente, Oliver! –se frotó las manos riendo entre dientes, pero, miraba preocupado al cofre–. ¿Viste alguna de estas cosas bonitas, querido? –dijo el judío poniendo la mano encima del cofre tras breve pausa.

–Sí, señor –respondió Oliver.

–¡Ay! –dijo el judío palideciendo un tanto–. Son... son mías, Oliver, mis pocas posesiones. Todo lo que tengo para vivir en la vejez. La gente me llama tacaño, querido. Sólo tacaño y nada más.

Oliver pensó que el anciano caballero debía de ser un tacaño consumado para vivir en lugar tan sucio teniendo tantos relojes, pero, pensando que quizá su cariño hacia el Perillán y los otros muchachos le costaba gran cantidad de dinero, se limitó a mirar respetuosamente al judío y le preguntó si podía levantarse.

–Claro, querido, claro –repuso el anciano caballero–. Espera. En el rincón junto a la puerta hay un jarro de agua. Tráelo y te daré una palangana para que te laves, querido.

Oliver se levantó, atravesó la habitación y se inclinó un instante para coger el jarro. Cuando volvió la cabeza, el cofre había desaparecido.

Apenas hubo acabado de lavarse y de poner todo en orden vaciando la palangana por la ventana, de conformidad con las órdenes del judío, cuando el Perillán regresó en compañía de un vivaracho amiguito a quien Oliver había visto fumando la noche anterior y a quien ahora le presentaron oficialmente como Charley Bates. Los cuatro se sentaron a desayunar el café y unos bollos calientes con jamón que el Perillán traía en la copa del sombrero.

–Bueno –dijo el judío, mirando furtivamente a Oliver y dirigiéndose al Perillán–, espero que hayáis estado trabajando esta mañana, queridos.

–Duro –replicó el Perillán.

–Como el pedernal –añadió Charley Bates.

–Buenos chicos, buenos chicos –dijo el judío–. ¿Qué tienes *tú*, Perillán?

–Un par de carteras –replicó aquel caballerete.

–¿Forradas? –preguntó el judío impaciente.

–Bastante –respondió el Perillán sacando dos carteras, una verde y otra roja.

–No pesan tanto como podrían –dijo el judío tras inspeccionar el interior–, pero estupendamente hechas. Buen artesano, ¿eh, Oliver?

–Sí, señor, muy bueno –dijo Oliver.

A lo cual el señorito Charley Bates soltó una carcajada atronadora que dejó atónito a Oliver, que no veía nada gracioso en nada de lo que había pasado.

–¿Y tú, qué tienes, querido? –dijo Fagin a Charley Bates.

–Safos –respondió el señorito Bates, sacando cuatro pañuelos.

–Muy bien –dijo el judío, inspeccionándolos atentamente–; son pero que muy buenos. Pero no te fijaste bien, Charley, de modo que habrá que quitarles las marcas con una aguja. Ya le enseñaremos a Oliver cómo se hace eso. ¿No te parece, Oliver? ¡Ja, ja, ja!

–Como usted desee, señor –dijo Oliver.

–¿A que te gustaría poder hacer pañuelos con la misma facilidad que Charley Bates, eh, querido? –dijo el judío.

–Muchísimo, si usted me enseña, señor –repuso Oliver.

El señorito Bates halló algo tan exquisitamente ridículo en aquella respuesta, que soltó otra carcajada, carcajada que, al topar con el café que estaba bebiendo y llevárselo para abajo por algún mal conducto, a punto estuvo de terminar en ahogamiento prematuro.

–¡Está tan verde, el pobre! –dijo Charley cuando se recuperó, como excusa a los presentes por su indelicada conducta.

El Perillán no dijo nada, pero le retiró el pelo a Oliver de sobre los ojos diciendo que con el tiempo ya aprendería, tras lo cual el anciano caballero, viendo que los colores se le subían a Oliver, cambió de tema preguntando si había habido mucho público en la ejecución aquella mañana. Esto maravilló a Oliver más y más, pues era evidente por las respuestas de los dos muchachos que ambos habían estado allí, y Oliver se preguntaba lógicamente cómo era posible que hubieran tenido tiempo para hacer tantas cosas.

Retirado el desayuno, el alegre vejete y los dos muchachos jugaron a un curiosísimo y singular juego que se desarrollaba de la siguiente manera. Tras poner una caja de rapé en un bolsillo del pantalón, un billetero en el otro y un reloj en el bolsillo del chaleco, con una leontina alrededor del cuello y un broche de diamantes falsos prendido en la camisa, el alegre vejete se abotonó la levita ciñéndola bien y, tras meter en los bolsillos el estuche de las gafas y el pañuelo, se puso a andar de un lado para otro de la habitación con un bastón, imitando la manera que tienen los ancianos de pasear por la calle a cualquier hora del día. Algunas veces se detenía delante de la chimenea, otras delante de la puerta, haciendo como que miraba todo lo absorto que podía a los escaparates. En tales ocasiones miraba constantemente a su alrededor por miedo a los ladrones y no paraba de palparse todos los bolsillos, uno tras otro, para cerciorarse de que no le habían quitado nada, y de manera tan divertida y natural, que Oliver rió hasta que las lágrimas le corrían por la cara. Durante todo aquello los dos muchachos le seguían de cerca, apartándose de su vista con tanta agilidad cada vez que se daba la vuelta, que era imposible seguir sus movimientos. Al final el Perillán le pisaba o tropezaba contra una de sus botas accidentalmente, mientras Charley chocaba con él por detrás y en aquel mismísimo instante le quitaban, con la más extraordinaria rapidez, caja de rapé, billetero, reloj, leontina, broche, pañuelo y hasta el estuche de las gafas. Si el anciano caballero sentía una mano en uno de los bolsillos, gritaba en cuál era y el juego volvía a empezar otra vez.

Cuando ya habían jugado a aquel juego un montón de veces, llegó una pareja de señoritas a visitar a los señoritos, una de las cuales se llamaba Bet y la otra Nancy. Eran las dos de mucho pelo, no muy bien recogido por detrás, y bastante desaseadas de zapatos y medias. Quizá no eran exactamente bonitas, pero tenían mucho color en la cara y parecían bien lozanas y robustas. Como sus maneras fueran notablemente desenvueltas y dispuestas, a Oliver le parecieron pero que muy simpáticas. Como no cabe duda de que lo eran.

Aquellas visitas se quedaron largo tiempo. A consecuencia de que una de las señoritas se quejó de tener frío por dentro, se sacó alcohol y la conversación siguió derroteros muy joviales y edificantes. Al cabo Charley Bates emitió la opinión de que era hora de darse el bote. Oliver pensó que aquello debía de ser francés por «salir», pues inmediatamente después el Perillán y Charley y las dos señoritas se marcharon juntos tras recibir amablemente dinero para gastar del simpático viejo judío.

–Ahí tienes, querido –dijo Fagin–. Eso sí que es buena vida, ¿eh? Se han ido para todo el día.

–¿Ya han trabajado, señor? –preguntó Oliver.

–Sí –dijo el judío–, es decir, a menos que inesperadamente tropiecen con más trabajo mientras están fuera y, en tal caso, no dejarán de hacerlo querido, puedes estar seguro. Imítalos, querido, imítalos –y daba con la paleta en el hogar para reforzar sus palabras–; haz todo lo que te manden y sigue sus consejos en todo, sobre todo los del Perillán, querido. Será un gran hombre y te hará un gran hombre también, si le tomas como ejemplo... ¿Me cuelga el pañuelo del bolsillo, querido? –dijo el judío, interrumpiéndose bruscamente.

–Sí, señor –dijo Oliver.

–Mira a ver si puedes sacarlo sin que yo lo note, tal y como les viste hacer a ellos cuando jugábamos esta mañana.

Oliver sujetó la parte inferior del bolsillo con una mano, como había visto hacer al Perillán y tiró ligeramente del pañuelo con la otra.

–¿Salió? –gritó el judío.

–Aquí está, señor –dijo Oliver, enseñándoselo en la mano.

–Eres un chico listo, querido –dijo el vejete juguetón, dando a Oliver palmaditas de aprobación en la cabeza–. Nunca vi un mocito más despabilado. Aquí tienes un chelín. Si continúas por este camino, serás el hombre más grande del siglo. Y ahora ven acá, que te enseñe a quitar marcas de los pañuelos.

Oliver se preguntó qué tendría que ver el juego de aliviarle el bolsillo al anciano caballero con sus posibilidades de ser un gran hombre. Mas, pensando que el judío, que era mucho mayor que él, debía de saber más, le siguió callado hasta la mesa y pronto se halló intensamente entregado a su nueva disciplina.

Capítulo 10

Breve, pero importante en esta historia,
en el cual Oliver conoce mejor el carácter
de sus nuevos compañeros y paga cara
la experiencia que adquiere

Oliver permaneció muchos días en la habitación del judío quitando marcas de los pañuelos (de los que llegaban muchos a la casa), y participando a veces en el juego ya descrito, que los dos muchachos y el judío practicaban regularmente cada mañana. Al cabo empezó a faltarle el aire fresco y en repetidas ocasiones pidió anhelosamente al anciano caballero que le permitiera salir a trabajar con sus dos compañeros.

Lo que Oliver había visto de la austera moral del carácter del anciano caballero le hacía aún más deseoso de verse empleado activamente. Cada vez que el Perillán o Charley Bates llegaban a casa por la noche con las manos vacías, se explayaba él con gran vehemencia sobre la desgracia que era el hábito de la ociosidad y la pereza, y hacía valer la necesidad de una vida activa mandándolos a la cama sin cenar. Y en una ocasión incluso llegó a echarlos a los dos un tramo de la escalera abajo, pero aquello fue salirse de los habituales límites de sus virtuosos preceptos.

Por fin una mañana Oliver obtuvo el permiso que con tanta ansiedad deseaba. Desde hacía dos o tres días no había pañuelos en los que trabajar y las comidas habían sido bastante frugales. Quizá fueran aquéllas las razones por las que el anciano caballero dio su consentimiento, pero, fuéranlo o no, dijo a Oliver que podía ir y le encomendó a la tutela conjunta de Charley Bates y de su amigo el Perillán.

Se pusieron en marcha los tres muchachos, el Perillán con las mangas de la levita arremangadas y el sombrero ladeado como de costumbre, el señorito Bates tranquilote, con las manos en los bolsillos, y Oliver entre ambos, preguntándose adónde iban y por qué rama de la industria empezarían a instruirle.

El paso que llevaban era tan desganado y poco aparente, que pronto empezó Oliver a pensar que sus compañeros iban a engañar al anciano caballero pasando totalmente de ir a trabajar. Además el Perillán tenía la perversa manía de ir quitando las gorras a los niños y tirarlas en la entrada exterior de los sótanos, mientras que Charley Bates exhibía unas holgadísimas nociones del derecho de propiedad, hurtando algunas manzanas y cebollas de los puestos junto a la acera y metiéndoselas en unos bolsillos de tan asombrosa capacidad, que se habría dicho que toda su indumentaria estaba minada en todas las direcciones. Aquellas cosas parecieron tan mal a Oliver, que a punto estaba de manifestar su intención de regresar, buscándose el camino como mejor pudiera, cuando un misteriosísimo cambio de actitud del Perillán le orientó súbitamente el pensamiento en otra dirección.

Estaban saliendo de un estrecho patio no lejos de la plaza despejada de Clerkenwell, que por alguna extraña inversión de términos se empeñan en llamar «La verde», cuando el Perillán se detuvo súbitamente y, llevándose un dedo a los labios, hizo retroceder a sus compañeros con suma cautela y circunspección.

–¿Qué pasa? –preguntó Oliver.

–¡Chist! –respondió el Perillán–. ¿Ves aquel viejales en el puesto de libros?

–¿El anciano de enfrente? –dijo Oliver–. Sí, lo veo.

–Ése vale –dijo el Perillán.

–Un primor –observó el señorito Charley Bates.

Miró Oliver a uno y a otro totalmente perplejo, pero no pudo hacer pregunta alguna, pues los dos muchachos atravesaron cautelosamente la calzada y se colocaron disimuladamente detrás del anciano que le habían indicado. Oliver anduvo unos pasos tras ellos y, no sabiendo si continuar o apartarse, se quedó mirando asombrado y en silencio.

Era el anciano persona de muy respetable apariencia, con la cabeza empolvada y anteojos de oro. Vestía una levita verde botella con cuello de terciopelo negro y pantalón blanco, y llevaba bajo el brazo un elegante bastón de bambú. Había cogido un libro del puesto y allí estaba, tranquilamente leyendo, tan clavado como en el sillón de su propio escritorio. Y es muy probable que se imaginara que en él estaba, pues era evidente, por lo absorto que estaba, que no veía ni el puesto, ni la calle, ni a los muchachos, ni, para abreviar, nada excepto el libro, que estaba leyendo íntegramente, pasando hoja cuando llegaba al final de la página, empezando por la primera línea de la siguiente y continuando metódicamente con el mayor interés y avidez.

¡Cuál no fue el horror y el susto de Oliver, parado a unos pasos de allí, al ver con los ojos fuera de las órbitas, cómo el Perillán deslizaba la mano en el bolsillo del anciano y sacaba de él un pañuelo! ¡Cómo se lo pasaba a Charley Bates y, finalmente, cómo corrían los dos a toda velocidad hasta desaparecer a la vuelta de la esquina!

En un instante se agolpó en la mente del muchacho todo el misterio de los pañuelos, de los relojes, de las joyas y del judío. Por un momento la sangre le corrió con tal hormigueo de terror por todas las venas, que se creyó encima de una hoguera; luego, confuso y atemorizado, se encomendó a sus piernas y, sin saber lo que hacía, echó a correr todo lo de prisa que sus talones se lo permitían.

Todo aquello pasó en un momento, y en el instante mismo en que Oliver echó a correr, el anciano, llevándose la mano al bolsillo y echando de menos el pañuelo, se dio la vuelta rápidamente. Viendo al muchacho correr a paso tan rápido, supuso naturalmente que era él el ratero y, gritando «¡Al ladrón!» con todas sus fuerzas, salió corriendo tras él con el libro en la mano.

Pero el anciano no era el único que ponía el grito en el cielo. Deseando no llamar la atención de la gente al correr por mitad de la calle, el Perillán y el señorito Bates se metieron sencillamente en el primer portal a la vuelta de la esquina. No bien hubieron escuchado el grito y visto a Oliver correr, cuando, adivinando exactamente cómo estaban las cosas, se apresuraron a salir y, gritando «¡Al ladrón!», se sumaron a la persecución como buenos ciudadanos.

Aunque a Oliver le habían criado filósofos, no conocía de manera teórica el hermoso axioma de que el instinto de conservación es la primera ley de la naturaleza. Si lo hubiera conocido, puede que hubiera estado preparado para aquello. Pero, como no estaba preparado, se asustó aún más y siguió adelante como el viento, con el anciano y los dos muchachos vociferando y gritando tras él.

–¡Al ladrón! ¡Al ladrón!

El sonido de estas palabras tiene magia. Deja el tendero el mostrador y el carretero el carro, el carnicero tira la bandeja, el panadero el cesto, el lechero el cántaro, el recadero sus paquetes, el colegial las canicas, el empedrador la piqueta, el niño su cartilla. Allá van corriendo, atropelladamente, a la desbandada, de cualquier mane-ra, trotando, chillando, gritando, derribando a los tran-seúntes al doblar las esquinas, asustando a los perros y espantando a las gallinas, y las calles, plazas y patios re-suenan con tal ruido.

–¡Al ladrón! ¡Al ladrón!

Cien voces retoman el grito y la multitud se amonto-na a cada bocacalle. Allá van volando, chapoteando en el barro y taconeando por la acera; ábrense las ventanas, sale corriendo la gente, sigue el tropel adelante, abando-nan todos los espectadores a Punch[1] en lo más emocio-nante de la intriga y, uniéndose a la impetuosa muche-dumbre, acrecientan el vocerío y dan nueva energía al grito de «¡Al ladrón! ¡Al ladrón!».

–¡Al ladrón! ¡Al ladrón!

La pasión *por cazar algo* se halla profundamente arrai-gada en el pecho humano. Un niño desdichado y sin aliento, jadeando de agotamiento, con el pánico dibujado en sus facciones, el dolor en los ojos, goterones de sudor corriéndole por la cara, fuerza todos sus nervios por esca-par a sus perseguidores, y ellos, siguiendo sus pasos, ga-nándole terreno a cada momento, acogen su desfalleci-miento con gritos cada vez más fuertes y se desgañitan y vociferan gozosos. «¡Al ladrón! Sí, a él, que lo detengan, por el amor de Dios, aunque sólo sea por compasión».

¡Cogido finalmente! Un golpe bien dado. Yace en el empedrado, y la multitud se agolpa ansiosamente alre-dedor, y cada cual según llega codea y forcejea con los demás para echar una ojeada.

---

1. Punch es, con Judy, uno de los personajes tradicionales del teatro de marionetas inglés. Evolución del Pulcinella italiano, jorobado por delante y por detrás, gracioso y chocarrero, era muy frecuente verlo divertir a los viandantes en teatritos callejeros de Londres.

–¡Apártate!

–¡Darle un poco de aire!

–¡Tonterías! No lo merece.

–¿Dónde está el caballero?

–Ahí llega, calle abajo.

–Haced sitio al señor.

–¿És este el muchacho, señor?

–Sí.

Cubierto de barro y tierra, sangrando por la nariz, mirando enloquecido al montón de caras que le rodeaba, yacía Oliver cuando los perseguidores de primera fila solícitamente arrastraron y empujaron al anciano hasta el corro.

–Sí –dijo el caballero–. Me temo que es el muchacho.

–¿Se teme? –murmuró la multitud–. ¡Ésta sí que es buena!

–¡Pobre chico! –dijo el caballero–. Se ha hecho daño.

–*Yo* se lo hice, señor –dijo un enorme ceporro–, y bien que me he cortao los nudillos contra sus dientes. *Yo* le paré, señor.

El tipo aquel se tocó el sombrero con una sonrisa esperando algo por sus fatigas, pero el anciano, tras ojearle con cara de disgusto, miró angustiado alrededor como pensando en salir corriendo él mismo, cosa que muy probablemente habría intentado, dando lugar así a otra persecución, si un guardia (que por lo general es la última persona que llega en tales casos), no se hubiera abierto paso en aquel momento por entre la multitud y cogido a Oliver por el cuello de la chaqueta.

–Vamos, levántate –dijo el hombre ásperamente.

–De verdad que no fui yo, señor. De verdad de verdad que fueron otros dos muchachos –dijo Oliver juntando las manos vehementemente y mirando alrededor–. Están en alguna parte por aquí.

–Oh, no, no están –dijo el agente, pensando con ironía, pero era cierto, pues el Perillán y Charley Bates se habían escabullido por la primera travesía a mano que encontraron–. Vamos, levántate.

–No le haga daño –dijo el anciano compasivamente.

–Claro que no le haré daño –replicó el agente rasgándole media chaqueta por detrás en prueba de ello–. Vamos, que te conozco; no sirve de nada. ¿Vas a ponerte de pie, demonio?

Oliver, que apenas podía tenerse en pie, se las arregló para incorporarse e inmediatamente se vio arrastrado por las calles por el cuello de la chaqueta a paso rápido. El caballero caminaba con ellos al lado del agente, y todos aquellos de la multitud que lo conseguían se adelantaban un poco y miraban de vez en cuando para atrás para ver a Oliver. Los chicos gritaban jubilosos y todos continuaban adelante.

Capítulo 11

Que trata del comisario señor Fang
y ofrece una pequeña muestra
de su manera de administrar justicia

El delito se cometió en el distrito y en las mismísimas cercanías de una conocidísima comisaría de la capital. La multitud sólo tuvo la satisfacción de acompañar a Oliver a lo largo de dos o tres calles hasta un lugar llamado Mutton Hill, y en aquel dispensario de la justicia sumaria lo metieron entrando por un arco bajo de la trasera y subiendo hasta un patio sucio. Era pequeño y empedrado el patio en que entraron y en él hallaron a un hombre corpulento con un manojo de pelos en la cara y otro de llaves en la mano.

—¿Qué pasa ahora? —dijo el hombre con indiferencia.

—Un joven cazapañuelos —respondió el hombre que había detenido a Oliver.

—¿Es usted la víctima del robo, señor? —preguntó el de las llaves.

—Sí —respondió el anciano—, pero no estoy seguro de que fuera este muchacho el que realmente cogió el pañuelo. Yo... yo preferiría no forzar el asunto.

—Debe pasar delante del comisario ahora mismo, señor —repuso el hombre—. Su señoría quedará libre dentro de medio minuto. ¡Vamos, carne de horca!

Era aquello una invitación a Oliver para que entrara por una puerta que abrió mientras hablaba y que conducía a una celda de piedra. Allí lo registraron y, como no le encontraran nada, lo dejaron encerrado.

La forma y dimensiones de aquella celda eran algo así como las de un cuchitril de sótano, sólo que con menos luz. Estaba sucia a más no poder, pues era lunes por la mañana y había tenido como inquilinos hasta el sábado por la noche, en que fueron encerrados en otro lugar, a seis borrachos. Pero esto es poco. En nuestras comisarías se encierra cada noche a hombres y mujeres bajo las más banales *acusaciones* –la palabra merece atención– en mazmorras, comparadas con las cuales son palacios las de Newgate[1], que ocupan los más feroces criminales, ya juzgados, convictos y condenados a muerte. Quien ponga esto en duda, las compare.

El anciano se sintió casi tan apesadumbrado como Oliver cuando la llave chirrió en la cerradura. Con un suspiro volvió los ojos al libro, que había sido la causa inocente de todo aquel alboroto.

«Hay algo en la cara de ese muchacho –se dijo el anciano según se alejaba lentamente, golpeándose el mentón con la tapa del libro con ademán pensativo–, algo que me afecta y me interesa. ¿*Puede* ser inocente? Lo parecía. Por cierto –exclamó el anciano, deteniéndose bruscamente y mirando fijamente al cielo–. ¡Que Dios me bendiga! ¿Dónde he visto antes una mirada parecida a la suya?»

Tras cavilar unos minutos, se fue el anciano con la misma cara pensativa hasta una antesala trasera que daba al patio y allí, apartándose a un rincón, hizo aparecer ante los ojos de su espíritu un vasto anfiteatro de caras sobre las que un brumoso velo llevaba corrido muchos años.

–No –dijo el anciano, meneando la cabeza–; debe de ser mi imaginación.

---

1. Prisión de Londres desde el siglo XIII hasta 1902, cuando fue destruida.

Volvió su mente a vagar entre ellas. Las había evocado y no era fácil volver a cubrirlas con el sudario que por tan largo tiempo las había ocultado. Había caras de amigos y de enemigos y de muchos que, habiendo sido casi extraños, asomaban como intrusos entre la multitud; había caras de muchachas jóvenes y radiantes que ahora eran viejas; había otras que el sepulcro había transformado en siniestros trofeos de la muerte, pero que la mente, superior a su poder, vestía todavía en su antigua frescura y belleza recordando el fulgor de los ojos, la luminosidad de la sonrisa, el resplandor del alma a través de su máscara de barro, y musitando susurros de la hermosura de ultratumba, alterada, pero para ser sublimada, y arrancada de la tierra sólo para elevarse como una luminaria que derramaba un suave y tenue reflejo por el sendero hacia el cielo.

Pero el anciano no podía recordar ningún semblante del que las facciones de Oliver conservaran algún vestigio. Así que exhaló un suspiro sobre los recuerdos que había exhumado y, como anciano distraído que era, afortunadamente para él, volvió a enterrarlos en las páginas del enmohecido libro.

Le sacó de su ensimismamiento un golpecito en el hombro y un ruego del hombre de las llaves para que le siguiera al despacho. Cerró el libro rápidamente y en seguida fue conducido hasta la imponente presencia del renombrado señor Fang.

Era el despacho una sala que daba a la fachada y con una pared revestida de madera. Estaba el señor Fang sentado detrás de una larga mesa en un estrado al fondo, y al lado de la puerta había una especie de jaulón de madera en el que se hallaba ya colocado el probre Oliverín temblando sobremanera ante lo horroroso de la escena.

Era el señor Fang enjuto, dorsilargo, cuellierguido y ni alto ni bajo, con no mucho pelo, y el que tenía, sólo en la nuca y a los lados de la cabeza. La cara, severa y coloradota. En verdad que si no hubiera tenido el hábito de beber bastante más de lo que exactamente le convenía, podría haber puesto pleito por difamación a su propia cara y habría ganado mucho en daños y perjuicios.

El anciano se inclinó respetuosamente, avanzó hasta la mesa del comisario y dijo uniendo la acción a la palabra:

—Éste es mi nombre y dirección, señor.

Se retiró luego un paso o dos y, con otra inclinación cortés y caballerosa de la cabeza, esperó a ser interrogado.

Ahora bien, resulta que el señor Fang estaba en aquel momento leyendo atentamente el editorial de un periódico de la mañana, en el que se aludía a alguna reciente decisión suya y se le recomendaba por enésima vez a la especial y particular atención del titular del Ministerio de Gobernación. Era de mal genio y levantó la vista frunciendo el entrecejo de furia.

—¿Quién es usted? —dijo el señor Fang.

El anciano señaló, algo sorprendido, su tarjeta de visita.

—¡Oficial! —dijo el señor Fang arrojando la tarjeta despectivamente de un golpe de periódico—. ¿Quién es este individuo?

—Mi nombre, señor —dijo el anciano hablando *como* un caballero—, mi nombre, señor, es Brownlow. Permítame solicitar el nombre del comisario que, al amparo del estrado, dispensa un insulto gratuito e inmerecido a una persona respetable.

Diciendo esto echó el señor Brownlow una ojeada por el despacho como buscando a alguien que pudiera ofrecerle la información deseada.

—¡Oficial! —dijo el señor Fang tirando el periódico a un lado—, ¿de qué se acusa a este individuo?

–No se le acusa de nada, señoría –respondió el oficial–. Comparece contra el muchacho, señoría.

Su señoría lo sabía perfectamente, pero era una buena manera de fastidiar sin arriesgar nada.

–Comparece contra el muchacho, ¿eh? –dijo Fang, examinando desdeñosamente al señor Brownlow de pies a cabeza–. ¡Tómele juramento!

–Antes de prestar juramento debo rogar se me permita decir una palabra –dijo el señor Brownlow–, y es que de verdad yo nunca, sin haberlo experimentado realmente, podría haber creído...

–¡Cállese, señor! –dijo el señor Fang autoritariamente.

–¡De ninguna manera, caballero! –replicó el anciano.

–¡Cállese ya o hago que lo echen del despacho! –dijo el señor Fang–. Es usted un individuo insolente e impertinente. ¿Cómo se atreve a levantar la voz a un comisario?

–¿Cómo? –exclamó el anciano enrojeciendo.

–¡Tome juramento a esta persona! –dijo Fang al escribiente–. No escucharé una palabra más. Tómele juramento.

La indignación del señor Brownlow aumentó sobremanera, pero considerando quizá que dándole rienda suelta lo único que conseguiría era perjudicar al muchacho, controló sus emociones y se sometió a prestar juramento en seguida.

–Bueno –dijo Fang–. ¿Cuál es la acusación contra el muchacho? ¿Qué tiene usted que declarar, señor?

–Me encontraba ante un puesto de libros... –empezó el señor Brownlow.

–Cállese, señor –dijo Fang–. ¡Guardia! ¿Dónde está el guardia? Venga, tome juramento a este guardia. Bueno, agente, ¿qué pasa aquí?

Con la debida sumisión narró el guardia cómo se había hecho cargo del caso, cómo había registrado a Oliver sin hallar nada en su persona, y que aquello era todo lo que sabía.

–¿Hay algún testigo? –preguntó el señor Fang.

–Ninguno, señoría –replicó el guardia.

El señor Fang permaneció callado en su sillón unos minutos y luego, volviéndose al querellante, dijo con impetuosa cólera:

–Oiga, ¿tiene usted intención de declarar cuál es su querella contra este muchacho o no? Ha prestado juramento, de modo que, si se queda ahí negándose a declarar, le castigaré por desacato al estrado; ¡le castigaré, voto a...!

A qué o a quién nadie lo sabe, pues el escribiente y el carcelero tosieron ruidosamente en el momento justo y el primero de ellos dejó caer al suelo un librote impidiendo así que la palabra se oyera... casualmente por supuesto.

Con muchas interrupciones y más insultos consiguió el señor Brownlow exponer su caso, señalando que en el susto del momento corrió tras el muchacho porque le vio huir y declarando que esperaba que, si el comisario llegaba a creer que, aunque no fuera el autor del robo, tenía que ver con ladrones, le tratara lo más indulgentemente que la justicia permitiera.

–Ya lo han herido –dijo el anciano en conclusión–. Y me temo –añadió con gran energía mirando al estrado–, mucho me temo que se halla muy mal.

–¡Hombre, claro! ¡Pues no le digo! –dijo el señor Fang con una sonrisa burlona–. Vamos, nada de trucos aquí, jovencito vagabundo; no sirven de nada. ¿Cómo te llamas?

Fue Oliver a responder, pero la lengua le falló. Estaba pálido como un cadáver y el lugar aquel le parecía que daba vueltas y más vueltas.

–¿Cómo te llamas, canalla empedernido? –vociferó el señor Fang–. Oficial, ¿cómo se llama?

Esta pregunta se dirigía a un vejezuelo campechano de chaleco a rayas que estaba de pie junto al estrado. Se inclinó hacia Oliver y repitió la pregunta, pero, viendo que era totalmente incapaz de entenderla y sabiendo que el no responder sólo serviría para enfurecer aún más al comisario y aumentar la severidad de su sentencia, se aventuró a conjeturar.

–Dice que se llama Tom White, señoría –dijo aquel bondadoso cazaladrones.

–¿Conque no quiere hablar alto, eh? –dijo Fang–. Muy bien, muy bien. ¿Dónde vive?

–Donde puede, señoría –repuso el funcionario, simulando otra vez que recibía respuesta de Oliver.

–¿Tiene padres? –preguntó el señor Fang.

–Dice que murieron cuando era pequeño, señoría –respondió el funcionario aventurando la respuesta habitual.

En aquel punto del interrogatorio Oliver levantó la cabeza y, mirando alrededor con ojos suplicantes, musitó débilmente que por favor le dieran un sorbo de agua.

–¡Bobadas! –dijo el señor Fang–. ¡No trates de quedarte conmigo!

–Creo que de verdad está mal, señoría –arguyó el funcionario.

–Yo sé bien lo que tiene –dijo el señor Fang.

–Cuidado con él, oficial –dijo el anciano, levantando las manos instintivamente–, que se cae.

–¡No se acerque, oficial! –gritó Fang salvajemente–. Que se caiga si quiere.

Aprovechó Oliver el amable permiso que le daban y se desplomó al suelo desvanecido. Los hombres que estaban en el despacho se miraron unos a otros, pero ninguno osó moverse.

—Sabía que estaba fingiendo —dijo Fang como si aquello fuera prueba indiscutible del hecho—. Que se quede donde está; pronto se cansará.

—¿Cómo se propone su señoría tramitar el caso? —preguntó en voz baja el escribiente.

—Sumariamente —respondió el señor Fang—. Queda recluido por tres meses... de trabajos forzados, por supuesto. Despejen la sala.

Abrióse la puerta para este fin y un par de hombres se disponía a llevar al muchacho inconsciente a la celda, cuando un viejo de digna aunque pobre apariencia, en un añoso traje negro, se precipitó en el despacho y avanzó hasta el estrado.

—¡Alto, alto! ¡No se lo lleven! ¡En nombre del cielo, deténganse un momento! —gritó el recién llegado, falto de aliento por la precipitación.

Aunque los espíritus que reinan en un despacho como aquel ejercen un poder sumario y arbitrario sobre las libertades, el buen nombre, la reputación y la vida casi de los súbditos de Su Majestad, especialmente los de la clase más pobre, y aunque entre tales paredes se traman diariamente triquiñuelas increíbles en cantidad suficiente para dejar ciegos de llorar a los ángeles, se hallan cerradas al público excepto por vía de la prensa diaria. Por eso al señor Fang le indignó no poco ver a un invitado espontáneo entrar con tan irreverente alboroto.

—¿Qué es esto? ¿Quién es este hombre? Echadlo fuera. ¡Despejad la sala! —gritó el señor Fang.

—Quiero hablar y *hablaré* —gritó el hombre—. No me echarán fuera. Yo lo vi todo. Soy el del puesto de libros. Pido que se me tome juramento. No me harán callar. Debe escucharme, señor Fang. No debe negarse, señor.

El hombre tenía razón. Su ademán era decidido y el asunto estaba tomando un cariz demasiado serio para acallarlo.

–Tómele juramento –gruñó el señor Fang con malos modales–. Bueno, hombre, ¿qué tiene que decir?

–Esto –dijo el hombre–. Vi a tres muchachos, otros dos y éste detenido, al otro lado de la calzada cuando este caballero estaba leyendo. El robo lo cometió otro muchacho. Yo vi cómo lo hizo y vi que aquello dejó a este chico totalmente asombrado y perplejo.

Habiendo recuperado ya un poco el aliento, el honesto librero continuó describiendo de manera más coherente las circunstancias precisas del robo.

–¿Por qué no vino aquí antes? –dijo Fang tras una pausa.

–No tenía a nadie que se quedara al cuidado del puesto –respondió el hombre–. Todos los que habrían podido ayudarme se habían unido a la persecución. Hasta hace cinco minutos no pude encontrar a alguien y he venido corriendo todo el camino.

–El querellante estaba leyendo, ¿no es cierto? –preguntó Fang tras otra pausa.

–Sí –respondió el hombre–. El libro mismo que tiene en la mano.

–¡Ah! Ese libro, ¿eh? –dijo Fang–. ¿Está pagado?

–No, no lo está –repuso el hombre con una sonrisa.

–¡Dios mío! Me olvidé completamente de ello –exclamó inocentemente el distraído anciano.

–¡Buena persona para acusar a un pobre muchacho! –dijo Fang con un esfuerzo grotesco por parecer humano–. Considero, señor, que usted ha tomado posesión de ese libro en circunstancias muy sospechosas y vergonzosas, y puede usted considerarse afortunado de que el propietario de los bienes no quiera demandarlo. Que le sirva de lección, amigo, o la ley le alcanzará a su tiempo. El muchacho queda absuelto. Desalojen la sala.

–¡Mecachis! –gritó el anciano explotando de la rabia acumulada durante tanto tiempo–. ¡Mecachis! ¡Me...!

–¡Desalojen la sala! –dijo el comisario–. ¿Lo oyen, oficiales? ¡Desalojen la sala!

Obedecióse la orden y el indignado señor Brownlow fue conducido fuera con el libro en una mano y el bastón de bambú en la otra en un total arrebato de cólera y desafío.

Llegó al patio y la ira se le desvaneció al punto. El pequeño Oliver Twist yacía boca arriba en el empedrado, con la camisa desabotonada y las sienes empapadas, la cara cadavérica y una tiritona fría que le agitaba todo el cuerpo.

–¡Pobre muchacho, pobre muchacho! –dijo el señor Bronwlow inclinándose sobre él–. ¡Que alguien llame un coche, por favor! ¡En seguida!

Se consiguió un coche y, una vez que Oliver fue cuidadosamente colocado en un asiento, el anciano subió y se sentó en el otro.

–¿Puedo acompañarle? –dijo el librero asomándose.

–Sí, por Dios, caballero –dijo el señor Brownlow rápidamente–. Me había olvidado de usted. Ay, ay, ay, todavía tengo este desgraciado libro conmigo. Suba usted. ¡Pobre muchacho! No hay tiempo que perder.

El librero subió al coche y se alejaron.

Capítulo 12

En el que Oliver recibe mejores cuidados que nunca, con algunos pormenores sobre un cierto retrato

Se alejó el coche traqueteando por casi el mismo camino que Oliver había hollado cuando entró por vez primera en Londres en compañía del Perillán y, doblando en distinta dirección al llegar a la posada del Ángel en Islington, se detuvo finalmente frente a una casa bien cuidada en una calle tranquila y sombreada cerca de Pentonville. Allí, sin pérdida de tiempo, se dispuso una cama y el señor Brownlow se aseguró de que en ella se depositaba confortablemente y con cuidado a su protegido, que fue atendido allí con una bondad y solicitud que no conocía límites.

Mas durante muchos días Oliver permaneció insensible a todas las atenciones de sus nuevos amigos. El sol se levantó y se puso y volvió a levantarse y ponerse muchísimas veces, pero el muchacho seguía tendido en su agitado lecho, consumiéndose bajo el calor seco y debilitante de la fiebre. La obra del gusano en un cadáver no es tan segura como ese fuego lento y progresivo en el organismo vivo.

Débil y flaco y pálido despertó finalmente de lo que parecía haber sido un sueño largo y agitado. Irguiéndose lánguidamente en el lecho, sosteniendo la cabeza en tembloroso brazo, miró ansioso alrededor.

–¿Qué habitación es ésta? ¿Adónde me han traído? –dijo Oliver–. Éste no es el lugar donde me acosté.

Pronunció aquellas palabras con voz apagada por hallarse desfallecido y débil, pero alguien las escuchó al punto. La cortina de la cabecera de la cama se descorrió rápidamente y una viejecita maternal, muy pulcra y correctamente vestida, se había levantado a descorrerla de un sillón cercano en el que había estado sentada bordando.

–Chist, querido –dijo la viejecita suavemente–. Debes quedarte quietecito o volverás a ponerte enfermo; y has estado muy mal... casi casi todo lo mal que se puede estar. Sé bueno y échate otra vez.

Con aquellas palabras colocó la viejecita blandamente la cabeza de Oliver en la almohada y, alisándole para atrás el pelo de la frente, le miró en la cara con tanta bondad y cariño, que él no pudo evitar poner su consumida manecita en la de ella y llevársela al cuello.

–¡Dios nos ampare! –dijo la viejecita con lágrimas en los ojos–. ¡Qué pequeñito más agradecido! ¡Cosita bonita! ¡Qué no sentiría su madre sentada a su lado como yo, viéndolo ahora!

–Quizá me esté viendo –susurró Oliver cruzando las manos–; quizá ha estado sentada junto a mí. Casi siento que ha estado.

–Eso era la fiebre, querido –dijo la viejecita dulcemente.

–Creo que sí –replicó Oliver–, pues el cielo está muy lejos y allí son demasiado felices para bajar a la cabecera de un pobre muchacho. Pero si ella sabe que estoy enfermo, tiene que haberse apiadado de mí incluso allí, pues ella también estuvo enferma antes de morir. Aunque no puede saber nada de mí –añadió Oliver tras un momento de silencio–. Si hubiera visto cómo me herían, habría sentido pena, porque cuando he soñado con ella siempre tenía la cara dulce y alegre.

La viejecita no respondió nada a todo aquello, sino que, limpiándose los ojos primero y los anteojos, que estaban sobre la colcha, después, como si fueran parte integrante de su rostro, llevó a Oliver algo frío de beber y luego, dándole unas palmaditas en la mejilla, le dijo que tenía que quedarse quietecito o, si no, volvería a enfermar.

Así pues, Oliver permaneció quietecito, en parte porque estaba deseoso de obedecer a la viejecita en todo y en parte porque, a decir verdad, estaba totalmente agotado después de lo que había dicho. Pronto cayó en un dulce sopor, del que le despertó la luz de una vela que, acercada hasta la cama, le permitió ver a un señor con un reloj enorme y de ruidoso tic-tac en la mano, que le tomó el pulso y dijo que se encontraba muchísimo mejor.

—*Estás* mucho mejor, ¿no es cierto, amiguito? —dijo el señor.

—Sí, gracias, señor —respondió Oliver.

—Sí, ya sé —dijo el señor—. Y tienes hambre, ¿verdad?

—No, señor —respondió Oliver.

—Ejem... —dijo el señor—. No, ya sé que no. No tiene hambre, señora Bedwin —dijo el señor con cara de saber.

La viejecita inclinó respetuosamente la cabeza, como diciendo que pensaba que el doctor era hombre listísimo. El doctor parecía compartir aquella opinión.

—Tienes sueño, ¿verdad, amiguito? —dijo el doctor.

—No, señor —respondió Oliver.

—No —dijo el doctor con una mirada inteligente y satisfecha—. No tienes sueño. Ni sed, ¿eh?

—Sí, señor, un poco —replicó Oliver.

—Tal y como me lo esperaba, señora Bedwin —dijo el doctor—. Es muy natural que tenga sed... perfectamente natural. Puede darle un poco de té, señora, y alguna tostada sola, sin mantequilla ninguna. No le tenga demasiado caliente, señora, pero tenga cuidado de que no coja frío tampoco, ¿será tan amable?

La viejecita hizo una reverencia. Tras probar la bebida fría y manifestar su autorizada aprobación, el doctor se marchó de prisa, crujiéndole las botas como a persona importante y pudiente según bajaba las escaleras.

En seguida volvió Oliver a quedarse dormido y, cuando despertó, eran casi las doce. Poco después la viejecita le dijo buenas noches cariñosamente y le dejó a cargo de una vieja gorda que acababa de entrar y que traía en un hatillo un libro de oraciones pequeño y un gorro de dormir enorme. Se puso éste en la cabeza y aquél en la mesa, dijo a Oliver que venía a hacerle compañía, acercó la silla al fuego y se hundió en una serie de cabezaditas, interrumpidas frecuentemente por diversas caídas hacia delante y variados gemidos y ahogos. Mas todo esto no tenía otra consecuencia que la de hacerle restregarse la nariz vigorosamente para volver a dormirse de nuevo.

Y así se fue pasando la noche lentamente. Oliver permaneció despierto algún tiempo contando los redondelitos de luz que el guardabrisa de la lamparilla reflejaba sobre el techo o rastreando con sus lánguidos ojos los complicados motivos del papel de la pared. La oscuridad y la profunda quietud de la habitación eran imponentes y, como evocaran en la mente del niño la idea de que la muerte había estado flotando por allí muchos días y noches y podía volver a llenarla con la melancolía y terror de su espantosa presencia, el muchacho volvió la cabeza contra la almohada y rezó fervorosamente al cielo.

Paulatinamente se sumió en ese sueño profundo y sereno que sólo dispensan los sufrimientos recientes, ese reposo tranquilo y pacífico del que duele despertarse. Si así fuera la muerte, ¿quién volvería a despertar a todas las luchas y agitaciones de la vida, a todas las preocupaciones del presente, las ansiedades del futuro, y, más que nada, los fastidiosos recuerdos del pasado?

Cuando Oliver abrió los ojos, contento y feliz, el día llevaba ya horas luciendo. La crisis de la enfermedad había pasado sin peligro. De nuevo formaba parte del mundo.

En el plazo de tres días pudo sentarse en un sillón, bien sostenido con cojines, y, como se sintiera todavía demasiado débil para andar, la señora Bedwin hizo que lo bajaran al cuartito del ama de llaves, que era el suyo. Tras colocarlo allí junto al fuego, la buena viejecita se sentó también y, sintiéndose en un estado de indecible júbilo de verlo tan mejorado, rompió a llorar con inusitada vehemencia.

—No me hagas caso, querido —dijo la viejecita—. Sólo son unas lágrimas de rutina. Ya está, ya se pasó todo y estoy estupendamente.

—Usted es muy, muy buena conmigo, señora —dijo Oliver.

—Bueno, no pienses en eso, querido —dijo la viejecita—; no tiene nada que ver con tu caldo y ya es más que hora de que te lo tomes, pues el doctor dice que el señor Brownlow puede venir a verte esta mañana, y tenemos que poner la mejor cara que podamos, pues cuanto mejor cara tengamos, más contento estará.

Y con esto la viejecita se ocupó en calentar en un cacito un cuenco de caldo tan concentrado, pensó Oliver, como para proporcionar una buena comida, una vez diluido hasta la densidad exigida por el reglamento, a trescientos cincuenta pobres, calculando muy por lo bajo.

—¿Te gustan los cuadros, querido? —preguntó la viejecita observando que Oliver tenía los ojos intensamente clavados en un retrato colgado en la pared justo enfrente de su sillón.

—La verdad es que no sé, señora —dijo Oliver sin quitar los ojos del lienzo—. He visto tan pocos, que apenas si sé. ¡Qué cara más bonita y dulce la de esa señora!

–¡Ah! –dijo la viejecita–. Los pintores siempre dejan a las señoras más bonitas de lo que son, porque si no, no tendrían clientes, chiquillo. El hombre que inventó la máquina de retratar podía haber pensado que *aquello* nunca tendría éxito, pues es demasiado sincero. Demasiado –dijo la viejecita riendo con ganas de su propia perspicacia.

–¿Es... es eso un retrato, señora? –dijo Oliver.

–Sí –dijo la viejecita levantando los ojos del caldo un momento–. Eso es un retrato.

–¿De quién, señora? –preguntó Oliver.

–Pues la verdad es que no sé, querido –repuso la viejecita jovialmente–. No creo que sea el retrato de nadie que tú o yo conozcamos. Parece que te gusta, querido.

–Es tan bonito –replicó Oliver.

–¡Cómo! ¿Estás seguro de que no te da miedo? –dijo la viejecita, observando con harto asombro los ojos de pavor con que el niño miraba la pintura.

–¡Oh, no, no! –repuso Oliver rápidamente–. Pero los ojos parecen tan apesadumbrados, y desde aquí parecen fijos en mí. Me hace palpitar el corazón –añadió Oliver en voz baja–, como si estuviera viva y quisiera hablarme pero no pudiera.

–¡Que el Señor nos bendiga! –exclamó la viejecita sobresaltada–. No hables así, niño. Estás débil e inquieto tras la enfermedad. Deja que dé la vuelta al sillón hasta el otro lado y así no la verás. ¡Eso es! –dijo la viejecita uniendo la acción a la palabra–; así no la ves de ninguna manera.

Oliver la *veía* con los ojos del espíritu tan nítidamente como si no hubiera cambiado de lugar, pero pensó que era mejor no intranquilizar a la bondadosa viejecita y sonrió dulcemente cuando ella le miró, y la señora Bedwin, satisfecha de verlo más tranquilo, saló y desmenuzó trocitos de pan tostado en el caldo con todo el afán que tan solemne preparación merece. Oliver se lo liquidó con extraordinaria celeridad y apenas había pasado la última cucharada, cuando se oyeron unos golpecitos en la puerta.

–Adelante –dijo la viejecita y entró el señor Brownlow.

Pues bien, el anciano entró tan radiante como pudiera desearse, pero en cuanto alzó los anteojos sobre la frente y hundió las manos tras los faldones de la bata para echar una buena ojeada a Oliver, su semblante experimentó una grandísima variedad de extrañas contorsiones. Oliver parecía agotado y mustio a causa de la enfermedad, pero hizo un vano esfuerzo por ponerse en pie por deferencia a su bienhechor, esfuerzo que terminó volviéndole a hundir en el sillón, y, la realidad es, si ha de decirse la verdad, que el corazón del señor Brownlow, suficientemente grande para seis ancianos normales de humanitaria disposición, reprimió en sus ojos gran cantidad de lágrimas mediante un procedimiento hidráulico que, por no ser asaz filosóficos, no nos hallamos en situación de explicar.

–¡Pobre muchacho, pobre muchacho! –dijo el señor Brownlow carraspeando–. Estoy un poco ronco esta mañana, señora Bedwin. Temo haberme resfriado.

–Espero que no, señor –dijo la señora Bedwin–. Todo lo que usted se ha puesto estaba bien aireado, señor.

–No sé, Bedwin, no sé –dijo el señor Brownlow–. Pero creo que la servilleta que usé ayer a la hora de comer estaba húmeda, pero no importa. ¿Cómo te sientes, amiguito?

–Muy contento, señor –respondió Oliver–. Y muy agradecido de veras, señor, por lo bondadoso que es conmigo.

–Buen chico –dijo el señor Brownlow resueltamente–. ¿Le ha dado algo de comer, Bedwin? Aguachirle, ¿eh?

–Acaba de tomarse un cuenco de un estupendo caldo bien concentrado, señor –repuso la señora Bedwin, enderezándose ligeramente y subrayando claramente la última palabra, dando a entender que entre el aguachirle y el caldo bien compuesto no existe relación ni parentesco alguno.

–¡Pufff! –dijo el señor Brownlow con un ligero repelús–. Un par de copas de oporto le habrían sentado mucho mejor. ¿No te parece, Tom White?

–Me llamo Oliver, señor –replicó el joven enfermo con cara de gran asombro.

–Oliver –dijo el señor Brownlow–, ¿Oliver qué? Oliver White, ¿no?

–No, señor. Twist, Oliver Twist.

–Extraño nombre –dijo el anciano–. ¿Por qué razón dijiste al comisario que te llamabas White?

–Yo nunca dije eso, señor –repuso Oliver perplejo.

Aquello tenía tantos visos de mentira, que el anciano miró a Oliver en la cara un tanto severo. Era imposible dudar de él: la verdad se dibujaba en cada uno de sus finos y penetrantes rasgos.

–Algún error –dijo el señor Brownlow.

Mas, aunque ya no existían razones para mirar fijamente a Oliver, la antigua idea del parecido de sus facciones con los de alguna cara familiar se le insinuó con tanta fuerza, que no podía apartar la mirada.

–Espero que no se enfade usted conmigo, señor –dijo Oliver alzando los ojos con expresión suplicante.

–No, no –repuso el anciano–. ¡Válgame Dios! ¿Qué es esto? ¡Bedwin, mire, mire ahí!

Y, mientras así decía, señalaba agitadamente al cuadro que estaba encima de la cabeza de Oliver y luego a la cara del muchacho. Era su vivo retrato. Los ojos, la cara, la boca, cada rasgo era idéntico. La expresión era, en aquel momento, tan exactamente igual, que la mínima línea parecía copiada con una precisión absolutamente sobrenatural.

Oliver no conoció la causa de aquella súbita exclamación, pues no estaba tan restablecido como para soportar el sobresalto que le produjo, y se desmayó.

Capítulo 13

En el que se vuelve a tratar del alegre vejete
y sus jóvenes amigos, mediante los cuales se
presenta al inteligente lector un nuevo personaje,
en relación con el cual se relatan varias cosas
agradables relativas a esta historia

Cuando el Perillán y su competente amigo el señorito Bates se unieron al griterío que se levantó tras los talones de Oliver como consecuencia de que ejecutaran un traspaso ilegal de la propiedad personal del señor Brownlow, como queda expuesto con abundancia de detalles en un capítulo precedente, actuaron movidos, como tuvimos ocasión de observar en aquel momento, por una loabilísima y oportunísima consideración de sí mismos, y, en la medida en que la libertad del ciudadano y la autodeterminación del individuo se cuentan entre los primeros y más gloriosos motivos de orgullo del inglés de pura cepa, apenas si necesito pedir al lector que considere que aquel acto debería contribuir a exaltarlos en la opinión de todo hombre público y patriota en casi la misma medida en que tan sólida prueba de su instinto de conservación y seguridad contribuye a corroborar y ratificar el codiguillo de leyes, que algunos profundos y sesudos filósofos han sentado como los manantiales de todos los hechos y obras de la Naturaleza, ya que los dichos filósofos prudentísimamente reducen las acciones de esta buena señora a cuestiones de preceptos y teorías, y, con un elegante y bonito piropo a su eximia sabiduría y entendimiento, apartan totalmente de la vista cualesquiera consideraciones de corazón o de impulso y sentimiento generosos. Pues todas esas cosas están por debajo de una hembra que la opinión universal reconoce hallarse muy por encima de las numerosas frivolidades y debilidades de su sexo.

Si necesitara más pruebas del carácter estrictamente filosófico de la conducta de aquellos jovencitos en su delicadísima situación, lo hallaría al punto en el hecho (igualmente registrado ya en otra parte de esta narración) de que abandonaran la persecución cuando la atención general se fijaba en Oliver y se fueran en seguida a casa por el atajo más corto que hallaron. Aunque no pretendo afirmar que la práctica habitual de los sabios famosos y eruditos sea acortar el camino que conduce a una conclusión importante (su proceder es más bien alargar la distancia con variadas circunlocuciones y divagaciones discursivas, como aquellas a las que tienden a abandonarse los borrachos bajo la presión de una afluencia de ideas excesivamente copiosa), quiero decir, empero, y decirlo claramente, que la práctica constante de muchos filósofos poderosos, en la realización de sus teorías, es exhibir gran sabiduría y previsión en tomar precauciones contra toda posible contingencia que pudiera suponer cualquier probabilidad de afectarlos personalmente. Así pues, para hacer un gran bien, uno puede hacer un poco de mal y uno puede utilizar cualquier medio que el fin deseado justifique, quedando al arbitrio pleno del filósofo de turno cuánto bien o cuánto mal, o incluso la distinción entre los dos, que él definirá y determinará con la clara, amplia e imparcial visión de su propio caso particular.

Hasta que los dos muchachos no hubieron atravesado a todo correr un intricadísimo laberinto de callejuelas y patios no se arriesgaron a detenerse, cosa que hicieron bajo un pasadizo bajo y oscuro. Tras permanecer en silencio justo el tiempo suficiente para recuperar el aliento y poder hablar, el señorito Bates profirió una exclamación de regocijo y alegría y, estallando en un incontrolable ataque de risa, se arrojó en el umbral de una puerta y allí se revolcó en un arrebato de alborozo.

–¿Qué pasa? –preguntó el Perillán.

–¡Ja, ja, ja! –rugía Charley Bates.

–No hagas tanto ruido –argumentó el Perillán, mirando cautelosamente alrededor–. ¿Quiés que te echen mano, atontao?

–No puedo aguantarlo –dijo Charley–. ¡No puedo aguantarlo! Verle descuajaringándose a aquel paso, tragándose las esquinas y chocándose contra los postes y continuando p'alante como si fuera de hierro como ellos, y yo con el safo en el bolsillo berreando detrás de él... ¡Ay, que me muero!

La viva imaginación del señorito Bates le pintaba aquella escena con colores demasiado fuertes. Al llegar a aquella exclamación, volvió a revolcarse en el umbral y a reír con más fuerza todavía.

–¿Qué va a decir Fagin? –preguntó el Perillán, aprovechando el siguiente intervalo de falta de aliento de su amigo para colocar la pregunta.

–¿Qué? –repitió Charley Bates.

–Sí, ¿qué? –dijo el Perillán.

–¿Pues qué va a decir? –preguntó Charley, interrumpiendo un tanto súbitamente sus risas, pues la actitud del Perillán causaba impresión–. ¿Qué va a decir?

El señorito Dawkins silbó cosa de un par de minutos y luego, quitándose el sombrero, se rascó la cabeza y asintió con ella tres veces.

–¿Qué quieres decir? –dijo Charley.

–Tururú, tururú, trola y espinaja, la rana cógela tú, que alta está la gayinaja –dijo el Perillán con una risilla burlona en su semblante intelectual.

Aquello era aclaratorio, pero no satisfactorio. Así lo entendió el señorito Bates y volvió a decir:

–¿Qué quieres decir?

El Perillán no contestó y, tras ponerse otra vez el sombrero y recoger bajo el brazo los faldones de la levita, hundió la lengua en el carrillo, se dio media docena de palmaditas en el caballete de la nariz de manera rutinaria pero expresiva y, girando sobre los talones, penetró en el patio. El señorito Bates le siguió con pensativo semblante.

El ruido de pasos en las crujientes escaleras unos minutos después de aquella conversación puso sobre aviso al alegre vejete, que estaba sentado junto al fuego con una salchicha seca y un panecillo en la mano izquierda, una navaja en la derecha y una jarra de peltre en los trébedes. Una sonrisa pícara se dibujó en su rostro blanco cuando se dio la vuelta y, mirando con ojos penetrantes bajo sus pobladas cejas bermejas, dirigió la oreja hacia la puerta y escuchó.

–¡Hombre! ¿Qué es esto? –masculló el judío mudando de semblante–. ¿Sólo dos? ¿Dónde está el tercero? No es posible que se hayan metido en líos. ¡Escuchemos!

Los pasos se acercaban, llegaban al rellano. La puerta se abrió lentamente y el Perillán y Charley Bates entraron y la cerraron.

–¿Dónde está Oliver, granujas? –dijo el enfurecido judío, levantándose con mirada amenazadora–. ¿Dónde está el muchacho?

Los ladronzuelos miraron a su preceptor como asustados de su violencia y se miraron inquietos. Pero no respondieron.

–¿Qué le ha pasado al muchacho? –dijo el judío agarrando al Perillán fuertemente por el cuello de la chaqueta y amenazándole con horrendas imprecaciones–. ¡Habla, maldito, o te estrangulo!

El señor Fagin parecía hablar tan en serio, que Charley Bates, que en todas las ocasiones consideraba prudente encontrarse en el lado seguro y que pensaba que no era en absoluto improbable que le llegara la vez de ser estrangulado en segundo lugar, se hincó de rodillas y lanzó un rugido potente, sostenido y continuo, algo entre un toro enloquecido y una bocina.

–¿Hablarás? –bramó el judío zarandeando tanto al Perillán, que el poder mantenerse dentro de la gran levita parecía puro milagro.

–Pos que los maderos lo han trincao y na más –dijo el Perillán malhumorado–. ¡Venga, suélteme ya! ¿Vale?

Y, dando un tirón en redondo hasta quedar limpio de la gran levita, que dejó en manos del judío, agarró el Perillán el trinchante y lanzó un pase al chaleco del alegre vejete que, si hubiera surtido efecto, habría dejado escapar algo más de alegría de la que con facilidad se hubiera podido restituir.

En aquel brete retrocedió el judío con más agilidad de la que se hubiera podido adivinar en un hombre tan aparentemente decrépito y, cogiendo la jarra, fue a arrojarla a la cabeza de su atacante. Pero en aquel momento atrajo su atención un alarido absolutamente terrorífico de Charley Bates y súbitamente modificó su trayectoria y se la arrojó de lleno a dicho jovencito.

–¿Pero qué demonios flota en el aire ahora? –gruñó una voz grave–. ¿Quién m'ha tirao esto? Menos mal que es la cerveza y no la jarra lo que me ha dao, que si no, le apaño a alguien. Ya me podía haber imaginao que naide más que un viejo judío del infierno, rico, chorizo y condenao pué permitirse tirar bebida que no sea agua... y ni eso, a menos que time a la Compañía del Río en cada cuartiyo. ¿Qué pasa aquí, Fagin? Que me rajen si no me has empapao tó el fular de cerveza. Entra, bichejo picarón, ¿por qué te quedas ahí fuera como avergonzao de tu amo? ¡Entra!

El hombre que así gruñía era un tipo robustamente constituido de unos treinta y cinco años, levita de pana negra, calzones pardos muy sucios, botas de media caña con cordones y medias grises de algodón que cubrían un par de piernas voluminosas de grandes y abultadas pantorrillas..., el tipo de piernas que, con tal traje, siempre parece que están sin acabar ni rematar sin unos grillos que las adornen. Llevaba un sombrero marrón en la cabeza y un sucio fular de colorines alrededor del cuello, con las largas y deshilachadas puntas del cual se limpió la cerveza de la cara mientras hablaba. Cuando hubo terminado dejó ver un rostro ancho y fuerte con una barba de tres días y dos ojos ceñudos, uno de los cuales mostraba algunos variopintos síntomas de haber sido dañado hacía poco por un golpe.

–Entra, ¿no oyes? –gruñó aquel atractivo rufián.

Un perro blanco y desgreñado con el hocico arañado y desgarrado en veinte sitios distintos entró remoloneando en la habitación.

–¿Por qué no entraste antes? –dijo el hombre–. Te estás volviendo tú demasiao orguyoso pa obedecerme delante de la gente, ¿eh? ¡Échate al suelo!

Esta orden fue acompañada de una patada que envió al animal a la otra punta de la habitación. Mas parecía muy acostumbrado a aquello, pues se enroscó en un rincón muy tranquilamente sin emitir sonido alguno y, parpadeando unas veinte veces por minuto, pareció ocuparse en inspeccionar la estancia con sus siniestros ojos.

–¿Qué mosca te ha picao? ¿Maltratando a los muchachos, peristón agarrao, avaricioso, in-sa-cia-ble? –dijo el hombre sentándose lentamente–. No me explico por qué no te matan. En su lugar *yo* lo haría. Si hubiera sío aprendiz tuyo, lo habría hecho hace tiempo y te... no, no te habría podío vender después, pues no vales pa ná, más que pa tenerte metío en un frasco como curiosidá por feo, y pa mí que no soplan frascos así de grandes.

–¡Chist, chist, Señor Sikes! –dijo el judío temblando–, no hable tan alto.

–Nada de señor –repuso el rufián–; siempre tienes algo chungo preparao cuando empiezas asín. Sabes mi nombre, ¡pos dilo! Yo no me avergonzaré de él cuando yegue el momento.

–Bueno, bueno, entonces... Bill Sikes –dijo el judío con rastrera humildad–. Parece que no estás de buen humor, Bill.

–A lo mejor –repuso Sikes–. Pero yo creo que tú también estás de mal talante, a menos que cuando te pones a tirar jarras sólo quieras hacer tan poco daño como cuando te vas de la lengua y...

–¿Estás loco? –dijo el judío cogiendo al hombre por la manga y señalando a los muchachos.

El señor Sikes se contentó con atar un nudo imaginario debajo de la oreja izquierda y dar un tirón con la cabeza sobre el hombro derecho, representación mímica aquella que el judío pareció entender perfectamente. Luego, utilizando palabras de germanía, con que salpicaron generosamente toda su conversación y que resultarían completamente ininteligibles si las registráramos aquí, pidió un vaso de alcohol.

–Y cuidao no lo envenenes –dijo el señor Sikes poniendo el sombrero en la mesa.

Dijo esto en broma, pero si hubiera visto la maliciosa mirada de soslayo con que el judío se mordía su pálido labio al volverse hacia el armario, podría haber considerado la advertencia no del todo innecesaria, o la intención (en cualquier caso) de mejorar el arte del destilador no muy alejada del corazón del alegre vejete.

Después de trasegar dos o tres vasos de alcohol, el señor Sikes se dignó hacer algún caso a los jovencitos, deferencia aquella que dio lugar a una conversación en la que se detallaron minuciosamente el porqué y el cómo de la captura de Oliver, con tales alteraciones y mejoras de la verdad como el Perillán consideró aconsejables, vistas las circunstancias.

—Me temo —dijo el judío— que pueda decir algo que nos meta en líos.

—Es mu probable —repuso Sikes con maliciosa sonrisa—. Te ha dao el soplo, Fagin.

—Y me temo, ya ves —añadió el judío, como si no hubiera notado la interrupción y mirando al otro fijamente al mismo tiempo—, me temo que si el juego se nos terminara, se terminaría también para muchos otros, y que te iría peor a ti que a mí, querido.

El hombre dio un respingo y se volvió fieramente hacia el judío. Pero el anciano caballero tenía los hombros encogidos hasta las orejas y los ojos perdidos en la pared opuesta.

Hubo una larga pausa. Todos los componentes de la respetable cofradía estaban sumidos en sus pensamientos, incluido el perro, que, lamiéndose como rencorosamente el hocico, parecía meditar un ataque a las piernas del primer señor o señora que encontrara en la calle cuando saliera fuera.

—Alguien tié que averiguar qué ha pasao en la comisaría —dijo el señor Sikes en un tono mucho más bajo del que había utilizado desde que entrara.

Asintió el judío con la cabeza.

—Si no ha cantao y lo han enchironao, no hay miedo hasta que vuelva a salir —dijo el señor Sikes—, y entonces habrá que ocuparse de él. Ties que echarle mano de alguna manera.

El judío volvió a asentir.

La prudencia de tal manera de proceder era clara y evidente, pero, desgraciadamente había un grandísimo obstáculo para llevarla a la práctica, y era que el Perillán, y Charley Bates, y Fagin, y el señor William Sikes, uno por uno y todos juntos, coincidían en sentir una virulenta y arraigadísima aversión a acercarse a una comisaría por cualquier razón o pretexto que fuera.

Es difícil suponer cuánto tiempo habrían seguido sentados mirándose unos a otros sumidos en una incertidumbre que no era de lo más agradable que se pudiera sentir. Pero no es necesario hacer ninguna suposición sobre ello, pues la súbita aparición de las dos señoritas que Oliver viera en una ocasión anterior hizo que la conversación se reanudara.

–¡Lo que nos hacía falta! –dijo el judío–. Irá Bet, ¿eh, querida?

–¿Aónde? –preguntó la señorita.

–Sólo hasta la comisaría, querida –dijo el judío zalamero.

Hay que decir en honor de la señorita que no afirmó rotundamente que no iría, sino que se limitó a expresar el enfático y sincero deseo de que la «santiguaran», si iba, cortés y delicada evasiva que muestra que la señorita estaba poseída de aquella buena crianza natural que no puede tolerar se inflija al prójimo el dolor de una negativa directa y tajante.

El semblante del judío se mudó y se volvió a la otra señorita, que iba alegre por no decir deslumbradoramente ataviada con un vestido rojo, botas verdes y bigudíes de papel amarillos.

–Nancy, querida –dijo el judío de manera dulzona–, ¿qué dices *tú*?

–Que no sirve de nada, así que es inútil intentarlo, Fagin –replicó Nancy.

–¿Qué quiés decir con eso? –dijo el señor Sikes mirándola de mal humor.

–Lo que digo, Bill –replicó la señorita tranquilamente.

–Pos tú eres la persona pintipará pa eso –razonó el señor Sikes–; nadie por aquí sabe ná de ti.

–Ni quiero que sepan –replicó Nancy con la misma serenidad–; conmigo es más no que sí, Bill.

–Esta va, Fagin –dijo Sikes.

–No, no irá, Fagin –gritó Nancy.

–Sí, que irá, Fagin –dijo Sikes.

Y el señor Sikes tenía razón. A fuerza de alternar las amenazas, promesas y sobornos, la simpática hembra en cuestión se dejó convencer finalmente de que hiciera el encargo. La verdad es que no la retenían las mismas consideraciones que a su jovial amiga, pues, habiéndose mudado recientemente al barrio de Field Lane desde el alejado aunque distinguido arrabal de Ratcliffe, no tenía los mismos temores de que la reconociera ninguna de sus numerosas amistades.

En consecuencia de lo cual, con un delantal blanco atado encima del vestido y los bigudíes de papel ocultos bajo una toca de paja –prendas ambas salidas del inagotable almacén del judío–, la señorita Nancy se dispuso a salir a hacer su recado.

–Un segundo, querida –dijo el judío sacando un cestillo cubierto–. Lleva esto en una mano. Parece más respetable, querida.

–Dale una yave pa yevar en la otra, Fagin –dijo Sikes–, que paice más real y ginuino.

–Sí, sí, querida, sí que lo parece –dijo el judío, colgando una enorme llave de puerta de la calle en el índice de la mano derecha de la señorita–. Eso es, ¡muy bien! ¡Pero que muy bien, querida! –dijo el judío, frotándose las manos.

–¡Ay, mi hermano! ¡Mi pobrecito, querido, bonito, inocente hermanito! –exclamó la señorita Nancy rompiendo a llorar y oprimiendo el cestillo y la llave en un acceso de congoja–. ¿Qué le ha pasado? ¿Adónde se lo han llevado? ¡Oh, tengan compasión de mí y díganme que le ha pasado al chiquillo, señores! ¡Díganmelo, señores, por favor, señores!

Tras pronunciar aquellas palabras con un tono sumamente lastimero y desgarrador, ante el indecible deleite de sus oyentes, hizo la señorita Nancy una pausa, guiñó a los presentes, sonrió haciéndoles un gesto con la cabeza y desapareció.

–¡Ah, qué lista es, queridos! –dijo el judío, volviéndose a sus jóvenes amigos y agitando la cabeza con gravedad, como amonestándoles sin palabras a seguir el brillante ejemplo que acababan de ver.

–Honra de su seso –dijo el señor Sikes, llenándose el vaso y dando un puñetazo en la mesa con su manaza–. ¡A su saluz y ojalá que toas fueran como eya!

Mientras se hacían aquellos y muchos otros elogios de las cualidades de la señorita Nancy, esta señorita recorrió la mayor parte del camino a la comisaría, adonde, a pesar de algún temor, explicable por el hecho de andar por las calles sola y sin protección, llegaba poco después sana y salva.

Entró por la trasera y dio unos golpecitos con la llave en la puerta de una de las celdas y escuchó. No se oyó sonido alguno dentro, así que tosió y volvió a escuchar. Tampoco hubo respuesta, así que habló.

–Nolly, querido –susurró Nancy con una vocecita–. ¿Nolly?

No había dentro más que un infeliz criminal descalzo, arrestado por tocar la flauta, a quien, habiéndose probado concluyentemente su delito contra la sociedad, el señor Fang había debidamente despachado al correccional por un mes, con la observación pertinente y divertida de que, como tenía tanto aliento de sobra, podría gastarlo mucho más saludablemente en el molino que en un instrumento musical. No respondió, pues su mente estaba ocupada en lamentar la pérdida de la flauta, que le habían incautado en beneficio de la municipalidad, así que Nancy pasó a la celda siguiente y llamó.

–¿Qué? –gritó una voz agotada y débil.

–¿Hay ahí un chiquillo? –preguntó Nancy con un sollozo preparatorio.

–No –repuso la voz–. ¡No quiera Dios!

Era aquel un vagabundo de sesenta y cinco años, que iba a la cárcel por *no* tocar la flauta, o, en otras palabras, por pedir en las calles sin hacer nada por ganarse la vida. En la celda de al lado había otro hombre que iba a la misma cárcel por andar vendiendo por las calles cazos de hojalata sin permiso, haciendo así algo por ganarse la vida con menosprecio de la Dirección de Timbres Fiscales.

Pero, como ninguno de aquellos criminales respondiera al nombre de Oliver o supiera nada de él, Nancy se fue directamente al oficial campechano del chaleco a rayas y, con los más patéticos gemidos y lamentos, más patéticos aún por el rápido y eficaz manejo de la llave y el cestillo, reclamó a su querido hermano.

–*Yo* no lo tengo, guapa –dijo el viejo.

–¿Dónde está? –gritó la señorita Nancy enloquecida.

–Hombre, el caballero se lo llevó –replicó el oficial.

–¿Qué caballero? ¡Ay, cielo bendito! ¿Qué caballero? –exclamó la señorita Nancy.

En respuesta a aquella incongruente pregunta, el viejo informó a la impresionadísima hermana de que Oliver se había puesto enfermo en el despacho, que lo habían absuelto porque un testigo había probado que el robo lo había cometido otro muchacho que no estaba detenido, y que el demandante se lo había llevado sin sentido a su propia morada, de la cual todo lo que el informante sabía era que se hallaba en alguna parte de Pentonville, pues había oído mencionar aquella palabra en las indicaciones dadas al cochero.

En un espantoso estado de duda e incertidumbre la acongojada joven llegó tambaleándose hasta la puerta y luego, transformando aquel paso vacilante en carrera rápida, regresó por el camino más tortuoso y complicado que pudo ocurrírsele al domicilio del judío.

En cuanto el señor Sikes escuchó los pormenores de la expedición, llamó rápidamente al perro blanco y, poniéndose el sombrero, se marchó apresuradamente sin dedicar tiempo alguno a la formalidad de desear buenos días a los presentes.

—Tenemos que averiguar dónde está, amiguitos; hay que encontrarlo —dijo el judío excitadísimo—. Charley, no hagas otra cosa más que merodear por ahí hasta que traigas a casa noticias de él. Nancy, querida, debo conseguir que lo encontréis. Confío en ti, querida... en ti y en el Artero, ¡para todo! Quedaos, quedaos —añadió el judío, abriendo la cerradura de un cajón con mano temblorosa—; aquí hay dinero, queridos. Esta noche cierro este chiringuito. ¡Ya sabéis dónde encontrarme! No os quedéis aquí ni un minuto. ¡Ni un segundo, queridos!

Con aquellas palabras los echó a empujones fuera de la habitación, dio dos vueltas a la llave, atrancó cuidadosamente la puerta, sacó de su escondite el cofre que sin querer había enseñado a Oliver y apresuradamente empezó a guardarse bajo la ropa los relojes y joyas.

En aquel quehacer estaba, cuando unos golpecitos en la puerta le sobresaltaron.

—¿Quién es? —gritó con voz chillona.

—¡Yo! —respondió la voz del Perillán por el agujero de la cerradura.

—¿Qué pasa ahora? —gritó el judío nervioso.

—Nancy dice que si hay que raptarlo y yevarlo al otro queli —preguntó el Perillán.

—Sí —repuso el judío—, ¡lo coja donde lo coja! Encontradlo, encontradlo, ¡eso es todo! Ya veré yo lo que se hará; no tengáis miedo.

Musitó el muchacho una respuesta de asentimiento y se apresuró a bajar tras sus compañeros.

—Por el momento no ha cantado —dijo el judío prosiguiendo su tarea—. Si piensa irse de la lengua entre sus nuevos amigos, todavía podemos cortarle la gaita.

Capítulo 14

Que contiene más detalles sobre la estancia
de Oliver en casa del señor Bronwlow y
el singular vaticinio que un tal señor Grimwig
hizo sobre él cuando salió a hacer un recado

Oliver se recuperó pronto del desvanecimiento en el que le arrojara la brusca exclamación del señor Brownlow, y tanto el anciano como la señora Bedwin evitaron cuidadosamente el tema del cuadro en la conversación que siguió, que en verdad no hizo referencia alguna a la historia o porvenir de Oliver, sino que se limitó a temas susceptibles de distraerle sin ponerle nervioso. Se encontraba todavía demasiado débil para levantarse a desayunar, pero, cuando bajó a la habitación del ama de llaves al día siguiente, lo primero que hizo fue dirigir una ansiosa mirada a la pared esperando ver otra vez el rostro de la hermosa señora. Mas sus esperanzas se vieron defraudadas, pues el cuadro había sido retirado.

–¡Ah! –dijo el ama de llaves, viendo hacia dónde dirigía Oliver los ojos–. Ha desaparecido, ya ves.

–Ya lo veo, señora –repuso Oliver con un suspiro–. ¿Por qué se lo han llevado?

–Lo han descolgado, chiquillo, porque el señor Brownlow dijo que, como parecía preocuparte, quizá te impidiera ponerte mejor, ya ves –dijo la viejecita.

–¡Oh, no, de verdad! No me causaba preocupación, señora –dijo Oliver–. Me gustaba verlo. Me gustaba mucho.

–Bueno, bueno –dijo la viejecita con buen humor–; tú te pones bueno todo lo de prisa que puedas y volverá a colgarse. ¡Vamos, te lo prometo! Ahora hablemos de otra cosa.

Aquélla fue toda la información que Oliver pudo obtener entonces sobre el cuadro. Como la viejecita había sido tan buena con él durante su enfermedad, trató de no pensar más en aquel asunto por el momento y escuchó atentamente muchísimas historias que le contó sobre una amable y hermosa hija que tenía, casada con un amable y hermoso caballero, que vivían en el campo, y sobre un hijo, empleado de un comerciante en las Antillas, que también era un buen muchacho y escribía cartas tan respetuosas a casa cuatro veces al año, que a ella se le saltaban las lágrimas al hablar de ellas. Cuando la viejecita se hubo explayado largamente sobre las excelencias de sus hijos y además sobre los méritos de su buen y virtuoso marido, que llevaba muerto y enterrado el pobrecito, ¡que en paz descanse! exactamente veintiséis años, era ya la hora del té. Tras el té se puso a enseñar a Oliver a jugar al *cribbage*[1], cosa que éste aprendió tan de prisa como ella podía enseñarle, y en lo cual se entretuvieron con harto interés y seriedad hasta que llegó la hora de que el paciente tomara un poco de agua con vino y una rebanada de pan tostado antes de irse a su cama mullida y calentita.

Días felices fueron aquellos que vieron la recuperación de Oliver. Todo estaba tan calmado y pulcro y ordenado, todo el mundo era tan bueno y amable, que, después del bullicio y agitación en que siempre había vivido, aquello le parecía el cielo. En cuanto se encontró fuerte para vestirse adecuadamente, el señor Brownlow hizo que se le proporcionara un traje nuevo y una gorra nue-

---

1. Juego de cartas inglés para el que se necesita, además de una baraja, un tablero con agujeros y fichas para llevar la puntuación.

va y un par de zapatos nuevos. Y como se le dijera que podía hacer con las ropas viejas lo que quisiera, se las dio a una criada que había sido muy amable con él y le pidió que se las vendiera a algún judío y se quedara con el dinero. Esto hizo ella con harta prontitud y, cuando Oliver se asomó a la ventana del salón y vio al judío arrebujándolas en su saco y alejarse, se quedó contentísimo pensando que se marchaban para no volver y que no corría riesgo ninguno de volver a tener que ponérselas. A decir verdad eran miserables harapos y Oliver nunca hasta entonces había tenido un traje nuevo.

Una tarde, aproximadamente una semana después del asunto del cuadro, mientras estaba sentado hablando con la señora Bedwin, llegó recado del señor Brownlow de que, si Oliver Twist se sentía más o menos bien, le gustaría verle en su escritorio y hablar con él un ratito.

–¡Bendito y alabado sea Dios! Lávate las manos y deja que te haga la raya bien hecha, chiquillo –dijo la señora Bedwin–. ¡Ay, Dios mío! Si hubiéramos sabido que iba a llamarte, te habríamos puesto un cuello limpio y te habríamos dejado más guapo que los chorros del oro.

Hizo Oliver como la viejecita le decía y, aunque mientras tanto se lamentaba ella lastimeramente de que no le daba tiempo a plisarle el volantillo del cuello de la camisa, lo dejó tan primoroso y guapo, a pesar de aquel detalle tan importante para su persona, que llegó a decir, mirándole satisfechísima de los pies a la cabeza, que en realidad no pensaba que, bien mirado, hubiera mejorado mucho su apariencia.

Alentado así, llamó Oliver a la puerta del escritorio. Cuando el señor Brownlow le dijo que pasara, se encontró en un cuartito de la parte trasera abarrotado de libros, con una ventana que daba a un ameno jardincillo. Había arrimada a la ventana una mesa a la que estaba sentado leyendo el señor Brownlow. Cuando vio a Oliver, apartó el libro y le dijo que se acercara a la mesa y se sentara. Obedeció Oliver preguntándose maravillado dónde podría encontrarse gente para leer tal cantidad de libros como parecía se escribían para hacer al mundo más sensato. Cosa que sigue maravillando a gente de más experiencia que Oliver Twist todos los días de su vida.

–Hay muchos libros, ¿eh, chiquillo? –dijo el señor Brownlow, notando la curiosidad con que Oliver observaba los estantes, que llegaban desde el suelo hasta el techo.

–Muchísimos, señor –repuso Oliver–. Nunca vi tantos.

–Los leerás, si te portas bien –dijo el anciano amablemente–, y te gustará más que verlos por fuera...; es decir, en algunos casos, pues *hay* libros que lo mejor que tienen, y con mucho, son el lomo y las tapas.

–Supongo que son esos pesados, señor –dijo Oliver señalando unos enormes volúmenes en cuarto con la encuadernación bien guarnecida de dorados.

–No siempre ésos –dijo el anciano, dando unas palmaditas a Oliver en la cabeza y sonriendo al mismo tiempo–; hay otros igual de pesados, aunque de dimensiones mucho más reducidas. ¿Te gustaría llegar a ser un hombre inteligente y escribir libros?

–Creo que preferiría leerlos, señor –repuso Oliver.

–¡Hombre! ¿No te gustaría ser escritor? –dijo el anciano.

Oliver reflexionó un momentito y al cabo dijo que le parecía que sería mucho mejor ser librero, a lo que el anciano rió con gana y dijo que acababa de decir una cosa muy buena. De lo cual se alegró mucho Oliver, aunque no sabía en absoluto qué era.

– ¡Bueno, bueno! –dijo el anciano, componiendo sus facciones–. ¡No tengas miedo! No te haremos escritor mientras haya oficio honrado que aprender o pueda uno dedicarse a hacer ladrillos.

–Gracias, señor –dijo Oliver.

Ante el tono serio de su respuesta volvió a reír el anciano y dijo algo sobre un curioso instinto, a lo cual Oliver, por no entenderlo, no prestó mucha atención.

–Ahora –dijo el señor Brownlow, hablando de manera si cabe más amable, pero al mismo tiempo mucho más seria de lo que Oliver le había visto asumir hasta entonces–, quiero que prestes mucha atención, chiquillo, a lo que voy a decirte. Te hablo sin reservas porque estoy seguro de que puedes entenderme tan bien como lo harían muchos mayores.

–¡Oh, por favor, señor, no me diga que va a mandarme marchar! –exclamó Oliver alarmado por el tono serio de las primeras palabras del anciano–. No me eche fuera a vagabundear otra vez por las calles. Déjeme estar aquí y ser un criado. No me devuelva al miserable lugar de donde vine. ¡Tenga piedad de un pobre muchacho, señor!

–Querido chiquillo –dijo el anciano conmovido por el ardor de la súbita súplica de Oliver–, no tienes que tener miedo de que te abandone, a menos que me des motivos.

–Nunca, nunca se los daré, señor –le interrumpió Oliver.

–Espero que no –afirmó el anciano–. No creo que me los des jamás. Me he engañado otras veces con aquellos a quienes traté de hacer bien, pero me siento firmemente dispuesto a confiar en ti y tengo más interés por ti del que puedo justificar, incluso ante mí mismo. Aquellos a quienes dediqué mi mejor cariño yacen en el fondo del sepulcro, pero, aunque la felicidad y el deleite de mi vida yacen enterrados allí con ellos, no he hecho un ataúd de mi corazón ni lo he lacrado para siempre dejando fuera mis mejores afectos. El dolor profundo no ha hecho sino reforzarlos y decantarlos.

Mientras el anciano dijo aquello en voz baja, más para sí que para su acompañante, y mientras permaneció callado después por un momento, Oliver siguió sentado completamente inmóvil.

–¡Bueno, bueno! –dijo el anciano al cabo con tono más alegre–. Sólo digo esto porque tienes el corazón joven y, sabiendo que he sufrido grandes dolores y penas, tendrás más cuidado quizá en que no vuelva a sufrir otra vez. Dices que eres huérfano, sin ningún amigo en el mundo, y todas las pesquisas que he podido hacer confirman esa afirmación. Permíteme escuchar tu historia, dónde naciste, quién te crió y cómo llegaste a hallarte en compañía de quienes te encontré. Dime la verdad y no te faltará la amistad mientras yo viva.

Los sollozos de Oliver le cortaron el habla unos momentos y, cuando estaba a punto de empezar el relato de cómo lo habían criado en la granja y el señor Bumble lo había llevado al hospicio, se oyeron en la puerta de la calle dos llamadas particularmente impacientes y la criada, tras subir corriendo, anunció al señor Grimwig.

–¿Sube? –preguntó el señor Brownlow.

–Sí, señor –respondió la criada–. Ha preguntado si hay bollitos en casa y, cuando le he dicho que sí, ha dicho que venía a tomar el té.

Sonrió el señor Brownlow y, volviéndose a Oliver, dijo que el señor Grimwig era un viejo amigo suyo y que no debería tomarle en cuenta sus modales un tanto rudos, pues en el fondo era un ser noble, como tenía razones para saber.

–¿Bajo abajo, señor? –preguntó Oliver.

–No –repuso el señor Brownlow–, prefiero que te quedes aquí.

En aquel momento entró en la habitación, apoyándose en grueso bastón, un robusto anciano, bastante cojo de una pierna, con levita azul, chaleco a rayas, calzones de nanquín y polainas, y un sombrero blanco de ala ancha, con borde doblado verde. Por encima del chaleco sobresalía el volante de la camisa, muy pequeño y plisado, y debajo penduleaba una larguísima leontina de acero de la que sólo colgaba una llave. El nudo de su fular blanco formaba un ovillo tan grande casi como una naranja y la variedad de aspectos de su tortuoso rostro desafiaba cualquier descripción. Tenía una manera de desenroscar la cabeza a un lado cuando hablaba y mirar por el rabillo del ojo al mismo tiempo, que parecía un loro a quien lo miraba. En tal postura se quedó en el momento de aparecer y, mostrando un trocito de cáscara de naranja con todo el brazo extendido, exclamó con voz gruñona y disgustada:

—¡Mira! ¿Ves esto? ¿No es maravillosa y extraordinaria cosa que no pueda venir a casa de alguien sin encontrar en la escalera un trozo de la amiga de ese maldito cirujano pobretón? Ya me dejó cojo una vez una cáscara de naranja y sé que una cáscara de naranja será mi muerte al final. Sí, señor, una cáscara de naranja será mi muerte o, si no, ¡me conformaré con comerme la cabeza!

Era aquélla la hermosa oferta con que el señor Grimwig respaldaba y confirmaba casi cada afirmación que hacía, y era aún más singular en su caso porque, incluso admitiendo, por mor de la discusión, la posibilidad de que los progresos científicos lleguen jamás a la altura de permitir que un caballero pueda comerse su propia cabeza en el caso de hallarse dispuesto a ello, la cabeza del señor Grimwig era tan extraordinariamente voluminosa, que el hombre más optimista entre los vivos difícilmente podría abrigar la esperanza de que pudiera dar cuenta de ella de una sentada..., dejando totalmente aparte la espesa capa de polvo que la cubría.

–¡Me como la cabeza, sí, señor! –repitió el señor Grimwig, golpeando el suelo con el bastón–. ¡Caramba! ¿Qué es esto? –dijo mirando a Oliver y retrocediendo un paso o dos.

–Es el joven Oliver Twist, de quien estuvimos hablando –dijo el señor Brownlow.

Oliver se inclinó.

–Supongo que no querrás decir que éste es el muchacho que tuvo la fiebre –dijo el señor Grimwig, retrocediendo un poco más–. ¡Un momento! ¡No digas nada! ¡Alto! –continuó bruscamente el señor Grimwig, perdiendo todo el temor a la fiebre con el júbilo del descubrimiento–. ¡Éste es el muchacho que se comió la naranja! Si este no es el muchacho que se comió la naranja y tiró este trozo de cáscara en la escalera, me como la cabeza, ¡y la suya también!

–No, no, no se ha comido ninguna –dijo el señor Brownlow, riendo–. ¡Vamos, quítate el sombrero y habla a mi joven amigo!

–Tengo ideas muy arraigadas sobre este asunto, amigo –dijo el irritable anciano, quitándose los guantes–. Siempre hay alguna cáscara de naranja, sea más grande o más pequeña, en la acera de nuestra calle, y yo *sé* que quien la pone es el muchacho del cirujano de la esquina. Anoche una joven resbaló en un trozo y se cayó contra la reja de mi jardín, y en cuanto se levantó vi que miraba hacia la lámpara roja de ese demonio con su lucecita de opereta. La llamé desde la ventana: «¡No vaya a él! ¡Es un asesino! ¡Es una trampa!». Sí que lo es. O si no...

Aquí el irascible anciano golpeó enérgicamente el suelo con el bastón, lo cual significaba para sus amigos el equivalente de su oferta habitual, cuando no la expresaba verbalmente. Luego, con el bastón todavía en la mano, se sentó y, abriendo un binóculo que llevaba atado a una ancha cinta negra, se puso a inspeccionar a Oliver, quien, viéndose blanco de sus miradas, se ruborizó y volvió a inclinarse.

–¿Conque éste es el muchacho, eh? –dijo el señor Grimwig al cabo.

–Éste es el muchacho –respondió el señor Brownlow.

–¿Cómo estás, muchacho? –dijo el señor Grimwig.

–Mucho mejor; gracias, señor –respondió Oliver.

Como si supiera que su singular amigo iba a decir algo desagradable, el señor Brownlow pidió a Oliver que bajara a decir a la señora Bedwin que estaban listos para el té, cosa que le alegró mucho, pues no le gustaban ni a medias las maneras del visitante.

–Un muchacho muy bien parecido, ¿eh? –dijo el señor Bronwlow.

–No sé –replicó el señor Grimwig malhumorado.

–¿No sabes?

–No, no sé. Nunca veo diferencia ninguna entre muchachos. Sólo conozco dos clases de muchachos. Los descoloridos y los cara de buey.

–¿Y cuál de los dos es Oliver?

–Descolorido. Tengo un amigo que tiene un muchacho cara de buey, buen muchacho, según dicen, cabeza redonda, carrillos colorados y ojos relucientes, un muchacho horroroso, con cuerpo y miembros que parecen escapársele por las costuras de sus ropas azules, voz de timonel y apetito de lobo. ¡Lo conozco! ¡Desgraciado!

–Vamos –dijo el señor Brownlow–, ésos no son los atributos del pequeño Oliver Twist, de modo que no debe de causarte enojo.

–No lo son –replicó el señor Grimwig–. Puede tener peores.

Aquí el señor Brownlow tosió impacientándose, cosa que pareció procurar al señor Grimwig el más exquisito deleite.

–Puede tener peores, digo yo –repitió el señor Grimwig–. ¿De dónde ha salido? ¿Quién es? ¿Qué es? Ha tenido una fiebre. ¿Y qué? Las fiebres no son exclusivas de la gente buena, ¿no? La gente mala tiene fiebre alguna vez, ¿no? Yo conocí a un hombre que ahorcaron en Jamaica por matar a su amo. Había tenido una fiebre seis veces, pero no por esa razón era digno de clemencia. ¡Bah! ¡Tonterías!

Ahora bien, la realidad era que en lo más recóndito de su corazón el señor Grimwig estaba firmemente dispuesto a admitir que la apariencia y maneras de Oliver eran extraordinariamente atractivas, pero él tenía una fuerte inclinación a llevar la contraria, acentuada en aquella ocasión por el hallazgo de la cáscara de naranja y, decidido en su fuero interno a que nadie le dictara si un muchacho era o no bien parecido, había resuelto desde el principio contradecir a su amigo. Cuando el señor Brownlow admitió que a ninguna de sus preguntas podía dar. por el momento respuesta satisfactoria y que había aplazado toda indagación sobre la anterior vida de Oliver hasta que considerara al muchacho suficientemente fuerte para soportarlo, el señor Grimwig se echó a reír maliciosamente. Y, con una risita burlona, preguntó si el ama de llaves acostumbraba a contar la vajilla por la noche, porque, si alguna soleada mañana encontraba que no faltaba una cuchara o dos, pues bien podía darse por satisfecho... y cosas así.

El señor Brownlow, aunque también caballero un tanto impetuoso, conocía las rarezas de su amigo y aguantó todo aquello con harto buen humor, y como al tomar el té el señor Grimwig tuvo el afable gusto de manifestar su total aprobación de los bollitos, las cosas fueron estupendamente, y Oliver, que formaba parte de la tertulia, empezó a sentirse más a gusto que antes en presencia de aquel fiero anciano.

–¿Y cuándo vas a oír un relato completo, verdadero y detallado de la vida y aventuras de Oliver Twist? –preguntó Grimwig al señor Brownlow al final de la colación y mirando de soslayo a Oliver mientras reanudaba el tema.

–Mañana por la mañana –repuso el señor Brownlow–. Prefiero que esté solo conmigo en tal ocasión. Sube a verme mañana por la mañana a las diez, querido.

–Sí, señor –replicó Oliver.

Respondió con cierta vacilación, pues la dura mirada del señor Grimwig le confundía.

–Escúchame –susurró aquel señor al señor Brownlow–; no subirá a verte mañana por la mañana. Le he visto vacilar. Te está engañando, amigo mío.

–Yo juraría que no –replicó el señor Brownlow cordialmente.

–Si no te está engañando –dijo el señor Grimwig–, me... –y golpeó con el bastón.

–¡Respondo de la sinceridad de ese muchacho con mi vida! –dijo el señor Brownlow, dando un puñetazo sobre la mesa.

–¡Y yo de su falsedad con mi cabeza! –afirmó el señor Grimwig, golpeando la mesa también.

–Ya veremos –dijo el señor Brownlow, conteniendo el enojo que le subía.

–Veremos –replicó el señor Grimwig con una sonrisa provocadora–. Veremos.

El destino quiso que en aquel momento la señora Bedwin apareciera con un paquetito de libros que el señor Brownlow había encargado aquella mañana al mismo librero que ya ha aparecido en esta historia, y, tras depositarlos en la mesa, se dispuso a abandonar la habitación.

–Llame al muchacho, señora Bedwin –dijo el señor Brownlow–; hay que devolverle algo.

–Se ha marchado, señor –replicó la señora Bedwin.

–Vaya tras él y llámelo –dijo el señor Brownlow–, es algo especial. No los he pagado y es hombre pobre. Además, hay que devolverle unos libros.

La puerta de la calle estaba abierta. Oliver salió corriendo en una dirección y la sirvienta en la otra, y la señora Bedwin se quedó en el umbral llamando a gritos al muchacho, pero al muchacho no se le veía. Oliver y la chica regresaron sin aliento y contaron que no había ni rastro de él.

–¡Vaya por Dios! Lo siento muchísimo –exclamó el señor Brownlow–. Sobre todo porque quería devolver esos libros antes de esta noche.

–Manda a Oliver con ellos –dijo el señor Grimwig con una sonrisa irónica–; seguro que los entregará con toda seguridad, bien lo sabes.

–Sí, déjeme llevarlos, señor, si le parece bien –dijo Oliver–. Iré corriendo, señor.

El anciano iba justamente a decir que Oliver no saldría bajo ningún pretexto, cuando una tos en extremo malévola del señor Grimwig le decidió a que saliera y demostrara al punto, con un rápido cumplimiento del encargo, lo injusto de sus sospechas, al menos en aquel concepto.

–Irás, amiguito –dijo el anciano–. Los libros están en una silla junto a mi mesa. Bájalos.

Contentísimo de poder ser útil, bajó Oliver los libros bajo el brazo con gran excitación y esperó, gorra en mano, que le dijeran el recado que tenía que dar.

–Tienes que decir –dijo el señor Brownlow mirando fijamente a Grimwig–, tienes que decir que vas a devolver estos libros y que vas a pagar las cuatro libras y diez chelines que le debo. Aquí tienes este billete de cinco libras, así que tendrás que traerme diez chelines de vuelta.

–No tardaré ni diez minutos, señor –replicó Oliver muy serio.

Se abrochó el botón del bolsillo de la chaqueta tras guardar en él el billete, colocó cuidadosamente los libros bajo el brazo, hizo una inclinación respetuosa y abandonó la habitación. La señora Bedwin le siguió hasta la puerta de la calle dándole mil instrucciones sobre el camino más corto y el nombre del librero y el nombre de la calle, todo lo cual Oliver dijo que entendía perfectamente. Tras añadir muchas advertencias de que tuviera cuidado y no cogiera frío, la viejecita le dejó finalmente marchar.

–¡Que Dios le bendiga! –dijo la viejecita mirando cómo se alejaba–. No puedo soportar, por alguna razón, dejarle marchar de mi vista.

En aquel momento Oliver se volvió alegremente e hizo una señal con la cabeza antes de doblar la esquina. Devolvió la viejecita aquel saludo con una sonrisa y, cerrando la puerta, volvió a su habitación.

–Veamos –dijo el señor Brownlow, sacando el reloj y poniéndolo en la mesa–. Estará de vuelta dentro de veinte minutos como máximo. Para entonces será de noche.

–O sea que de verdad esperas que vuelva, ¿eh? –inquirió el señor Grimwig.

–¿Tú no? –preguntó el señor Brownlow sonriendo.

El espíritu de la contradicción estaba muy arraigado en el pecho del señor Grimwig en aquel momento y se arraigó aún más con la confiada sonrisa de su amigo.

–No –dijo dando un puñetazo en la mesa–. Yo no. El muchacho lleva un traje nuevo encima, un lote de libros caros bajo el brazo y un billete de cinco libras en el bolsillo. Se reunirá con sus antiguos amigos, los ladrones, y se reirá de ti. Si ese muchacho vuelve jamás a esta casa, amigo, me como la cabeza.

Y, diciendo aquellas palabras, acercó más la silla a la mesa y allí siguieron sentados los dos amigos en callada espera con el reloj de por medio.

Merece la pena observar, como ilustración de la importancia que atribuimos a nuestros propios juicios y el orgullo con que expresamos nuestras conclusiones más impetuosas y precipitadas, que, aunque el señor Grimwig no era en absoluto hombre de mal corazón y aunque habría sentido sinceramente ver burlado y engañado a su respetado amigo, era cierto que en aquel momento esperaba ansiosa y firmemente que Oliver no regresara.

Se hizo tan de noche, que los números de la esfera casi ni se distinguían, pero los dos ancianos continuaron sentados en silencio con el reloj de por medio.

Capítulo 15

Que muestra cuánto afecto por Oliver Twist tenían el alegre viejo judío y la señorita Nancy

En la lóbrega sala de una tabernucha de la zona más sucia de Little Saffron Hill, oscuro y tenebroso tugurio donde en tiempo de invierno ardía todo el día la llama de una luz de gas y donde en verano jamás brilló un rayo de sol, sentado, cavilando ante una jarrita de peltre y un vaso pequeño, e impregnado de un fuerte olor a alcohol, estaba un hombre de chaqueta de pana, calzón corto pardo, botas de media caña y medias, a quien incluso en aquella pálida luz ningún agente de la policía con experiencia habría dudado un instante en identificar con el señor William Sikes. A sus pies estaba sentado un perro peliblanco y ojirrojo entretenido ora en pestañear a su amo con ambos ojos a la vez, ora en lamerse un corte grande y en carne viva en un lado del hocico que parecía ser el resultado de algún reciente combate.

–¡Estáte quieto, bichejo! ¡Quieto! –dijo el señor Sikes rompiendo súbitamente el silencio.

Si sus reflexiones eran tan intensas, que podían verse alteradas por el pestañear del perro, o si sus sentimientos estaban tan excitados por sus deliberaciones, que necesitaban todo el desahogo resultante de dar una patada a un animal inofensivo para calmarlos, es cosa que puede discutirse y analizarse. Cualquiera que fuera la causa, el resultado fue una patada y un juramento dispensados al perro al mismo tiempo.

Por lo general los perros no son propensos a vengarse del daño que sus amos les infligen, pero el can del señor Sikes, que compartía con su amo defectos de temperamento, y movido quizá en aquel momento por un intenso sentimiento de haber sido ofendido, le clavó sin más ni más los dientes en una bota y, tras darle un meneo con todas sus ganas, se metió gruñendo debajo de un banco, esquivando así la jarra de peltre que el señor Sikes le arrojó a la cabeza.

–¿Te atreves, eh, te atreves? –dijo Sikes asiendo el atizador de la chimenea con una mano y abriendo lentamente con la otra una enorme navaja de muelle que sacó del bolsillo–. ¡Ven acá, hijo del diablo! ¡Ven acá! ¿No oyes?

Claro que oyó el perro, pues el señor Sikes hablaba en el registro más alto de un vozarrón, pero, como si tuviera algún extraño reparo a que le cortaran el pescuezo, se quedó donde estaba gruñendo con más fiereza que antes, haciendo presa al mismo tiempo en la punta del atizador y mordiéndolo como una fiera.

Aquella resistencia no hizo sino encolerizar aún más al señor Sikes, que, hincándose de rodillas, empezó a agredir al animal hecho una furia. Saltaba el perro de derecha a izquierda y de izquierda a derecha, lanzando dentelladas, gruñendo y ladrando, y el hombre pinchaba y juraba y golpeaba y blasfemaba, y la lucha estaba alcanzando un momento decisivo para el uno o el otro, cuando súbitamente se abrió la puerta, salió el perro como una flecha y el señor Sikes se quedó con el atizador y la navaja de muelle en las manos.

Mal riñen dos si uno no quiere, dice el viejo refrán. El señor Sikes, frustrado por el abandono del perro, inmediatamente transfirió su participación en la riña al recién llegado.

–¿Por qué demonios tiés que venir a meterte entre el perro y yo? –dijo Sikes con fiero ademán.

–No sabía, querido, no sabía –respondió Fagin humildemente, pues el recién llegado era el judío.

–¿No sabías, ladrón rilao? –gruñó Sikes–. ¿No podías oír el baruyo?

–Ni un ruido; como que estoy vivo, Bill –repuso el judío.

–¡Claro que no! No oyes ná, ná –replicó Sikes con fiera sonrisa de desprecio–. Entrando y saliendo de extranjis pa que nadie sepa cómo vas o vienes. Ojalá hubiás sío el perro hace medio minuto, Fagin.

–¿Por qué? –preguntó el judío con forzada sonrisa.

–Porque el gobierno, que se preocupa de la vida de tíos como tú, que no tién la mitad de agayas que un chucho, deja que uno mate a un perro porque le dé la gana –respondió Sikes cerrando la navaja con mirada harto expresiva–. Por eso.

El judío se frotó las manos y, sentándose a la mesa, afectó reír la broma de su amigo. Pero era evidente que se encontraba muy a disgusto.

–Ríete –dijo Sikes dejando el atizador en su sitio y mirándole con salvaje desdén–. Ríete. Porque de mí nunca te reirás, a menos que sea en el pijama de pino. Te tengo agarrao, Fagin, y por mis muertos que no te soltaré. ¡Entérate! Si me yevan, te yevan, así que cuidao conmigo.

–Bueno, bueno, querido –dijo el judío–. Todo eso lo sé. Tenemos..., tenemos... intereses comunes, Bill..., intereses comunes.

–¡Bah! –dijo Sikes como si pensara que los intereses estaban más del lado del judío que del suyo–. Bueno, ¿qué tiés que decirme?

–Todo ha pasado bien por el crisol –replicó Fagin– y te traigo tu parte. Es un poco más de lo que debería ser, querido, pero como sé que me harás un favor en otra ocasión, y...

–Corta el royo ya –le interrumpió el ladrón impaciente–. ¿Dónde está? ¡Suéltalo!

–Sí, sí, Bill, dame tiempo, dame tiempo –repuso el judío apaciguador–. ¡Aquí está! ¡Todo a salvo!

Así hablando, sacó del pecho un viejo pañuelo de algodón y, deshaciendo un nudo enorme en una punta, extrajo un pequeño envoltorio de papel de estraza. Sikes se lo arrebató y lo abrió apresuradamente y empezó a contar los soberanos que contenía.

–Está tó, ¿no? –preguntó Sikes.

–Todo –repuso el judío.

–¿No habrás abierto el paquete y tragao uno o dos en el camino? –preguntó Sikes desconfiado–. No pongas esa cara de víztima cuando te pregunto, que lo has hecho muchas veces. Sacude el tilindrero.

Aquellas palabras en cristiano puro transmitían la orden de sonar la campanilla. A lo que acudió otro judío, más joven que Fagin, pero de aspecto casi igual de ruin y repugnante.

Bill Sikes se limitó a señalar la jarrita vacía. Entendiendo perfectamente el ademán, salió el judío a llenarla, tras intercambiar una extraña mirada con Fagin, que alzó los ojos un instante, como si lo esperara, y meneó la cabeza en respuesta y tan levemente, que el gesto habría pasado casi desapercibido a un tercer observador. Sikes no se enteró, pues estaba agachado momentáneamente atándose el cordón de una bota, que el perro le había desatado. Es posible que, si hubiera observado el breve intercambio de señas, hubiera pensado que no presagiaba nada bueno para él.

–¿Hay alguien ahí, Barney? –preguntó Fagin, hablando sin levantar los ojos del suelo, ahora que Sikes estaba mirando.

–Ni un arba –repuso Barney, cuyas palabras, vinieran o no del corazón, le salían por la nariz.

–¿Nadie? –preguntó Fagin con un tono de sorpresa que quizá significaba que Barney podía decir la verdad.

–Naide beno la feñoíta Danci –replicó Barney.

–¡Nancy! –exclamó Sikes–. ¿Dónde? Que m'arranquen los ojos si no honro a esa muchacha por sus talentos naturales.

–'Tá cobiéndofe un prato de carne cocía en la barra –respondió Barney.

–Mándala p'acá –dijo Sikes llenando un vaso de alcohol–. Mándala p'acá.

Barney miró tímidamente a Fagin, como pidiendo permiso y, como el judío permaneciera callado y sin levantar los ojos del suelo, salió y al poco volvió trayendo a Nancy, que venía engalanada con todo el atavío de toca, delantal, cestillo y llave de puerta de la calle.

–¿Estás siguiendo el rastro, eh, Nancy? –preguntó Sikes, ofreciéndole el vaso.

–Sí, Bill, estoy –replicó la señorita, dando cuenta del contenido–, y bastante cansada de ello también. El mocoso se ha puesto malo y lo han llevao a un queli, y...

–¡Ah, Nancy, querida! –dijo Fagin alzando los ojos.

Si fue una contracción peculiar de las bermejas cejas del judío y el entornar sus hundidos ojos lo que advirtió a la señorita Nancy que se mostraba demasiado comunicativa no es cosa de gran importancia, pues la realidad es lo único que aquí nos ocupa, y la realidad fue que súbitamente ella se interrumpió y con varias corteses sonrisas al señor Sikes, desvió la conversación a otros asuntos. Unos diez minutos después al señor Fagin le dio un ataque de tos, tras lo cual Nancy se echó el manto por encima de los hombros y dijo que era hora de marcharse. Al enterarse de que llevaba el mismo camino que él por algún trecho, el señor Sikes expresó su intención de acompañarla y salieron juntos, seguidos a poca distancia por el perro, que salió callandito de un patio trasero en cuanto su amo se alejó.

El judío asomó la cabeza por la puerta de la habitación cuando Sikes la abandonó, se quedó mirándolo por detrás mientras atravesaba el oscuro pasillo, agitó el puño crispado, musitó una grave maldición y luego, con una sonrisa horrible, volvió a sentarse a la mesa, hundiéndose pronto en las interesantes páginas del *Hue-and-Cry*[1].

Mientras tanto Oliver Twist, sin imaginar siquiera que se hallaba a tan poca distancia del alegre vejete, iba camino del puesto de libros. Cuando entró en Clerkenwell, se metió sin querer por una callejuela que no caía exactamente en su camino, pero, sin descubrir su error hasta que no hubo andado la mitad y sabiendo que debería llevarle en la buena dirección, pensó que no merecía la pena volver atrás y continuó adelante tan de prisa como podía con los libros bajo el brazo.

Iba caminando, pensando lo feliz y contento que debería sentirse y cuánto daría por sólo una mirada al pobre pequeño Dick, que, muerto de hambre y apaleado, estaba quizá llorando amargamente en aquel mismo momento, cuando se sobresaltó al oír a una joven gritando muy alto: «¡Ay, hermanito mío!». Y apenas miró para ver qué pasaba, cuando le pararon dos brazos que se le echaron fuertemente alrededor del cuello.

---

1. Periódico de la policía, en el que se publicaban todos los crímenes en Londres.

–¡No! –gritó Oliver forcejeando–. Dejadme. ¿Quién es? ¿Por qué me detienen?

La única respuesta fue una larga serie de agudos lamentos de la joven que le había abrazado y que tenía un cestillo y una llave de puerta de la calle en la mano.

–¡Ay, válgame Dios! –dijo la joven–. ¡Lo he encontrado! ¡Oh, Oliver, Oliver! ¡Ay, travieso, hacerme sufrir tanta angustia a cuenta tuya! Vamos a casa, cariño, vamos. ¡Oh, lo he encontrado! Gracias al cielo bendito, ¡lo he encontrado!

Con aquellas deshilachadas exclamaciones le dio a la joven otro ataque de lágrimas y se puso tan terriblemente histérica, que dos mujeres que pasaban en aquel momento preguntaron al muchacho de un carnicero de cabeza brillante por el sebo con que llevaba untado el pelo, que también estaba mirando, si no pensaba que lo mejor que podía hacer era correr a buscar a un médico. A lo cual el muchacho del carnicero, que parecía ser de holgazana por no decir indolente disposición, respondió que no.

–¡Oh, no, no, no se preocupen –dijo la joven agarrando a Oliver de la mano–. Ya estoy mejor. ¡Vamos a casa inmediatamente, pequeño monstruo! ¡Vamos!

–¿Qué ha pasado, señora? –preguntó una de las mujeres.

–¡Ay, señora! –respondió la joven–, hace casi un mes se escapó de casa de sus padres, gente trabajadora y respetable, y fue a juntarse con una banda de ladrones y mala gente, y casi le destroza el corazón a su madre.

–¡Pilluelo! –dijo una de las mujeres.

–Venga para casa, zascandil –dijo la otra.

–No iré –replicó Oliver alarmadísimo–. No la conozco. No tengo hermanas, ni padre ni madre. Soy huérfano y vivo en Pentonville.

–¡Mírenle cómo se hace el fuerte! –gritó la joven.

–¡Pero si es Nancy! –exclamó Oliver, que entonces, por primera vez, le vio la cara, y dio un paso atrás con incontenible asombro.

–¡Ya ven que me conoce! –gritó Nancy apelando a los mirones–. No tiene escapatoria. Hagan algo para que venga a casa, buena gente, o matará a su madre y a su padre y me desgarrará el corazón.

–¿Qué demonios es esto? –dijo un hombre saliendo de golpe de una cervecería con un perro blanco a los talones–. ¡Oliverito! Venga pa casa con tu pobre madre, perrerías. Venga pa casa inmediatamente.

–No soy suyo. No los conozco. ¡Socorro! ¡Ayuda! –gritaba Oliver, forcejeando por desasirse del poderoso apretón del hombre.

–¿Ayuda? –repitió el hombre–. Sí, te voy a ayudar, picaruelo. ¿Qué libros son éstos? ¿Los has robao, eh? Dámelos.

Diciendo lo cual el hombre le arrancó los libros y le golpeó en la cabeza.

–¡Bien hecho! –dijo un espectador desde la ventana de una buhardilla–. Ésa es la única manera de hacerle entrar en razón.

–¡Claro que sí! –gritó un carpintero con cara de sueño, dirigiendo una mirada de aprobación a la ventana de la buhardilla.

–¡Así aprenderá! –dijeron las dos mujeres.

–¡Y lo dejará de sobra! –dijo el hombre, dando otro golpe a Oliver y agarrándolo por el cuello de la chaqueta–. ¡Vamos, bribonzuelo! ¡Aquí, Certero, vigílalo! ¡Vigílalo!

Débil por la reciente enfermedad, atontado por los golpes y lo súbito del ataque, aterrado por los fieros gruñidos del perro y la brutalidad del hombre, abrumado por la convicción de los mirones de que realmente era el pillo empedernido que decían, ¿qué podía hacer un pobre niño? La noche se había echado encima, era un barrio bajo, no había ayuda cerca, resistir era inútil. Un momento después lo metían a rastras en un laberinto de pasadizos oscuros y estrechos y lo forzaban a recorrerlos a un paso que hacía ininteligibles los pocos gritos que osaba pronunciar. En realidad poco importaba si eran inteligibles o no, pues no había nadie que se preocupara de ellos, aunque hubieran sido claros.

Las farolas de gas fueron encendiéndose, la señora Bedwin esperaba ansiosamente con la puerta abierta, la criada había ido corriendo veinte veces hasta el final de la calle para ver si había señales de Oliver, y los dos ancianos, perseverantes, seguían sentados en el oscuro salón con el reloj de por medio.

Capítulo 16

En el que se cuenta lo que fue de Oliver Twist
después de que Nancy lo reclamara como suyo

Los estrechos callejones y pasadizos desembocaron finalmente en un vasto espacio abierto salpicado de cercados
para animales y otros indicios de que se trataba de un
mercado de ganados. Cuando llegaron a aquel lugar, Sikes
aflojó el paso, pues la muchacha no podía aguantar más el
ritmo rápido que hasta allí habían llevado. Volviéndose a
Oliver, le ordenó que agarrara a Nancy de la mano.

—¿No oyes? —gruñó Sikes, viendo que Oliver vacilaba
y miraba para atrás.

Estaban en un agujero oscuro, totalmente fuera del
camino de cualquier transeúnte. Oliver vio perfectamente que toda resistencia sería inútil. Tendió la mano y
Nancy la agarró fuerte con la suya.

—Dame la otra —dijo Sikes agarrando la mano libre de
Oliver—. ¡Aquí, Certero!

Alzó la vista el perro y gruñó.

—¡Mira, chucho! —dijo Sikes poniendo la otra mano
en el cuello de Oliver y profiriendo un feroz juramento—,
si se le ocurre decir una palabra por mu bajinis que sea,
¡agárrale aquí! ¿Entendido?

Volvió a gruñir el perro y, lamiéndose el hocico, miró
a Oliver como deseando echársele a la nuez sin demora.

—¡Que me muera si no tié más ganas de obedecer que
un cristiano! —dijo Sikes mirando al animal con una es-

pecie de aprobación siniestra y feroz–. Ahora ya sabes lo que te pués esperar, señorito, así que grita tó lo alto que quieras, que el perro te parará el juego en seguía. ¡Adelante, mocito!

Certero meneó la cola agradeciendo aquella forma de hablar tan inusitadamente cariñosa y, soltando otro gruñido admonitorio en honor de Oliver, continuó adelante abriendo la marcha.

Lo que atravesaban era Smithfield[1], aunque, para lo que Oliver sabía, lo mismo podía haber sido Grosvenor Square. La noche era oscura y brumosa. Las luces de los comercios apenas si podían abrirse paso por la densa humedad del aire, que se hacía más espesa por momentos y envolvía calles y casas en la penumbra, haciendo que aquel extraño lugar resultara aún más extraño a los ojos de Oliver y su incertidumbre más triste y deprimente.

Habían caminado de prisa unos cuantos pasos, cuando una sonora campana de iglesia dio la hora. A la primera campanada los dos guías se detuvieron y volvieron la cabeza hacia el lugar de donde provenían los sones.

–Las ocho, Bill –dijo Nancy cuando la campana calló.

–¿Pa qué me lo dices? Puedo oírlo, ¿no? –replicó Sikes.

–Me pregunto si *ellos* pueden oírlo –dijo Nancy.

–Pos claro que sí –replicó Sikes–. Fue por San Bartolomé cuando me enchironaron y no había en la feria ni una trompetiya de esas de juguete que no oyera chirriar. Después de encerrarme pa la noche, el jaleo y la buya de fuera dejaron a la maldita vieja cárcel tan cayá, que casi

----

1. Espacio abierto cerca de la catedral de San Pablo donde se celebraban ferias de ganado. Centro de un barrio popular, debió de contrastar ostensiblemente con la zona señorial de Grosvenor Square, al este de la ciudad.

me machaco los sesos contra las planchas de hierro de la puerta.

—¡Pobres! —dijo Nancy, que todavía tenía la cara vuelta hacia donde sonara la campana—. ¡Ay, Bill, con lo majos que son esos tíos!

—Sí, eso es tó lo que pensáis las mujeres —dijo Sikes—. ¡Tíos majos! Bueno, pos es como si estuvieran muertos, así que eso importa poco.

Con aquel consuelo el señor Sikes pareció reprimir una creciente aflicción de celos y, apretando la muñeca de Oliver con más fuerza aún, le dijo que siguiera adelante.

—¡Un momento! —dijo la muchacha—. Yo no pasaría por aquí de prisa si fueras tú el que fueran a ahorcar la próxima vez que sonaran las ocho, Bill. Daría vueltas y vueltas a la plaza hasta que me cayera, aunque el suelo estuviera cubierto de nieve y no tuviera manto con qué taparme.

—¿Y pa qué serviría eso? —preguntó el poco sentimental señor Sikes—. A menos que pudieras tirarme una lima y veinte yardas de soga bien gorda, igual te iba a dar andar cincuenta miyas o no andar ná, pa el provecho que a mí me iba a hacer. Vámonos y déjate de monsergas aquí.

Soltó la muchacha una carcajada, se ciñó más el manto y se alejaron. Pero Oliver sintió que a ella le temblaba la mano y, mirándola a la cara al pasar junto a una farola de gas, vio que se le había puesto pálida de muerte.

Continuaron caminando por lugares poco frecuentados y sucios durante media hora entera, encontrando poquísima gente y la poca que encontraron con aspecto de ser de la misma posición social que el señor Sikes. Entraron al cabo en una callejuela inmunda, casi toda de tiendas de ropavejero, y el perro se fue corriendo delante, como sabiendo que ya no había razón para mantener la guardia, y se detuvo ante la puerta de una tienda cerrada y a todas luces desocupada. La casa estaba en estado de ruina y en la pared había clavada una tabla anunciando que se alquilaba, que parecía llevar allí muchos años.

—¡Tó en orden! —dijo Sikes mirando cautelosamente alrededor.

Nancy se detuvo bajo los postigos y Oliver oyó sonar una campanilla. Pasaron al otro lado de la calle y permanecieron unos instantes bajo una farola. Se oyó un ruido como de una ventana de guillotina que se levantara despacito y poco después se abría suavemente la puerta. Entonces el señor Sikes agarró al aterrado muchacho por el cuello de la chaqueta sin muchos miramientos y los tres se hallaron en seguida dentro de la casa.

El pasillo estaba en la más absoluta oscuridad. Esperaron mientras la persona que los había dejado entrar echaba la cadena y atrancaba la puerta.

—¿Hay alguien? —preguntó Sikes.

—No —repuso una voz que Oliver pensó haber escuchado antes.

—¿Está el viejales aquí? —preguntó el ladrón.

—Sí —repuso la voz—, y bien alicaído que ha estao. Anda, que no va a ponerse contento de veros.

El estilo de aquella respuesta, así como la voz que la pronunció resultaron familiares a los oídos de Oliver, pero en la oscuridad no se podía distinguir ni la forma del que hablaba.

—Saca una yamita —dijo Sikes—, o nos romperemos la crisma o pisaremos al perro. Y el que lo pise, ya pué tener cuidao con las patas.

—Quietos un momento, que os traigo una —replicó la voz.

Oyóse cómo se alejaban los pasos del que habló y un minuto después apareció la figura del señorito John

Dawkins, alias el «Artero Perillán». Llevaba en la mano derecha una vela de sebo clavada en la punta de un palo hendido.

El caballerete no se paró a dispensar a Oliver otras muestras de reconocimiento que una sonrisa guasona y, dándose la vuelta, hizo una seña a los visitantes para que bajaran tras él un tramo de escalera. Atravesaron una cocina vacía y, tras abrir la puerta de una habitación baja que olía a tierra y que parecía estar construida en un pequeño patio trasero, fueron recibidos con una estrepitosa carcajada.

—¡Anda la órdiga, anda la órdiga! —gritaba el señorito Charley Bates, de cuyos pulmones procedía la carcajada—. ¡Aquí está! Ay, que lo vierto. ¡Aquí está! ¡Ay, Fagin, míralo; Fagin, míralo, hombre! No me aguanto; es tan divertido, que no lo aguanto. Agarradme alguno, que me desternillo.

Con tal incontenible ataque de risa el señorito Bates se echó de bruces en el suelo y se pasó cinco minutos pataleando convulsivamente en un arrebato de regocijo. Poniéndose luego en pie, le quitó al Perillán el palo hendido y, acercándose a Oliver, le inspeccionó de hito en hito mientras el judío, quitándose el gorro de dormir, hizo una serie de profundas reverencias al estupefacto muchacho. El Artero, que era de disposición más bien taciturna y raramente cedía ante la diversión cuando interfería con los negocios, vaciaba entre tanto los bolsillos de Oliver con serena aplicación.

—¡Mira qué trapitos trae, Fagin! —dijo Charley acercando tanto la luz a la chaqueta nueva, que casi le prende fuego—. ¡Mira qué trapitos! Género superfino y ¡qué corte más requetechulo! ¡Mi madre, vaya botín! ¿Y qué dices de los libros? ¡Todo un caballero, Fagin!

—Encantado de verte con tan buena pinta, querido —dijo el judío inclinándose con fingida humildad—. El Artero

176

te dará otro traje, querido, no vayas a echar a perder éste de domingo. ¿Por qué no escribiste diciendo que venías, querido? Habríamos preparado algo caliente para cenar.

A esto el señorito Bates volvió a bramar, y tan alto, que el mismo Fagin se distendió y el Perillán incluso sonrió, mas como en aquel instante sacara el Artero el billete de cinco libras, es difícil decir si fue la ocurrencia o el hallazgo lo que le despertó la alegría.

–¡Caray! ¿Qué es eso? –preguntó Sikes adelantándose mientras el judío agarraba el billete–. Es mío, Fagin.

–No, no, querido –dijo el judío–. Es mío, Bill, mío. Para ti los libros.

–Si no es mío –dijo Bill Sikes, poniéndose el sombrero con decidido ademán–, es decir, mío y de Nancy, me vuelvo a yevar al muchacho.

El judío se sobresaltó. Y Oliver también, aunque por muy diferentes razones, pues esperaba que la disputa terminara con que se lo volvieran a llevar.

–¡Venga! ¡Suéltalo! –dijo Sikes.

–Esto es poco justo, Bill, poco justo, ¿no te parece, Nancy? –preguntó el judío.

–Justo o injusto –repuso Sikes–, ¡te digo que lo sueltes! ¿Te crees que Nancy y menda no tenemos otra cosa que hacer que andar perdiendo nuestro precioso tiempo rastreando y secuestrando a tós los chiquiyos que echan mano por ti? ¡Dámelo, viejo esqueleto avaricioso, dámelo!

Con aquella amable reprimenda el señor Sikes arrancó el billete de entre el índice y pulgar del judío y, mirando descaradamente al viejo, lo dobló varias veces y se lo lió en el fular.

–Esto es lo que nos toca por la molestia –dijo Sikes–, y no es ni la mitaz. Los libros pués quedártelos, si te gusta leer, o, si no, véndelos.

–Son muy bonitos –dijo Charley Bates, que, con muchas muecas, había hecho como que leía uno de los volúmenes de marras–. Muy bien escritos, ¿eh, Oliver?

Al ver la consternación con que Oliver miraba a sus verdugos, el señorito Bates, que estaba dotado de un vivo sentido de lo ridículo, fue presa de otro arrebato más estrepitoso que el primero.

–Son del anciano –dijo Oliver, restregándose las manos–, del anciano bueno y bondadoso que me llevó a su casa y me cuidó cuando estuve a punto de morir de una fiebre. Por favor, devuélvanselos, devuélvanle los libros y el dinero. Déjenme aquí toda la vida, pero les ruego por favor que se los devuelvan. Pensará que los he robado, y la viejecita, todos, que se portaron tan bien conmigo, pensarán que los he robado. ¡Oh, compadézcanse de mí y devuélvanselos!

Con aquellas palabras, dichas con toda la fuerza del dolor apasionado, se postró Oliver de hinojos a los pies del judío y se golpeó las manos una contra otra, sumido en total desesperación.

–Tiene razón el muchacho –observó Fagin mirando furtivamente alrededor y frunciendo sus enmarañadas cejas hasta que formaron un nudoso ceño–. Tienes razón, Oliver, tienes razón; *creerán* que los has robado. ¡Ja, ja! –rió el judío entre dientes frotándose las manos–, no podría haber salido mejor si hubiéramos elegido el momento.

–Pos claro que no –repuso Sikes–. Yo me lo olí en cuantis lo vi por Clerkenwell con los libros bajo el brazo. Tó está perfezto. Son unos meapilas blandengues, pos si no, no le habrían recogío, y ahora no harán más preguntas sobre él, por no verse obligaos a yevarlo al juzgao y que lo entaleguen. Tá bien seguro.

Mientras se pronunciaban aquellas palabras, Oliver miraba a uno y a otro como desconcertado y apenas podía entender lo que estaba sucediendo, pero, cuando Bill Sikes terminó, se puso de pie de un salto y salió disparado de la habitación lanzando gritos de socorro que hicieron retumbar el vacío caserón hasta el tejado.

—¡Retén al perro, Bill! —gritó Nancy, saltando hasta la puerta y cerrándola mientras el judío y sus dos discípulos salían como flechas en su persecución—. ¡Retén al perro o despedazará al muchacho!

—¡Bien le estará! —gritó Sikes, forcejeando para deshacerse de las manos de la muchacha—. Quítate del medio o te rompo la calavera contra la paré.

—No me importa, Bill, no me importa —gritó la muchacha, forcejeando violentamente con el hombre—. El perro no despedazará al muchacho a menos que me mates antes.

—¿Que no? —dijo Sikes, apretando los dientes fieramente—. Es lo que voy a hacer, como no te apartes.

De un empujón el ladrón envió a la muchacha hasta el otro lado de la habitación, justo cuando el judío y los dos muchachos volvían arrastrando a Oliver entre los tres.

—¿Qué pasa aquí? —dijo el judío mirando en derredor.

—La chavala esta que se ha vuelto loca, creo —replicó Sikes ferozmente.

—No se ha vuelto loca —dijo Nancy, pálida y sin aliento tras la pelea—. No, Fagin, no lo creas.

—Entonces, calladita, ¿eh? —dijo el judío con amenazadora mirada.

—No, tampoco me callaré —repuso Nancy a grandes voces—. ¡A ver! ¿Qué te parece?

El señor Fagin estaba suficientemente familiarizado con las maneras y hábitos de aquella particular categoría humana a la que Nancy pertenecía como para estar seguro de que sería un tanto arriesgado mantener cualquier conversación con ella en aquel momento. Con el fin de desviar la atención de los presentes, se volvió a Oliver.

–De modo, querido, que querías escaparte, ¿eh? –dijo el judío cogiendo un garrote mellado y nudoso que en el rincón exterior de la chimenea estaba–. ¿Eh?

Oliver no respondió. Pero seguía los movimientos del judío y respiraba de prisa.

–Pedías ayuda, llamabas a la policía, ¿eh? –dijo burlonamente el judío asiendo al muchacho por un brazo–. Eso te lo vamos a curar, amiguito.

Asestó el judío un buen golpe a Oliver en la espalda con el garrote y se disponía a levantarlo para el segundo, cuando la muchacha, abalanzándose, se lo arrancó de la mano. Lo arrojó al fuego con tanta fuerza, que algunas brasas saltaron por la habitación.

–No voy a estarme aquí mirando cómo lo hacéis, Fagin –gritó la muchacha–. Tenéis al muchacho, ¿qué más queréis? Dejadle en paz... dejadle en paz... o le pongo una marca a alguno de vosotros que acabe conmigo en la horca antes de tiempo.

Golpeaba la muchacha violentamente el suelo con el pie mientras lanzaba aquella amenaza, y con los labios apretados y los puños crispados miraba ora al judío ora al otro ladrón con el rostro completamente descolorido por la cólera que había ido acumulando.

–¡Claro, Nancy! –dijo el judío con tono tranquilizador.

Y, tras una pausa en la que él y el señor Sikes intercambiaron una mirada de desconcierto, añadió:

–Te estás... te estás mostrando esta noche más lista que nunca. ¡Ja, ja! Querida, estás actuando de maravilla.

–¿Seguro? –dijo la muchacha–. Cuídate de que no exagere el papel. Tanto peor para ti en tal caso, Fagin. Así que ya te aviso que te tengas lejos de mí.

Hay en la mujer irritada un algo que pocos hombres gustan provocar, sobre todo cuando a todas sus otras fuertes pasiones se añaden los fieros impulsos de la temeridad y la desesperación. Vio el judío que sería inútil fingir más errores sobre la autenticidad del furor de la señorita Nancy y, retrocediendo unos pasos instintivamente, lanzó una mirada medio implorante medio cobarde a Sikes, como sugiriendo que él era la persona más indicada para proseguir el diálogo.

Solicitado así por señas y pensando quizá que importaba a su orgullo e influencia personales hacer entrar imediatamente en razón a la señorita Nancy, profirió el señor Sikes unos cuarenta juramentos y amenazas, cuya rápida enunciación daba cumplido crédito de la fertilidad de su inventiva. Mas, como no produjeran efecto visible en la persona sobre quien se descargaban, recurrió a más tangibles argumentos.

–¿Aónde quiés yegar con esto? –dijo Sikes, reforzando la pregunta con una muy común imprecación sobre la más inevitable de las realidades humanas, que, si se oyera arriba sólo una de las cincuenta mil veces que se pronuncia abajo, haría de la muerte cosa tan corriente como el sarampión–. ¿Aónde quiés yegar con esto? ¡Que me aspen! ¿No sabes quién eres y qué eres?

–Sí, señor, lo sé muy bien –repuso la muchacha, riendo histéricamente y agitando la cabeza de un lado para otro con una actitud de indiferencia poco convincente.

–Pos entonces, cáyate –dijo Sikes con el mismo gruñido con que solía dirigirse al perro–, o te cayaré yo pa un buen rato.

Volvió a reír la muchacha, menos tranquila que antes y, lanzando una rápida mirada a Sikes, volvió la cabeza a un lado y se mordió el labio hasta hacerse sangre.

–Buena eres tú –añadió Sikes mirándola con ojos de desprecio– pa ponerte del lao humanitario y finoli. ¡Buena pieza pa que el niño, como lo yamas, se haga amigo tuyo!

–¡Que Dios todopoderoso me asista, que lo soy! –gritó la muchacha encolerizada–. Y ojalá me hubiera caído muerta en la calle o hubiera estado en lugar de esos que hemos pasado tan de cerca esta noche, antes de echar una mano para traerlo aquí. De esta noche en adelante es un ladrón, un mentiroso, un diablo y todo lo que es malo. ¿No le basta a este viejo miserable, para que haya que darle golpes?

–Vamos, vamos, Sikes –dijo el judío apelando a él con tono recriminatorio y haciendo señas a los muchachos, que estaban muy atentos a todo lo que pasaba–; seamos bienhablados, bienhablados, Bill.

–¡Bienhablados! –gritó la muchacha, cuya corajina daba miedo presenciar–. ¡Bienhablados, malvado! Sí, es lo que mereces de mí. Yo robaba para ti cuando no era ni la mitad de pequeña que éste –y señalaba a Oliver–. Desde entonces he pasado doce años en el mismo oficio y en la misma servidumbre. ¿No lo sabes? ¡Habla! ¿No lo sabes?

–Bueno, bueno –repuso el judío tratando de apaciguarla–. Si así ha sido, ¡así te ganas la vida!

–¡Vaya que sí! –respondió la muchacha, no ya hablando sino arrojando las palabras en un chillido continuo y vehemente–. Me gano la vida; y las calles frías, húmedas y sucias son mi hogar, y tú eres el miserable que me arrojó a ellas hace tanto tiempo, y que me mantendrá en ellas día y noche, día y noche, ¡hasta que me muera!

–Y te haré mal –interrumpió el judío incitado por aquellos reproches–, un mal peor aún, si sigues hablando.

La muchacha no dijo más, pero, tirándose del pelo y de las ropas en un arrebato de cólera, se lanzó con tanta fuerza hacia el judío, como para seguramente haber dejado en él claras señales de su venganza, si no le hubiera cogido Sikes las muñecas en el momento preciso, tras lo cual forcejeó en vano unos instantes y se desmayó.

—Ya está en su punto –dijo Sikes, depositándola en un rincón–. Tié una fuerza descomunal en los brazos, cuando se calienta de esta manera.

El judío se enjugó la frente y sonrió como si fuera un alivio acabar con el alboroto, pero ni él ni Sikes ni el perro ni los muchachos parecieron ver en aquello más que un acontecimiento habitual propio del negocio.

—Es lo malo de tener que tratar con mujeres –dijo el judío dejando el garrote donde estaba–, pero son listas y sin ellas no podemos actuar en nuestro ramo. Charley, enséñale a Oliver su cama.

—Supongo que es mejor que mañana no se ponga sus mejores ropas, ¿eh, Fagin? –preguntó Charley Bates.

—Claro que no –repuso el judío devolviendo la mueca con que Charley había formulado su pregunta.

Evidentemente contentísimo del encargo, el señorito Bates tomó el palo hendido y condujo a Oliver a una cocina contigua en la que había dos o tres camas en las cuales ya había dormido antes, y allí, con muchas e irresistibles carcajadas, sacó las mismísimas viejas ropas de que Oliver se había despojado con tanto gusto en casa del señor Brownlow y que, mostradas casualmente a Fagin por el judío que las había comprado, habían sido el primer indicio de su paradero.

—Quítate las elegantes –dijo Charley–, que se las dé a Fagin para que las guarde. ¡Qué díver!

El pobre Oliver obedeció de mala gana. Arrebujando las ropas nuevas bajo el brazo, el señorito Bates salió de la habitación dejando a Oliver dentro y cerrando la puerta con llave.

El ruido de la risa de Charley y la voz de la señorita Betsy, que llegaba oportunamente para rociar con agua a su amiga y realizar otros femeniles menesteres conducentes a su recuperación, podrían haber mantenido despierta a mucha gente en circunstancias más felices que aquellas en que se hallaba Oliver. Pero él estaba enfermo y fatigado y pronto se quedó profundamente dormido.

Capítulo 17

El destino de Oliver continúa siendo aciago y lleva a un gran hombre a Londres para dañar su reputación

Suélese en el escenario, en todos los buenos melodramas con asesinato, presentar las escenas trágicas y cómicas en alternancia tan regular como la de las vetas de magro y blanco en una loncha de tocino entreverado. El héroe se desploma en su camastro de paja bajo el peso de sus grillos y desgracias y en la escena siguiente su fiel escudero, que lo ignora, regala al auditorio con una canción cómica. Con pecho anhelante presenciamos a la heroína en las garras de un barón orgulloso y cruel, su virtud y su vida en igual peligro, desenvainando la daga para salvar la una a costa de la otra y, justamente cuando nuestras expectativas alcanzan el paroxismo de la excitación, se oye un silbato e inmediatamente se nos transporta a la gran sala del castillo, donde un canoso senescal interpreta una divertida canción a coro con un grupo de vasallos más divertidos aún, que tienen entrada libre en todas partes, desde las criptas de las iglesias a los palacios, y rondan en grupo gorgoriteando sin parar.

Tales cambios parecen absurdos, pero no son tan poco naturales como pudieran parecer a primera vista. En la vida real la transición desde las mesas bien puestas a los lechos de muerte y de los trajes de luto a las ropas de fiesta no es ni un ápice menos sorprendente, sólo que aquí, en vez de espectadores pasivos, somos afanosos actores, y esto constituye una gran diferencia. En la vida simulada del teatro los actores no ven las violentas transiciones y los bruscos impulsos de la pasión o el sentimiento que, expuestos a los ojos de los meros espectadores, son inmediatamente condenados por extravagantes y absurdos.

Como los súbitos cambios de decorado y los rápidos mudamientos de tiempo y lugar no sólo aparecen sancionados en los libros por una larga tradición, sino que muchos los consideran el arte supremo de la composición literaria, ya que según tales críticos la habilidad del autor en su arte se mide principalmente por referencia a los dilemas en que deja a los personajes al final de cada capítulo, puede que se considere innecesaria esta breve introducción al presente. Si así fuere, considérese sutil indicación del narrador de que vuelve a la ciudad donde nació Oliver Twist y que el lector dé por supuesto que hay buenas y sólidas razones para hacer el viaje, que, si no, no se le invitaría a emprender tal expedición.

Tempranito por la mañana salió el señor Bumble por la puerta del hospicio y caminó con majestuoso porte e imponentes zancadas por la calle Mayor. Se encontraba en la plenitud y esplendor de la celaduría, su sombrero de tres picos y su casaca deslumbraban bajo el sol mañanero y él empuñaba el bastón con la enérgica firmeza que dan la salud y el poder. El señor Bumble siempre llevaba la cabeza alta, pero aquella mañana la llevaba más alta que de costumbre. Había un ensimismamiento en sus ojos, una elación en su apariencia, que podía haber advertido al observador extraño que por la mente del celador pasaban pensamientos demasiado grandes para poder expresarlos.

No se detuvo el señor Bumble a charlar con los modestos tenderos y otra gente que se dirigían a él respetuosamente según pasaba. Se limitó a devolverles el saludo con un ademán de la mano y no aflojó su solemne paso hasta que hubo llegado a la granja en la que la señora Mann cuidaba a los niños pobres con solicitud parroquial.

–¡Maldito celador! –dijo la señora Mann al oír el conocido traqueteo de la puerta del jardín–. ¡Seguro que es él a estas horas de la mañana! ¡Hombre, señor Bumble, quién iba a pensar que era usted! Ay, Dios mío, *es* un placer, sí señor. Pase al salón, caballero, por favor.

La primera frase iba destinada a Susan y las exclamaciones de gozo dirigidas al señor Bumble, mientras la buena mujer abría la puerta del jardín y le conducía con mucha atención y respeto al interior de la casa.

–Señora Mann –dijo el señor Bumble, no sentándose o dejándose caer en el asiento, como hubiera hecho cualquier botarate, sino descendiendo poco a poco y despacito hasta la silla–, señora Mann, buenos días, señora.

–Sí, y buenos días tenga *usted*, caballero –repuso la señora Mann con mucha sonrisa–, y espero que se encuentre bien, señor.

–Así, así, señora Mann –replicó el celador–. La vida porroquial no es un lecho de rosas, señora Mann.

–Eso sí que no, señor Bumble –repuso la señora.

Y todos los niños pobres podrían haber coreado aquella respuesta con gran pertinencia si la hubieran oído.

–La vida porroquial, señora –prosiguió el señor Bumble, golpeando la mesa con el bastón– es una vida de inquietuciones, de disgustos, de intrepideces; pero todos los personajes públicos, si se me permite decirlo así, deben sufrir prosecución.

No sabiendo muy bien qué quería decir el celador, la señora Mann levantó las manos con una mirada de lástima y suspiró.

–¡Ah, suspire, señora Mann, suspire! –dijo el celador.

Viendo que había hecho bien, la señora Mann volvió a suspirar, evidentemente a satisfacción del personaje público, quien, reprimiendo una sonrisa de autosatisfacción con una mirada severa al sombrero de tres picos, dijo:

–Señora Mann, me marcho a Londres.

–¡Pero, señor Bumble! –gritó la señora Mann, retrocediendo.

–A Londres, señora –prosiguió el inflexible celador–, en diligencia. ¡Yo y dos pobres, señora Mann! Se aproxima un juicio sobre una asignación y la junta me ha nombrado... a mí, señora Mann..., para declarar sobre el asunto ante la Audiencia trimestral de Clerkinwell. Y dudo muchísimo –añadió el señor Bumble, irguiéndose– que los de la Audiencia de Clerkinwell no se encuentren con la horma de su zapato antes de acabar conmigo.

–¡Oh! No sea demasiado duro con ellos, señor –dijo la señora Mann aduladora.

–La Audiencia de Clerkinwell se lo ha buscado, señora –replicó el señor Bumble–, y si resulta que la Audiencia de Clerkinwell sale peor parada de lo que esperaba, pues la Audiencia de Clerkinwell sólo tiene que agradecérselo a sí misma.

La determinación y la intensidad de propósito de la amenazante manera como el señor Bumble se desprendió de aquellas palabras hicieron que la señora Mann pareciera totalmente atemorizada. Al cabo dijo:

–¿Va usted en diligencia, señor? Yo creí que era costumbre mandar siempre a los pobres en carretas.

–Eso es cuando están enfermos –dijo el celador–. Cuando llueve, ponemos a los pobres que están enfermos en carretas abiertas para impedir que se resfríen.

–¡Ah! –dijo la señora Mann.

–La diligencia de la competencia se ofrece a llevar a los dos que digo y lo hace barato –dijo el señor Bumble–. Ambos se hallan en mal estado y calculamos que sale dos libras más barato llevarlos que enterrarlos..., es decir, si podemos echárselos a otra porroquia, cosa que creo podremos hacer, si no se mueren en la carretera por fastidiarnos. ¡Ja, ja, ja!

Cuando el señor Bumble hubo reído un ratito, sus ojos volvieron a encontrarse con el sombrero de tres picos y su actitud se volvió grave.

–Estamos olvidándonos de los negocios –dijo el celador–. Aquí tiene su estipendio porroquial por el mes.

El señor Bumble sacó de la cartera unas monedas de plata envueltas en un papel y pidió un recibo, que la señora Mann le extendió.

–Ha quedado muy emborronado, señor –dijo la cultivadora de niños–, pero supongo que vale igual. Gracias, señor Bumble, le estoy muy agradecida, de verdad.

El señor Bumble movió ligeramente la cabeza, agradeciendo el cumplido de la señora Mann y preguntó cómo andaban los niños.

–¡Que Dios los bendiga, corazoncitos! –dijo la señora Mann emocionada–. Están todo lo bien que pueden estar, ¡los pobrecitos! Excepto, claro está, los dos que murieron la semana pasada. Y el pequeño Dick.

–¿No está mejor ese muchacho? –preguntó el señor Bumble.

La señora Mann meneó la cabeza.

–Es un niño porroquial mal nacido, malvado y mal dispuesto –dijo enfadado el señor Bumble–. ¿Dónde está?

–En un instante se lo traigo, señor –replicó la señora Mann–. ¡Ven aquí, Dick!

Al cabo de algunas llamadas Dick apareció y, tras ponerle la cara bajo la bomba del agua y secársela con el vestido, la señora Mann lo condujo ante la terrible presencia del señor Bumble, celador.

Estaba el niño pálido y flaco, las mejillas hundidas y los ojos grandes y brillantes. La escasa ropa parroquial, librea de su miseria, caía suelta sobre su débil cuerpo y sus tiernos miembros aparecían consumidos como los de un viejo.

Tal era la criatura que temblaba bajo la mirada del señor Bumble sin atreverse a levantar los ojos del suelo y temiendo incluso oír la voz del celador.

–¿No puedes mirar al caballero, cabezota?

El niño alzó los ojos y encontró los del señor Bumble.

–¿Qué pasa contigo, porroquiano Dick? –preguntó el señor Bumble con oportuna jocosidad.

–Nada, señor –replicó el niño débilmente.

–Eso espero –dijo la señora Mann, que, por supuesto había reído generosamente la gracia del señor Bumble–. No te falta nada, supongo.

–Me gustaría... –balbució el niño.

–¡Ay, ay! –le interrumpió la señora Mann–. Supongo que vas a decir que *careces* de algo ahora, ¿eh? Pero, pillastre...

–¡Alto, señora Mann, alto! –dijo el celador alzando la mano con autoritario ademán–. ¿Te gustaría qué, jovencito? ¿Eh?

–Me gustaría –balbució el niño– que alguien que sepa escribir me ponga unos renglones en un papel, lo doble y selle, y lo guarde para después de que me entierren.

–Pero, ¿qué dice este muchacho? –exclamó el señor Bumble, en quien la adusta manera y el maciliento aspecto del niño habían producido cierta impresión, aunque estaba acostumbrado a tales cosas–. ¿Qué quieres decir, joven?

–Me gustaría –dijo el niño– dejar un abrazo cariñoso al pobre Oliver Twist y hacerle saber cuán a menudo me he sentado a solas y llorado pensando en sus oscuras noches de vagabundo sin que nadie le ayudara. Y me gustaría decirle –dijo el niño poniendo sus manitas juntas y hablando con mucho fervor–, que me alegré de morir muy joven, pues quizá, si viviera hasta hacerme hombre y llegara a viejo, mi hermana que está en el cielo me olvidaría, o no sería como yo, y seríamos mucho más felices si los dos fuéramos niños allí juntos.

El señor Bumble inspeccionó al joven orador de pies a cabeza con indescriptible asombro y, volviéndose a la señora, dijo:

–Se saben todos la misma copla, señora Mann. Ése sin-trépido de Oliver los ha desamoralizado a todos.

–Nunca lo hubiera creído, señor –dijo la señora Mann, levantando las manos y mirando maliciosamente a Dick–. ¡Jamás vi tunante más empedernido!

–¡Lléveselo, señora! –dijo el señor Bumble imperiosamente–. Esto hay que comunicárselo a la junta, señora Mann.

–Espero que los señores entiendan que no es culpa mía, ¿eh, señor? –dijo la señora Mann, gimoteando patéticamente.

–Lo entenderán, señora; serán informados debidamente de los promenores del caso –dijo el señor Bumble pomposamente–. Venga, lléveselo, mis ojos no pueden soportarlo.

Dick fue sacado de allí inmediatamente y encerrado en la carbonera. Poco después el señor Bumble se marchaba para preparar su partida.

A las seis de la mañana siguiente, tras cambiar el sombrero de tres picos por uno redondo y encajar su persona en un abrigo azul con esclavina, el señor Bumble ocupó su asiento en la parte exterior de la diligencia en compañía de los dos criminales cuya asignación era objeto de litigio y con quienes, a su debido tiempo, llegó a Londres. No experimentó mayores contratiempos en el camino que los causados por la perversa conducta de los dos pobres, que no paraban de tiritar y quejarse del frío de una manera que, según dijo el señor Bumble, le hacía castañetear los dientes en la calavera y sentirse muy a disgusto, aunque llevaba un abrigo encima.

Tras deshacerse de aquellos dos malvados por el resto de la noche, el señor Bumble se sentó en la casa donde paraba la diligencia e ingirió una moderada cena de filetes, salsa de ostras y cerveza negra. Puso luego un vaso de ginebra con agua caliente en la repisa de la chimenea, acercó la silla al fuego y, haciéndose algunas reflexiones morales sobre el excesivamente difundido pecado del descontento y la queja, se acomodó para leer el periódico.

El primer párrafo con que toparon los ojos del señor Bumble fue el siguiente anuncio:

CINCO GUINEAS DE RECOMPENSA

POR CUANTO UN MUCHACHITO DE NOMBRE OLIVER TWIST ABANDONÓ O FUE PERSUADIDO A ABANDONAR SU HOGAR EN PENTONVILLE EL PASADO JUEVES POR LA TARDE, SIN QUE DESDE ENTONCES SE HAYA VUELTO A SABER DE ÉL, SE ABONARÁ LA MENCIONADA RECOMPENSA A QUIENQUIERA QUE PUEDA FACILITAR INFORMACIÓN CONDUCENTE AL HALLAZGO DEL DICHO OLIVER TWIST O CONTRIBUYA A ESCLARECER SU PASADO, EN EL QUE EL ANUNCIANTE, POR MUCHAS RAZONES, ESTÁ VIVAMENTE INTERESADO.

Y luego seguía una descripción completa del vestido, persona, apariencia y desaparición de Oliver, con el nombre y dirección del señor Brownlow en todo detalle.

Abrió los ojos el señor Bumble, leyó el anunció despacio y con cuidado varias veces, y en algo más de cinco minutos ya estaba de camino hacia Pentonville, sin haber probado –tal era su excitación– el vaso de ginebra con agua caliente.

–¿Está en casa el señor Brownlow? –preguntó el señor Bumble a la chica que abrió la puerta.

A aquella pregunta la chica respondió con la no poco corriente, pero muy evasiva respuesta de:

–No sé, ¿de parte de quién viene usted?

No bien pronunció el señor Bumble el nombre de Oliver para explicar su visita, cuando la señora Bedwin, que había estado escuchando a la puerta del salón, se precipitó en el pasillo sin aliento.

–Adelante, adelante –dijo la viejecita–. Sabía que oiríamos de él. ¡Pobrecito! ¡Lo sabía! Estaba segura. ¡Que Dios le bendiga! Llevo diciéndolo desde que desapareció.

Dicho lo cual, la noble anciana se apresuró a volver al salón y, sentándose en un sofá, prorrumpió en lágrimas. La muchacha, que no era tan susceptible, corrió en tanto escaleras arriba y ahora regresaba ya con el ruego de que el señor Bumble la siguiera inmediatamente, cosa que él hizo.

Fue conducido al pequeño escritorio de la parte trasera, donde estaban sentados el señor Brownlow y su amigo el señor Grimwig ante unas licoreras y copas. Este último profirió al punto esta exclamación:

–¡Un celador! Un celador de parroquia o me como la cabeza.

–Te ruego no interrumpas precisamente ahora –dijo el señor Brownlow–. Siéntese, por favor.

El señor Bumble se sentó totalmente confuso por la extraña actitud del señor Grimwig. El señor Brownlow acercó la lámpara para permitirse una vista completa del semblante del señor Bumble y dijo con cierta impaciencia:

–Entonces, señor, ¿viene usted a consecuencia de haber visto el anuncio?

–Sí, señor –dijo el señor Bumble.

–Y *es* usted celador, ¿no es cierto? –preguntó el señor Grimwig.

–Soy celador porroquial, caballeros –afirmó el señor Bumble orgullosamente.

–Por supuesto –observó el señor Grimwig aparte a su amigo–, lo sabía. ¡Celador por los cuatro costados!

El señor Brownlow agitó levemente la cabeza para imponer silencio a su amigo y prosiguió:

–¿Sabe usted dónde está ahora ese pobre chico?

–No más que cualquiera –repuso el señor Bumble.

–Y bien, ¿qué *sabe* usted de él? –preguntó el anciano–. Hable, amigo, si tiene usted algo que decir. ¿Qué *sabe* usted de él?

–¿Por casualidad no sabrá usted algo bueno de él? –dijo el señor Grimwig con acre ironía tras un atento examen de las facciones del señor Bumble.

Entendiendo al punto el sesgo de la pregunta, el señor Bumble meneó la cabeza con ominosa solemnidad.

–¿Lo ves? –dijo el señor Grimwig mirando al señor Brownlow con cara de triunfo.

El señor Brownlow miró recelosamente el fruncido semblante del señor Bumble y le pidió que manifestara lo que sabía sobre Oliver en las mínimas palabras posibles.

Dejó el señor Bumble el sombrero, se desabotonó el abrigo, cruzó los brazos, inclinó la cabeza en actitud evocadora y, tras reflexionar unos instantes, comenzó su historia.

Sería aburrido ofrecerla en las palabras del celador, ya que duró unos veinte minutos el contarla, pero el resumen y sustancia de ella fueron que Oliver era un expósito hijo de padres ruines y disolutos que desde que nació no había mostrado mejores cualidades que las de la falsedad, la ingratitud y la maldad, que remató su breve carrera en el lugar donde nació perpetrando un ataque sangriento y cobarde contra un muchacho inofensivo y escapándose por la noche de casa de su amo. En prueba de que en verdad era la persona que así describía, el señor Bumble depositó sobre la mesa los documentos que había traído a la ciudad. Volviendo a cruzar los brazos, esperó los comentarios del señor Brownlow.

—Me temo que todo eso sea verdad —dijo el anciano, apesadumbrado tras ojear los documentos—. Esto no es mucho dinero por su información, pero, si hubiera sido favorable al muchacho, gustosamente le habría dado el triple.

No es improbable que, si el señor Bumble hubiera sabido aquello en un momento anterior de la entrevista, no hubiera dado un colorido muy distinto a su cuentecillo. Mas ya era demasiado tarde para aquello, así que meneó la cabeza gravemente y, guardándose las cinco guineas, se retiró.

Paseó el señor Brownlow de un lado a otro de la habitación unos minutos y tan evidentemente agitado por el relato del celador, que incluso el señor Grimwig se abstuvo de afligirlo más. Al cabo se detuvo y tocó violentamente la campanilla.

—Señora Bedwin —dijo el señor Brownlow cuando apareció el ama de llaves—, ese muchacho, Oliver, es un impostor.

—No puede ser, señor. No puede ser —dijo la viejecita enérgicamente.

—Le digo que lo es —replicó el anciano acremente—. ¿Qué quiere usted decir con eso de que «No puede ser»?

Acabamos de oír los detalles de su historia desde que nació y ha sido un golfillo redomado toda su vida.

–Nunca lo creeré, señor –replicó la viejecita firmemente–. ¡Nunca!

–Ustedes las ancianas no creen más que a los charlatanes y a los libros de cuentos con sus embustes –gruñó el señor Grimwig–. Yo lo sabía desde el principio. ¿Por qué no escuchaste mi consejo al principio? Supongo que lo habrías escuchado, si no hubiera tenido la fiebre, ¿eh? Era un chico interesante, ¿no? ¡Interesante! ¡Bah!

Y el señor Grimwig atizó el fuego haciendo un floreo.

–Era un niño cariñoso, agradecido y amable, señor –replicó la señora Bedwin indignada–. Yo sé lo que son los niños y llevo sabiéndolo cuarenta años, y quienes no puedan decir lo mismo deberían callarse. ¡Eso es lo que creo!

Fue aquel un duro golpe para el señor Grimwig, que era soltero. Como solo consiguió arrancar una sonrisa de aquel caballero, la viejecita irguió la cabeza y se alisaba el delantal, como preparándose para otro discursito, cuando el señor Brownlow la atajó.

–¡Silencio! –dijo el anciano, simulando un enojo que estaba lejos de sentir–. No vuelva a pronunciar el nombre de ese muchacho delante de mí. Para eso la he llamado. Nunca. Nunca bajo ningún pretexto, ¡téngalo en cuenta! Puede marcharse, señora Bedwin. ¡Recuérdelo! Le hablo en serio.

Hubo corazones tristes aquella noche en casa del señor Brownlow.

A Oliver se le encogía el suyo pensando en sus buenos y caritativos amigos, y tanto mejor que ignorara lo que ellos habían escuchado, o se le habría partido de golpe.

Capítulo 18

De cómo pasaba Oliver el tiempo en la edificante compañía de sus respetables amigos

Hacia el mediodía del día siguiente, cuando el Perillán y el señorito Bates hubieron salido a ejercer sus habituales ocupaciones, el señor Fagin aprovechó la ocasión para soltar a Oliver un largo discurso sobre el ignominioso pecado de la ingratitud, del cual había demostrado él ser culpable en no poca medida, por ausentarse deliberadamente de la compañía de sus intranquilos amigos y, lo que es más, por intentar escapar de ellos tras tantas molestias y gastos como había supuesto el recuperarlo. El señor Fagin hizo especial hincapié en el hecho de que él acogió a Oliver y lo cuidó cuando, sin su oportuna ayuda, habría podido perecer de hambre, y le contó la triste y conmovedora historia de un mocito a quien, llevado de su filantropía, había socorrido en idénticas circunstancias, pero que se mostró indigno de su confianza cuando expresó su deseo de entrar en contacto con la policía y desgraciadamente terminó ahorcado en el Old Bailey una mañana[1]. El señor Fagin no trató de ocultar su participación en aquella catástrofe, sino que con lágrimas en los ojos lamentó que la malévola y traidora conducta del muchachito de marras habían hecho necesario

---

1. Tribunal principal de lo criminal en Londres, junto a la prisión de Newgate.

denunciarlo a la corona, denuncia que, aunque no fuera exactamente cierta, fue absolutamente necesaria para su seguridad (la del señor Fagin) y la de algunos amigos selectos. Concluyó el señor Fagin evocando una imagen bastante desagradable de lo molesto del ahorcamiento y, con gran amistad y corrección de maneras, expresó sus vivas esperanzas de no verse nunca obligado a exponer a Oliver Twist a aquella enfadosa operación.

La sangre del pequeño Oliver se le helaba en las venas mientras escuchaba las palabras del judío y no entendió bien las oscuras amenazas que contenían. Que era posible que la justicia misma confundiera al inocente con el culpable reunidos por el azar era cosa que ya sabía, y pensó que no era del todo improbable que en más de una ocasión el judío hubiera de verdad tramado y ejecutado sombríos planes para eliminar a personas que sabían demasiado o eran demasiado comunicativas, cuando recordaba la tónica general de los altercados entre aquel señor y el señor Sikes, que parecían guardar relación con alguna pasada conspiración de aquella índole. Al levantar tímidamente los ojos y topar con la escrutadora mirada del judío, sintió que la palidez de su rostro y el temblor de sus miembros no escapaban a la atención ni al regodeo de aquel sagaz anciano.

Con una horrible sonrisa, dio el judío a Oliver unos golpecitos en la cabeza y dijo que, si se mantenía tranquilo y se aplicaba al negocio, veía él que todavía llegarían a ser buenísimos amigos. Luego, cogiendo el sombrero y cubriéndose con un abrigo viejo y remendado, salió y cerró con llave la puerta de la habitación.

Y así pasó Oliver todo aquel día y la mayor parte de muchos de los días que siguieron, sin ver a nadie entre el amanecer y medianoche, sumido largas horas en sus propios pensamientos. Que, como no dejaban de llevarle a sus buenos amigos y a la opinión que debían haberse hecho de él desde hacía tiempo, eran verdaderamente tristes.

Al cabo de una semana o así, el judío dejó sin cerrar la puerta de la habitación y así tuvo libertad para pasearse por la casa.

Era un lugar muy sucio. Las habitaciones superiores tenían unas chimeneas de madera grandísimas y puertas enormes con paredes revestidas de madera y cornisas hasta el techo, que, aunque negras de polvo y abandono, aparecían adornadas con variados motivos. De todas aquellas señales dedujo Oliver que, muchísimo antes de que naciera el judío, había pertenecido a mejor gente y había sido quizá muy alegre y elegante, con lo triste y deprimente que ahora parecía.

Las arañas habían tejido sus telas en los rincones de paredes y techos, y a veces, cuando Oliver entraba sin hacer ruido en una habitación, los ratones correteaban por el suelo y, aterrados, se volvían corriendo a sus madrigueras. Exceptuado esto, no se veía ni oía cosa viviente y, a menudo, cuando oscurecía y estaba cansado de andar de una habitación para otra, solía acurrucarse en el rincón del pasillo junto a la puerta de la calle para estar lo más cerca posible de la gente viva, y allí permanecía, escuchando y contando las horas, hasta que el judío o los muchachos regresaban.

Las destartaladas contraventanas estaban cerradas a cal y canto en todas las habitaciones, pues las barras que las sostenían estaban atornilladas sólidamente a la madera, y la única luz que entraba era la que se filtraba por los agujeros redondos de la parte superior, lo cual hacía a las habitaciones más tenebrosas y las llenaba de extrañas sombras. En una buhardilla trasera había una ventana de herrumbrosas rejas por fuera y sin postigo, por la que a menudo pasaba Oliver horas y horas mirando con melancólico semblante, pero desde ella nada se discernía, salvo una confusa y apretada masa de tejados, chimeneas ennegrecidas y hastiales. Ciertamente a veces podía verse alguna cabeza entrecana asomando por encima del antepecho de una casa lejana, pero desaparecía en seguida y, como la ventana del observatorio de Oliver estaba clavada y empañada por la lluvia y el humo de años, era ya bastante que pudiera distinguir las formas de los diferentes objetos del exterior, no digamos hacer algo para que lo vieran u oyeran, cosa que habría sido tan poco probable como si hubiera tenido su morada en la esfera de la catedral de San Pablo.

Una tarde en la que el Perillán y el señorito Bates tenían que salir por la noche, al primero de estos caballeros se le metió en la cabeza manifestar algunas inquietudes relativas al adorno de su persona (digamos para hacerle justicia que esta debilidad no era en ningún modo habitual en él), y con tal intención y propósito se dignó ordenar a Oliver que le ayudara inmediatamente a prepararse.

Oliver se sentía demasiado contento de poder ser útil, demasiado feliz de poder ver algunas caras, incluso malas, demasiado deseoso de granjearse a quienes le rodeaban siempre que pudiera hacerlo honradamente, como para poner objeción alguna a aquella propuesta. Así que en seguida manifestó su disposición y, arrodillándose en el suelo mientras el Perillán estaba sentado en la mesa de modo que pudiera cogerle el pie en el regazo, se aplicó a un menester que el señor Dawkins designaba como «laquear las pisantas», frase que, en lenguaje corriente significa «limpiar las botas».

Fuera la sensación de libertad e independencia que puede suponerse siente un animal racional sentado en una mesa en relajada actitud, fumándose una pipa, balanceando una pierna despreocupadamente y viendo que le limpian las botas al mismo tiempo, sin que perturben sus pensamientos la previa molestia de quitárselas o el ulterior fastidio de ponérselas, o fuera la buena calidad del tabaco que calmaba los ánimos del Perillán o la suavidad de la cerveza que le sosegaba el pensamiento, el caso es que aparecía visiblemente impregnado, en aquel momento, de un saborcillo de romanticismo y entusiasmo extraños a su habitual manera de ser. Miró a Oliver con pensativo semblante durante breve espacio y luego, levantando la cabeza y exhalando un lento suspiro, dijo medio para sí, medio al señorito Bates:

–¡Qué lástima que no sea un chorizo!

–¡Ay! –dijo el señorito Charley Bates–. No sabe lo que le conviene.

Volvió a suspirar el Perillán y continuó con su pipa, igual que hacía Charley Bates. Durante algunos segundos fumaron ambos en silencio.

–Supongo que ni sabes qué es un chorizo –dijo el Perillán compadecido.

–Creo que sí –replicó Oliver alzando los ojos–. Es un la...; como tú, ¿no es cierto? –preguntó Oliver controlándose.

–Lo soy –repuso el Perillán–. Y vergüenza me daría ser otra cosa.

Tras pronunciar tal opinión, el señor Dawkins se ladeó el sombrero de un violento golpe y miró al señorito Bates como diciendo que se sentiría contrariado si dijera algo en contra.

–Lo soy –repitió el Perillán–. Y Charley. Y Fagin. Y Sikes. Y Nancy. Y Bet. Y tós nosotros, hasta el perro. Que es el más fino del montón.

–Y el menos dao al chivateo –añadió Charley Bates.

–No ladraría ni en el banquiyo por miedo de comprometerse; no, señor, no, aunque le tuvieran atao en él quince días sin vituaya –dijo el Perillán.

–Ni un pelo –observó Charley.

–Es un chucho demasié. ¡Los ojos de fiera que pone a cualquier chorbo extraño que ríe o canta cuando va acompañao! –prosiguió el Perillán–. ¡Y cómo gruñe cuando oye la carraca de la poli! ¡Y anda que no odia a los perros que no son de su raza! ¡Menudo!

–Está hecho un perfecto cristiano –dijo Charley.

Aquello pretendía ser únicamente un tributo a los talentos del animal, pero era acertada observación en otro sentido, aunque el señorito Bates no lo supiera, pues hay muchas buenas señoras y caballeros que se proclaman perfectos cristianos, entre los cuales y el perro del señor Sikes existen sólidos y extraordinarios elementos de semejanza.

–Bueno, bueno –dijo el Perillán volviendo al punto del que se habían desviado, con aquella conciencia de su profesión que marcaba todos sus actos–. Eso no tié ná que ver con este verdeciyo.

–Verdad que no –dijo Charley–. ¿Por qué no te pones con Fagin, Oliver?

–Y te haces una fortuna escapao –añadió el Perillán con una amplia sonrisa.

–Y así puedes retirarte a vivir de las rentas y hacerte el fino, como pienso hacer yo el primer año bisiesto que venga menos cuatro y el cuarenta y dos martes de la semana de Pentecostés –dijo Charley Bates.

–No me gusta –dijo Oliver tímidamente–. Ojalá me dejaran marchar. Yo... yo... preferiría marcharme.

–¡Y Fagin *prefiere* que no! –repuso Charley.

Oliver lo sabía demasiado bien, pero, pensando que podría ser peligroso manifestar más abiertamente sus sentimientos, se contentó con suspirar y continuó limpiando las botas.

–¡Marcharse! –exclamó el Perillán–. ¿Pero dónde tiés los redaños? ¿No tiés amor propio? ¿Te irías a vivir a expensas de tus amigos?

–¡Oh, que no se diga! –dijo el señorito Bates, sacando del bolsillo dos o tres pañuelos de seda y arrojándolos en un armario–. Eso es muy feo, hombre.

–*Yo* no podría hacerlo –dijo el Perillán con cara de asco subido.

–Pero sí que puedes abandonar a tus amigos –dijo Oliver con media sonrisa– y dejar que los castiguen por lo que tú hiciste.

–Aqueyo –dijo el Perillán con un gesto de la pipa–, aqueyo fue por pura consideración hacia Fagin, pues los maderos saben que andamos juntos y se podría haber metido en un mal royo si no nos hubiéramos dao el zuri; ésa fue la movida, ¿verdá, Charley?

El señorito Bates asintió con la cabeza y habría dicho algo, pero el recuerdo de la huida de Oliver le vino tan súbitamente, que el humo que estaba aspirando se le enredó con una carcajada, se le subió a la cabeza, le bajó a la garganta y le produjo un ataque de tos y un pataleo de unos cinco minutos.

–¡Mira! –dijo el Perillán, sacando un puñado de chelines y medios peniques–. ¡Esto es la buena vida! ¿Qué más da de dónde sale? Toma, cógelos, que hay muchos más en el sitio de donde salieron estos. ¿No? ¿No los coges? ¡Ah, valiente pardiyo!

–Qué morro tiene, ¿eh, Oliver? –preguntó Charley Bates–. Terminará guindao, ¿no te parece?

–No sé qué significa eso –repuso Oliver.

–Algo así, colega –dijo Charley.

Y mientras así decía, agarró el señorito Bates una punta del pañuelo que llevaba al cuello y, manteniéndolo tirante en el aire, dejó caer la cabeza sobre el hombro y soltó un curioso ruido entre los dientes, indicando con aquella expresiva representación en pantomima que guindar y ahorcar eran una y la misma cosa.

–Eso es lo que significa –dijo Charley–. ¡Mira cómo alucina, Jack! Nunca vi nada tan fetén como este chaval; yo es que me parto con él, ¡me parto!

El señorito Charley Bates volvió a reír a carcajadas y luego continuó dándole a la pipa con lágrimas en los ojos.

–Te han criao mal –dijo el Perillán, inspeccionando las botas con harta satisfacción cuando Oliver hubo terminado de limpiarlas–. Pero Fagin hará algo de ti, o serás el primero de tós los que ha tenío que le salga rana. Más te vale empezar en seguida, pues yegarás al oficio mucho antes de lo que crees, y lo único que estás haciendo es perder tiempo, Oliver.

Secundó el señorito Bates aquel consejo con algunas amonestaciones morales de su cosecha y, una vez agotadas, él y su amigo el señor Dawkins se embarcaron en una brillante descripción de las numerosas satisfacciones inherentes a la vida que llevaban, entremezclada con múltiples insinuaciones a Oliver de que lo mejor que podía hacer era granjearse el favor de Fagin sin más demora y por los medios que ellos mismos habían utilizado para ganárselo.

–Y métete esto en la chola, Oli –dijo el Perillán mientras se oía al judío abrir la puerta arriba–: si no afanas safos y pelucos...

–¿De qué sirve hablarle de esa manera? –le interrumpió el señorito Bates–. No entiende qué quieres decir.

–Si no coges pañuelos y relojes –dijo el Perillán rebajando sus términos al nivel de la capacidad de Oliver–, algún otro prójimo lo hará, de modo que tanto peor pa los prójimos que los pierden y tanto peor pa ti también, y nadie sale ganando ni medio penique, menos los tíos que los cogen... y tú tiés igual derecho que eyos a cogerlos.

–¡Ciertamente, ciertamente! –dijo el judío, que había entrado sin que Oliver lo advirtiera–. Todo cabe en cuatro palabras, querido, en cuatro palabras; confía en el Perillán. ¡Ja, ja, ja! Él entiende el catecismo de su oficio.

El viejo se frotó las manos jubiloso mientras corroboraba con aquellas palabras el razonamiento del Perillán, y se rió entre dientes deleitado de la competencia de su alumno.

La conversación no prosiguió en aquel momento, pues el judío volvía a casa en compañía de la señorita Betsy y de un caballero que Oliver no había visto nunca, pero al que el Perillán se dirigió llamándolo Tom Chitling, y que, tras rezagarse en las escaleras intercambiando unas galanterías con la señorita, hacía ahora aparición.

Era el señor Chitling mayor en años que el Perillán, habiendo quizá cumplido los dieciocho inviernos, pero había en su actitud hacia aquel caballerete un algo de deferencia que parecía indicar que él mismo era consciente de una ligera inferioridad en lo tocante a talento y preparación profesional. Tenía unos ojillos chispeantes y la cara picada de viruelas, y vestía gorra de piel, chaqueta de pana oscura, calzones de fustán grasientos y un delantal. Su guardarropa había perdido, a decir verdad, casi toda esperanza de arreglo, pero se excusó ante los asistentes declarando que su «temporada» había expirado hacía sólo una hora, y que, por haber llevado el uniforme durante las últimas seis semanas, no había podido prestar atención alguna a su ropa personal. Con enérgicas muestras de irritación el señor Chitling añadió que el nuevo método de fumigar la ropa allí arriba era odiosamente anticonstitucional, pues la quemaba hasta hacer agujeros y no había manera de recurrir contra la administración del condado. Consideraba que la misma observación se aplicaba a la manera reglamentaria de cortar el pelo, que según él era claramente ilegal. Y el señor Chitling concluyó sus observaciones afirmando que no había tocado una gota de nada durante cuarenta y dos largos y mortíferos días de duro trabajo, y que «reventara si no estaba más seco que un cesto de yesca».

–¿De dónde crees que viene el señor, Oliver? –preguntó el judío con una amplia sonrisa, mientras los otros muchachos ponían una botella de alcohol en la mesa.

–No... no sé, señor –respondió Oliver.

–¿Quién es ése? –preguntó Tom Chitling echando una ojeada despectiva a Oliver.

–Un amiguito mío, querido –replicó el judío.

–Pues está de suerte –dijo el joven con una mirada significativa a Fagin–. No importa de dónde vengo, chaval; ya encontrarás el camino hasta allá, y muy pronto, ¡te apuesto una corona!

A aquella ocurrencia rieron los muchachos. Siguieron algunas bromas más sobre el mismo tema, intercambiaron unos breves cuchicheos con Fagin y se retiraron.

Tras unas palabras aparte entre el recién llegado y Fagin, arrimaron las sillas al fuego y el judío, diciendo a Oliver que se acercara y se sentara junto a él, dirigió la conversación a los temas mejor calculados para interesar a sus oyentes. Eran aquéllos las ventajas del oficio, la competencia del Perillán, la amabilidad de Charley Bates y la liberalidad del judío mismo. Al cabo, aquellos temas dieron muestras de total agotamiento, y el señor Chitling también, pues el correccional cansa tras una semana o dos. En consecuencia la señorita Betsy se retiró y dejó que el grupo descansara.

A partir de aquel día pocas veces dejaron solo a Oliver, sino que lo tenían en contacto casi permanente con los dos muchachos, que cada día jugaban al viejo juego con el judío, si era para su propia mejora o la de Oliver, eso sólo lo sabía el señor Fagin. Otras veces el viejo les contaba historias de robos que había cometido en sus años jóvenes, mezcladas con tantas cosas amenas y curiosas, que Oliver no podía evitar reír con ganas y exteriorizar que aquello le divertía a pesar de todos sus mejores sentimientos.

En resumen, que el astuto judío tenía al muchacho en sus redes. Tras prepararle la mente mediante la soledad y la penumbra para que prefiriera cualquier tipo de relación a la compañía de sus propios y tristes pensamientos en lugar tan lóbrego, instilaba ahora en su alma el veneno que esperaba la ennegrecería y le cambiara el color para siempre.

Capítulo 19

En el que se discute y decide un plan singular

Era una noche fría, húmeda y ventosa, cuando el judío, abotonándose bien el abrigo sobre su cuerpo consumido y alzando el cuello por encima de las orejas hasta dejar completamente oculta la parte inferior de la cara, surgió de su guarida. Se detuvo un instante en el umbral mientras los muchachos cerraban la puerta con llave y echaban la cadena y, tras escuchar cómo lo aseguraban todo hasta que dejaron de oírse sus pisadas, se hundió calle abajo tan de prisa como pudo.

La casa adonde habían llevado a Oliver estaba en el barrio de Whitechapel. El judío se detuvo un instante en la esquina de la calle y, mirando recelosamente a su alrededor, atravesó la calzada y continuó en dirección de Spitalfields.

Un lodo espeso cubría el empedrado, una niebla negra se cernía sobre las calles, la lluvia caía perezosamente y todo parecía frío y húmedo al tocarlo. Parecía noche pintiparada para que un ser como el judío saliera de casa. Al deslizarse sigilosamente, arrastrándose al socaire de paredes y portales, el horrible viejo parecía un repugnante reptil engendrado en el cieno y la oscuridad por los que reptara aquella noche en busca de sabrosos despojos para alimentarse.

Continuó su recorrido por un sinfín de pasajes tortuosos y angostos hasta que llegó a Bethnal Green y luego, doblando súbitamente a la izquierda, se perdió pronto en un laberinto de inmundos callejones, que abundan en aquel barrio apiñado y populoso.

Era evidente que el judío conocía demasiado bien el terreno que pisaba para que la oscuridad de la noche o lo intrincado del camino le desorientaran. Pasó de prisa por varias callejuelas y calles, y al cabo dio en una iluminada sólo por una única farola al fondo. Llamó a la puerta de una casa de aquella calle y, tras cruzar unas palabras por lo bajo con la persona que le abrió, subió las escaleras.

Gruñó un perro cuando tocó el pomo de la puerta de una habitación, y la voz de un hombre preguntó quién era.

—Sólo yo, Bill, sólo yo, querido –dijo el judío, asomándose.

—Entra tó el cuerpo, entonces –dijo Sikes–. ¡Al suelo, tonto animal! ¿No reconoces al demonio con abrigo?

A lo que parece, al perro le había confundido un tanto el atuendo exterior del señor Fagin, pues, al desabotonarlo el judío y echarlo sobre el respaldo de una silla, se retiró al rincón del que se había levantado, meneando la cola para mostrar que estaba tan satisfecho como su naturaleza se lo permitía.

—Bueno –dijo Sikes.

—Bueno, querido –repuso el judío–. ¡Hombre, Nancy!

Esta última exclamación fue pronunciada con exactamente la suficiente turbación para insinuar una duda sobre el modo en que sería recibida, pues el señor Fagin y su joven amiga no se habían vuelto a ver desde que ella se interpusiera a favor de Oliver. Todas las dudas sobre el asunto, si es que albergaba alguna, se le disiparon inmediatamente con la conducta de la jovencita. Pues retiró los pies de la pantalla, empujó la silla para atrás y dijo a Fagin que arrimara la suya sin más, pues era una noche fría, de eso no cabía duda.

–*Hace* frío, Nancy, querida –dijo el judío, calentándose las esqueléticas manos sobre el fuego–. Es como si le traspasara a uno de parte a parte –añadió el viejo, tocándose el costado.

–Un taladro tié que ser pa atravesarte a ti el *corazón* –dijo el señor Sikes–. Dale algo pa beber, Nancy. ¡Y date prisa, demonios! Que me pone malo verle el esqueleto viejo y chupao tiritando de esa manera, como un fantasma asqueroso que acaba de levantarse de la sepultura.

Nancy sacó en seguida una botella de un armario en el que había muchas, que, a juzgar por la diversidad de su aspecto, estaban llenas de diferentes clases de líquidos. Llenando un vaso de brandy, Sikes dijo al judío que se lo bebiera.

–Ya basta, basta, gracias, Bill –replicó el judío, dejando el vaso tras limitarse a tocarlo con los labios.

–¡Cómo! Tiés miedo que te la juguemos, ¿eh? –preguntó Sikes, clavando los ojos en el judío–. ¡Bah!

Con un ronco gruñido de desprecio cogió el señor Sikes el vaso y arrojó el resto de su contenido sobre las cenizas, como ceremonia preliminar para llenarlo otra vez para sí, cosa que hizo al punto.

Mientras su compañero se sacudía un segundo vaso, echó el judío una ojeda por la habitación, no por curiosidad, pues ya la había visto muchas veces, sino de una manera inquieta y suspicaz habitual en él. Era una estancia ruinmente amueblada en la que sólo el contenido del armario podía inducir a creer que su ocupante fuera cualquier cosa menos un trabajador, y sin ningún objeto sospechoso a la vista, excepto dos o tres pesados garrotes que en un rincón estaban y una cahiporra colgada en el manto de la chimenea.

–Bueno –dijo Sikes chascando los labios–. Ya estoy preparao.

–¿Para los negocios? –preguntó el judío.

–Pa los negocios –replicó Sikes–, así que suelta lo que tengas que decir.

–¿Sobre el queli de Chertsey, Bill? –dijo el judío, acercando la silla y hablando en voz muy baja.

–Sí. ¿Qué hay de eso? –preguntó Sikes.

–¡Ah! Ya sabes lo que quiero decir, querido –dijo el judío–. ¿A que ya sabe lo que quiero decir, Nancy?

–No, no lo sabe –dijo el señor Sikes con desdén–. O no quié saberlo, que es lo mismo. Habla y yama a las cosas por su nombre, no estés ahí sentao, guiñando y pestañeando, hablándome con indireztas, como si no fueras tú el primero que pensó en el robo. ¡Maldita sea tu alma! ¿Qué quiés decir?

–¡Chist, Bill, chist! –dijo el judío, que había tratado en vano de contener aquel arranque de cólera–. Va a oírnos alguien, querido, va a oírnos alguien.

–¡Que nos oigan! –dijo Sikes–. Me importa un rábano.

Pero como al señor Sikes *sí* le importaba, se dio cuenta y bajó la voz según decía aquellas palabras, y se calmó.

–Eso, eso –dijo el judío zalamero–. Era sólo precaución, solo eso. Ahora, querido, ¿qué pasa con ese queli de Chertsey? ¿Cuándo va a hacerse, eh, Bill? ¿Cuándo va a hacerse? ¡Una vajilla como ésa, querido, como esa! –dijo el judío, frotándose las manos y enarcando las cejas en un arrebato de anticipada alegría.

–Nunca –replicó Sikes fríamente.

–¿No se hará nunca? –repitió el judío, reclinándose en la silla.

–Nunca, nunca –dijo Sikes–. En todo caso no pué ser un trabajo amañao, como esperábamos.

—Entonces es que no se han hecho las cosas como debían —dijo el judío, palideciendo de ira—. ¡No me digas ahora!

—Pos sí que te digo —replicó Sikes—. ¿Quién eres tú pa que no se te diga? Te digo que Toby Crackit yeva colgao por ayí quince días y no se pué camelar a ninguno de los criaos.

—¿Quieres decir, Bill —dijo el judío, suavizándose mientras el otro se acaloraba—, que ninguno de los dos hombres en la casa puede ganarse?

—Sí, es lo que quiero decirte —repuso Sikes—. La anciana hace ya veinte años que los tiene y, aunque les dieras quinientas libras, no pasarían por el aro.

—¿Pero quieres decir, querido —replicó el judío—, que no puede ganarse a las mujeres?

—En arsoluto —respondió Sikes.

—¿Ni por obra del fulgurante Toby Crackit? —dijo el judío con incredulidad—. Considera lo que son las mujeres, Bill.

—No, ni por obra del fulgurante Toby Crackit —repuso Sikes—. Dice que se ha puesto patiyas falsas y un chaleco color canario tó el santo tiempo que ha andao merodeando por ayí y tó es inútil.

—Debería haber probado un mostacho y un par de pantalones militares, querido —dijo el judío.

—Ya probó —dijo Sikes—, y no fueron de más provecho que el otro truco.

El judío se quedó perplejo ante aquella información. Tras cavilar unos minutos con el mentón hundido en el pecho, levantó la cabeza y con un profundo suspiro dijo que si el fulgurante Toby Crackit contaba la verdad, mucho se temía que el juego había concluido.

—Y sin embargo —dijo el viejo, dejando caer las manos en las rodillas—, es cosa triste, querido, perder tanto cuando habíamos puesto el corazón en ello.

–Así es –dijo el señor Sikes–. ¡Mala potra!

Siguióse un largo silencio durante el cual el judío se sumió en profundas cavilaciones con la cara fruncida en una expresión de vileza totalmente demoníaca. De vez en cuando Sikes le miraba furtivamente. Nancy, visiblemente temerosa de enojar al ladrón, permanecía sentada con los ojos clavados en la lumbre como sorda a todo lo que pasaba.

–Fagin –dijo Sikes, rompiendo bruscamente la calma reinante–, ¿vale otras cincuenta amariyas más si se hace sin peligro desde fuera?

–Sí –dijo el judío, irguiéndose súbitamente.

–¿Trato hecho? –preguntó Sikes.

–Sí, querido, sí –repuso el judío, estrechando la mano del otro, los ojos relucientes y todos los músculos de la cara tensos por la excitación que la pregunta le había producido.

–Entonces –dijo Sikes, apartando la mano del judío con cierto desdén–, que se avíe en cuanto quieras. Toby y yo saltamos la tapia del jardín anteanoche pa tantear los cuarterones de la puerta y de las contraventanas. Tó el queli está candao por la noche como una cárcel, pero hay un sitio que se pué forzar sin peligro ni ruido.

–¿Qué sitio es ése, Bill? –preguntó el judío con ansiedad.

–Pues –susurró Sikes–, al cruzar el céspede...

–¿Sí? –dijo el judío, inclinando hacia adelante la cabeza con los ojos saliéndosele casi de ella.

–¡Hum! –gritó Sikes interrumpiéndose, pues la muchacha se volvió de pronto sin apenas girar la cabeza y le indicó un instante la cara del judío–. No importa qué sitio es. Yo sé que no pués hacerlo sin mí, pero vale más estar en el lao seguro cuando uno trata contigo.

–Como quieras, querido, como quieras –replicó el judío–. ¿No hace falta más ayuda que tú y Toby?

–Ninguna –dijo Sikes–. Esceto una taladradora y un muchacho. La primera ya la tenemos los dos, el segundo tiés que encontrárnoslo tú.

–¡Un muchacho! –exclamó el judío–. ¡Ah! Entonces es un cuarterón, ¿eh?

–¡No importa lo que sea! –replicó Sikes–. Necesito un muchacho y no pué ser mu grande. ¡Mecachis –dijo el señor Sikes pensativo–, si hubiera cogío a aquel muchacho de Ned, el desoyinaor! Le tenía pequeño adrede y le alquilaba pa trabajiyos sueltos. Pero al padre le trincan y va la Sociedá de Delincuentes Juveniles y se yeva al muchacho de un oficio onde se ganaba pasta, le enseña a leer y escribir, y con el tiempo hace de él un aprendiz. Y así continúan –dijo el señor Sikes mientras se le desencadenaban las iras con el recuerdo de sus errores–, así continúan, y si tuvieran dinero de sobra (que es una bendición que no tengan), en un año o dos no nos quedaba ni media docena de chavales en el oficio.

–Ni media docena –asintió el judío, que había estado pensando durante aquel discurso y había captado sólo la última frase–. ¡Bill!

–¿Qué pasa ahora? –preguntó Sikes.

El judío hizo una seña con la cabeza hacia Nancy, que seguía con los ojos clavados en el fuego, y con un gesto le dio a entender que preferiría le dijera que abandonara la habitación. Sikes se encogió de hombros con desasosiego, como si pensara que aquella precaución era innecesaria, pero obedeció pidiendo a la señorita Nancy que le trajera una jarra de cerveza.

–No necesitas cerveza ninguna –dijo Nancy, cruzándose de brazos y quedándose en la silla tan tranquila.

–¡Te digo que la traigas! –repuso Sikes.

–¡Tonterías! –repuso la muchacha fríamente–. Continúa, Fagin. Sé lo que va a decir, Bill. No tiene por qué preocuparse por mí.

Vacilaba todavía el judío. Sikes miraba a uno y a otra con cierto asombro.

–Hombre, no te importará la chavala, ¿eh, Fagin? –preguntó al cabo–. La conoces tiempo de sobra pa confiar en eya, por tós los diablos. Ésta no es de las que garlan. ¿A que no, Nancy?

–¡*Yo* diría que no! –replicó la jovencita, arrimando la silla a la mesa y clavando en ella los codos.

–No, no, querida, ya sé que tú no –dijo el judío–, pero... –y el viejo volvió a hacer una pausa.

–¿Pero qué? –preguntó Sikes.

–Me preguntaba si no iba quizá a ponerse fuera de sí, ya sabes, querido, como la otra noche –repuso el judío.

Ante aquella confidencia la señorita Nancy soltó una sonora carcajada, vació un vaso de brandy, agitó la cabeza con un ademán de desafío y prorrumpió en variadas exclamaciones como: «¡Hagan juego, señores!», «¡Mientras hay vida hay esperanza!», y otras similares que parecieron producir el efecto de tranquilizar a los dos caballeros, pues el judío meneó la cabeza con aire satisfecho y volvió a sentarse, y lo mismo hizo el señor Sikes.

–Venga, Fagin –dijo Nancy riendo–. ¡Dile ya a Bill lo de Oliver!

–¡Ja! Eres muy lista, querida, la muchacha más fina que jamás vi –dijo el judío dándole unas palmaditas en el cuello–. *Era* de Oliver de quien iba a hablar, de verdad que sí. ¡Ja, ja, ja!

–¿Qué pasa con él? –preguntó Sikes.

–Es el muchacho que necesitas, querido –respondió el judío con un ronco susurro, llevándose el dedo a un lado de la nariz y haciendo una mueca espantosa.

—¿Ese? —exclamó Sikes.

—¡Tómalo, Bill! —dijo Nancy—. Yo lo haría en tu lugar. Puede que no esté tan preparado como cualquiera de los otros, pero eso no es lo que necesitas, si lo único que tiene que hacer es abrirte una puerta. Estáte seguro de que es de fiar, Bill.

—Yo sé que lo es —afirmó Fagin—. Ha tenido una buena formación estas últimas semanas y ya es hora de que empiece a ganarse el pan. Además los otros son demasiado grandes.

—Hombre, es esaztamente de la taya que necesito —dijo el señor Sikes caviloso.

—Y hará todo lo que se te antoje, Bill, querido —atajó el judío—. No puede evitarlo. Es decir, si le asustas lo suficiente.

—¿Asustarlo? —repitió Sikes—. No le asustaré en broma, créeme. Si hace algo chungo cuando hayamos empezao el trabajo, donde las dan las toman. No volverás a verle vivo, Fagin. Piénsatelo antes de mandarlo. ¡Ten en cuenta lo que te digo! —dijo el ladrón, manteniendo en equilibrio una palanca que había sacado de debajo de la cama.

—He pensado en todo —dijo el judío enérgicamente—. Le he... le he... tenido puesto el ojo encima, queridos, muy de cerca... muy de cerca. En cuanto le hagamos sentir que es uno de los nuestros, en cuanto le llenemos la cabeza con la idea de que es un ladrón, ¡es nuestro! Nuestro para toda la vida. ¡Jojó! ¡No podría habernos salido mejor!

Cruzó el viejo los brazos sobre el pecho y, apretujando la cabeza y los hombros, literalmente se abrazó a sí mismo de alegría.

—¿Nuestro? —dijo Sikes—. Tuyo, querrás decir.

—Tal vez, querido —dijo el judío con una risita chillona—. Mío, si quieres, Bill.

–¿Y qué –dijo Sikes, frunciendo fieramente el entrecejo hacia su simpático amigo–, qué te hace tomarte tantas molestias por un muchacho de cara de yeso, cuando sabes que hay cincuenta dormitando por Common Garden[1] cada noche pa coger y elegir los que quieras?

–Porque no me son de provecho, querido –repuso el judío algo confuso–, no vale la pena cogerlos. Su apariencia los condena cuando se meten en líos y me quedo sin ellos. Con este muchacho, convenientemente adiestrado, yo podría hacer, queridos, lo que no puedo con veinte de esos. Además –dijo el judío, recobrando su serenidad–, ahora nos tiene cogidos, con sólo que pudiera volver a darnos esquinazo; y *tiene* que estar en el mismo barco que nosotros. Poco importa cómo llega a ello, basta de sobra con que haya estado en un robo para que yo tenga poder sobre él, eso es todo lo que necesito. Ahora bien, es mucho mejor esto que tener que quitar del medio al pobre muchachito..., cosa que sería peligrosa y que además nos haría salir perdiendo.

–¿Cuándo hay que hacerlo? –preguntó Nancy, interrumpiendo alguna impetuosa exclamación del señor Sikes sobre el asco que le producía la fingida benevolencia de Fagin.

–¡Ah, claro! ¿Cuándo hay que hacerlo, Bill?

–Según el plan que hice con Toby, pasao mañana por la noche –respondió Sikes con voz desabrida–, si no le mando a decir ná.

–Bien –dijo el judío–, no habrá luna.

–No –dijo Sikes.

–Todo está planeado para llevarse la mercancía, ¿no es así? –preguntó el judío.

---

1. Forma humorística de Covent Garden, de las «comunes», prostitutas que en dicho parque podían encontrase.

Sikes asintió con la cabeza.

–¿Y en cuanto a...?

–¡Oh! Ya, tó está previsto –repuso Sikes, interrumpiéndole–. No te preocupes de los detayes. Lo que tiés que hacer es traerte al muchacho aquí mañana por la noche. Yo saldré de la capi una hora después de amanecer. Y tú cierras la cremayera y vas preparando el crisol, y eso es tó lo que tienes que hacer.

Tras una discusión en la que los tres participaron activamente, se decidió que Nancy acudiría a casa del judío al día siguiente entrada la noche y se llevaría a Oliver, ya que Fagin astutamente observó que, si el muchacho se mostraba poco inclinado por la faena, estaría más dispuesto a marcharse con la muchacha que hacía poco se había interpuesto a su favor, que con cualquier otro. Se decidió también solemnemente, para los fines de la expedición proyectada, confiar sin reservas al pobre Oliver al cuidado y custodia del señor William Sikes, y además que el dicho Sikes debería tratarlo como le pareciera conveniente, y que el judío no debería considerarlo responsable de ningún percance o mal que pudiera ocurrirle o de ningún castigo que fuera necesario infligirle, quedando entendido que, para que el pacto fuera vinculante en este respecto, cualquier alegación hecha por el señor Sikes a su regreso debería recibir la confirmación y corroboración en todos sus importantes pormenores del testimonio del fulgurante Toby Crackit.

Sentados estos preliminares, el señor Sikes procedió a beber brandy a un ritmo vertiginoso y a blandir la palanca de alarmante manera, berreando al mismo tiempo unos trozos de canciones de lo más antimusicales mezclados con salvajes exclamaciones. Al cabo, en un ataque de entusiasmo profesional, se empeñó en sacar su caja de herramientas de fractura y, no bien hubo entrado con ella dando tropezones y abiértola con el fin de explicar la naturaleza y propiedades de los diferentes instrumentos y las peculiares maravillas de su manufactura, cuando tropezó con la caja, cayó al suelo y allí se quedó dormido.

–Buenas noches, Nancy –dijo el judío, embozándose como antes.

–Buenas noches.

Sus ojos se cruzaron y el judío la miró escrutadoramente. No había pestañeo ninguno en aquella muchacha. Era tan cabal y seria en aquel asunto como pudiera serlo el mismo Toby Crackit.

Volvió el judío a decirle buenas noches y, dando una patada furtiva al bulto tendido del señor Sikes mientras ella estaba de espaldas, se fue tanteando escaleras abajo.

–¡Siempre igual! –masculló el judío para sus adentros mientras se dirigía a casa–. Lo peor de las mujeres es que una cosita de nada les sirve para evocar algún sentimiento largo tiempo olvidado, y lo mejor de ellas es que nunca dura. ¡Ja, ja! El hombre a cambio del muchacho ¡por una bolsa de oro!

Entreteniendo el tiempo con aquellas placenteras reflexiones, el señor Fagin dirigió sus pasos por barro y cieno hasta su tétrica morada, donde el Perillán estaba sentado esperando impacientemente su regreso.

–¿Está Oliver acostado? Quiero hablar con él –fue su primer comentario según bajaban las escaleras.

–Ya hace horas –replicó el Perillán, abriendo la puerta del todo–. ¡Ahí está!

El muchacho estaba acostado y profundamente dormido en un camastro en el suelo, tan pálido de ansiedad y de tristeza y de la estrechura de su prisión, que parecía como muerto, no la muerte que se ve en su sudario y ataúd, sino en el aspecto que reviste cuando la vida acaba de ausentarse, cuando un alma joven y amable vuela en un instante al cielo y el grosero aire del mundo no ha tenido tiempo de soplar sobre el mudable polvo que ella adoraba.

—Ahora no —dijo el judío, volviéndose sigilosamente—. Mañana. Mañana.

Capítulo 20

En el que se hace entrega de Oliver al señor William Sikes

Cuando Oliver se despertó por la mañana, se sorprendió muchísimo de ver que al lado de la cama habían puesto un par de zapatos nuevos de suela sólida y gruesa y que sus zapatos viejos habían desaparecido. Al principio el hallazgo le agradó, esperando que fuera precursor de su liberación, pero pronto se le disiparon aquellos pensamientos, pues, al sentarse a desayunar con el judío, éste le dijo, en tono y manera que acrecentaron su alarma, que aquella noche iba a ser conducido al domicilio de Bill Sikes.

–¿A... a... quedarme allí, señor? –preguntó Oliver con inquietud.

–No, no, querido. A quedarte allí no –replicó el judío–. No nos gustaría quedarnos sin ti. No tengas miedo, Oliver, volverás con nosotros. ¡Ja, ja, ja! No seremos tan crueles como para echarte de aquí, querido. ¡Oh, no, no!

El viejo, que estaba inclinado sobre la lumbre tostando un trozo de pan, se volvió a mirar mientras se burlaba de Oliver así, y rió entre dientes como dando a entender que sabía lo contento que estaría de escapar si pudiera.

–Supongo –dijo el judío clavando los ojos en Oliver– que quieres saber para qué vas a casa de Bill, ¿eh, querido?

A Oliver se le subieron los colores sin querer al ver que el viejo ladrón había leído sus pensamientos, pero valientemente dijo que sí, que quería saberlo.

–¡Hombre! ¿Tú qué crees? –preguntó Fagin, eludiendo la pregunta.

–La verdad es que no sé, señor –respondió Oliver.

–¡Bah! –dijo el judío, dándose la vuelta con una expresión de decepción tras examinar atentamente el rostro del muchacho–. Espera a que Bill te lo diga, entonces.

El judío pareció muy molesto por el hecho de que Oliver no manifestara mayor curiosidad por el asunto, pero la verdad es que, aunque Oliver estaba deseándolo, se sentía demasiado confuso por la intensa astucia de la expresión de Fagin y sus propias especulaciones para hacer cualquier otra pregunta en aquel momento. No tuvo ninguna otra oportunidad, pues el judío permaneció muy hosco y silencioso hasta la noche, cuando se preparó para salir.

–Puedes encender una vela –dijo el judío, poniéndola en la mesa–. Y ahí hay un libro para que leas hasta que vengan a buscarte. ¡Buenas noches!

–¡Buenas noches! –replicó Oliver a media voz.

El judío caminó hasta la puerta mirando al muchacho por encima del hombro. De pronto se detuvo y le llamó por su nombre.

Oliver levantó la cabeza y el judío, señalando a la vela, le dio a entender que la encendiera. Obedeció y, al poner la palmatoria en la mesa, vio que el judío estaba mirándole fijamente con las cejas caídas y contraídas desde el oscuro fondo de la habitación.

–¡Ten cuidado, Oliver, ten cuidado! –dijo el viejo, agitando la mano derecha por delante como a manera de advertencia–. Es hombre violento y la sangre no le asusta cuando se le calienta la suya. Pase lo que pase, no digas nada y haz lo que te mande. ¡Recuérdalo!

Haciendo hincapié en la última palabra, consintió que sus facciones se transformaran paulatinamente en una horrorosa sonrisa y, meneando la cabeza, abandonó la habitación...

Apoyó Oliver la cabeza en la mano cuando el viejo hubo desaparecido y meditó con corazón palpitante en las palabras que acababa de oír. Cuanto más pensaba en la advertencia del judío, más perdido se encontraba en adivinar su verdadero propósito y significado. No podía pensar en ningún mal fin que pudiera lograrse enviándolo a Sikes que no se pudiera lograr igualmente si permanecía con Fagin y, tras meditar largo tiempo, concluyó que lo habían elegido para realizar algún menester doméstico y ordinario para el ladrón, hasta que pudieran emplear a otro muchacho mejor preparado para tal cosa. Estaba demasiado acostumbrado al sufrimiento y había sufrido demasiado donde se hallaba para lamentar seriamente la perspectiva de un cambio. Por algunos minutos permaneció perdido en sus pensamientos y luego, tras un profundo suspiro, despabiló la vela y, tomando el libro que el judío le había dejado, se puso a leer.

Fue pasando las páginas sin prestar atención al principio, pero, como topara con un pasaje que le llamó la atención, pronto se enfrascó en la lectura. Era una historia de las vidas y juicios de grandes criminales y tenía las páginas sucias y manoseadas por el uso. Leyó allí de horribles crímenes que helaban la sangre, de asesinatos secretos cometidos en el solitario borde de los caminos, de cadáveres escondidos a los ojos de los hombres en profundos hoyos y pozos, que no los guardaron abajo, aunque eran muy hondos, sino que al cabo de muchos años los devolvían y de tal manera enloquecían a los asesinos con su visión, que horrorizados confesaban su culpa y pedían a gritos que la horca terminara sus tormentos. Leyó también allí de hombres que, postrados en la cama en lo más profundo de la noche, habían sido tentados (así dijeron) y llevados por sus malos pensamientos a tan terribles derramamientos de sangre, que ponían la carne de gallina y amedrentaban el cuerpo entero con sólo pensar en ello. Las terribles descripciones eran tan reales y vívidas, que las amarillentas páginas parecían volverse rojas de sangre, y las palabras que contenían sonarle en los oídos como si las musitaran con cavernosos susurros las ánimas de los muertos.

En un paroxismo de espanto cerró el libro el muchacho y lo arrojó de sí. Postrándose luego de rodillas, rogó al cielo que le librara de tales acciones y que prefiriera antes la muerte inmediata que verse destinado a crímenes tan tremendos y horrorosos. Paulatinamente se calmó y suplicó en voz baja y entrecortada verse libre de sus presentes peligros, y que si a un pobre muchacho marginado que nunca había conocido el cariño de amigos o parientes fuera a dispensársele alguna ayuda, que le llegara en aquel momento, en que, afligido y abandonado, se hallaba solo en medio de la perversidad y la culpa.

Había terminado su oración, pero todavía tenía la cabeza hundida en las manos, cuando un frufrú le sacó de su recogimiento.

–¿Qué es eso? –gritó sobresaltado y apercibiendo una figura que estaba a la puerta–. ¿Quién es?

–Yo. Sólo yo –respondió una trémula voz.

Oliver levantó la vela por encima de la cabeza y miró hacia la puerta. Era Nancy.

–Baja la luz –dijo la muchacha volviendo la cabeza–. Me hace daño en los ojos.

Oliver vio que estaba muy pálida y amablemente le preguntó si se hallaba enferma. La muchacha se dejó caer en una silla, dándole la espalda y se restregó las manos, pero no respondió.

–¡Dios me perdone! –gritó tras una pausa–. No había pensado en esto.

–¿Ha sucedido algo? –preguntó Oliver–. ¿Puedo ayudarte? Lo haré si puedo. De verdad que lo haré.

Ella se balanceó de un lado para otro, se atenazó la garganta y, dejando escapar un gorgorito, jadeó falta de aliento.

–¡Nancy! –gritó Oliver–. ¿Qué pasa?

La muchacha se golpeó las rodillas con las manos y los pies contra el suelo y, deteniéndose súbitamente, se apretó el manto todo alrededor tiritando de frío.

Oliver atizó el fuego. Ella arrimó la silla y permaneció sentada un momentito sin hablar, pero al cabo levantó la cabeza y se volvió.

–No sé qué me da algunas veces –dijo, simulando gran atención en arreglarse la ropa–; es esta habitación húmeda y sucia, creo. Bueno, Oli, querido, ¿estás listo?

–¿Voy a ir contigo? –preguntó Oliver.

–Sí, vengo de parte de Bill –respondió la muchacha–. Tienes que venirte conmigo.

–¿Para qué? –preguntó Oliver, retrocediendo.

–¿Para qué? –repitió la muchacha, levantando los ojos y retirándolos de nuevo al encontrar el rostro del muchacho–. ¡Oh, para nada malo!

–No lo creo –dijo Oliver que la había mirado atentamente.

–Piensa lo que quieras –repuso la muchacha, fingiendo que reía–. Para nada bueno, entonces.

Oliver podía ver que tenía algún ascendiente sobre los mejores sentimientos de la muchacha y, por un momento, pensó en apelar a su compasión en nombre de su desvalida situación. Pero entonces le cruzó la mente el pensamiento de que apenas eran las once y que había todavía mucha gente en las calles entre las cuales seguramente se encontraría alguien que diera crédito a su cuento. Mientras se hacía esta reflexión avanzó unos pasos y dijo un tanto precipitadamente que estaba listo.

Ni su breve deliberación ni el contenido de la misma escaparon a los ojos de su acompañante, que le miró atentamente mientras hablaba y le lanzó una mirada de inteligencia que sobradamente manifestaba que adivinaba lo que se le había pasado por el pensamiento.

–¡Chist! –dijo la muchacha, inclinándose hacia él y señalando la puerta mientras miraba cautelosamente alrededor–. No puedes evitarlo. He tratado arduamente de hacer algo por ti, pero todo en vano. Estás cercado por todas partes. Si alguna vez has de escapar de aquí, éste no es el momento.

Sorprendido por lo enérgico de su actitud, Oliver la miró a la cara asombradísimo. Parecía que le decía la verdad: su rostro aparecía pálido y agitado y estaba temblando de veras.

–Te libré una vez de ser maltratado y lo volveré a hacer, y lo estoy haciendo ahora –prosiguió la muchacha en voz alta–, pues, si en vez de haber venido yo a buscarte, hubieran sido otros, te habrían tratado muchísimo peor que yo. He prometido que te estarás tranquilo y calladito; si no, sólo conseguirás perjudicarte a ti mismo y a mí también, y tal vez ser causa de mi muerte. ¡Mira! Todo esto lo he pasado ya por ti, tan de verdad como que Dios me deja enseñártelo.

Le mostró precipitadamente unos lívidos cardenales en el cuello y brazos, y luego prosiguió atropelladamente:

–¡Acuérdate de esto! Y no dejes que sufra más a cuenta tuya ahora. Si pudiera ayudarte, lo haría, pero no tengo los medios. No piensan hacerte daño y, te hagan hacer lo que te hagan, no será culpa tuya. ¡Chist! Cada palabra tuya significa un golpe para mí. Dame la mano. ¡De prisa! ¡La mano!

Tomó la mano que Oliver puso instintivamente en la suya y, apagando la luz de un soplido, se lo llevó tras ella escaleras arriba. Abrió la puerta rápidamente alguien emboscado en la oscuridad y se cerró con la misma rapidez en cuanto la hubieron franqueado. Los esperaba un cabriolé de alquiler. Con la misma determinación que había mostrado al hablarle, la muchacha metió a Oliver con ella y corrió las cortinas. El cochero no necesitó seña alguna y, sin demorarse un instante, fustigó al caballo hasta ponerlo a toda velocidad.

La muchacha mantenía apretada la mano de Oliver y continuó vertiéndole al oído las advertencias y promesas que ya le había hecho. Todo pasó tan de prisa y corriendo, que apenas le dio tiempo de enterarse de dónde se hallaba o cómo había llegado allí, cuando el carruaje se detuvo ante la casa a la que el judío había dirigido sus pasos la noche anterior.

Por un breve instante lanzó Oliver una rápida mirada sobre la calle desierta y un grito de socorro le subió hasta los labios. Pero la voz de la muchacha seguía en su oído, suplicándole con tales tonos de agonía que pensara en ella, que no tuvo valor para pronunciarlo. La oportunidad se desvaneció mientras vacilaba, pues se encontraba ya dentro de la casa y la puerta se cerró.

—Por aquí —dijo la muchacha, soltándole la mano por primera vez—. ¡Bill!

—¡Hola! —respondió Sikes, apareciendo en lo alto de la escalera con una vela—. ¡Hombre, equilicuá! ¡Adelante!

Era aquello una vehementísima expresión de aprobación, una acogida extraordinariamente cordial en una persona del temperamento del señor Sikes. Visiblemente satisfecha de ello, Nancy le saludó efusivamente.

—Certero se ha marchao a casa con Tom —comentó Sikes mientras les alumbraba hasta arriba—. Nos habría estorbao.

–Claro –repuso Nancy.

–Así que te has traído al chaval –dijo Sikes cuando todos ellos hubieron llegado a la habitación y él cerraba la puerta.

–Pues sí; aquí está –respondió Nancy.

–¿Ha estao tranqui? –preguntó Sikes.

–Como un cordero –repuso Nancy.

–Me alegra oírlo –dijo Sikes, mirando ceñudamente a Oliver–, por ese esqueletiyo que tiene, pos, si no, lo habría pagao. Ven acá, chiquiyo, que te voy a echar un sermón, que es mejor terminar cuanto antes.

Y, dirigiéndose así a su nuevo alumno, arrancó el señor Sikes la gorra a Oliver y la arrojó a un rincón. Luego, tomándole por el hombro, se sentó junto a la mesa y le colocó de pie frente a él.

–En primer lugar, ¿sabes qué es esto? –preguntó Sikes, cogiendo un pistola de bolsillo que estaba en la mesa.

Oliver respondió afirmativamente.

–Vale, mira entonces –prosiguió Sikes–: esto es pólvora, y esto es una bala, y esto es un cachito de sombrero viejo pa hacer de taco.

En un susurro Oliver manifestó que entendía qué eran los diferentes objetos mencionados y el señor Sikes procedió a cargar la pistola con gran delicadeza y parsimonia.

–Ya está cargá –dijo el señor Sikes cuando hubo terminado.

–Sí, ya veo –dijo Oliver.

–Bien –dijo el ladrón, agarrando con fuerza a Oliver por la muñeca y acercándole el cañón a la sien hasta que la tocó, momento en el cual el muchacho no pudo reprimir un sobresalto–, si dices una palabra cuando estés fuera de casa conmigo, esceto cuando yo te hable, esta carga se te meterá en la cabeza sin avisarte. Así que, si te *empeñas* en hablar sin permiso, reza primero.

Tras dispensar una ceñuda mirada al receptor de aquella advertencia para darle más efecto, el señor Sikes prosiguió:

–Por lo que sé, nadie andará preguntando por ti, en caso de que *haya* que despacharte, así que no necesitaría tomarme esta molestia de tós los demonios pa explicarte las cosas, si no fuera por tu propio bien. ¿Te enteras?

–Lo que quieres decir al fin y al cabo –dijo Nancy, recalcando bien lo que decía y frunciendo ligeramente el entrecejo hacia Oliver, como indicándole que pusiera atención a sus palabras– es que, si te estorba en este trabajo que tienes entre manos, le atravesarás la cabeza de un tiro para impedir que ande contando historias después y que te arriesgarás a que te cuelguen por ello, como haces por muchas otras cosas que tienen que ver con el negocio cada mes de tu vida.

–¡Eso es! –observó el señor Sikes con aprobación–; las mujeres siempre pún esplicar las cosas con pocas palabras... Esceto cuando se les hinchan las narices, que entonces tién pa rato. Y ahora que éste ya está perfeztamente enterao, vamos a cenar algo y a sobarla un rato antes de salir.

En cumplimiento de aquel ruego, Nancy puso en seguida el mantel y, tras desaparecer unos minutos, volvió con una jarra de cerveza negra y una fuente de patatas bravas, que fueron motivo de que el señor Sikes hiciera algunos ocurrentes y divertidos comentarios basados en la singular coincidencia de que la palabra «brava» se aplica también en germanía a un ingenioso instrumento muy utilizado en su profesión[1]. La verdad es que el respetable caballero, estimulado tal vez por la inmediata

_____

1. En la jerga del hampa la palabra «brava» designa la palanqueta de fracturar puertas. En el original lo que Nancy sirve es una fuente de *jemmies,* palabra que en inglés significa «cabezas de cordero guisadas», así como «palanquetas».

perspectiva del servicio activo, estaba de buen humor y ánimo alegre, en prueba de lo cual puede consignarse aquí que se bebió alegremente toda la cerveza de un trago y no profirió, según cálculo aproximado, más de ochenta juramentos en el transcurso de la colación.

Acabada la cena –puede fácilmente imaginarse que Oliver no tuvo mucho apetito–, el señor Sikes se liquidó un par de vasos de alcohol con agua y se echó en la cama, ordenando a Nancy, con muchas imprecaciones en caso de que no lo hiciera, que le llamara a las cinco en punto. Por orden de la misma autoridad Oliver se acostó en un colchón en el suelo y la muchacha, tras alimentar el fuego, se sentó junto a él preparada para despertarlos a la hora fijada.

Largo tiempo permaneció Oliver despierto pensando que no sería imposible que Nancy buscara ocasión de susurrarle algún otro consejo, pero la muchacha seguía sentada al fuego, cavilando sin moverse, excepto de vez en cuando para despabilar la luz. Cansado de velar y de ansiedad, se quedó al cabo dormido.

Cuando despertó, la mesa estaba dispuesta con los utensilios para el té y Sikes estaba metiendo diversos objetos en los bolsillos de su abrigo, colgado sobre el respaldo de una silla. Nancy estaba muy ocupada preparando el desayuno. No era de día todavía, pues la vela seguía ardiendo, y fuera reinaba una oscuridad total. Y una lluvia recia golpeaba los cristales de las ventanas y el cielo aparecía negro y nublado.

–¡Venga ya! –gruñó Sikes cuando Oliver se levantó–. ¡Las cinco y media! Espabílate o te quedarás sin desayunar, que ya es tarde de sobra.

Oliver no tardó mucho en arreglarse y, tras desayunar algo, respondió a una hosca pregunta de Sikes diciendo que estaba listo.

Sin apenas mirar al muchacho, Nancy le lanzó un pañuelo para que se lo pusiera alrededor del cuello y Sikes le dio una capa grande y basta para que se la abotonara por encima de los hombros. Así ataviado, dio la mano al ladrón, quien, parándose un instante para indicarle con gesto amenazador que llevaba la pistola en un bolsillo lateral del abrigo, se la apretó fuertemente con la suya y, cruzando un adiós con Nancy, lo condujo fuera.

Cuando llegaron a la puerta, Oliver se volvió un instante, esperando encontrar la mirada de la joven. Pero había vuelto a su asiento frente al fuego y allí permanecía sentada completamente inmóvil.

Capítulo 21

La expedición

Cuando salieron a la calle encontraron una mañana triste de lluvia y viento intensos, y las nubes aparecían sombrías y tormentosas. Había llovido mucho durante la noche, grandes charcos cubrían la calzada, y los canalillos a lo largo del bordillo rebosaban. Se vislumbraba en el cielo la luz trémula del día que nacía, pero que, más que aliviar, acentuaba la tristeza del ambiente, ya que lo único que aquella fúnebre luz hacía era empalidecer la que emitían las farolas, sin derramar matices más tibios ni más claros sobre los mojados tejados de las casas y las tétricas calles. No parecía que hubiera nadie levantado en aquel barrio de la ciudad, pues las ventanas de las casas estaban todas bien cerradas y las calles por las que pasaban silenciosas y desiertas.

Cuando entraron en la calle Bethnal Green, el día había empezado a abrir un tanto. Muchas farolas estaban ya apagadas, algunas carretas del campo avanzaban lenta y trabajosamente hacia Londres, y de vez en cuando una diligencia cubierta de barro pasaba bruscamente y el cochero soltaba un latigazo de aviso al lento carretero que, por ocupar el lado de la calzada que no le correspondía, le exponía a llegar a la estación con un cuarto de minuto de retraso. Ya estaban abiertas las tabernas y dentro ardían luces de gas. Poco a poco iban abriendo otras tiendas y esporádicamente se cruzaban ellos con otra gente. Luego aparecieron aquí y allá grupos de obreros dirigiéndose a su trabajo, luego hombres y mujeres con cestos de pescado en la cabeza, carretones cargados de verduras tirados por asnos, carros llenos de ganado o de reses abiertas en canal, lecheras con sus cántaros, un continuo reguero de gente moviéndose penosamente con gran variedad de víveres hacia los barrios del este de la ciudad. A medida que se acercaban al casco antiguo, el bullicio y el ajetreo aumentaban gradualmente y, cuando hollaban las calles entre Shoreditch y Smithfield, aquello era ya un maremágnum de ruido y agitación. Era tan de día como podía llegar a serlo hasta que volviera a caer la noche y había comenzado la atareada mañana de la mitad de la población de Londres.

Bajando por la calle Sun y la calle Crown, y atravesando la plaza Finsbury, el señor Sikes desembocó por la calle Chiswell, en Barbican y de allí en Long Lane hasta llegar a Smithfield, de donde se elevaba un tumulto de ruidos discordantes que llenaron de asombro a Oliver.

Era mañana de mercado. El suelo estaba cubierto de inmundicias y lodo hasta casi la altura de los tobillos, y en el aire flotaba un espeso vapor que se elevaba sin cesar de los cuerpos humeantes del ganado y se mezclaba con la niebla que parecía descansar sobre los sombreretes de las chimeneas. Todos los corralillos del vasto espacio central y otros tantos provisionales que se acumulaban en lo que quedaba libre estaban llenos de ovejas, y, atadas a postes a lo largo del arroyo, había largas filas de bestias de carga y bueyes de tres o cuatro en fondo. Campesinos, carniceros, vaqueros, charlatanes, muchachos, ladrones, mirones y vagabundos de la más variada condición se mezclaban en montón, y los silbidos de los vaqueros, el ladrar de los perros, el mugir y chapotear de los bueyes, el balar de las ovejas, el gruñir y chillar de los cerdos, las voces de los charlatanes, los gritos, los juramentos y las riñas por doquier, el resonar de los cencerros y el clamor del vocerío que salía de cada taberna, la aglomeración, los empujones, el arrear al ganado, los golpes, las exclamaciones y el griterío, el espantoso y disonante fragor que se elevaba de todos los rincones del mercado y los cuerpos sin lavar y sin afeitar, sucios y mugrientos, que iban y venían sin cesar, y entraban y salían precipitadamente de la multitud, hacían de aquello un espectáculo abrumador y alucinante que desconcertaba totalmente los sentidos.

Tirando de Oliver iba el señor Sikes abriéndose paso a codazos por lo más nutrido de la multitud sin prestar mucha atención a las numerosas vistas y ruidos que tanto sorprendían al muchacho. Dos o tres veces hizo una seña con la cabeza a algún amigo que pasaba y, declinando otras tantas invitaciones a echar una copichuela matutina, siguió adelante sin parar hasta que dejaron atrás aquella algarabía y salieron de la callejuela Hosier para entrar en Holborn.

–¡Venga, chavea! –dijo Sikes mirando al reloj de la iglesia de St. Andrew–. ¡Casi las siete! A ver si te mueves. Amos, no te quedes pa atrás, ¡patas flojas!

El señor Sikes pronunció aquellas palabras dando un tirón de la muñeca de su joven acompañante y Oliver, apretando el paso hasta convertirlo en una especie de trote, entre el paso rápido y la carrera, mantuvo lo mejor que pudo el ritmo de las rápidas zancadas del ladrón.

Mantuvieron aquel ritmo de marcha hasta que pasaron la esquina de Hyde Park Corner y se hallaron camino de Kensington, y allí Sikes aflojó el paso hasta que un carro vacío que venía a poca distancia detrás los alcanzó. Viendo escrito en él la palabra «Hounslow», preguntó al carretero con toda la cortesía que pudo aparentar, si podía llevarlos hasta Isleworth.

–Monten –dijo el hombre–. ¿Es su hijo?

–Sí, es hijo mío –respondió Sikes mirando fijamente a Oliver y metiendo distraídamente la mano en el bolsillo en el que tenía la pistola.

–Tu padre anda mu de prisa pa ti, ¿eh, chaval? –preguntó el carretero al ver a Oliver sin aliento.

–Ni mucho menos –replicó Sikes, interponiéndose–. Está acostumbrao. Venga, Ned[1], agárrame la mano. ¡Aúpa!

Y, dirigiéndose así a Oliver, le ayudó a subir al carro, y el carretero, señalando un montón de sacos, le dijo que se echara en ellos y descansara.

Según pasaban frente a los distintos mojones, Oliver, cada vez más maravillado, se preguntaba adónde tenía intención de llevarle su acompañante. Dejaron atrás Kensington, Mammersmith, Chiswick, el puente de Kew y Brentford, y sin embargo continuaban adelante a la misma marcha que si acabaran de emprender el viaje. Al cabo llegaron a una posada llamada La Diligencia y los Caballos, poco más allá de la cual otro camino parecía torcer a un lado, y allí se detuvo el carro.

Sikes se apeó con gran precipitación sin soltar a Oliver de la mano ni un momento y, bajándolo rápidamente en volandas, le dirigió una furiosa mirada y con el puño se golpeó el bolsillo lateral de elocuente manera.

–Adiós, chaval –dijo el hombre.

–Es mu retraío –replicó Sikes dándole un meneo–, mu retraío. ¡Un cachorriyo! ¡No le haga caso!

–No, hombre, no –repuso el otro montando en el carro–. Se está quedando buen día, después de todo.

---

1. Diminutivo de Edward, pero que también quiere decir 'borrico'.

Y siguió camino.

Sikes esperó hasta que se hubo alejado un buen trecho y luego, diciendo a Oliver que ya podía mirar a su alrededor si lo deseaba, prosiguió con él su ruta.

Torcieron a la izquierda a poco de haber pasado la posada y luego, tomando un camino a la derecha, continuaron andando largo rato, dejando a ambos lados de la ruta gran número de grandes jardines y chalés, y no se detuvieron más que para tomar un poco de cerveza hasta que llegaron a un pueblo. Allí, en la pared de una casa, vio Oliver escrito en letras bastante grandes «Hampton». Pasaron unas horas vagando por los campos y al cabo regresaron al pueblo y entraron en una vieja taberna con el letrero borrado, donde pidieron algo de cenar junto a la lumbre de la cocina.

Era la cocina una habitación vieja y de techo bajo atravesado en medio por una viga enorme, con bancos de respaldo alto junto al fuego, y en ellos estaban sentados, bebiendo y fumando, varios patanes emblusados. No prestaron ninguna atención a Oliver y muy poca a Sikes y, como Sikes les prestara muy poca atención a ellos, él y su joven camarada se sentaron solos en un rincón sin que les incomodara mucho la compañía.

Cenaron algo de fiambre y luego permanecieron sentados tan largo rato, mientras el señor Sikes se daba el gusto de fumarse tres o cuatro pipas, que Oliver empezó a tener por cierto que no irían más lejos. Agotado por la caminata y por haber madrugado tanto, se amodorró un poco al principio y luego, rendido por el cansancio y el humo del tabaco, se quedó dormido del todo.

Era ya de noche cuando Sikes le despertó de un meneo. Despabilándose lo suficiente para erguirse y mirar alrededor, halló a aquel personaje en buen amor y compaña con un gañán y una jarra de cerveza por medio.

–O sea que vas hasta Lower Halliford, ¿eh? –preguntó Sikes.

–Sí, sí –repuso el hombre, a quien la bebida parecía sentar mal (o bien, según se mire)–, y no va a ser despacito. Voy de vuelta y el caballo va sin carga detrás, no como esta mañana, cuando veníamos, y no tardará en llegar. ¡A su salud! ¡Que está hecho una fiera, pardiez!

–¿Podrías yevarnos ayá a mi chaval y a mí? –preguntó Sikes empujando la cerveza hacia su nuevo amigo.

–Si es en seguida, claro que puedo –repuso el hombre mirando por encima del borde de la jarra–. ¿Vais a Halliford?

–Pa seguir hasta Shepperton –repuso Sikes.

–Soy lo que buscas, hasta donde voy –repuso el otro–. ¿Está todo pagao, Becky?

–Sí, ese señor lo ha pagado –replicó la muchacha.

–¡Pero, oye! –dijo el hombre con la gravedad del que está achispado–. Eso no vale, eh.

–¿Por qué no? –repuso Sikes–. Vas a hacerme un favor, y ¿quién va a impedirme que te invite a una jarra a cambio?

El desconocido recapacitó sobre aquel argumento con meditabunda expresión y luego, tomando la mano de Sikes, afirmó que de verdad que era un buen tipo. A lo que el señor Sikes contestó que bromeaba, cosa que poderosas razones habrían permitido suponer, si el otro hubiera estado sobrio.

Tras intercambiar algún otro cumplido dijeron buenas noches a los demás y salieron mientras la muchacha, que entretanto había recogido jarras y vasos, fue a asomarse indolentemente a la puerta con las manos llenas para ver al grupo partir.

El caballo a cuya salud se había bebido en su ausencia estaba fuera enganchado ya al carro. Oliver y Sikes montaron sin más formalismos y el dueño, tras detenerse un minuto o dos en «subirle los ánimos» y desafiar al mozo de cuadra y al mundo entero a que le enseñasen uno igual que él, subió también. Luego dijo al mozo que le soltara la cabeza y, cuando el animal la tuvo suelta, hizo desconsiderado uso de ella, pues la sacudió en el aire con harto desdén, corrió hasta meterse por las ventanas de la sala de enfrente y, hechas estas proezas y puesto de manos un instante, se arrancó a gran velocidad y salió estrepitosamente del pueblo con mucha galanura.

Era una noche muy oscura. Del río y del pantanoso terreno colindante se elevaba una neblina húmeda que se esparcía por los sombríos campos. Además hacía un frío penetrante y todo aparecía lúgubre y negro. No se habló ni una palabra, pues al carretero le había empezado a entrar sueño y Sikes no tenía ganas de incitarle a hablar. Oliver iba hecho un ovillo en un rincón del carro, muerto de miedo y desasosiego, imaginando objetos extraños en los escuálidos árboles, cuyas ramas se agitaban en siniestro vaivén como en quimérico alborozo por lo desolador del paisaje.

Cuando pasaban frente a la iglesia de Sunbury el reloj daba las siete. En frente, en la ventana de la caseta del embarcadero había una luz que se esparcía por el camino y hundía en sombras más negras a un tejo oscuro que se elevaba sobre unos sepulcros. Se oía no lejos el ruido monótono de agua que caía y las ramas del viejo árbol se mecían en el viento de la noche. Era como mansa música para el descanso de los muertos.

Atravesaron Sunbury y volvieron a hallarse en el camino desierto. Dos o tres millas más adelante el carro se detuvo. Sikes se apeó, cogió a Oliver de la mano y volvieron a reanudar la marcha.

No entraron en casa alguna en Shepperton, como el agotado muchacho esperaba, sino que continuaron andando en el barro y la oscuridad por senderos tenebrosos y eriales fríos y desnudos hasta que llegaron a divisar las luces de un pueblo no muy lejano. Abriendo bien los ojos, vio Oliver que había agua justo debajo de donde se hallaban y que se acercaban a la entrada de un puente.

Siguió Sikes adelante hasta que estuvieron muy cerca del puente y luego torció bruscamente y bajó por un terraplén a la izquierda.

–¡Agua! –pensó Oliver mareándose de miedo–. ¡Me ha traído a este lugar solitario para matarme!

Iba ya a arrojarse al suelo y luchar por su joven vida, cuando vio que se hallaban ante una casa solitaria toda en ruinas y escombros. Había una ventana a cada lado de la deteriorada entrada y un piso arriba, pero no se veía luz alguna. La casa estaba a oscuras, desguarnecida y, a lo que parecía, deshabitada.

Con la mano de Oliver aún en la suya llegó despacito Sikes hasta el portal, que era bajo, y levantó el picaporte. La puerta cedió a su empuje y entraron juntos.

Capítulo 22

El robo

–¡Hola! –gritó una voz fuerte y ronca en cuanto pusieron pie en el pasillo.

–No armes tanto jaleo –dijo Sikes echando el cerrojo de la puerta–. Saca una yamita, Toby.

–¡Caray, colega! –gritó la misma voz–. ¡Una yama, Barney, una yama! Haz pasar al cabayero, Barney, pero despiértate primero, si no tiés inconveniente.

Pareció como si el que hablaba lanzara un sacabotas o cosa parecida a la persona a quien se dirigía para sacarla de su letargo, pues se oyó el ruido de un objeto de madera que caía con estrépito y luego un refunfuño como el de alguien entre el sueño y la vigilia.

–¿No oyes? –gritó la misma voz–. En el pasiyo está Bill Sikes y no hay nadie que salga a recibirle mientras tú duermes como si tomaras láudano con las comidas y ná más. ¿Estás ya más fresco, o necesitas que te tire la palmatoria de hierro pa despertarte del todo?

Mientras se formulaba aquella pregunta, unos pies en chancletas se arrastraron presurosamente por el desnudo suelo de la habitación, y por la puerta a mano derecha apareció primero una lánguida vela y luego las formas del mismo individuo del que ya queda descrita la dolencia que padecía de hablar por la nariz y que oficiaba de camarero en la taberna de Saffron Hill.

–¡El feñó Fike! –exclamó Barney con verdadera o fingida alegría–. Adelante, feñó, adelante.

–¡Vamos! Tú primero –dijo Sikes, poniendo a Oliver por delante–. ¡Más de prisa o te piso los talones!

Mascullando una maldición por su lentitud, Sikes empujó a Oliver hacia adelante y entraron en una habitación baja y oscura en la que había una lumbre que humeaba, dos o tres sillas rotas, una mesa y un viejísimo sofá en el que, tendido a la larga y con las piernas mucho más altas que la cabeza, descansaba un hombre que fumaba en larga pipa de barro. Vestía levita color tabaco elegantemente cortada y con grandes botones de cobre, fular naranja, chaleco basto y chillón con dibujos de hojas, y calzones pardos. El señor Crackit (pues de él se trataba) no tenía mucho pelo ni en la cabeza ni en la cara, pero lo que le quedaba era de un tono rojizo y se retorcía en largos rizos como sacacorchos en los que de vez en cuando hundía sus mugrientos dedos adornados de sortijas enormes y vulgares. Era un pelín más alto que la estatura media y visiblemente flojo de piernas, pero esta circunstancia no le detraía en modo alguno de su propia admiración por sus altas botas, que contemplaba, levantadas como las tenía, con viva satisfacción.

–¡Bill, chaval! –dijo la figura aquella volviendo la cabeza hacia la puerta–. Me alegro de verte. Miedo tenía que lo hubieras dejao, y en tal caso me lo habría montao como aventura personal. ¡Vaya!

Profiriendo aquella exclamación con tono de mucha sorpresa, al posársele el ojo en Oliver, el señor Toby Crackit se incorporó hasta quedar sentado y preguntó quién era.

–El muchacho. El muchachito –repuso Sikes, arrimando una silla al fuego.

–Uno de lof bocitof del feñó Fagin –exclamó Barney con amplia sonrisa.

–¿De Fagin, eh? –exclamó Toby, mirando a Oliver–. ¡Qué chaval más valioso pa los bolsiyos de las viejas en las iglesias! Tié una fachá que vale una fortuna.

–Bueno..., vale ya –interrumpió Sikes con impaciencia.

E inclinándose sobre su amigo, le cuchicheó algo al oído, a lo cual el señor Crackit rió desmesuradamente y honró a Oliver con una larga mirada de asombro.

–Ahora –dijo Sikes volviendo a sentarse–, si nos das algo pa comer y beber mientras esperamos, nos animarás un poco, al menos a mí. Siéntate a la lumbre, chavea, y descansa, que tiés que volver a salir con nosotros esta noche, aunque no es mu lejos.

Oliver miró a Sikes con callado y tímido asombro y acercó un taburete al fuego, se sentó apoyando su dolorida cabeza en las manos sin saber a penas dónde se hallaba o qué sucedía a su alrededor.

–Eso es –dijo Toby mientras el joven judío ponía en la mesa unos trozos de comida y una botella–. ¡Que el golpe salga bien!

Se levantó en honor del brindis y, tras depositar cuidadosamente su pipa vacía en un rincón, se llegó a la mesa, llenó un vaso de alcohol y se lo bebió todo. El señor Sikes hizo otro tanto.

–Un chupito pa el muchacho –dijo Toby, llenando una copa a medias–. Pa dentro con él, inocente.

–La verdad es que... –dijo Oliver, mirando lastimeramente al hombre en la cara–. La verdad es que yo...

–¡Pa dentro con él! –repitió Toby–. ¿Crees que no sé lo que te conviene? Dile que se lo beba, Bill.

–¡Más le vale! –dijo Sikes, dándose una palmadita en el bolsillo–. Que me muera si no da más la lata que una familia entera de Periyanes. ¡Bébetelo, diablo atravesao, bébetelo!

Aterrado por los amenazadores gestos de los dos hombres, Oliver ingirió apresuradamente el contenido del vaso e inmediatamente sufrió un violento ataque de tos que deleitó a Toby Crackit y a Barney e incluso arrancó una sonrisa del desabrido señor Sikes.

Hecho lo cual y una vez que Sikes hubo satisfecho su apetito (Oliver no pudo comer nada excepto un mendruguillo que le hicieron tragar), los dos hombres se acomodaron en unas sillas a echar una cabezadita. Oliver siguió en su taburete junto al fuego y Barney se tumbó en el suelo envuelto en una manta y pegado a la pantalla de la chimenea.

Durmieron o parecieron dormir algún tiempo, sin que ninguno se moviera excepto Barney, que se levantó una o dos veces a echar carbón al fuego. Oliver se quedó profundamente dormido y soñaba que andaba extraviado por los tenebrosos senderos o vagando por el oscuro camposanto o recorriendo uno u otro de los paisajes del día anterior, cuando Toby Crackit le despertó al levantarse de un salto y decir que era la una y media.

En un instante se hallaban en pie los otros dos y todos afanados en hacer preparativos. Sikes y su compañero se arrebujaron el cuello y la barbilla en grandes bufandas oscuras y se pusieron los abrigos, y Barney abrió un armario y sacó varios objetos que se apresuró a embutir en los bolsillos.

–Las fuscas pa mí, Barney –dijo Toby Crackit.

–Aquí eftán –repuso Barney sacando un par de pistolas–. Tú bifbo laf cargafte.

–Vale –replicó Toby, guardándoselas–. ¿Y los contundentes?

–Los tengo yo –repuso Sikes.

–El crespón pa taparnos la cara, las yaves, los taladros, las sordas, ¿no se olvida ná? –preguntó Toby, sujetando una pequeña palanqueta en una presilla de la parte de dentro del faldón del abrigo.

—Está tó —dijo su compañero—. Trae los palitroques, Barney. Equilicuá.

Diciendo lo cual tomó un grueso garrote de manos de Barney, quien, tras dar otro a Toby, se ocupó de abrochar la capa de Oliver.

—¡Bueno, venga! —dijo Sikes, extendiendo la mano.

Totalmente atontado por el desacostumbrado ejercicio y el aire, y la bebida que se le había obligado a ingerir, Oliver puso mecánicamente la mano en la que Sikes le tendía para tal fin.

—Cógele de la otra mano, Toby —dijo Sikes—. Mira a ver, Barney.

Fue el hombre a la puerta y volvió diciendo que todo estaba tranquilo. Salieron los dos ladrones con Oliver entre medias. Tras cerrarlo bien todo, Barney se envolvió como antes y se volvió a dormir en seguida.

La oscuridad era ahora profunda. La niebla era mucho más espesa que al anochecer y el aire estaba tan húmedo que, aunque no llovía, a los pocos minutos de haber abandonado la casa, el pelo y las cejas de Oliver estaban tiesos de la niebla semihelada que reinaba. Cruzaron el puente y continuaron hacia las luces que él había visto antes. No estaban muy lejos y, como llevaban buen paso, pronto llegaron a Chertsey.

—Echa por medio del pueblo —susurró Sikes—. No habrá nadie en el camino pa vernos esta noche.

Asintió Toby y recorrieron apresuradamente la calle principal del pueblecito, que a aquellas altas horas aparecía totalmente desierta. Aquí y allá brillaba una luz pálida en alguna ventana de alcoba, y el ronco ladrar de perros rompía de vez en cuando el silencio de la noche. Pero no había nadie fuera de casa. Cuando la campana de la iglesia daba las dos ya habían salido del pueblo.

Apretaron el paso y subieron por un camino a mano izquierda. Anduvieron cosa de un cuarto de milla y se detuvieron frente a una casa aislada rodeada de una tapia, a la que Toby Crackit, sin apenas detenerse a tomar aliento, trepó en un abrir y cerrar de ojos.

–Ahora el muchacho –dijo Toby–. Aúpalo. Yo le agarro.

Antes de que a Oliver le diera tiempo a mirar para atrás, Sikes le había cogido por los sobacos y, tres o cuatro segundos después, él y Toby se hallaban agazapados en el césped del otro lado. Sikes les siguió inmediatamente. Y cautelosamente se deslizaron hacia la casa.

Y entonces por vez primera, casi loco de angustia y terror, vio Oliver que los fines de la expedición eran entrar en una casa y robar, si no asesinar. Juntó las manos y sin querer se le escapó una ahogada exclamación de horror. Los ojos se le enturbiaron, un sudor frío bañó su rostro ceniciento, los miembros le fallaron, y se desplomó sobre las rodillas.

–¡Arriba! –musitó Sikes, temblando de ira y sacando la pistola del bolsillo–. Arriba o te esparramo los sesos por la yerba.

–¡Oh, por amor de Dios, déjeme marchar! –gritó Oliver–, déjeme escapar y morir en el campo. Nunca me acercaré a Londres, nunca, ¡nunca! Por favor, tenga piedad de mí y no me obligue a robar. Por amor de todos los ángeles que moran en el cielo, ¡tenga piedad de mí!

El hombre a quien se dirigía aquel ruego profirió un espantoso juramento y ya tenía la pistola montada cuando Toby, arrancándosela de la mano, tapó la boca al muchacho con la mano y lo llevó a rastras hacia la casa.

–¡Chist! –gritó el hombre–, aquí eso no te servirá de ná. Di una palabra más y te arreglo machacándote la cabeza. Que no hace ruido y es igual de seguro y más suave. Venga, Bill, fuerza el postigo. Te apuesto lo que sea que ya ha perdío el miedo. Manos más viejas que las suyas he visto temblar uno o dos minutos de la misma manera en una noche fría.

Profiriendo horrorosas imprecaciones a beneficio de Fagin por mandar a Oliver a tal misión, Sikes manejaba la palanqueta enérgicamente pero con escaso ruido. Poco después y con alguna ayuda de Toby, el postigo a que éste había aludido se abrió girando sobre sus goznes.

Era un ventanuco con celosía a unos cinco pies y medio del suelo en la parte trasera de la casa, que daba a una trascocina o bodeguilla para hacer cerveza al fondo del pasillo principal. El hueco era tan pequeño, que seguramente los habitantes no habían pensado que mereciera la pena asegurarlo más, aunque era sobradamente amplio para dejar paso a un muchacho de la talla de Oliver. Una brevísima demostración del arte del señor Sikes bastó para vencer el cerrojo de la celosía, que pronto quedó igualmente abierta de par en par.

—Ahora escucha, granuja —susurró Sikes, sacando del bolsillo una linterna sorda y enfocando de lleno a la cara de Oliver—. Te voy a meter por aquí. Coge esta luz. Sube despacito las escaleras que encontrarás enfrente, atraviesa el vestibuliyo hasta la puerta de la caye y ábrela pa que entremos.

—Tié un cerrojo arriba, al que no alcanzarás —interrumpió Toby—, así que súbete a una de las siyas del vestíbulo. Hay tres, Bill, y tién encima un unicornio azul mu grande y una horquiya dorá, que son el escudo de la vieja.

—¿Es que no te pués cayar? —dijo Sikes con amenazadora mirada—. La puerta de esta habitación está abierta, ¿no?

–De par en par –repuso Toby tras asomarse para convencerse–. Lo bueno es que siempre dejan abierto el pestiyo pa que el perro, que tié una cama aquí, pueda pasearse por el pasiyo cuando está un poco desvelao. ¡Ja, ja! Barney se lo cameló bien esta noche. ¡Con qué limpieza!

Aunque el señor Crackit hablaba en susurros apenas audibles y reía sin hacer ruido, Sikes le ordenó imperativamente que se callara y se pusiera a trabajar. Toby obedeció sacando primero la linterna y dejándola en el suelo, y colocándose luego firmemente con la cabeza contra la pared bajo el ventanuco y las manos en las rodillas formando con la espalda un escalón. No bien hecho esto, Sikes se subió encima, metió a Oliver despacito por el ventanuco con los pies en primer lugar y, sin soltarle del cuello, lo bajó sin contratiempos hasta el suelo del interior.

–Coge esta linterna –dijo Sikes, examinando la habitación–. ¿Ves las escaleras de enfrente?

Más muerto que vivo, Oliver balbució un «Sí» y Sikes, apuntando hacia la puerta de la calle con el cañón de la pistola, le aconsejó brevemente que tuviera en cuenta que se hallaba al alcance de sus disparos todo el camino, y que, si titubeaba, caería muerto en el mismo instante.

–Es cosa de un minuto –dijo Sikes con el mismo susurro–. En cuanto te suelte, a la faena. ¡Alto!

–¿Qué pasa? –susurró el otro hombre.

Escucharon atentamente.

–Nada –dijo Sikes soltando a Oliver–. ¡Ahora!

En el breve espacio de tiempo que tuvo para recobrar el sentido, el muchacho había tomado la firme resolución de que, muriera o no en el intento, haría un esfuerzo para salir disparado escaleras arriba desde el vestíbulo y alertar a la familia. Absorto en aquella idea, echó a andar inmediata pero sigilosamente.

–¡Vuelve! –gritó de pronto Sikes–. ¡Vuelve, vuelve!

Asustado por la súbita ruptura del sepulcral silencio del lugar y por un potente grito que siguió, Oliver dejó caer la linterna y no supo si avanzar o huir.

Volvió a oírse el grito..., apareció una luz..., ante sus ojos flotó la visión de dos hombres aterrorizados y medio desnudos en lo alto de la escalera..., un fogonazo..., un ruido tremendo..., humo..., un chasquido en alguna parte, pero no sabía dónde..., y retrocedió tambaleándose.

Sikes había desaparecido un instante, pero ya estaba otra vez arriba y lo agarró por el cuello antes de que el humo se disipara. Disparó la pistola a los hombres, que ya retrocedían, y tiró para arriba del muchacho.

–Aprieta más el brazo –dijo Sikes, sacándole por el ventanuco–. Dame una bufanda, tú. Le han dao. ¡Rápido! ¡Jo, cómo sangra este muchacho!

Llególe luego el ruidoso repiqueteo de una campanilla mezclado con el ruido de armas de fuego y con gritos de hombres y la sensación de que lo llevaban por un terreno accidentado a paso rápido. Y luego los ruidos fueron haciéndose cada vez más lejanos y una sensación de frío mortal se apoderó lentamente del corazón del muchacho y ya no vio ni oyó más.

Capítulo 23

Que contiene lo esencial de una agradable
conversación entre el señor Bumble y una dama,
y muestra que incluso un bedel puede ser
susceptible en determinados puntos

Noche de frío glacial aquélla. La nieve, helada, cubría el
suelo formando una dura y espesa corteza, de modo que
sólo sobre la que se había amontonado en pasadizos y
rincones obraba el viento cortante que bramaba por doquier y que, como si su furor aumentara al desparramar-
lo sobre cualquier presa que encontrara, la levantaba
violentamente formando nubes y, arremolinándola en
mil confusos torbellinos, la esparcía por los aires. Desapacible, oscura y de un frío penetrante, era noche para
que los bien alojados y nutridos se juntaran alrededor de
la lumbre resplandeciente y agradecieran a Dios el estar
en casa, y para que el miserable sin hogar y muerto de
hambre cayera rendido y expiara. En semejantes ocasiones, en nuestras calles desnudas cierran los ojos muchos
marginados famélicos que, sean sus crímenes los que hayan sido, difícilmente los abrirán en un mundo más in-
clemente.

Tal era el aspecto de las cosas en la calle cuando la señora Corney, gobernanta del hospicio que ya ha sido
presentado a nuestros lectores como lugar de nacimiento de Oliver Twist, se sentó ante un fuego radiante en su
cuartito privado y miró, con no poca autosatisfacción,
sobre una mesita redonda en la que había una bandejita
de igual forma y provista de todos los objetos necesarios

para el menú con el que más disfrutan las gobernantas. La señora Corney se disponía, en efecto, a reconfortarse con una taza de té. Al trasladar la mirada desde la mesa a la chimenea, donde la más pequeña tetera posible cantaba su cancioncilla con su vocecilla, su satisfacción consigo misma aumentó visiblemente, y tanto... que la señora Corney sonrió.

–¡Bueno! –dijo la gobernanta apoyando el codo en la mesa y mirando pensativamente al fuego–. Seguro que todos llevamos dentro mucho por lo que deberíamos estar agradecidos. Mucho, si pudiéramos saberlo. ¡Ay!

La señora Corney meneó la cabeza contristada como deplorando la ceguera mental de los pobres que no lo sabían y, tras hundir una cucharilla de plata (propiedad privada) en los más recónditos recovecos de una lata de té de dos onzas, procedió a hacer el té.

¡Cuán insignificante cosa puede perturbar a veces la entereza de ánimo de nuestros frágiles espíritus! La negra tetera, que era pequeñísima y se llenaba en seguida, se desbordó mientras la señora Corney moralizaba y el agua le escaldó ligeramente la mano.

–¡Maldita tetera! –dijo la noble gobernanta, apresurándose a depositarla en la repisa–. ¡Cacharro tonto que sólo hace dos tazas! ¿Para qué le sirve a nadie...? Excepto –dijo la señora Corney haciendo una pausa–, excepto a una pobre criatura solitaria como yo. ¡Ay, Señor!

Diciendo lo cual la gobernanta se dejó caer en la silla y, con el codo apoyado una vez más en la mesa, pensó en su solitario destino. La teterita y la taza sola habían despertado en su mente tristes recuerdos del señor Corney (que no llevaba muerto más de veinticinco años), y se sintió derrotada.

–¡Nunca conseguiré algo igual! –dijo la señora Corney malhumorada–. Nunca conseguiré nada... parecido.

Si aquella observación se refería al marido o a la tetera, es cosa incierta. Puede que fuera a la segunda, pues la señora Corney la miraba mientras hablaba y luego la cogió. Apenas hubo probado la primera taza, cuando la importunaron unos golpecitos en la puerta del cuarto.

–¡Entra ya! –dijo acremente la señora Corney–. Alguna vieja que se muere, supongo. Siempre se mueren cuando estoy comiendo. No te quedes ahí, dejando que entre aire frío. ¿Qué pasa ahora, eh?

–Nada, señora, nada –respondió una voz de hombre.

–¡Dios mío! –exclamó la gobernanta en tono mucho más dulce–. ¡El señor Bumble!

–Para servirla, señora –dijo el señor Bumble, que se había detenido fuera a limpiarse los zapatos y sacudirse la nieve de la casaca, y hacía ya su aparición con el sombrero de tres picos en una mano y un envoltorio en la otra–. ¿Cierro la puerta, señora?

La señora vaciló púdicamente en responder, no fuera a faltar al decoro por mantener una entrevista a puerta cerrada con el señor Bumble. Aprovechando la vacilación y, como tuviera mucho frío, el señor Bumble la cerró sin recibir consentimiento.

–Mal tiempo, señor Bumble –dijo la gobernanta.

–Malo de verdad, señora –repuso el celador–. Un tiempo antiporroquial, señora. Esta tarde, señora Corney, esta santísima tarde hemos distribuido nada menos que veinte panes de cuatro libras y un queso y medio, pero los pobres siguen sin estar contentos.

–Claro que no. ¿Cuándo lo están, señor Bumble? –dijo la gobernanta, tomando un sorbito de té.

–Tiene usted razón, señora, ¿cuándo? –replicó el señor Bumble–. Resulta que hay uno a quien, en consideración a su mujer y familia numerosa, le damos un pan de cuatro libras y una buena libra de queso bien pesada. ¿Lo agradece, señora, lo agradece? Ni por asomo. ¿Qué hace sino pedir encima uno poco de carbón? «Si es sólo lo que cabe en un pañuelo», va y dice. ¡Carbón! ¿Y qué iba a hacer con el carbón? Asar el queso con él y volver luego a por más. Eso es lo que pasa con esta gente, señora; déles el mandil lleno de carbón hoy y dentro de dos días volverán a por otro con la cara más dura que el alabastro.

La gobernanta manifestó su total acuerdo con aquel inteligible símil, y el celador prosiguió:

–Nunca vi –dijo el señor Bumble– que se llegara a tales extremos. Anteayer un hombre..., usted ha estado casada, señora, y puedo contárselo..., un hombre con apenas un harapo encima (aquí la señora Corney miró al suelo) llega a la puerta de nuestro supervisor cuando tiene gente a cenar y va y le dice, señora Corney, que tiene que socorrerlo. Como no quería marcharse y daba mucho que hablar a los invitados, el supervisor mandó que le dieran una libra de patatas y media de avena molida. «Dios mío», va y dice el ingrato bribón, «¿de qué me sirve *esto?* Igual podría darme unos lentes de madera.» «Muy bien», dice nuestro supervisor, quitándoselo, «aquí no recibirás otra cosa». «¡Pero me moriré en la calle!», dice el vagabundo. «No, hombre, no; no te morirás», le dice nuestro supervisor.

–¡Ja, ja! Ésa sí que estuvo buena. Muy del estilo del señor Grannett, ¿eh? –interrumpió la gobernanta–. ¿Y qué más, señor Bumble?

–Pues que se marchó, señora –dijo el celador–, y *murió* en la calle. Ahí tiene usted la cabezonería de un pobre.

–Supera todo lo que podría haber imaginado –comentó la gobernanta enfáticamente–. Pero, ¿no cree usted que de todos modos el socorro externo es mala cosa, señor Bumble? Usted es un señor con experiencia y debería saberlo. Vamos.

—Señora Corney —dijo el celador, sonriendo como sonríen quienes son conscientes de estar mejor informados—, la ayuda externa debidamente administrada, señora, es la salvaguardia de la porroquia. El gran principio de la ayuda externa es dar a los pobres exactamente lo que no necesitan para que se cansen de ir a buscarla.

—¡Jesús mío! —exclamó la señora Corney—. ¡Pues ésa es una buena también!

—¡Sí! Entre nosotros, señora —replicó el señor Bumble—, ése es el gran principio, y ésa es la razón de que, si usted considera cualquiera de los casos que salen en esos atrevidos pedióricos, verá que siempre se ayuda a las familias enfermas con lonchas de queso. Ésa es la norma ahora en todo el país, señora Corney. Pero, sin embargo —dijo el celador interrumpiéndose para deshacer el envoltorio que traía—, eso son secretos oficiales, señora, de los que no hay que hablar, excepto entre, como si dijéramos, los funcionarios porroquiales, como nosotros. Este es el vino de oporto, señora, que la junta ordenó para la enfermería, oporto puro, reciente, auténtico, salido del barril esta misma mañana, claro como un toque de campana, ¡y sin posos!

Tras poner la primera botella al trasluz y agitarla bien para comprobar su excelencia, el señor Bumble puso las dos encima de una cómoda, dobló el pañuelo en el que habían estado envueltas, se lo guardó cuidadosamente en el bolsillo y cogió el sombrero como disponiéndose a partir.

—Va usted a pasar mucho frío por el camino, señor Bumble —dijo la gobernanta.

—Sopla —repuso el señor Bumble, alzándose el cuello de la casaca— como para cortarle a uno las orejas, señora.

Trasladó la gobernanta su mirada desde la tetera al celador, que avanzaba hacia la puerta y, cuando éste tosió preparándose para decirle buenas noches, le preguntó vergonzosamente si..., si no le apetecería tomarse una taza de té.

El señor Bumble se bajó inmediatamente el cuello de la casaca, puso el sombrero y el bastón en una silla y acercó otra a la mesa. Al sentarse, lentamente, miró a la señora. Ella clavó los ojos en la pequeña tetera. El señor Bumble volvió a toser y sonrió levemente.

La señora Corney se levantó a buscar otra taza y platillo de la alacena. Al sentarse, sus ojos volvieron a encontrarse con los del celador, se ruborizó y se aplicó a la tarea de preparar el té. De nuevo volvió a toser el señor Bumble... más fuerte esta vez que antes.

–¿Dulce, señor Bumble? –preguntó la gobernanta, tomando el azucarero.

–Muy dulce, muy dulce, señora –replicó el señor Bumble.

Tenía los ojos fijos en la señora Corney mientras así decía y, si jamás celador pareció tierno, tal fue el señor Bumble en aquel momento.

Ella preparó y sirvió el té en silencio. Tras extender un pañuelo sobre las rodillas para que las migas no le deslucieran el esplendor de los calzones, el señor Bumble empezó a comer y a beber, entreverando de vez en cuando entre estos placeres algún profundo suspiro, lo cual no producía, sin embargo, detrimento alguno en su apetito, sino que, al contrario, más bien parecía facilitar sus incursiones en el terreno del té y las tostadas.

–Veo que tiene usted una gata, señora –dijo el señor Bumble, mirando a una que, rodeada de sus crías, se calentaba junto al fuego–, y también gatitos, según veo.

–Me gustan tanto, señor Bumble, que no puede usted imaginárselo –repuso la gobernanta–. Son *tan* felices, *tan* juguetones, *tan* alegres, que son verdaderos compañeros para mí.

–Una monada de animales, señora –replicó el señor Bumble, asintiendo–, tan hogareños.

–¡Oh, sí! –dijo la gobernanta entusiasmada–, y tienen tanto cariño a su casa que es un encanto, se lo aseguro.

–Señora Corney –dijo el señor Bumble lentamente y marcando el compás con la cucharilla–, quiero decirle, señora, que cualquier gato o gatito que viviera con usted, señora, y *no* tuviera cariño por su hogar, tendría que ser un burro, señora.

–¡Oh, señor Bumble! –replicó la señora Corney.

–No sirve disfrazar los hechos, señora –dijo el señor Bumble, blandiendo lentamente la cucharilla con una especie de dignidad amorosa que le hacía parecer doblemente impresionante–. Yo mismo lo ahogaría con gusto.

–Entonces es usted un hombre cruel –dijo la gobernanta vivaracha, tendiendo la mano para tomar la taza del celador–, y de corazón muy duro además.

–¿De duro corazón, señora? –dijo el señor Bumble–. ¿Duro?

Alargó la taza el señor Bumble sin más palabras, apretando el meñique de la señora Corney cuando ésta la cogió y, tras darse dos palmadas en su chaleco galoneado, lanzó un potente suspiro y apartó la silla un poquitín del fuego.

Era la mesa redonda y, como la señora Corney y el señor Bumble habían estado sentados frente a frente, con no mucho espacio entre sí y de cara al fuego, es evidente que el señor Bumble, al alejarse de la chimenea sin separarse de la mesa, aumentó la distancia que le separaba de la señora Corney, proceder éste que sin duda algunos lectores prudentes estarán dispuestos a admirar y considerar acto de gran heroísmo por parte del señor Bumble, ya que de alguna manera el momento, el lugar y la ocasión le tentaban a pronunciar ciertas dulces naderías que, por muy bien que sienten en labios de hombres ligeros e irreflexivos, parecen hallarse infinitamente por debajo de la dignidad de los magistrados del país, de los diputados del parlamento, de los ministros de Estado, de los alcaldes y demás altos funcionarios públicos, pero más en particular por debajo de la majestad y gravedad de un celador, que (como bien se sabe) debería ser el más severo e inflexible de todos ellos.

Empero, fueran cuales fueren las intenciones del señor Bumble (y no cabe duda de que eran las mejores), desgraciadamente sucedía, como queda dicho ya dos veces, que la mesa era redonda y que por consiguiente el señor Bumble, moviendo la silla poco a poco, pronto empezó a acortar la distancia que le separaba de la gobernanta y, continuando el viaje a lo largo del borde exterior del círculo, a su debido tiempo acabó con la silla junto a aquella en la que estaba sentada la gobernanta. A decir verdad las dos sillas se tocaban y, cuando se tocaron, el señor Bumble se detuvo.

Ahora bien, si la gobernanta hubiera movido su silla hacia la derecha, el fuego la habría chamuscado y, si a la izquierda, habría caído en los brazos del señor Bumble, así que (como fuera discreta, y sin duda adivinando de un simple vistazo las consecuencias), se quedó donde estaba y dio al señor Bumble otra taza de té.

–¿Duro de corazón, señora Corney? –dijo el señor Bumble, removiendo el té y mirando a la gobernanta en la cara–. ¿Es *usted* dura de corazón, señora Corney?

–¡Dios mío! –exclamó la gobernanta–. Qué pregunta más curiosa de un hombre soltero. ¿Para qué podrá usted querer saberlo, señor Bumble?

El celador se bebió el té hasta la última gota, terminó un trozo de tostada, sacudió las migas que le cayeran sobre las rodillas, se limpió los labios y tranquilamente besó a la gobernanta.

–¡Señor Bumble! –exclamó la discreta señora en un susurro, pues el susto fue tan grande que la había dejado completamente afónica–. Señor Bumble, ¡voy a gritar!

El señor Bumble no respondió, sino que con lento y distinguido ademán puso el brazo alrededor de la cintura de la gobernanta.

Como la dama había manifestado su intención de gritar, seguramente habría gritado ante aquel segundo atrevimiento, si tal esfuerzo no hubiera resultado innecesario a causa de unos apresurados golpes en la puerta, que no bien sonaron, cuando el señor Bumble saltó con mucha agilidad hasta las botellas de vino y se puso a quitarles el polvo con grandes aspavientos, mientras la gobernanta preguntaba acremente quién era. Merece mencionarse, como curioso ejemplo empírico de la eficacia de un susto súbito para contrarrestar los efectos del pánico, que su voz había recobrado plenamente toda su acritud oficial.

–Por favor, señora –dijo una de las pobres, vieja, marchita y espantosamente fea, asomando la cabeza por la puerta–. La vieja Sally se va de prisa.

–Bueno, ¿y qué tengo yo que ver? –preguntó enojada la gobernanta–. Yo no puedo hacer que viva, ¿no?

–No, no, señora –replicó la vieja, levantando la mano–, nadie puede; ya está lejos de todo remedio. Yo he visto morir a mucha gente, criaturas pequeñas y hombres fuertes y grandes, y sé bien cuándo se acerca la muerte. Pero ésta tiene en la cabeza algo que la preocupa y cuando no le dan ataques..., cosa poco frecuente, pues está teniendo mala muerte..., dice que tiene algo que decir que usted debe escuchar. No morirá hasta que usted no venga, señora.

Ante aquella noticia la noble señora Corney masculló una sarta de improperios contra las viejas que no podían morir sin molestar adrede a sus superiores y, arropándose en un espeso mantón que apresuradamente cogió, pidió brevemente al señor Bumble que se quedara hasta que regresara, no fuera a ser que ocurriera algo de particular. Ordenó a la mensajera que anduviera de prisa y no se tirara la noche cojeando escaleras arriba y salió del cuarto siguiéndola con pésimo talante y regañando todo el camino.

La conducta del señor Bumble cuando se quedó solo fue un tanto inexplicable. Abrió la alacena, contó las cucharillas de té, sopesó las tenacillas del azúcar, examinó minuciosamente una jarrita de leche de plata para cerciorarse de que el metal era auténtico y, tras satisfacer su curiosidad sobre estos extremos, se puso el sombrero de tres picos y, con harta gravedad, echó cuatro bailes distintos alrededor de la mesa. Tras concluir esta singularísima actuación, volvió a quitarse el sombrero y, despatarrado de espaldas a la lumbre, pareció ocuparse mentalmente en establecer el inventario exacto del mobiliario.

Capítulo 24

Que trata de un asunto de poca monta, pero es breve y pudiera resultar importante en esta historia

No era indigna mensajera de la muerte la que había perturbado la tranquilidad del cuarto de la gobernanta. El cuerpo encorvado bajo los años, los miembros temblones con perlesía, y distorsionado el rostro con una torva mirada de soslayo, parecía más la hechura grotesca de algún lápiz vesánico, que obra de manos de la Naturaleza.

¡Ay, a cuán pocos rostros de la Naturaleza se les permite alegrarnos con su belleza! Las preocupaciones, las penas y los apetitos del mundo los alteran como alteran a los corazones, y sólo cuando esas pasiones duermen y pierden su arraigo para siempre pasan las turbulentas nubes y dejan despejada la amplitud del firmamento. Es cosa común que los rostros de los muertos, incluso en su estado inmóvil y rígido, reviertan a la largamente olvidada expresión de la infancia latente y se asienten en el mismísimo semblante de los años tempranos, volviendo a quedarse tan serenos y apacibles, que quienes los conocieron en su feliz infancia se arrodillan junto al ataúd llenos de temor y ven al ángel sobre la tierra.

La vieja bruja se tambaleó por los pasillos y por las escaleras arriba, farfullando algunas confusas respuestas a las reprensiones de su acompañante y, obligada al cabo a detenerse para tomar aliento, le puso la luz en la mano y se quedó detrás para seguir luego como pudiera mientras que su superiora, más ágil, se encaminaba hasta la habitación donde yacía la enferma.

Era una buhardilla desnuda con una luz pálida que ardía al fondo. Había otra vieja velando junto a la cama, y el aprendiz del boticario parroquial estaba de pie junto al fuego, haciéndose un mondadientes con el cañón de una pluma.

—Fría está la noche, señora Corney —dijo aquel joven cuando entró la gobernanta.

—Muy fría, sí señor —repuso la señora con el tono más educado que pudo y haciendo una reverencia al mismo tiempo.

—Debería usted recibir mejor carbón de sus abastecedores —dijo el delegado del boticario, rompiendo un pedazo de la parte de arriba de la lumbre con el herrumbroso atizador—; éste no es en absoluto el que hace falta en una noche fría.

—Es el que eligió la junta, señor —repuso la gobernanta—. Lo menos que podrían hacer es tenernos calentitos, pues demasiado duros son ya nuestros puestos.

La conversación se vio entonces interrumpida por un gemido de la enferma.

—¡Ah! —dijo el joven, volviendo la cara hacia la cama, como si hasta entonces se hubiera olvidado completamente de la paciente—; todo se a-ca-bó, señora Corney.

—Claro, ¿no es así, señor? —preguntó la gobernanta.

—Mucho me sorprendería que durara más de dos horas —dijo el aprendiz del boticario, concentrado en la punta del mondadientes—. Tiene el organismo totalmente destrozado. ¿Está dormida, abuela?

La asistente se inclinó sobre el lecho para averiguarlo y meneó la cabeza afirmativamente.

—Entonces quizá se nos vaya así, si no hacen ruido —dijo el joven—. Ponga la luz en el suelo; así no la verá.

Hizo la asistente como se le decía, meneando al mismo tiempo la cabeza como diciendo que la mujer no moriría tan fácilmente, tras lo cual volvió a sentarse junto a la otra enfermera, que para entonces ya había vuelto. Con cara de impaciencia la señora se arropó en su mantón y se sentó a los pies de la cama.

Concluida la fabricación del mondadientes, el aprendiz del boticario se plantó frente a la lumbre y se sirvió de él durante unos diez minutos, al cabo de los cuales, visiblemente aburrido, deseó a la señora Corney suerte en su trabajo y salió de puntillas.

Tras permanecer sentadas en silencio algún tiempo, las dos viejas se levantaron de la cama y, de cuclillas junto al fuego, extendieron sus marchitas manos para recoger el calor. La llama lanzaba un pálido fulgor sobre sus apergaminados rostros y convertía su fealdad en algo terrible, cuando, en aquella posición, empezaron a charlar en voz baja.

–Anny, querida, ¿dijo algo más en lo que salí? –preguntó la mensajera.

–Ni una palabra –repuso la otra–. Se pellizcó y arañó los brazos un poquito, pero le agarré las manos y en seguida se quedó dormida. No le quedan muchas fuerzas dentro y por eso me fue fácil calmarla. Para ser vieja no estoy tan débil, aunque vivo de la ración parroquial; no, no.

–¿Se bebió el vino caliente que el doctor dijo que tenía que tomar? –preguntó la primera.

–Traté de hacérselo tragar –respondió la otra–; pero tenía los dientes apretados y se aferró tanto a la jarra, que mal me vi para arrancársela. Así que me lo bebí *yo*, y bien que me ha sentado.

Volviéndose cautelosamente para asegurarse de que no se las oía, las dos brujas se acercaron más al fuego según estaban acurrucadas y se rieron con ganas.

–Me imagino el momento –dijo la primera– en que ella hubiera hecho lo propio y luego se habría reído bien de ello.

–Claro que lo habría hecho –dijo la otra–, pues era de corazón alegre. Muchos, muchísimos muertos bonitos amortajó, dejándolos limpios y guapos como figuras de cera. Con estos viejos ojos los he visto yo..., sí señora, y con estas manos viejas los he tocado, pues la ayudé montones de veces.

Extendiendo sus temblorosos dedos mientras así decía, la vieja los agitó jubilosamente por delante de la cara y, hurgando en el bolsillo, sacó una caja de rapé de hojalata descolorida por el tiempo y, sacudiéndola, echó unos cuantos polvos en la extendida palma de su compañera y unos más en la suya. Mientras así se ocupaban, la gobernanta, que había estado vigilando impacientemente a la moribunda por si despertaba de su letargo, se unió a ellas junto al fuego y acremente preguntó cuánto tiempo iba a esperar.

–No mucho, señora –repuso la segunda mujer, mirándola a la cara–. A ninguna de nosotras nos queda mucho que esperar por la muerte. ¡Paciencia, paciencia! Pronto estará aquí para todas nosotras.

–¡Calla la boca, estúpida vieja chocha! –dijo la gobernanta–. Tú, Martha, dime: ¿ha estado así antes?

–A menudo –respondió la primera mujer.

–Pero nunca volverá a estarlo –añadió la segunda–, o sea que no volverá a despertarse más que una vez..., y le advierto, señora, que no será por mucho tiempo.

–Mucho o poco –dijo la gobernanta ásperamente–, no me encontrará aquí cuando despierte. Cuidado, vosotras dos, con volver a molestarme para nada. Ni es obligación mía ver morir a todas las viejas de la casa ni quiero verlas..., que es más. Tenedlo en cuenta, brujas insolentes. Si volvéis a burlaros de mí, os arreglaré en seguida, ¡os lo aseguro!

Salía ya con impetuoso ademán cuando un grito de las dos mujeres, que se habían vuelto hacia la cama, la hizo volverse. La paciente se había incorporado y tendía las manos hacia ellas.

–¿Quién es? –gritó con voz hueca.

–¡Chist, chist! –dijo una de las mujeres, inclinándose hacia ella–. ¡Échate, échate!

–¡No volveré a echarme mientras viva! –dijo la mujer forcejeando–. ¡Voy a decírselo! ¡Venga acá! ¡Más cerca! Deje que se lo susurre al oído.

Asió a la gobernanta del brazo y, haciendo que se sentara en una silla junto a la cama, se disponía a hablar cuando, al volverse, toparon sus ojos con las dos viejas, que se inclinaban ansiosamente a escuchar.

–Échalas fuera –dijo la anciana medio dormida–; ¡deprisa, deprisa!

Empezaron las dos brujas a soltar a coro mil lastimeros lamentos sobre lo mal que la pobrecilla estaba, que ni reconocía a sus mejores amigas, y estaban deshaciéndose en promesas de que nunca la abandonarían, cuando su superiora las echó fuera de la habitación a empujones, cerró la puerta y volvió a la cabecera de la cama. Al verse expulsadas, las ancianas cambiaron de tono y gritaron por el ojo de la cerradura que la vieja Sally estaba borracha, cosa que en realidad no era improbable, ya que, además de la moderada dosis de opio que recetara el boticario, obraban todavía en ella los efectos de un último trago de ginebra con agua que, guiadas por sus cándidos corazones, las nobles ancianas le habían administrado por su cuenta.

–Ahora escúcheme –dijo la moribunda en voz alta, como esforzándose por reavivar una chispa de energía latente todavía–. En esta misma habitación..., en esta misma cama..., una vez cuidé a una linda criatura que trajeron a la casa con los pies reventados y magullados de caminar y toda sucia de polvo y sangre. Dio a luz un niño y murió. Déjeme pensar..., ¿qué año fue aquello?

–No importa el año –dijo la oyente con impaciencia–; ¿qué pasó con ella?

–Eso –susurró la enferma, volviendo a sumirse en su modorra–. ¿Qué pasó con ella...? ¿Qué pasó...? ¡Ya sé! –gritó, irguiéndose bruscamente con la cara congestionada y los ojos desorbitados–. ¡Se lo robé! ¡Sí, sí, yo! No estaba fría..., ¡le digo que no estaba fría, cuando se lo quité!

–¿Qué le quitó, por Dios? –gritó la gobernanta con un gesto como de pedir auxilio.

–¡*Aquello*! –respondió la mujer, poniendo la mano sobre la boca de la otra–. La única cosa que tenía. Le hizo falta ropa para calentarse y comida para alimentarse, pero lo guardó intacto y lo llevaba en el pecho. Era oro, ¡créame! Oro del bueno que le podría haber salvado la vida.

–¿Oro? –repitió la gobernanta, inclinándose ávidamente sobre la mujer al caer ésta de espaldas–. Continúa, continúa..., sí..., ¿qué pasó? ¿Quién era la madre? ¿Cuándo fue eso?

–Me encargó que lo guardara en seguro –respondió la mujer con un gemido– y confió en mí porque era la única mujer cerca. Se lo robé con el pensamiento cuando me lo enseñó la primera vez colgando alrededor del cuello y quizá también sea culpa mía la muerte del niño. Lo habrían tratado mejor si hubieran sabido todo.

–¿Saber qué? –preguntó la otra–. ¡Habla!

–El muchacho se parecía tanto a su madre –dijo la mujer divagando y sin hacer caso de la pregunta–, que yo nunca podía olvidar aquello cuando le veía la cara. ¡Pobre muchacha, pobre muchacha! ¡Y era tan joven! ¡Un manso corderito! Aguarde, hay más que contar. No le he dicho todo, ¿verdad?

–No, no –replicó la gobernanta, inclinando la cabeza para captar las palabras, cada vez más débiles de la moribunda–. ¡Date prisa o quizá sea demasiado tarde!

–La madre –dijo la mujer, haciendo un esfuerzo más violento que antes–, la madre, cuando sintió los primeros dolores de muerte, me dijo al oído que si el niño nacía con vida y crecía, quizá llegara el día en que no se sentiría avergonzado de oír el nombre de su pobre madrecita. «Y tú, ¡oh, Dios mío!», dijo, juntando sus delgadas manos, «sea chico o chica, dispénsale algunos amigos en este agitado mundo y apiádate de un niño solo y desamparado, abandonado a su merced!»

–¿Y el nombre del niño? –preguntó la gobernanta.

–Le *pusieron* Oliver –replicó la mujer débilmente–. El oro que robé era...

–Sí, sí, ¿qué? –gritó la otra.

Estaba inclinada ansiosamente sobre la mujer para escuchar qué respondía, pero instintivamente se echó para atrás al volverse a incorporar la otra despacio y rígida hasta quedar sentada, y luego, agarrando la colcha con ambas manos, balbució unos confusos sonidos guturales y cayó sin vida sobre el lecho.

–Tiesa –dijo una de las viejas, precipitándose dentro en cuanto se abrió la puerta.

–Y sin nada que decir, después de todo –dijo la gobernanta, marchándose tranquilamente.

Las dos brujas, al parecer demasiado ocupadas en los preparativos de sus tremendos deberes como para formular alguna réplica, se quedaron solas rondando en torno al cadáver.

Capítulo 25

En el que la narración vuelve al señor Fagin
y compañía

Mientras aquellas cosas sucedían en el hospicio de provincia, el señor Fagin se hallaba sentado en el viejo antro –el mismo del que la muchacha se llevara a Oliver–, cavilando ante un fuego lánguido y humeante. Tenía sobre las rodillas un fuelle con el que seguramente había tratado de infundirle una llama más viva, pero se había quedado sumido en profundos pensamientos y, con los brazos doblados encima de él y el mentón apoyado en los pulgares, fijaba distraídamente los ojos en los herrumbrosos barrotes.

Detrás de él estaban sentados a una mesa el Artero Perillán, el señorito Bates y el señor Chitling, absortos todos en una partida de *whist*[1], el Artero Perillán con el muerto contra el señorito Bates y el señor Chitling. El semblante del caballero mencionado en primer lugar, característicamente inteligente en todo momento, adquiría aún mayor interés por su concienzuda manera de seguir el juego y su atento examen de la mano del señor Chitling, a la cual, de vez en cuando, según se presentaba la ocasión, dedicaba una variedad de vivas miradas, dirigiendo sabiamente su propio juego según el resultado de sus observaciones de las cartas del vecino. Como hacía

---

1. Juego de naipes inglés parecido al bridge.

frío aquella noche, el Perillán tenía el sombrero puesto, como a menudo solía dentro de casa. También tenía, entre los dientes, una pipa de barro que sólo retiraba momentáneamente cuando consideraba necesario reconfortarse acudiendo a una jarra de litro que en la mesa estaba, llena de ginebra con agua para regalo de los presentes.

También estaba atento al juego el señorito Bates, pero, como fuera de carácter más excitable que su diestro amigo, podía observarse que se aplicaba más a menudo a la ginebra con agua, y además se daba el gusto de prodigar las bromas y los despropósitos, todo lo cual es sumamente improcedente en un juego científico. De hecho el Artero, abusando de su estrecha amistad, encontró más de una ocasión para reprender a su compinche por dichas impropiedades, amonestaciones todas que el señorito Bates recibía con magnífico buen talante, diciendo simplemente a su amigo que le «zurcieran» o que se metiera la cabeza en un talego[1], o replicando con alguna otra ingeniosa ocurrencia de índole semejante, cuya feliz aplicación producía considerable admiración en la mente del señor Chitling. Era sorprendente ver que este último caballero y su compañero perdían invariablemente, y que esta circunstancia, lejos de enojar al señorito Bates, parecía divertirle en grado sumo, ya que reía de la manera más escandalosa al final de cada reparto y decía que nunca había visto juego más divertido en todos los días que llevaba vivo.

–Esto va por dos dobles y el juego –dijo el señor Chitling con la cara muy larga, sacando media corona del bolsillo del chaleco–. Nunca vi a un tío como tú, Jack; tó lo ganas. Hasta cuando tenemos buenas cartas Charley y yo no podemos hacer ná con eyas.

---

1. La caperuza que el verdugo ponía al condenado antes de ahorcarlo.

El contenido o la forma de aquella observación, hecha con tono muy pesaroso, deleitó tanto a Charley Bates, que la consiguiente carcajada que soltó sacó al judío de su ensimismamiento, induciéndole a preguntar qué pasaba.

—¡Mucho pasa, Fagin! —gritó Charley—. Ojalá hubieras visto el juego. Tommy Chitling no ha ganao ni un punto y yo iba con él contra el Artero y el muerto.

—Claro, claro —dijo el judío con una sonrisa burlona que demostraba sobradamente que no tenía dificultad ninguna en entender por qué—. Prueba otra vez, Tom, prueba otra vez con ellos.

—No quiero más, gracias, Fagin —replicó el señor Chatling—. Tengo de sobra. Este Perillán tiene una racha de suerte que no hay quien se le ponga delante.

—¡Ja, ja! Querido —dijo el judío—, hay que madrugar mucho para ganar al Perillán.

—¿Madrugar sólo? —dijo Charley Bates—. Y acostarse con las botas puestas, y calarse un telescopio en cada ojo, y unos prismáticos entre los hombros, para ganarle a *éste*.

El señor Dawkins recibió aquellos bellos cumplidos con mucha filosofía y se ofreció a cortar por la primera carta de figura contra cualquiera de los caballeros presentes por un chelín cada vez. Como nadie aceptó el reto y la pipa se le había consumido entre tanto, empezó a distraerse dibujando en la mesa un plano de Newgate con el trozo de tiza que había usado para contar los puntos, silbando mientras tanto de manera particularmente chillona.

—¡Qué sosote estás, Tommy! —dijo el Perillán, deteniéndose tras un largo silencio y mirando al señor Chitling—. ¿En qué crees que está pensando, Fagin?

—¿Cómo puedo saberlo, querido? —respondió el judío, volviendo la cabeza mientras seguía manipulando el fuelle—. En lo que ha perdido, quizá, o en el breve retiro que acaba de pasar en el campo, ¿eh? ¡Ja, ja! ¿No es eso, querido?

–De eso ná –repuso el Perillán, interrumpiendo la conversación al ir a responder el señor Chitling–. ¿Tú qué dices, Charley?

–Yo diría –replicó el señorito Bates con burlona sonrisa– que ha estao demasiao meloso con Betsy. ¡Mira cómo se sonroja! ¡Ay, mi madre, esta sí qué es gorda! ¡Tommy Chitling enamorao! ¡Ay, Fagin, Fagin, qué fuerte!

Totalmente apabullado por la idea de que el señor Chitling era víctima de aquella tierna pasión, el señorito Bates se echó para atrás en la silla con tal ímpetu, que perdió el equilibrio y aterrizó en el suelo, donde (pues el accidente no redujo en nada su regocijo) quedó tendido hasta que se le pasó la risa y volvió a su anterior postura para iniciar otra carcajada.

–No le hagas caso, querido –dijo el judío, guiñando al señor Dawkins y dando al señorito Bates un golpecito reprobatorio con la boquilla del fuelle–. Betsy es buena muchacha. No la sueltes, Tom, no la sueltes.

–He de decir, Fagin –repuso el señor Chitling con la cara toda colorada–, que eso no le importa aquí a nadie.

–Claro que no –repuso el judío–. Charley no puede estarse callado. No le hagas caso, querido, no le hagas caso. Betsy es buena muchacha. Haz lo que te mande y será tu fortuna, Tom.

–Pues claro que *hago* lo que me manda –replicó el señor Chitling–. Si no hubiera sido porque eya me lo aconsejó, no me habrían enchironao. Pero resultó un buen trabajo pa ti, ¿verdad, Fagin? ¿Y qué son seis semanas de *eso?* Tié que venir, tarde o temprano, y ¿por qué no en invierno, cuando uno no quié salir a andar pa ahí, verdad, Fagin?

–De verdad que sí, querido –replicó el judío.

–¿A que no te importaría ir otra vez, Tom –preguntó el Perillán, guiñando a Charley y al judío–, si fuera para librar a Bet de alguna?

–He de decir que no me importaría –replicó Tom enojado–. Ahí tenéis, ¡eh! Ya me gustaría a mí saber quién
pué decir otro tanto, ¿verdad, Fagin?

–Nadie, querido –replicó el judío–, ningún hombre,
Tom. No conozco a nadie que pudiera hacerlo más que
tú, nadie, querido.

–Podía haber quedao libre si me hubiera chivao de
ella, ¿verdad, Fagin? –prosiguió enfadado el pobre tonto–. Con una palabra que hubiera dicho, había bastao
¿verdad, Fagin?

–Claro que sí, querido –repuso el judío.

–Pero no canté, ¿verdad, Fagin? –preguntó Tom, soltando pregunta tras pregunta mecánicamente.

–No, no, claro que no –replicó el judío–. Eres demasiado valiente para eso. ¡Demasiado valiente, querido!

–Quizá soy un valiente –dijo Tom mirando alrededor–, y si lo fui, ¿qué hay de risa en ello, eh, Fagin?

Notando que el señor Chitling estaba bastante irritado, el judío se apresuró a asegurarle que nadie estaba
riéndose y, para demostrar la seriedad de los presentes,
pidió su opinión al señorito Bates, principal ofensor.
Pero, desgraciadamente, al abrir la boca para responder
que nunca había estado más serio en su vida, Charley
fue incapaz de impedir que se le escapara una carcajada
y tan estrepitosa, que el ofendido señor Chitling, sin me-
diar más ceremonias, atravesó raudo la habitación y soltó un puñetazo al ofensor, quien, hábil como era en el
arte de escapar, se agachó para esquivarlo y eligió el momento tan bien, que cayó en el pecho del alegre vejete y
le hizo retroceder tambaleándose hasta la pared, donde
quedó sin aliento mientras el señor Chitling le miraba
con profunda consternación.

–¡Escuchad! –gritó el Perillán en aquel momento–.
He oído el tilindrero.

Cogió la luz y se deslizó despacio escaleras arriba. La campanilla volvió a sonar, con cierta impaciencia, mientras los presentes estaban a oscuras. Tras breve pausa, el Perillán volvió a aparecer y susurró algo a Fagin con mucho misterio.

–¿Qué? –gritó el judío–. ¿Solo?

Asintió el Perillán y, ocultando la llama de la vela con la mano, dio a entender a Charley Bates con una mímica discreta que era mejor que se dejara de gracias en aquel momento. Tras este favor de amigo, puso los ojos en el rostro del judío y esperó sus intrucciones.

Se mordió el viejo sus amarillos dedos y meditó unos segundos, mientras su rostro no cesaba de retorcerse de agitación, como si tuviera miedo de algo y temiera enterarse de lo peor. Al cabo levantó la cabeza.

–¿Dónde está? –preguntó.

El Perillán señaló el piso de arriba e hizo un ademán como para abandonar la habitación.

–Sí –dijo el judío, respondiendo a la muda pregunta–. Bájalo. ¡Chist! ¡Calma, Charley! ¡Despacio, Tom! ¡Largarse, largarse!

Aquella breve orden a Charley Bates y a su reciente adversario fue obedecida silenciosa e inmediatamente. Ningún ruido indicaba su paradero cuando el Perillán bajó las escaleras con la luz en la mano seguido por un hombre de basto blusón, que, tras echar una rápida ojeada por la habitación, se despojó de un bufandón que le ocultaba la parte inferior de la cara y reveló, todo ojeroso, sin lavar y sin afeitar, el rostro del fulgurante Toby Crackit.

–¿Qué tal, Faginiyo? –dijo aquel personaje, haciendo una seña al judío–. Endíñame esta bufanda en el chapiri, Periyán, que la encuentre cuando me abra. ¡Equilicuá! Serás un buen ganzúa antes que el viejales este.

Diciendo lo cual se alzó el blusón y, sujetándoselo a la cintura, acercó una silla a la chimenea y puso los pies en la repisa.

–Mira, Faginiyo –dijo, señalando desconsolado a sus altas botas–. Ni una gota de Day & Martin[1] desde cualquiera sabe cuándo, ni una burbujiya de betún, ¡mecachis! Pero no me mires así, hombre. Tó a su tiempo. Yo no puedo hablar del curre sin haber jalao y trincao, así que saca el condumio y deja que me dé el primer inflao tranquilo en tres días.

El judío indicó por señas al Perillán que pusiera en la mesa los comestibles que hubiera, se sentó frente al ladrón y esperó que estuviera dispuesto.

A juzgar por las apariencias, Toby no tenía prisa ninguna en iniciar la conversación. Al principio el judío se contentó con observarle pacientemente el rostro, como para extraer de su expresión algún indicio de las noticias que trajera, pero en vano. Parecía cansado y agotado, pero su semblante mostraba la misma calma satisfecha que siempre solía y, tras la suciedad y la barba y las patillas, seguía brillando, intacta, la afectada sonrisa de autosatisfacción del fulgurante Toby Crackit. Luego el judío, mortificado de impaciencia, miraba cada bocado que se metía en la boca, paseando mientras tanto de un lado para otro de la habitación con irreprimible excitación. Todo era inútil. Toby continuó comiendo con la mayor indiferencia externa hasta que no pudo más y luego, tras ordenar al Perillán que saliera, cerró la puerta, mezcló un vaso de alcohol con agua y se dispuso a hablar.

–Antes que ná, Faginiyo –dijo Toby.

–Sí, sí –le interrumpió el judío, arrimando la silla.

---

1. Marca de crema para el calzado en tiempos de Dickens.

El señor Crackit hizo una pausa para echar un trago de alcohol con agua y manifestar que la ginebra era excelente y luego, colocando los pies en la parte inferior del manto de la chimenea, de modo que las botas le quedaran a casi la altura de los ojos, prosiguió tranquilamente.

–Antes que ná, Faginiyo –dijo el ladrón–, ¿cómo está Bill?

–¿Queeé? –gritó el judío, saltando de la silla.

–Pero... ¿no querrás decir que...? –empezó a decir Toby palideciendo.

–¡Quiero! –gritó el judío, dando una furiosa patada en el suelo–. ¿Dónde están? ¡Sikes y el muchacho! ¿Dónde están? ¿Dónde se han metido? ¿Dónde se esconden? ¿Por qué no han venido aquí?

–Nos fayó el golpe –dijo Toby con voz apagada.

–Ya lo sé –replicó el judío, sacando violentamente un periódico del bolsillo y señalándolo–. ¿Qué más?

–Dispararon y dieron al muchacho. Atrochamos por los campos de la trasera, con él entre los dos... en línea rezta... saltando setos y zanjas. Salieron a cazarnos. ¡Mecachis! Tó la comarca estaba despierta y los perros detrás de nosotros.

–¡El muchacho!

–Bill lo yevaba a cuestas y corría como el viento. Paramos a cogerlo entre los dos, la cabeza le colgaba y estaba frío. Nos pisaban los talones, así que cada cual pa sí mismo y tós pa la horca. Nos separamos y dejamos al mozo tendido en una zanja. Vivo o muerto, eso es tó lo que sé de él.

El judío no esperó a escuchar más, sino que, lanzando un potente alarido y mesándose los cabellos, se precipitó fuera de la habitación y de la casa.

Capítulo 26

En el que entra en escena un misterioso personaje y se hacen y ejecutan muchas cosas inseparables de esta historia

Llegó el viejo a la esquina de la calle antes de empezar a recobrarse del efecto de las noticias de Toby Crackit. No había aflojado en nada su inusitada marcha, sino que seguía avanzando presuroso con el mismo ademán frenético y alterado, cuando el súbito y precipitado paso de un carruaje y el tumultuoso grito de los transeúntes que vieron el peligro, le hicieron volver a subir a la acera. Evitando en cuanto pudo las calles principales y metiéndose sólo por pasadizos y callejones, desembocó finalmente en Snow Hill. Allí apretó aún más el paso y no lo aflojó hasta que no hubo entrado en una callejuela, donde, como sintiendo que ya se hallaba en su propio elemento, recuperó su habitual manera de andar arrastrando los pies y pareció respirar más a gusto.

Cerca del punto en el que se unen Snow Hill y Holborn Hill se abre, a mano derecha según se sale del casco antiguo, una angosta y tenebrosa callejuela que conduce a Saffron Hill. En sus inmundas tiendas se exponen a la venta enormes manojos de pañuelos de seda de segunda mano de todo dibujo y dimensión, pues moran allí los comerciantes que los compran a los bolsilleros. Cientos de estos pañuelos cuelgan al aire de ganchos por fuera de las ventanas u ondean en las jambas de las puertas, o bien se amontonan en los estantes del interior. Aunque las dimensiones de la callejuela Field son reducidas, tiene su barbero, su café, su cervecería y su tienda de pescado frito. Es una colonia comercial independiente, emporio del robo de poca monta, que visitan temprano por la mañana y al anochecer mercaderes silenciosos que trafican en trastiendas oscuras y se marchan tan misteriosamente como vienen. Allí el ropavejero, el zapatero remendón y el trapero ofrecen sus mercancías como otros tantos letreros expuestos al ladronzuelo; allí se aherrumbran y pudren en sótanos mugrientos cargamentos de chatarra y huesos y montones de enmohecidos retazos de lana y lino.

Fue en aquel lugar en el que se metió el judío. Le conocían bien los pálidos moradores de la callejuela, pues los que estaban al acecho para comprar o vender le saludaban familiarmente con la cabeza según pasaba. Respondía él a sus saludos de la misma manera, pero sin pararse en más atenciones hasta que llegó al final de la callejuela, donde se detuvo para abordar a un vendedor de reducida estatura que había embutido todo lo que de su persona pudo en una silla de niño y fumaba una pipa a la puerta de su tienda.

–¡Vaya, señor Fagin, sólo con verlo se le curaría a uno la oztalmía! –dijo aquel respetable comerciante en agradecimiento a la pregunta sobre su salud que le hiciera el judío.

–El vecindario ha estado un poco caliente, Vivillo –dijo Fagin alzando las cejas y cruzando las manos sobre los hombros.

–Bueno, ya he oído esa queja una o dos veces –repuso el comerciante–, pero en seguida vuelve a enfriarse, ¿no le parece?

Fagin asintió. Señalando hacia Saffron Hill preguntó si había alguien allí arriba aquella noche.

–¿En Los Patacones[1]? –preguntó el hombre.

El judío dijo sí con la cabeza.

–Espere a ver –continuó el mercader pensativo–. Sí, una media docena sí que han entrao, que yo sepa. No creo que su amigo esté dentro.

–Sikes no, ¿eh? –preguntó el judío con defraudado semblante.

–*Nones inventos*[2], como dicen los abogaos –repuso el hombrecillo, meneando la cabeza y con una expresión asombrosamente astuta–. ¿Tiene algo de mi especialidad esta noche?

–Esta noche nada –dijo el judío, alejándose.

–¿Va a Los Patacones, Fagin? –gritó el hombrecillo llamándole–. ¡Espere! ¡No me molestaría echarme un trago con usted!

Pero, como el judío se volviera y agitara la mano como diciendo que prefería ir solo y como además el hombrecillo no pudiera liberarse fácilmente de la silla, la enseña de Los Patacones se vio privada por un tiempo del privilegio de la presencia del señor Vivillo. Cuando consiguió ponerse en pie, el judío ya había desaparecido, de modo que el señor Vivillo, tras ponerse inútilmente de puntillas con la esperanza de divisarlo, volvió a incrustarse en la sillita y, tras intercambiar un gesto de cabeza con una señora de la tienda de enfrente en el que se mezclaban abiertamente la duda y la desconfianza, continuó fumando su pipa con grave ademán.

---

1. En el original *Cripples,* que ademas de 'cojos' o 'tullidos', significa en germanía inglesa 'monedas de seis peniques', por la facilidad con que podían doblarse. El término español trata de conservar el doble sentido, pues el patacón (parónimo de «cojo») era una antigua moneda de plata tan dúctil que se cortaba con tijeras.
2. Corrupción de *Non est inuentus* ('no ha sido encontrado').

Los Tres Patacones, o más bien Los Patacones, que era como sus asiduos llamaban familiarmente al establecimiento, era la taberna en la que ya hemos visto al señor Sikes y a su perro. Tras hacer un simple gesto al hombre que estaba en la barra, Fagin subió las escaleras y, abriendo la puerta de una habitación, se deslizó despacio en ella y, protegiéndose los ojos con la mano, miró ávidamente alrededor como buscando a alguien en particular.

Estaba la habitación iluminada por dos lámparas de gas cuya luz no se veía en la calle porque lo impedían las atrancadas contraventanas y unas descoloridas cortinas rojas bien corridas. El techo estaba pintado de negro para impedir que se le estropease el color con el llamear de las lámparas, y el lugar estaba tan cargado de un humo espeso de tabaco que al principio era casi imposible distinguir otra cosa. Poco a poco, no obstante, al escaparse parte de él por la puerta abierta, pudo distinguirse una aglomeración de cabezas, tan confusa como los ruidos que saludaban el oído y, al habituarse los ojos a aquella escena, el espectador notaba paulatinamente la presencia de numerosa compañía de ambos sexos apiñada alrededor de una mesa larga, a la cabecera de la cual estaba sentado un presidente con un mazo de su cargo en la mano, mientras que un profesional de nariz morada y cara vendada por mor de un dolor de muelas oficiaba ante un piano cantarín en un alejado rincón.

Mientras Fagin entraba calladamente, el profesional, con un *glissando*[1] a manera de preludio, provocó una gritería general al pedir silencio para una canción y, cuando

---

1. Procedimiento pianístico que consiste en ejecutar una serie ascendente o descendente de notas pertenecientes a las teclas blancas del teclado, haciendo que uno o más dedos se deslicen rápidamente sobre ellas.

se calmó, una señorita procedió a entretener a los presentes con una balada de cuatro estrofas, entre medias de cada una de las cuales el acompañante tocó la melodía entera todo lo alto que pudo. Terminado esto, el presidente formuló un deseo, tras lo cual los profesionales que tenía a derecha e izquierda se prestaron voluntarios a interpretar un dúo y lo cantaron con grandes aplausos.

Era curioso observar algunas caras que sobresalían ostensiblemente del grupo. El presidente mismo (propietario del local), individuo tosco, basto y de fuerte constitución, que volvía los ojos de un lado para otro mientras se cantaba y que, aparentemente entregado al jolgorio, tenía el ojo en todo lo que se hacía y la oreja en todo lo que se decía, y muy agudos el uno y la otra. Junto a él estaban los cantantes, recibiendo con profesional indiferencia los cumplidos de la concurrencia y aplicándose uno tras otro a una docena de vasos de alcohol con agua que les ofrecían sus admiradores más bulliciosos, cuyos rostros, expresión de casi todos los vicios en casi todos sus grados, llamaban irresistiblemente la atención por su repugnancia misma. La astucia, la ferocidad y la embriaguez en todas sus fases estaban allí en sus formas más pronunciadas, y las mujeres también, algunas con el último, rezagado matiz de su temprana frescura, que casi se desvanecía al mirarlas, otras con todas las prendas y señales de su sexo completamente destrozadas y dejando ver sólo un repugnante vacío de libertinaje y crimen, otras sólo niñas, otras jovencitas y ninguna más allá de la flor de la vida formaban la parte más sombría y triste de aquel cuadro desolador.

Sin ninguna grave emoción que le turbara, Fagin miraba ávidamente de una cara a otra mientras se desarrollaban aquellos hechos, pero a lo que parece sin hallar lo que estaba buscando. Al cabo consiguió que el hombre que presidía pusiera en él los ojos, le hizo una leve seña y abandonó la habitación tan calladamente como había entrado.

–¿Qué puedo hacer por usted, señor Fagin? –preguntó el hombre, siguiéndole hasta el descansillo–. ¿No se une usted a nosotros? Estarán todos encantados.

El judío meneó la cabeza con impaciencia y dijo en un susurro:

–¿Está *él* aquí?

–No –respondió el hombre.

–¿Y no hay noticias de Barney? –preguntó Fagin.

–Ninguna –contestó el dueño de Los Patacones, pues de él se trataba–. No se moverá hasta que todo se calme. Tenga en cuenta que allí abajo se lo han olido y si se moviera levantaría la liebre en seguida. Seguro que Barney está bien, o ya habría oído de él. Me apuesto lo que sea que Barney se las arregla como es debido. Tenga confianza en él.

–¿Y *él*, estará aquí esta noche? –preguntó Fagin, recalcando otra vez el pronombre.

–¿Monks, quiere decir? –preguntó el propietario titubeando.

–¡Chist! –dijo el judío–. Sí.

–Seguro –repuso el hombre, sacando un reloj de oro del bolsillito del chaleco–. Ya tenía que estar aquí. Si se espera diez minutos, estará...

–No, no –dijo el judío apresuradamente como si, aún deseoso de ver a la persona en cuestión, se sintiera aliviado por su ausencia–. Dile que vine a verlo y que debe venir a mi casa esta noche. No, di que mañana. Como no está aquí, mañana dará tiempo de sobra.

–Vale –dijo el hombre–. ¿Nada más?

–Ni una palabra más por ahora –dijo el judío, bajando las escaleras.

–¡Oiga! –dijo el otro desde la barandilla en un ronco susurro–. ¡Qué ocasión más buena para un timo! Tengo aquí a Phil Barker tan borracho, que un muchacho podría dársela.

–Ya, ya, pero a Phil Barker no le ha llegado el momento –dijo el judío, mirando para arriba–. Phil tiene que hacer algo más antes de que podamos permitirnos separarnos de él, así que vuélvete con ellos, querido, y diles que se pasen la vida de juerga... *mientras dura.* ¡Ja, ja, ja!

El dueño devolvió la carcajada al viejo y se volvió con sus clientes. En cuanto el judío se halló solo su semblante recuperó su anterior expresión de preocupación y cavilación. Tras breve reflexión llamó a un coche de alquiler y ordenó al hombre que lo llevara a Bethnal Green. Le despidió como a un cuarto de milla de la residencia del señor Sikes y cubrió a pie el breve trecho que quedaba.

–Ahora –musitó el judío mientras llamaba a la puerta–, si hay aquí juego turbio, te lo sacaré, muchachita, con todo lo astuta que eres.

Se hallaba en su habitación, dijo la mujer que abrió. Fagin se deslizó calladamente escaleras arriba y entró sin ceremonia previa ninguna. La muchacha estaba sola con la cabeza en la mesa y la cabellera revuelta.

«Ha estado bebiendo –pensó el judío fríamente–, o quizá únicamente se siente deprimida.»

Volvióse el viejo a cerrar la puerta mientras así se decía, y el ruido que hizo sacó a la muchacha de su ensimismamiento. Se quedó mirando fijamente a aquel astuto rostro mientras preguntaba si había alguna noticia y escuchaba el relato de la historia de Toby Crackit. Concluido el cual, se hundió en su anterior postura sin decir palabra. Apartó la vela con un gesto de impaciencia y una o dos veces arrastró los pies sobre el suelo al cambiar nerviosamente de postura pero aquello fue todo.

En aquel silencio miró el judío desasosegadamente por la habitación, como para cerciorarse de que no había indicios de que Sikes hubiera regresado secretamente. Satisfecho a lo que parece con aquella inspección, tosió dos o tres veces e hizo otros tantos esfuerzos por entablar conversación, pero la muchacha no le hizo más caso que si fuera de piedra. Al cabo hizo otro intento, frotándose las manos y diciendo en el tono más conciliatorio de que era capaz:

–¿Y dónde crees que Bill podría estar ahora, querida?

Con un gemido apenas inteligible la muchacha respondió que no sabría decirlo y, por los ahogados suspiros que se le escapaban, parecía que lloraba.

–Y el muchacho también –dijo el judío, aguzando la vista para vislumbrarle el rostro–. ¡Pobre chiquillo! Abandonado en una zanja, Nancy, ¡figúrate!

–El niño –dijo la muchacha, alzando los ojos súbitamente– está mejor donde está que entre nosotros y, si a Bill no le pasa nada malo a cuenta de ello, ojalá se quede muerto en la zanja y que allí se pudran sus tiernos huesos.

–¿Cómo? –gritó el judío atónito.

–Sí, señor –respondió la muchacha, sosteniéndole la mirada–. Me alegraré de tenerle lejos de mis ojos y sabiendo que lo peor ya pasó. No puedo soportar tenerlo cerca. Su vista me subleva contra mí misma y contra todos vosotros.

–¡Bah! –dijo el judío despectivamente–. Estás borracha.

–¿Borracha? –exclamó la muchacha con amargura–. No es culpa tuya si no lo estoy. Tú nunca me permitirías nada más, si se hiciera tu voluntad, excepto ahora... No tienes buen humor, ¿eh?

–¡No! –respondió el judío furioso–. No, señor, no.

–¡Cambiátelo, entonces! –repuso la muchacha riendo.

–¿Cambiarlo? –exclamó el judío en el colmo de la exasperación por la inesperada obcecación de su interlocutora y los disgustos de la noche–. ¡LO CAMBIARÉ! Escúchame, pellejo. Escúchame a mí, que con cuatro palabras puedo estrangular a Sikes tan de verdad como si tuviera su cuello de toro ahora entre los dedos. Si vuelve y ha dejado detrás al muchacho, si sale libre y no me lo devuelve vivo o muerto, mátalo tú misma si quieres que escape de Jack Ketch[1]. Y hazlo en cuanto ponga los pies en esta habitación o créeme que será demasiado tarde.

–¿A qué viene todo eso? –gritó la muchacha instintivamente.

–¿A qué? –continuó Fagin loco de rabia–. Valiéndome como me vale cientos de libras el muchacho, ¿voy a perder lo que la suerte me puso en el camino de conseguir sin peligro, por los caprichos de una banda de borrachos cuyas vidas puedo eliminar de un silbido? Y verme además atado a un hijo del demonio, que sólo le falta la voluntad y tiene poder para, para...

Jadeando y sin aliento farfulló el viejo buscando una palabra y en aquel instante contuvo el torrente de su ira y cambió totalmente de actitud. Un momento antes sus crispadas manos arañaban el aire, se le dilataban los ojos y la cara se le ponía lívida de cólera, pero ahora se dejó caer en una silla y, encogido, temblaba con el temor de haber revelado alguna oculta vileza. Tras un breve silencio se aventuró a mirar a su interlocutora. Pareció tranquilizarse un tanto al verla en la misma actitud decaída de la que la había sacado al principio.

–Nancy, querida –graznó el judío con su voz habitual–. ¿Has prestado atención a lo que dije, querida?

---

1. La horca. Del nombre de un verdugo del siglo XVII.

–No me molestes ahora, Fagin –repuso la muchacha, levantando la cabeza lánguidamente–. Si Bill no lo ha conseguido esta vez, lo conseguirá otra. Ha hecho muchos buenos trabajos para ti y hará muchos más cuando pueda, y cuando no pueda no los hará, así que se acabó.

–¿Y el muchacho, querida? –dijo el judío, frotándose las palmas de las manos nerviosamente.

–El muchacho tiene que correr la suerte de los demás –se apresuró a interrumpirle Nancy–, y vuelvo a decir que espero que esté muerto y fuera del alcance del mal y de ti..., es decir, si a Bill no le pasa nada malo. Y si Toby ha conseguido escapar, es muy seguro que a Bill le vaya bien, pues Bill vale por dos Tobys a cualquier hora.

–¿Y de lo que dije, querida? –señaló el judío con sus relucientes ojos fijos en ella.

–Tienes que volver a repetírmelo, si es algo que quieres que haga –respondió Nancy–, y si así es, mejor es que esperes hasta mañana. Me despabilaste un minuto, pero ahora vuelvo a estar atontada otra vez.

Hizo Fagin otras cuantas preguntas, todas con la misma intención de averiguar si la muchacha se había aprovechado de sus imprudentes insinuaciones, pero ella respondía tan de buena gana y además recibía con tan absoluta indiferencia sus penetrantes miradas que su impresión primera de que había bebido más de la cuenta se le confirmó. Y en verdad que Nancy no estaba libre de un defecto muy común entre las alumnas del judío y al que en sus tiernos años se les incitaba más que reprimía. Su desordenado aspecto y el perfume de ginebra a granel que reinaba en la estancia constituían sólido testimonio confirmatorio de lo justo de la suposición del judío y, cuando, tras esparcirse con el pasajero alarde de violencia ya descrito, se sumió la muchacha primero en aquel embotamiento y luego en un cúmulo de sensaciones, bajo la influencia de las cuales ora vertía lágrimas, ora profería variadas exclamaciones como «¡Mientras hay vida hay esperanza!», y diversos cálculos sobre la cantidad de imponderables que podrían darse para que una señora o un caballero fueran felices, el señor Fagin, que en su tiempo había tenido mucha experiencia en tales asuntos, vio con gran satisfacción que la muchacha se había excedido de verdad con la bebida.

Tranquilizádosele el espíritu con tal descubrimiento y habiendo conseguido el doble objetivo de contar a la muchacha lo que había oído aquella noche y cerciorarse con sus propios ojos de que Sikes no había regresado, el señor Fagin enderezó sus pasos de vuelta a casa dejando a su joven amiga dormida con la cabeza en la mesa.

Faltaba poco para las doce. Como fuera noche oscura y de un frío penetrante, no le dieron ganas de callejear. El viento cortante que barría las calles parecía haberlas limpiado de transeúntes así como de polvo y barro, pues había poca gente fuera de casa y era evidente que los que había se apresuraban a volver a ella. Soplaba del buen lado para el judío, sin embargo, y él se dejaba llevar temblando y tiritando según le empujaba bruscamente una ráfaga tras otra.

Había llegado a la esquina de su calle y ya estaba hurgando en el bolsillo por la llave de la puerta, cuando de un porche sumido en profunda oscuridad surgió una sombra que cruzó la calzada y se deslizó hasta él inadvertidamente.

–¡Fagin! –le susurró una voz cerca de la oreja.

–¡Ah! –dijo el judío, volviéndose rápidamente–. ¿Eres...?

–¡Sí! –le interrumpió el extraño ásperamente–. Llevo dos horas rondando por aquí. ¿Dónde demonios te has metido?

–En asuntos tuyos, querido –repuso el judío, mirando con desasosiego al otro y aflojando el paso–. En asuntos tuyos toda la noche.

–¡Hombre, claro! –dijo el extraño con burlona sonrisa–. ¿Y qué has sacado de ello?

–Nada bueno –dijo el judío.

–Y espero que nada malo –dijo el extraño, deteniéndose y dirigiendo una mirada de sobresalto a su compañero.

Meneó el judío la cabeza y se disponía a responder, cuando el extraño le interrumpió y señaló la casa ante la cual habían llegado para entonces, observando que era mejor que dijera lo que tenía que decir bajo techo, pues tenía la sangre helada de andar tanto tiempo por allí y el viento le transía.

Pareció como si Fagin hubiera sentido ganas de excusarse por no meter en casa a una visita a hora tan intempestiva, y la verdad es que farfulló algo de que no tenía fuego, pero, como el otro reiterara su deseo de manera perentoria, abrió la puerta y le pidió que la cerrara despacio mientras él iba a buscar una luz.

–Esto está más negro que el sepulcro –dijo el hombre, dando unos pasos a tientas–. ¡Date prisa!

–Cierra la puerta –susurró Fagin desde el fondo del pasillo.

Según hablaba la puerta se cerró con gran estrépito.

–No he sido yo –dijo el otro avanzando a tientas–. Ha sido un portazo del viento o se ha cerrado sola, lo uno o lo otro. Date prisa con la luz o me romperé los sesos contra algo en este maldito agujero.

Sigilosamente bajó Fagin las escaleras de la cocina. Tras una breve ausencia volvió con una vela encendida y con la noticia de que Toby Crackit estaba durmiendo en el cuarto trasero abajo y los muchachos en el de delante. Indicando al hombre que le siguiera, subió delante de él por las escaleras.

–Aquí podremos decirnos las cuatro cosas que tengamos que decirnos, querido –dijo el judío, abriendo del todo una puerta del primer piso–, y, como hay agujeros en las contraventanas y nunca dejamos que los vecinos vean luz, pondremos la vela en la escalera. ¡Así!

Con aquellas palabras el judío se agachó, puso la vela en el tramo de escalera que subía, exactamente opuesto a la puerta de la habitación, y entró primero en ella, que estaba desprovista de todo mobiliario, excepto un sillón roto y un viejo sofá o canapé sin forro que junto a la puerta estaba. En aquel mueble se sentó el extraño con cara de cansado y, acercando el judío el sillón que estaba en frente, se hallaron cara a cara. No reinaba una total oscuridad, pues la puerta estaba algo abierta y la vela de fuera lanzaba un débil reflejo sobre la pared opuesta.

Charlaron algún tiempo en voz baja. Aunque no se entendió nada de la conversación, excepto unas cuantas palabras sueltas aquí y allá, un testigo podría haber percibido que Fagin parecía estar defendiéndose de algunas observaciones del extraño, y que éste se hallaba en estado de gran irritación. Puede que llevaran hablando así un cuarto de hora o más cuando Monks –nombre por el que el judío llamó al extraño varias veces en el curso de su entrevista–, dijo levantando un poco la voz:

–Te digo que estaba mal planeado. ¿Por qué no dejarle aquí con los demás y hacer de él un bolsillero ligero y mansurrón en seguida?

–¡Cualquiera que te oiga...! –exclamó el judío, encogiéndose de hombros.

–¿Es que quieres decir que no podías haberlo hecho si hubieras querido? –preguntó Monks con firmeza–. ¿No lo has hecho con otros muchachos montones de veces? Si hubieras tenido paciencia durante doce meses como máximo, ¿no habrías conseguido que lo condenaran y lo mandaran sin peligro fuera del reino, quizá para toda la vida?

–¿En provecho de quién habría sido eso, querido? –preguntó el judío humildemente.

–En el mío –respondió Monks.

–Pero no en el mío –dijo el judío sumiso–. Podía haberme sido útil a mí. Cuando hay dos partes en un negocio, lo más razonable es que se consulten los intereses de ambas, ¿no es así, amigo mío?

–¿Entonces qué? –preguntó Monks.

–Yo vi que no era fácil enseñarle el oficio –repuso el judío–; no era como los otros muchachos en igualdad de circunstancias.

–¡Maldito sea, claro que no! –masculló el hombre–, que si no, ya haría tiempo que sería ladrón.

–Yo no tenía sobre él ningún poder para hacerle peor –prosiguió el judío, contemplando con inquietud el semblante de su compañero–. No tenía la mano hecha. Y yo no tenía nada con que asustarlo, cosa que tenemos que tener desde el principio, o, si no, es afanarse en vano. ¿Qué podía hacer? ¿Mandarle fuera con el Perillán y Charley? Bastante de eso tuvimos al principio, querido. Temblé por todos nosotros.

–*Aquello* no fue cosa mía –señaló Monks.

–No, no, querido –asintió el judío–. Y no me quejo de ello ahora, pues, si no hubiera sucedido, quizá nunca habrías puesto los ojos en el muchacho ni podido llegar así a descubrir que era él el que andabas buscando. Pero claro... Vuelvo a recuperarlo para ti mediante la muchacha y *ella* va y se pone de su parte.

–¡Estrangúlala! –dijo Monks con impaciencia.

–No, no podemos permitirnos eso ahora, querido –replicó el judío sonriendo–, y además ese tipo de cosas no lo hacemos nosotros, aunque un día de estos puede que me dé el gusto de hacerlo. Bien sé yo lo que son estas muchachas, Monks. En cuanto el chico empiece a curtirse no volverá a preocuparse de él más que de su abuela. Tú quieres que le hagamos ladrón. Si está vivo, yo puedo hacerlo, desde ya, y si..., si... –dijo el judío, acercándose más al otro–, no es probable, créeme..., pero si sucede lo peor de lo peor y está muerto...

–¡No es culpa mía si lo está! –dijo el otro con una mirada de terror y agarrándose al brazo del judío con temblorosas manos–. ¡Acuérdate de esto, Fagin! Yo no he tenido que ver en ello. Cualquier cosa menos la muerte, te lo dije desde el principio: yo no derramaré sangre. Siempre acaba descubriéndose y además le atormenta a uno. Si le han matado de un tiro, no he sido yo la causa, ¿me oyes? ¡Maldito antro del infierno! ¿Qué es eso?

–¿Qué? –gritó el judío, echando los brazos alrededor del cuerpo del cobarde cuando se puso de pie de un salto–. ¿Dónde?

–¡Allí! –repuso el hombre con los ojos clavados en la pared opuesta–. ¡Una sombra! He visto la sombra de una mujer con capa y sombrero pasar como un soplo por el zócalo.

Le soltó el judío y se precipitaron fuera de la habitación. La vela, consumida por la corriente, seguía donde la habían puesto. Les permitió ver tan sólo la escalera vacía y la palidez de sus propias caras. Escucharon atentamente: en toda la casa reinaba un profundo silencio.

–Tu imaginación –dijo el judío, tomando la luz y volviéndose a su compañero.

–¡Te juro que la vi! –replicó Monks, temblando violentamente–. Estaba inclinada hacia adelante cuando la vi y salió corriendo cuando hablé.

Miró el judío desdeñosamente el pálido rostro de su socio y, diciéndole que le siguiera si quería, subió las escaleras. Miraron en todas las habitaciones, que estaban vacías, desnudas y frías. Bajaron al pasillo y de allí a los sótanos. Verdosas manchas de humedad cubrían las bajas paredes y las huellas de caracoles y babosas brillaban a la luz de la vela, pero todo estaba sumido en un silencio de muerte.

–¿Qué piensas ahora? –dijo el judío cuando regresaron al pasillo–. Aparte de nosotros dos, no hay ser vivo en la casa excepto Toby y los muchachos, y ésos están bien seguros. ¡Mira!

Como prueba de aquello, el judío sacó dos llaves del bolsillo y explicó que cuando bajó por primera vez los encerró a todos para evitar cualquier intrusión en la entrevista.

Aquel múltiple testimonio consiguió hacer titubear al señor Monks. Sus protestas habían ido haciéndose menos y menos vehementes en el transcurso de la búsqueda, que terminó sin ningún hallazgo, y ahora daba rienda suelta a varias carcajadas siniestras y confesaba que aquello sólo podía deberse a su exaltada imaginación. Pero se negó a reanudar la conversación aquella noche cuando de pronto se dio cuenta de que era más de la una. Así que la amigable pareja se separó.

Capítulo 27

Que repara la descortesía de un capítulo
precedente en el que se abandonaba
a una dama sin ningún miramiento

Como no sería en absoluto correcto que un modesto autor hiciera esperar a tan poderoso personaje como un celador de espaldas al fuego y con los faldones de la casaca recogidos bajo los brazos hasta que le viniera en gana aliviarlo, y, como sería aún menos digno de su condición o de su galantería incluir en el mismo descuido a una dama en la que el dicho celador pusiera ojos de ternura y cariño y en cuyo oído susurrara palabras dulces que, por proceder de donde procedían, bien pudieran estremecer el pecho de una doncella o de una gobernanta de cualquier estado que fuere, el narrador cuya pluma traza estas letras —convencido de que sabe estar en su lugar y que tributa la reverencia debida a aquellos a quienes en la tierra se ha conferido una alta e importante autoridad—, se apresura a testimoniarles el respeto que su posición exige y a tratarlos con toda la deferente solemnidad que su sublime rango y (por consiguiente) grandes virtudes imperativamente reclaman de su pluma. Cabe decir que con tal propósito tenía pensado incluir en este lugar una disertación sobre el divino derecho de los celadores, con una exégesis de la tesis de que un celador no puede hacer mal alguno, disertación que no podría sino haber dejado de agradar y aprovechar al honrado lector, pero que, por carecer de espacio y tiempo, se ve desgraciadamente obligado a dejar para alguna otra ocasión más conveniente y apropiada, aunque, cuando llegue, estará dispuesto a demostrar que un celador perfectamente constituido, es decir un celador parroquial, destinado a un hospicio parroquial y oficiando en su capacidad oficial en la iglesia parroquial, se halla en posesión, por obra y gracia de su cargo, de todas las excelencias y mejores cualidades del ser humano, y que a dichas excelencias ni los simples ordenanzas de empresa, ni los ujieres de los tribunales, ni incluso los sotosacristanes de iglesias anejas (excepto estos últimos, pero en grado muy modesto e inferior), pueden tener la más remota pretensión de aspirar.

El señor Bumble había vuelto a contar las cucharillas y a sopesar las tenacillas del azúcar, había examinado más detenidamente la jarrita de la leche, había comprobado hasta el mínimo detalle el estado exacto del mobiliario, incluidos los mismísimos asientos de crin de las sillas, y había repetido cada una de estas operaciones media docena de veces antes de empezar a pensar que era hora de que la señora Corney regresara. Un pensamiento engendra otro y, como no se oyera ruido de que la señora Corney se acercaba, al señor Bumble se le ocurrió que una manera inocente y virtuosa de pasar el tiempo sería satisfacer aún más su curiosidad con una ojeada rápida al interior de la cómoda de la señora Corney.

Tras arrimar la oreja al ojo de la cerradura para asegurarse de que nadie se acercaba a la habitación, el señor Bumble, empezando por abajo, procedió a familiarizarse con el contenido de los tres cajones largos, que, llenos de diferentes prendas de buen corte y textura guardadas cuidadosamente entre dos capas de periódicos viejos y salpicadas con espliego seco, parece que le produjeron suma satisfacción. Tras llegar finalmente al cajón de la esquina derecha, en el que estaba la llave, y ver dentro una cajita con el candado puesto que al agitarla produjo agradable sonido, como de tintinear de monedas, el señor Bumble regresó a la chimenea con paso solemne y, volviendo a adoptar su anterior actitud, dijo con grave y resuelto semblante: «¡Lo haré!». Añadió a aquella importante declaración un burlón meneo de cabeza de diez minutos, como regañándose a sí mismo por ser un canalla tan simpático y luego se echó una ojeada de perfil sobre las piernas con evidente fruición e interés.

Ocupado plácidamente en aquella última inspección se hallaba, cuando la señora Corney entró precipitadamente en la habitación, se dejó caer sin aliento en una silla junto al fuego y, cubriéndose los ojos con una mano, se llevó la otra al corazón y jadeó profundamente.

—Señora Corney —dijo el señor Bumble, inclinándose sobre la gobernanta—, ¿qué pasa, señora? ¿Ha sucedido algo, señora? Contésteme, se lo ruego. Me tiene usted en... en...

Con el susto al señor Bumble no le salía fácilmente la palabra «ascuas», así que dijo:

—... en aguarrás.

—¡Ay, señor Bumble! —exclamó la señora—. Me han incomodado de tan horrible manera...

—¿Incomodado, señora? —exclamó el señor Bumble—. ¿Quién se ha atrevido a...? ¡Ya sé! —dijo el señor Bumble, dominándose con su natural majestad—. ¡Esto son esos pobres prevertidos!

—¡Es horrible sólo pensarlo! —dijo la dama, estremeciéndose.

—Pues entonces *no* piense en ello, señora —dijo el señor Bumble.

—No puedo evitarlo —gimoteó la dama.

—Pues entonces tome algo, señora —dijo el señor Bumble tranquilizador—. ¿Un poquito de vino?

–¡Por nada del mundo! –repuso la señora Corney–. No podría... ¡Ay! El estante de arriba, en el rincón a mano derecha... ¡Ay!

Mientras pronunciaba aquellas palabras, la buena señora señaló aturdidamente a la alacena y sufrió una espasmódica convulsión. El señor Bumble se precipitó a la alacena, cogió una botella verde de medio litro que en el tan incoherentemente indicado estante estaba, llenó una taza de lo que contenía y la llevó a los labios de la señora.

–Ya estoy mejor –dijo la señora Corney, retrepándose tras beber la mitad.

El señor Bumble alzó piadosamente los ojos al techo en acción de gracias y, volviendo a bajarlos hasta el borde de la taza, la levantó hasta la nariz.

–Menta –dijo la señora Corney con voz débil y sonriendo amablemente al celador al mismo tiempo–. ¡Pruébelo! Tiene un poquito... un poquito de otra cosa.

El señor Bumble probó la medicina con recelosa mirada, chasqueó los labios, probó otra vez, y apuró la taza.

–Es muy reconfortante –dijo la señora Corney.

–Muy mucho, sí, señora –dijo el celador.

Según hablaba, acercó una silla junto a la gobernanta y tiernamente preguntó qué había sucedido para angustiarla.

–Nada –repuso la señora Corney–. Soy una criatura alocada, excitable, débil.

–Débil no, señora –replicó el celador, acercando más la silla–. ¿Es usted una débil criatura, señora Corney?

–Todos somos débiles criaturas –dijo la señora Corney, dejando sentado un principio general.

–Sí que lo somos –dijo el celador.

Ni el uno ni el otro dijeron nada durante el minuto o dos que siguieron. Al término de los cuales el señor Bumble había ilustrado aquel principio retirando el brazo izquierdo del respaldo de la señora Corney, donde lo tenía apoyado, para llevarlo al cinturón del delantal de la señora Corney, con el cual se entrelazó poco a poco.

–Todos somos débiles criaturas –dijo el señor Bumble.

La Sra Corney suspiró.

–No suspire, señora Corney –dijo el señor Bumble.

–No puedo evitarlo –dijo la señora Corney. Y volvió a suspirar.

–Esta habitación es muy confortable, señora –dijo el señor Bumble, mirando alrededor–. Otra más y esto estaría completo, señora.

–Sería demasiado para una persona –musitó la dama.

–Pero no para dos, señora –dijo el señor Bumble con tierna voz–. ¿Eh, señora Corney?

La señora Corney bajó la cabeza cuando el celador dijo aquello y el celador bajó la suya para ver la cara de la señora Corney. Con mucho decoro la señora Corney apartó la cabeza y retiró la mano para coger el pañuelo, pero inconscientemente volvió a ponerla en la del señor Bumble.

–La junta le asigna una cantidad de carbón, ¿no es así, señora Corney? –preguntó el celador, apretándole cariñosamente la mano.

–Y de velas –repuso la señora Corney, devolviendo levemente el apretón.

–Carbón, velas y vivienda libre de alquiler –dijo el señor Bumble–. ¡Oh, señora Corney, es usted un ángel!

La dama no estaba hecha para tal arranque de sentimientos. Se hundió en los brazos del señor Bumble y, excitadísimo, este caballero depositó un beso apasionado en su casta nariz.

–¡Qué perfección porroquial! –exclamó el señor Bumble transportado–. ¿Sabes que el señor Slout está peor esta noche, fascinadora mía?

–Sí –repuso la señora Corney avergonzada.

– No vivirá una semana, dice el doctor –prosiguió el señor Bumble–. Como superintendente de este establecimiento, su muerte causará una vacante y esa vacante habrá que encubrirla. ¡Ay, señora Corney, qué prospectivas abre eso! ¡Qué ocasión para una unión de corazones y hogares!

La señora Corney sollozó.

–¿Y la palabrita? –dijo el señor Bumble, inclinándose sobre la pudibunda beldad–. ¿La palabrita... brita... brita, mi bendita Corney?

–S... s... ¡sí! –dijo la gobernanta en un suspiro.

–Y otra más –continuó el celador–; prepara tus sentimientitos bonitos para otra más. ¿Cuándo será?

Dos veces trató de hablar la señora Corney, pero las dos fallidas. Al cabo, armándose de valor, echó los brazos alrededor del cuello del señor Bumble y dijo que podía ser en cuanto a él le pareciera bien y que era un «pollo irresistible».

Habiéndose arreglado así de amigable y satisfactoriamente las cosas, el acuerdo se ratificó con otra taza de mixtura de menta, que hicieron aún más necesaria la emoción y agitación de ánimos de la dama. Mientras la despachaban, informó al señor Bumble del fallecimiento de la vieja.

–Muy bien –dijo el caballero tras un sorbito de menta–. Pasaré a ver a Sowerberry según voy para casa y le diré que mande a alguien mañana por la mañana. ¿Qué es lo que te asustó, cariño?

–Nada en particular, querido –dijo la dama evasivamente.

–Tiene que haber sido algo, cariño –insistió el señor Bumble–. ¿No se lo vas a decir a tu Bumblito?

–Ahora no –respondió la dama–. Un día de estos. Después de que nos casemos, querido.

–¡Después de que nos casemos! –exclamó el señor Bumble–. ¿No será que alguno de esos pobres se ha sobrepasado contigo y...?

–¡No, no, cariño! –se apresuró a decir la dama.

–Sólo de pensar que haya sido eso –continuó el señor Bumble–, sólo de pensar que uno solo de ellos se haya atrevido a alzar sus vulgares ojos a este precioso palmito...

–No se atreverían a eso, cariño –repuso la dama.

–¡Más les vale! –dijo el señor Bumble, apretando el puño–. ¡Que se me ponga delante el hombre, porroquial o extraporroquial, que pretendiera hacerlo, y le digo que no lo hará dos veces!

Sin el adorno de ampulosos aspavientos aquello pudiera haber parecido no muy notable cumplido para con los encantos de la dama, pero, como el señor Bumble acompañó su amenaza con mucho gesto guerrero, aquella prueba de afecto le llegó muy dentro y con gran admiración declaró que de verdad que era un pichón.

El pichón se alzó luego el cuello de la casaca, se caló el tricornio y, tras intercambiar un largo y cariñoso abrazo con su futura consorte, volvió a desafiar el frío viento de la noche, deteniéndose solamente unos minutos en la sala de hombres para insultarles un poco con el fin de demostrarse a sí mismo que podía ocupar el puesto de superintendente del hospicio con el rigor necesario. Convencido de sus capacidades, el señor Bumble abandonó el edificio con corazón alegre y brillantes visiones de su futuro ascenso, lo cual le ocupó el pensamiento hasta que llegó a la funeraria.

Ahora bien, como el señor y la señora Sowerberry habían salido a tomar el té y cenar y Noah Claypole nunca estaba dispuesto a realizar más esfuerzo físico que el necesario para la correcta realización de las dos funciones de comer y beber, la tienda seguía abierta aunque ya había pasado la hora habitual de cerrar. El señor Bumble golpeó varias veces con el bastón en el mostrador, pero, al no recibir atención alguna y ver que una luz brillaba tras la ventana de cristales de la trastienda, se atrevió a asomarse y ver qué sucedía, y cuando vio *qué* sucedía, se sorprendió no poco.

El mantel estaba puesto para la cena, la mesa estaba dispuesta con pan, mantequilla, platos y vasos, una jarra de cerveza negra y una botella de vino. En la cabecera de la mesa estaba el señor Noah Claypole tranquilamente repantigado en un sillón con las piernas echadas por encima de uno de los brazos, y con una navaja de muelle abierta en la mano y un tarugo de pan con mantequilla en la otra. De pie junto a él estaba Charlotte abriendo ostras de un barril, que el señor Claypole consentía en tragarse con singular avidez. Una más que normal coloración de la región nasal del caballerito y una especie de guiño fijo en el ojo derecho indicaban que se hallaba ligeramente embriagado, síntomas estos que confirmaba el intenso deleite con que tomaba las ostras, que nada habría podido justificar sino una sólida valoración de sus propiedades refrescantes en casos de fiebre interna.

–Aquí hay una gorda que tiene que estar deliciosa, Noah querido –dijo Charlotte–; mira a ver si puedes, sólo esta.

–¡Qué delicia, las ostras! –observó el señor Claypole tras tragársela–. Qué pena que un montón de ellas le sienten mal a uno, ¿eh, Charlotte?

–Supercruel –dijo Charlotte.

–Eso es –asintió el señor Claypole–. ¿A ti no te gustan las ostras?

–No demasiao –respondió Charlotte–. Me gusta verte comerlas, querido Noah, más que comerlas yo.

–¡Señor! –dijo Noah pensativo–. ¡Qué cosas!

–Cómete otra –dijo Charlotte–. ¡Aquí hay una con unas agayas tan bonitas y delicás!

–Ya no puedo más –dijo Noah–. Lo siento mucho. Ven acá, Charlotte, que te bese.

–¿Qué? –dijo el señor Bumble, irrumpiendo en la habitación–. Vuelve a decir eso, caballerete.

Charlotte dio un grito y se tapó la cara con el delantal. Sin cambiar de postura más que para dejar que las piernas le llegaran al suelo, el señor Claypole se quedó mirando al celador con terror de borracho.

–¡Repítelo, infame descarado! –dijo el señor Bumble–. ¿Cómo te atreves a mencionar tal cosa, jovencito? ¿Y cómo te atreves tú a incitarle, desvergonzada? ¡Besarla! –exclamó el señor Bumble con gran indignación–. ¡Puaf!

–No pensaba hacerlo –dijo Noah, lloriqueando–. Siempre es ella quien anda besuqueándome, quiera o no.

–¡Oh, Noah! –gritó Charlotte en tono de reproche.

–¡Sí, señor, bien lo sabes! –replicó Noah–. Siempre me está con eso, señor Bumble, y me hace la mamola, créame, señor, y también toda clase de caricias.

–¡Silencio! –gritó el señor Bumble severamente–. Baja abajo, jovencita. Tú, Noah, cierra la tienda y vuelve a decir otra palabra de aquí a que regrese tu amo y te la ganas, y cuando vuelva le dices que el señor Bumble te ha dicho que tiene que mandar una caja para una vieja mañana por la mañana después del desayuno. ¿Oyes, caballero? ¡Besarse! –gritó el señor Bumble, levantando las manos–. ¡El pecado y la depravación de las clases bajas son espantosos en este distrito porroquial! ¡Si el parlamento no toma en consideración sus abominables prácticas, este país va a la ruina y la reputación de los campesinos perdida para siempre!

Diciendo lo cual el celador salió del local de la funeraria con semblante altanero y sombrío.

Y ahora que le hemos acompañado hasta aquí en su camino a casa y dispuesto todos los preparativos necesarios para el funeral de la vieja, hagamos alguna pesquisas sobre el joven Oliver Twist y averigüemos si sigue todavía tendido en la zanja donde Toby Crackit lo dejó.

Capítulo 28

Que se ocupa de Oliver y continúa con sus aventuras

–¡Que los lobos os arranquen el gaznate! –musitó Sikes, rechinando los dientes–. Ojalá estuviera entre alguno de vosotros, pa que auyarais de verdaz.

Según profería aquella imprecación en un gruñido, con la ferocidad más salvaje de que era capaz su salvaje naturaleza, Sikes puso el cuerpo del muchacho herido sobre la rodilla y volvió la cabeza un instante para mirar a sus perseguidores.

Poco era lo que se distinguía en la niebla y oscuridad, pero en el aire vibraba el griterío de hombres y por todas partes resonaba el ladrar de los perros vecinos que la campanilla de alarma había despertado.

–¡Alto, gayina! –exclamó el ladrón, gritando tras Toby Crackit, que, sirviéndose bien de sus largas piernas, iba ya por delante de él–. ¡Alto!

La repetición de aquella palabra dejó a Toby clavado en el sitio. Pues no estaba del todo convencido de hallarse fuera del alcance de un tiro de pistola, y Sikes no estaba de humor para andarse con bromas.

–Échame una mano con el muchacho –gritó Sikes, haciendo una furiosa seña a su cómplice–. ¡Vuelve!

Toby accedió a volver, pero, según se acercaba lentamente, se atrevió a insinuar una cierta desgana en voz baja y entrecortada, por faltarle el aliento.

–¡Más de prisa! –gritó Sikes, depositando al muchacho en una zanja seca que había a sus pies y sacando una pistola del bolsillo–. Ná de juegos sucios conmigo.

En aquel momento el clamor se hizo más intenso. Mirando para atrás, Sikes pudo distinguir que los hombres que les perseguían estaban saltando el portillo del campo en que se hallaba, y que unos pasos por delante de ellos venían dos perros.

–Se acabó tó, Billy –exclamó Toby–; tira al chaval y mueve los pinreles.

Con aquel consejo de despedida, el señor Crackit, prefiriendo la posibilidad de que su amigo lo matara de un tiro a la certeza de que sus enemigos lo cogieran, dio dignamente media vuelta y salió corriendo a toda prisa. Sikes apretó los dientes, echó una mirada atrás, colocó sobre el cuerpo tendido de Oliver la capa en la que lo habían arropado, corrió a lo largo del seto como para distraer la atención de quienes detrás venían del lugar donde yacía el muchacho, se detuvo un segundo ante otro seto que se unía con el anterior en ángulo recto y, blandiendo la pistola bien alta en el aire, lo franqueó de un salto y desapareció.

–¡Ksss, Ksss, aquí! –gritó una voz temblorosa en la retaguardia–. ¡Tenaza! ¡Neptuno! ¡Aquí, aquí!

Los perros, que, al igual que sus dueños, no parecían sentir especial entusiasmo por la persecución que estaban protagonizando, obedecieron presto a la orden. Tres hombres, que para entonces se habían internado un trecho en el campo, se detuvieron a deliberar juntos.

–Mi consejo o, cuantis menos, yo diría, mis *órdenes* –dijo el más gordo de la partida– son que nos volvamos a casa inmediatamente.

–A mí me parece bien todo lo que le parece bien al señor Giles –dijo uno más bajo, que no era en absoluto de talle fino y que parecía palidísimo de cara y muy educado, como suelen los hombres con miedo.

—No me gustaría parecer maleducado, caballeros —dijo el tercero, que había llamado a los perros—. El señor Giles sabe lo que se dice.

—Claro que sí —repuso el bajito—, y diga lo que diga el señor Giles, nosotros no somos quienes para contradecirle. No, no, yo sé bien dónde está mi lugar. Gracias al cielo, sé bien dónde está mi lugar.

A decir verdad el hombrecillo *sí* que parecía saber dónde estaba su lugar y estar convencido de que no era precisamente allí, pues los dientes le castañeteaban en la calavera mientras hablaba.

—Tienes miedo, Brittles —dijo el señor Giles.

—¡Qué va! —dijo Brittles.

—Que sí —dijo Giles.

—Eso es falso, señor Giles —dijo Brittles.

—Y tú un mentiroso, Brittles.

Ahora bien, estas cuatro réplicas surgieron de la provocación del señor Giles, y la provocación del señor Giles había surgido de su indignación de tener que cargar con la responsabilidad de volver a casa, que se le imponía bajo las apariencias de un cumplido. El tercer hombre puso fin a la disputa de la manera más filosófica.

—Voy a decírselo, caballeros —dijo—; aquí tenemos miedo todos.

—Hable por usted, señor —dijo el señor Giles, que estaba más pálido que el resto de la partida.

—Eso hago —repuso el hombre—. Es lógico y normal tener miedo en semejantes circunstancias. *Yo* lo tengo.

—Y yo también —dijo Brittles—, sólo que a un hombre no hay que decírselo así, tan fanfarrónicamente.

Aquellas sinceras confesiones ablandaron al señor Giles, que en seguida admitió que también *él* tenía miedo, tras lo cual los tres dieron media vuelta y echaron a correr otra vez perfectamente sincronizados, hasta que el señor Giles (que era el que menos resuello tenía y encima iba cargado con una horca) insistió con exquisitos modales en que pararan para disculparse por lo precipitado de sus palabras.

–Es tremendo –dijo el señor Giles explicándose– lo que un hombre puede hacer cuando la sangre se le calienta. Yo habría cometido un asesinato..., estoy seguro..., si hubiéramos cogido a uno de esos tunantes.

Como los otros dos se sentían embargados por una sensación semejante y como la sangre se les hubiera calmado igual que a él, hicieron algunas especulaciones sobre aquel súbito cambio de talante.

–Yo sé lo que fue –dijo el señor Giles–; fue el portillo.

–No me sorprendería –exclamó Brittles, asiéndose a aquella idea.

–Tened por seguro –dijo Giles– que aquel portillo detuvo el caudal de nuestra emoción. Yo sentí como si me abandonara repentinamente cuando estaba saltándolo.

Por una curiosa casualidad a los otros dos les había asaltado la misma desagradable sensación en aquel preciso momento. Estaba clarísimo por tanto que era cosa del portillo, sobre todo porque no cabía duda ninguna acerca del momento en que se produjera el cambio, ya que los tres recordaban haber divisado a los ladrones en el instante en que tuvo lugar.

Aquel diálogo lo mantenían los dos hombres que habían sorprendido a los ladrones y un hojalatero ambulante que dormía en un cobertizo, al que habían despertado, junto con sus dos perros mestizos, para unirse en la persecución. El señor Giles actuaba en la doble capacidad de mayordomo y despensero de la vieja dama de la mansión, y Brittles era un factótum a quien, como fuera todavía niño cuando entró a su servicio, seguían tratando como a un mocito prometedor, aunque ya pasaba de los treinta.

Animándose mutuamente con aquellas palabras, pero manteniéndose muy juntitos y volviendo aprensivamente la cabeza a cada nueva ráfaga que sacudía las ramas, los tres hombres se apresuraron a volver a un árbol tras el que habían dejado la linterna para que la luz no indicara a los ladrones en qué dirección disparar. La cogieron e hicieron la mayor parte del camino de vuelta a buen trote, y mucho después de que sus oscuras siluetas dejaran de percibirse, pudo verse parpadear y bailotear la luz a lo lejos, como una emanación del ambiente húmedo y tenebroso por el que velozmente la llevaban.

El aire se hacía cada vez más frío a medida que se acercaba el día, y la niebla se arrastraba por el suelo como una densa nube de humo. La hierba estaba mojada, los caminos y hondonadas eran fango y agua, y el húmedo aliento de un viento malsano se movía lánguidamente con un gemido hueco. Y Oliver permanecía inmóvil e inconsciente en el lugar donde Sikes lo dejara.

La mañana llegaba de prisa. El aire se hizo más agudo y penetrante al columbrarse tenuemente en el cielo –muerte de la noche más que nacimiento del día– sus primeros y pálidos matices. Lo que en la oscuridad pareciera borroso y terrible se definía más y más y adquiría paulatinamente su forma habitual. La lluvia caía apretada y violenta, y crepitaba ruidosamente entre los desnudos arbustos. Pero Oliver no la sentía sobre el cuerpo, pues seguía, desvalido e inconsciente, tendido en su lecho de barro.

Al cabo un quejido de dolor rompió la quietud que reinaba y, al proferirlo, el muchacho despertó. Del costado le colgaba el brazo izquierdo, pesado e inútil, torpemente vendado con una bufanda empapada de sangre. Se hallaba tan débil, que a duras penas consiguió erguirse y sentarse, tras lo cual miró lánguidamente alrededor en busca de ayuda y gimió de dolor. Temblándole todos los miembros de frío y agotamiento, hizo un esfuerzo por levantarse, pero, con una tiritona de la cabeza a los pies, cayó postrado en el suelo.

Tras recaer brevemente en el desvanecimiento en que tanto tiempo había estado sumido e impulsado por un terrible hormigueo en el pecho, que parecía advertirle que si permanecía allí moriría de seguro, se puso en pie e intentó caminar. La cabeza le daba vueltas y se tambaleaba de un lado para otro como un borracho. Pero se mantuvo en pie y, con la cabeza caída lánguidamente sobre el pecho, continuó adelante dando traspiés sin saber adónde.

Y entonces le invadió el pensamiento un torbellino de ideas desconcertantes y confusas. Le parecía que caminaba todavía entre Sikes y Crackit, que reñían enojados..., pues sonaban en sus oídos las mismas palabras que decían y, cuando, por así decir, se dio cuenta de sí mismo al hacer un enérgico esfuerzo para evitar caerse, descubrió que estaba hablándoles. Luego que estaba solo con Sikes, andando penosamente como la víspera, y que sentía el apretón del ladrón en la muñeca mientras la gente los pasaba como sombras. Súbitamente dio un salto atrás ante la detonación de armas de fuego, se elevaron en el aire gritos y exclamaciones, destelleaban luces ante sus ojos, todo era ruido y confusión, y una mano invisible se lo llevaba apresuradamente. Por medio de todas aquellas fugaces visiones corría una vaga e incómoda sensación de dolor que le fatigaba y atormentaba sin cesar.

Así continuó tambaleándose, deslizándose casi mecánicamente por entre los bances de los portillos o los huecos de los setos según se le ponían por delante, hasta que llegó a un camino. Allí la lluvia empezó a caer tan fuerte, que le despabiló.

Miró en torno y vio que a no mucha distancia había una casa a la que quizá pudiera llegar. Lamentando su situación, puede que se compadecieran de él y, si no, pensaba que era mejor morir cerca de seres humanos que en el campo abierto y solitario. Reunió todas sus fuerzas en un último intento y encaminó sus vacilantes pasos hacia ella.

Según se acercaba a aquella casa se apoderó de él la impresión de que ya la había visto antes. No recordaba detalle alguno de ella, pero la forma y aspecto del edificio le resultaban conocidos.

¡Aquella tapia del jardín! En el césped que había dentro se había hincado de rodillas la noche antes e implorado misericordia a los dos hombres. Era la misma casa que habían intentado robar.

El miedo que se apoderó de Oliver al reconocer el lugar fue tal, que por un instante se olvidó del tormento de su herida y solo pensó en huir. ¡Huir! Apenas si podía tenerse en pie y, aun hallándose en plena posesión de todas las facultades de su débil y tierna constitución, ¿adónde podría huir? Dio un empujón a la puerta del jardín, que, como no estaba cerrada, giró sobre los goznes y se abrió de par en par. Fue tambaleándose por medio del césped, subió los escalones, llamó débilmente a la puerta y, quedándose sin fuerzas, se derrumbó contra una de las columnas del pequeño porche.

Aconteció que en aquellos momentos el señor Giles, Brittles y el hojalatero, tras las fatigas y espantos de la noche, estaban reponiéndose con té y varias otras cosas en la cocina. No es que fuera costumbre del señor Giles mostrar excesiva familiaridad con los criados más modestos, a quienes más bien solía tratar con una afabilidad altiva que, aun resultando agradable, no dejaba de recordarles su superior posición social. Pero la muerte, los incendios y los robos hacen a todos los hombres iguales, así que el señor Giles se hallaba sentado con las piernas estiradas ante la pantalla de la cocina, con el brazo izquierdo apoyado en la mesa mientras con el derecho iba ilustrando una detallada y minuciosa narración del robo, a la que sus oyentes (pero sobre todo la cocinera y la doncella, que se hallaban presentes) escuchaban con interés y sin aliento.

–Eran sobre las dos y media –dijo el señor Giles–, aunque no juraría yo que no fuera algo más cerca de las tres, cuando me desperté y, al darme la vuelta en la cama, como así (y el señor Giles se volvió en la silla y se cubrió con la punta del mantel como si fuera la ropa de la cama), me pareció oír un ruido...

En aquel punto de la narración la cocinera palideció y pidió por favor a la doncella que cerrara la puerta, quien se lo pidió a Britles, quien se lo pidió al hojalatero, que se hizo el sordo.

–... oír un ruido –continuó el señor Giles–. Primero voy y me digo: «Esto son ilusiones tuyas», y ya me iba a dormir cuando vuelvo a oír el ruido bien claro.

–¿Qué clase de ruido? –preguntó la cocinera.

–Una especie de chasquido –respondió el señor Giles, mirando alrededor.

–Más parecido al de frotar una barra de hierro sobre un rallador –sugirió Brittles.

–Así era cuando *tú* lo oíste, joven –repuso el señor Giles–, pero en aquel momento era un chasquido. Retiré la ropa –prosiguió Giles enrollando el mantel–, me senté en la cama y escuché.

La cocinera y la doncella exclamaron al unísono: «¡Señor!», y juntaron más sus sillas.

–Entonces lo escuché bien claro –continuó el señor Giles–. Y voy y me digo: «Alguien anda forzando una puerta o ventana; ¿qué hacer? Llamaré a ese pobre muchacho, a Brittles, y le libraré de que lo asesinen en la cama, o de que le corten el pescuezo», me dije, «desde la oreja derecha a la izquierda sin que se entere».

Todos los ojos se volvieron entonces hacia Brittles, que clavó los suyos en el narrador y se le quedó mirando con la boca abierta y la cara con una expresión de horror absoluto.

–Eché la ropa a un lado –dijo Giles, dejando el mantel y mirando fijamente a la cocinera y a la doncella–, me levanté despacito, me puse un par de...

–Que hay señoras, señor Giles –musitó el hojalatero.

–... de *zapatos*, caballero –dijo Giles, volviéndose hacia él y haciendo hincapié en aquella palabra–, cogí la pistola cargada que siempre subimos arriba con el cesto de la vajilla, y me fui de puntillas a su habitación. «Brittles», digo cuando le desperté, «¡no tengas miedo!»

–Así fue –señaló Brittles en voz baja.

–Y digo –continuó Giles–: «Creo que somos hombres muertos, Brittles, pero no tengas miedo».

–¿*Tenía* miedo? –preguntó la cocinera.

–Ni una pizca –repuso el señor Giles–. Estaba tan tranquilo ... ¡oh! casi tan tranquilo como yo.

–Si soy yo, me habría muerto de golpe, estoy segura –señaló la doncella.

–Tú eres mujer –replicó Brittles, animándose un poco.

–Brittles tiene razón –dijo el señor Giles, meneando la cabeza con aprobación–; de una mujer no podría esperarse otra cosa. Nosotros, que somos hombres, cogimos una linterna que había en la repisa de Brittles y bajamos a tientas en una oscuridad total..., algo como así.

El señor Giles se había levantado del asiento y dado dos pasos con los ojos cerrados para acompañar su relato con los gestos apropiados, cuando de pronto se sobresaltó sobremanera, como hizo el resto de los presentes, y se volvió precipitadamente a su silla. La cocinera y la doncella chillaron.

—Eso ha sido un golpe en la puerta —dijo el señor Giles, adoptando una actitud de absoluta serenidad—. Que vaya alguien a abrir.

Nadie se movió.

—Parece cosa extraña, que llamen a estas horas de la mañana —dijo el señor Giles, contemplando las caras pálidas que le rodeaban y con la suya llena de estupefacción—, pero hay que abrir la puerta. ¿No oís que vaya alguien?

Según hablaba, el señor Giles miraba a Brittles, pero este mocito, como fuera de natural modesto, probablemente creyó que él no era alguien, y consideró que la pregunta no podía ir destinada a él, así que no ofreció respuesta alguna. El señor Giles dirigió una mirada suplicante al hojalatero, pero éste se había quedado dormido repentinamente. Y las mujeres no contaban.

—Si Brittles prefiere abrir la puerta en presencia de testigos —dijo el señor Giles tras una pausa—, estoy dispuesto a ser uno de ellos.

—Yo también —dijo el hojalatero, despertándose tan repentinamente como se había dormido.

Ante aquellas condiciones Brittles se rindió y, un tanto tranquilizados con el descubrimiento que hicieron (al abrir las contraventanas) de que ya era bien de día, los presentes se encaminaron al piso de arriba con los perros por delante. Las dos mujeres, que tenían miedo de quedarse abajo, llevaban la retaguardia. Por consejo del señor Giles todos ellos hablaban muy alto para advertir a cualquier persona de malas intenciones que se hallara fuera que eran muy numerosos y, con un toque maestro de estrategia, concebido por el cerebro del mismo ingenioso caballero, pellizcaron generosamente a los perros en la cola para hacerles ladrar salvajemente.

Tomadas tales precauciones, el señor Giles se agarró fuertemente al brazo del hojalatero (para evitar que saliera corriendo, como dijo bromeando), y dio la voz de mando para que se abriera la puerta. Obedeció Brittles y los demás, asomándose temerosos por encima de los hombros unos de otros, contemplaron no más impresionante cosa que al pobre Oliverito Twist, sin habla y agotado, que, alzando sus abatidos ojos en silencio, les suplicaba que se compadecieran de él.

—¡Un muchacho! —exclamó el señor Giles, empujando valientemente al hojalatero a un segundo plano—. ¿Qué le pasa que...? ¿Eh? Vamos..., Brittles..., mira..., ¿no lo ves?

Brittles se había colocado tras la puerta para abrirla y, no bien hubo visto a Oliver, lanzó un agudo grito. El señor Giles agarró al muchacho por una pierna y un brazo (no el herido afortunadamente), lo arrastró directamente hasta el salón y lo dejó tendido en el suelo.

—¡Aquí está! —vociferó Giles llamando escaleras arriba en un estado de gran excitación—. ¡Aquí está uno de los ladrones, señora! ¡Aquí tenemos a un ladrón, señorita! ¡Y herido, señorita! Yo le disparé, señorita, y Brittles alumbraba.

—Con una linterna, señorita —gritó Brittles, poniendo una mano en el lado de la boca para que la voz subiera mejor.

Las dos sirvientas corrieron escaleras arriba a llevar la noticia de que el señor Giles había capturado al ladrón, y el hojalatero se ocupó de tratar de reanimar a Oliver, no fuera a morir antes de que lo ahorcaran. En medio de todo aquel bullicio y agitación, se dejó oír una dulce voz femenina que lo calmó todo al instante.

—¡Giles! —susurró la voz desde el rellano de la escalera.

—Aquí estoy, señorita —respondió el señor Giles—. No tenga miedo, señorita. No estoy muy herido. No ofreció una resistencia demasiado desesperada, señorita. En seguida lo dominé.

—¡Chss! —repuso la joven—. Estás asustando a mi tía tanto como los ladrones. ¿Está muy herido el pobrecillo?

—Herido de gravedad, señorita —replicó Giles con indescriptible autosatisfacción.

—Parece que se va, señorita —gritó Brittles como había hecho antes—. ¿No le gustaría venir a verlo, señorita, en caso de que sí?

—¡Chist! ¡Por favor, estáte calladito! —dijo la señorita—. Esperad tranquilos un instante, que hablo con mi tía.

Con andar no menos suave y gracioso que la voz, la que hablaba se alejó presurosa. Pronto volvió con la orden de que había que llevar al herido, con cuidado, a la habitación del señor Giles y que Brittles debía ensillar la jaca y llegarse inmediatamente a Chertsey, de donde debía enviar a toda velocidad a un alguacil y al doctor.

—¿Pero no va ni a echarle una ojeada antes, señorita? —preguntó el señor Giles con tanto orgullo como si Oliver fuera ave de raro plumaje que él hubiera abatido diestramente—. ¿Ni una miradita, señorita?

—Ahora no, por Dios —respondió la joven—. ¡Pobrecillo! ¡Ah, trátelo bien, Giles, hágalo por mí!

Dio media vuelta y el viejo criado la miró con una mirada tan llena de orgullo y admiración como si se hubiera tratado de su propia hija. Luego, inclinándose hacia Oliver, ayudó a llevarlo arriba con cuidado y solicitud femeninos.

Capítulo 29

Que contiene una primera descripción de los habitantes de la casa a la que acudió Oliver

En una estancia magnífica, aunque el mobiliario parecía tener más aspecto de comodidad de otros tiempos que de elegancia moderna, estaban sentadas dos damas a una mesa bien provista para el desayuno. Impecablemente vestido en un traje negro, el señor Giles las servía. Se había colocado casi a medio camino entre el aparador y la mesa y, con el cuerpo estirado todo lo que daba de sí, la cabeza erguida e inclinada una pizquita a un lado, la pierna izquierda adelantada y la mano derecha hundida en el chaleco mientras la izquierda le caía a un lado asiendo una bandeja, parecía como subyugado por una agradabilísima sensación de sus propios méritos e importancia.

De las dos damas, una era bien entrada en años, pero la silla de roble de alto respaldo en que se hallaba sentada no estaba más derecha que ella. Vestida con extremada delicadeza y detalle en una curiosa combinación de prendas antiguas con algunas concesiones a la moda, que agradablemente realzaban el viejo estilo más que disminuían su efecto, estaba sentada de majestuosa manera con las manos cruzadas por delante encima de la mesa. Sus ojos (cuyo brillo apenas habían apagado los años) estaban atentamente posados en los de su joven acompañante.

La dama más joven se encontraba en la flor y primaveral frescura de la mujer, edad aquella en la que, si jamás los sabios designios de Dios entronizan a los ángeles en formas mortales, puede suponérseles, sin pecar de impío, que residen en algunas como la suya.

No había cumplido los diecisiete. Moldeada en formas tan delicadas y exquisitas, tan dulces y amables, tan puras y hermosas, que la tierra no parecía su elemento ni sus groseras criaturas su digna compañía. La inteligencia misma que brillaba en sus ojos de azul intenso y que se veía grabada en su noble frente apenas parecía de su edad o de este mundo, y sin embargo la cambiante expresión de dulzura y buen humor, los mil destellos que espejeaban en su rostro sin dejar sombra en él, y sobre todo la sonrisa, su alegre y radiante sonrisa, estaban hechos para el hogar, para la paz y la felicidad hogareñas.

Estaba muy ocupada en los pequeños menesteres de la mesa. Alzando por azar los ojos mientras la dama de más edad la observaba, se echó alegremente los cabellos hacia atrás, que llevaba sencillamente trenzados sobre la frente, y puso en su radiante mirada tal expresión de cariño y de natural encanto, que los espíritus benditos habrían sonreído al contemplarla.

—Y Brittles ya hace más de una hora que marchó, ¿no? —preguntó la anciana tras una pausa.

—Una hora y doce minutos, señora —respondió el señor Giles, consultando un reloj de plata que sacó tirando de una cinta negra.

—Siempre tan lento —observó la anciana.

—Brittles siempre ha sido un muchacho lento, señora —respondió el criado.

Y, a propósito, teniendo en cuenta que Brittles había sido un muchacho lento durante más de treinta años, no parece que hubiera grandes probabilidades de que jamás fuera a ser un muchacho rápido.

–Creo que empeora cada vez más, en vez de mejorar –dijo la dama de más edad.

– No tiene perdón, que se pare a jugar con cualquier muchacho que encuentra –dijo la joven sonriendo.

El señor Giles parecía estar considerando la conveniencia de permitirse él también una respetuosa sonrisa, cuando llegó hasta la entrada del jardín un cabriolé del que descendió un caballero gordo que se fue corriendo hasta la puerta, penetró rápidamente en la casa por algún misterioso procedimiento, irrumpió en la habitación y casi derriba al señor Giles y a la mesa del desayuno juntos.

–¡Jamás oí cosa igual! –exclamó el caballero gordo–. Querida señora Maylie... válgame Dios... y en el silencio de la noche... *¡Jamás* oí cosa igual!

Profiriendo aquellos lamentos el caballero gordo estrechó la mano a las dos damas y, acercando una silla, les preguntó cómo se encontraban.

–Deberían estar muertas, completamente muertas de espanto –dijo el caballero gordo–. ¿Por qué no mandaron llamar? ¡Dios mío! En un minuto habría venido mi criado, y yo también, y a mi ayudante le habría encantado, o a cualquiera, estoy seguro, en tales circunstancias. ¡Por Dios, por Dios! ¡Tan sin esperárselo! ¡Y en el silencio de la noche, encima!

Al doctor parecía alterarle especialmente el hecho de que el robo se hubiera intentado cometer inesperadamente y por la noche, como si fuera inveterada costumbre de los caballeros del arte robatoria despachar negocios en pleno día y pedir hora por correo un día o dos antes.

–Y usted, señorita Rose –dijo el doctor, volviéndose a la joven–. Yo...

–¡Oh, claro que sí! –dijo Rose, interrumpiéndole–, pero hay un pobrecillo arriba a quien mi tía desea que usted vea.

–¡Oh! En efecto –repuso el doctor–, está arriba. Obra suya, Giles, según creo.

El señor Giles, que estaba colocando febrilmente las tazas, se sonrojó mucho y dijo que le había cabido aquel honor.

–¿Honor, eh? –dijo el doctor–. Bueno, no sé; tal vez sea tan honroso acertar a un ladrón en una trascocina como a un contrincante a doce pasos. Imagínese que ha estado batiéndose en un duelo y que él disparó al aire, Giles.

El señor Giles, que consideró que aquella ligereza en la manera de tratar el asunto era un injusto intento de menoscabar su gloria, respondió respetuosamente que personalmente él no era quién para juzgar lo sucedido, pero que pensaba que no había sido cosa de broma para la parte opuesta.

–¡Por Dios, que es cierto! –dijo el doctor–. ¿Dónde está? Indíqueme el camino. Volveré a verla al bajar, señora Maylie. Aquélla es la ventana por donde entró, ¿eh? Vaya, no habría podido creerlo.

Sin parar de hablar siguió al señor Giles escaleras arriba y, mientras arriba permanece, podemos informar al lector de que el señor Losberne, cirujano de la vecindad, conocido como «el Doctor» en diez millas a la redonda, había llegado a ser gordo más por su buen humor que por la buena vida, y que era un solterón tan amable y cordial y tan excéntrico además como ningún explorador viviente podrá hallar otro en un espacio cinco veces mayor.

El doctor se ausentó mucho más de lo que él mismo o las damas habían previsto. Le llevaron del cabriolé una caja plana enorme y una campanilla de dormitorio sonó repetidas veces, y los criados corrían escaleras arriba y abajo continuamente, indicios todos de los que legítimamente se deducía que algo importante estaba sucediendo arriba. Volvió al cabo y, en respuesta a una anhelante pregunta sobre el paciente, adoptó una actitud de misterio y cerró la puerta cuidadosamente.

—Esto es cosa extraordinaria en extremo, señora Maylie —dijo el doctor, permaneciendo con la espalda contra la puerta como para mantenerla cerrada.

—Espero que no corra peligro —dijo la anciana.

—Bueno, eso no sería cosa extraordinaria, vistas las circunstancias —repuso el doctor—, aunque no lo creo. ¿Ha visto usted a ese ladrón?

—No —respondió la anciana.

—¿Ni oído nada de él?

—No.

—Perdóneme la señora —interrumpió el señor Giles—, pero iba a hablarle de él cuando el doctor Losberne entró.

El hecho era que en un principio el señor Giles no había podido decidirse a confesar que había disparado contra sólo un muchacho. Tantas alabanzas se habían dispensado a su valentía, que no pudo evitar, por mucho que lo intentó, posponer la explicación unos deliciosos minutos, durante los cuales había reinado en el mismísimo cenit de una fama efímera por su denodada valentía.

—Rose quería ver al hombre —dijo la señora Maylie—, pero yo dije que ni pensarlo.

—¡Hum! —replicó el doctor—. No hay nada de alarmante en su aspecto. ¿Tiene usted algún reparo en verlo en mi presencia?

—Si es necesario —repuso la anciana—, desde luego que no.

–Entonces creo que es necesario –dijo el doctor–; en cualquier caso, estoy totalmente seguro de que le pesaría muchísimo no hacerlo, si lo aplazara. Ahora está perfectamente tranquilo y sosegado. Por favor..., señorita Rose, ¿permite usted? Ni el mínimo temor, se lo prometo por mi honor.

Capítulo 30

Que cuenta lo que los nuevos visitantes
de Oliver pensaron de él

Asegurándoles con mucha facundia que el aspecto del delincuente las sorprendería agradablemente, el doctor tomó el brazo de la joven y lo puso bajo el suyo y, ofreciendo la mano que le quedaba libre a la señora Maylie, las condujo arriba con mucha ceremonia y majestuosidad.

–Ahora –dijo el doctor en un susurro mientras giraba el pomo de la puerta del dormitorio– me dirán qué piensan ustedes de él. No se ha afeitado últimamente, pero no tiene un aspecto feroz, sin embargo. Pero, esperen. Déjenme ver primero si está en condiciones de recibir visitas.

Se adelantó y se asomó a la habitación. Les indicó con la mano que avanzaran, cerró la puerta cuando hubieron entrado y corrió suavemente las cortinas del lecho. Yacía en él, en vez del pertinaz rufián de rostro sombrío que esperaban ver, un simple muchacho extenuado por el dolor y el agotamiento y sumido en profundo sueño. El brazo herido, vendado y entablillado, lo tenía cruzado sobre el pecho, y la cabeza apoyada en el otro brazo, oculto en parte por los largos cabellos que sobre la almohada se esparcían.

El honrado caballero tenía la cortina en la mano y se quedó mirando durante aproximadamente un minuto en silencio. Mientras así miraba al paciente, la dama más joven se deslizó suavemente por delante de él y, sentándose en una silla junto al lecho, apartó el cabello de Oliver de la cara. Al inclinarse sobre él, unas lágrimas cayeron en la frente del muchacho.

El muchacho se movió y sonrió en su sueño, como si aquellas muestras de piedad y compasión hubieran engendrado algún agradable sueño de amor y cariño que nunca conociera. De igual manera el lejano sonar de dulce música o el murmullar del agua en un paraje silencioso, o el aroma de una flor, o la entonación de una palabra familiar evocan a veces repentinos y lejanos recuerdos de situaciones que nunca fueron de esta vida, que se desvanecen como un soplo, que se diría despertó alguna fugaz evocación de una existencia más feliz largo tiempo pasada, y que ningún deliberado esfuerzo de la mente puede jamás volver a rememorar.

–¿Qué significa esto? –exclamó la dama de más edad–. ¡Jamás este pobre muchacho puede haber sido discípulo de ladrones!

–El vicio –dijo el cirujano, corriendo la cortina– fija su domicilio en muchos santuarios, ¿y quién puede decir que una fachada hermosa no lo albergue?

–¿Pero a edad tan temprana? –alegó Rose.

–Mi querida señorita –repuso el cirujano, meneando la cabeza tristemente–, el crimen, como la muerte, no se contenta sólo con los viejos y marchitos. Los más jóvenes y hermosos son con demasiada frecuencia sus víctimas preferidas.

–Pero, ¿puede usted..., ¡oh! puede usted creer realmente que este frágil muchacho pueda haber sido voluntariamente cómplice de los peores desechos de la sociedad? –dijo Rose preocupadísima.

El cirujano meneó la cabeza como queriendo decir que se temía que era muy posible y, diciendo que tal vez molestaban al paciente, entró en una estancia contigua seguido por las damas.

–Pero, aunque haya sido un malvado –prosiguió Rose–, considere usted lo joven que es, considere que puede que nunca haya conocido el amor de una madre o la comodidad de un hogar, que los malos tratos y golpes o la falta de pan pueden haberlo conducido a asociarse con hombres que le hayan forzado al delito. Tía, querida tía, por amor de Dios, considera esto antes de permitir que lleven a este niño enfermo a la cárcel, que de todas formas será el sepulcro de todas sus posibilidades de enmienda. ¡Oh! Por lo mucho que me quieres, y bien sé yo que con tu bondad y cariño nunca he echado en falta a mis padres, pero podría haberme ocurrido y me habría hallado tan desamparada e indefensa como este pobre niño, ¡compadécete de él antes de que sea demasiado tarde!

–Cariño –dijo la anciana, estrechando contra su pecho a la muchacha, que lloraba–, ¿crees que podría hacer daño a uno solo de sus cabellos?

–¡Oh, no! –respondió Rose anhelosamente.

–Por seguro que no –dijo la anciana–; mis días tocan a su fin y espero que Dios se compadezca de mí como yo del prójimo. ¿Qué puedo hacer para salvarlo, caballero?

–Déjeme pensar, señora –dijo el doctor–; déjeme pensar.

El señor Losberne hundió las manos en los bolsillos y dio varias vueltas de un lado para otro de la habitación, deteniéndose a menudo y cimbreándose sobre las puntas de los pies y frunciendo el ceño de manera espantosa. Tras exclamar varias veces «Ya lo tengo» y «No, no lo tengo» y volver otras tantas a dar vueltas y a fruncir el ceño, se detuvo en seco al cabo y habló así:

–Creo que si me dan ustedes plenos e ilimitados poderes para intimidar a Giles y a ese muchachito, a Brittles, puedo arreglarlo. Giles es hombre fiel y viejo criado, ya sé, pero pueden desquitarse con él de mil maneras y recompensarle además por ser tan buen tirador. ¿Tiene usted algo que objetar?

–Siempre que no haya ninguna otra manera de proteger al niño –repuso la señora Maylie.

–No hay ninguna otra –dijo el doctor–. Ninguna otra, le doy mi palabra.

–Entonces mi tía le concede plenos poderes –dijo Rose sonriendo entre lágrimas–, pero por favor no sea más duro de lo indispensable con esos pobrecillos.

–Parece usted pensar –replicó el doctor– que todo el mundo está hoy dispuesto a mostrarse duro de corazón excepto usted, señorita Rose. Sólo deseo, por el bien de la nueva generación masculina en general, que la halle de talante tan vulnerable y tierno el primer jovencito que apele a su compasión, y ojalá fuera yo tal jovencito para aprovechar al punto tan favorable ocasión como la presente.

–Es usted más muchacho que el pobre Brittles –respondió Rose, sonrojándose.

–Bueno –dijo el doctor riendo con gana–, eso no es cosa difícil. Pero volvamos al muchacho. Todavía no hemos llegado al punto principal de nuestro acuerdo. Se despertará dentro de una hora o así, supongo y, aunque he dicho a ese majadero de alguacil que está abajo que no hay que moverlo ni hablarle so pena de poner su vida en peligro, creo que podremos charlar con él sin riesgo. Ahora bien, yo pongo esta condición: que le interrogaré en su presencia y que, si de lo que dice deducimos y puedo demostrar de manera que satisfaga a su fría razón que es un malvado entero y verdadero (cosa más que probable), habrá que dejarle a su suerte, sin ninguna otra interferencia mía en todo caso.

–¡Ah, no, tía! –suplicó Rose.

–¡Ah, sí, señora tía! –dijo el doctor–. ¿Trato hecho?

–No puede haberse hundido en el vicio –dijo Rose–. No es posible.

–De acuerdo –repuso el doctor–, razón de más para acceder entonces a mi propuesta.

Finalmente se concluyó el acuerdo y las partes contratantes se sentaron a esperar, con cierta impaciencia, a que Oliver despertara.

La paciencia de las dos damas estaba destinada a sufrir una prueba más larga de lo que el señor Losberne les había inducido a suponer, pues pasó una hora tras otra y Oliver seguía durmiendo profundamente. Era ya de noche cuando el bondadoso doctor les llevó la nueva de que finalmente el muchacho se había recuperado lo suficiente para poder hablar con él. Dijo que el muchacho se hallaba muy enfermo y débil por la pérdida de sangre, pero tenía la mente tan agitada por la ansiedad de revelar algo que a él le parecía mejor darle ocasión a ello, en vez de insistir en que permaneciera callado hasta la mañana siguiente, cosa que de otro modo habría hecho.

La conferencia fue larga. Oliver les contó su sencilla historia, obligado a menudo a interrumpirse por el dolor y la falta de fuerzas. Cosa solemne era oír en la ya oscurecida habitación la débil voz del niño enfermo relatando un interminable catálogo de males y calamidades que unos hombres despiadados le habían causado. ¡Ay! Si cuando agobiamos y aplastamos a nuestros semejantes dedicáramos un solo pensamiento a los sombríos testimonios del humano error, que, cual densos y pesados nubarrones, se elevan lenta pero no por ello menos ciertamente al cielo para derramar su ulterior venganza sobre nuestras cabezas, y si en nuestra imaginación escucháramos un único instante el profundo testimonio de las voces de los muertos, que ningún poder puede ahogar ni ningún orgullo silenciar, ¿dónde se hallarían la ofensa y la injusticia, el sufrimiento, la desgracia, la crueldad y el mal que la vida de cada día trae consigo?

Unas manos suaves ahuecaron la almohada de Oliver aquella noche y la belleza y la virtud velaron su sueño. Se sentía tranquilo y feliz y podría haber muerto sin un murmullo.

No bien hubo terminado la trascendental entrevista y dispuéstose Oliver a descansar de nuevo, cuando el doctor, tras enjugarse los ojos y maldecirlos por su inesperada debilidad, se personó en el piso bajo para vérselas con el señor Giles. Y, como no encontrara a nadie en las salas, se le ocurrió que tal vez pudiera iniciar sus diligencias con mejores resultados en la cocina, así que en la cocina entró.

Hallábanse reunidos en aquella cámara baja del parlamento doméstico las criadas, el señor Brittles, el señor Giles, el hojalatero (que había sido invitado especialmente a regalarse el resto del día en consideración a sus servicios), y el alguacil. Este último caballero tenía un bastón grande, una cabeza grande, grandes facciones y grandes botas altas, y parecía como si hubiera estado tomando una ración de cerveza en igual proporción..., y no sólo lo parecía.

Los acontecimientos de la víspera seguían siendo tema de conversación, pues, cuando el doctor entró, el señor Giles se estaba explayando sobre su presencia de ánimo, y el señor Brittles, con una jarra de cerveza en la mano, corroboraba todo antes de que su superior lo dijera.

–Sigan sentados –dijo el doctor con un ademán de la mano.

–Gracias, señor –dijo el señor Giles–. La señora ordenó que se repartiera un poco de cerveza, señor, y como no me apetecía estar en mi cuartito, señor, y tenía gana de compañía, estoy tomándomela con éstos aquí.

Brittles inició un murmullo general con el que todas las señoras y caballeros dieron a entender la satisfacción que les producía la condescendencia del señor Giles. El señor Giles miró alrededor con aire paternal, como diciendo que mientras se portaran debidamente nunca los abandonaría.

–¿Cómo va el paciente, señor? –preguntó Giles.

–Así, así –repuso el doctor–. Me temo que se ha metido usted en un lío, señor Giles.

–Espero que no quiera usted decir, señor –dijo el señor Giles, temblando–, que va a morir. Nunca volvería a ser feliz si lo pensara. Yo no me cargaría a un muchacho, no, ni incluso a Brittles, por toda la vajilla del condado, señor.

–Ésa no es la cuestión –dijo el doctor con mucho misterio–. Señor Giles, ¿es usted protestante?

–Sí, señor, supongo que sí –titubeó el señor Giles, que se había quedado palidísimo.

–¿Y *tú* qué eres, muchacho? –dijo el doctor, volviéndose bruscamente a Brittles.

–¡Que Dios me bendiga, señor! –repuso Brittles sobresaltado–. Yo soy... lo mismo que el señor Giles, señor.

–Entonces díganme –dijo el doctor–, los dos, ¡los dos! ¿Pueden cargar con la responsabilidad de jurar que el muchacho que está arriba es el muchacho que descolgaron anoche por el ventanuco? ¡Fuera con ello! ¡Venga! ¡Estamos esperando!

Tenido por todos como una de las personas de mejor carácter del mundo, el doctor formuló aquella pregunta en un tono de ira tan tremendo, que Giles y Brittles, que estaban bastante aturullados por la cerveza y la excitación, se miraron uno a otro presas de estupefacción.

–Preste atención a la respuesta, alguacil, por favor –dijo el doctor, agitando el índice con gran solemnidad de gestos y golpeándose con él el caballete de la nariz para indicar a aquel noble personaje que ejercitara su máxima agudeza–. Algo puede resultar de esto en breve.

El alguacil puso la cara más inteligente que pudo y tomó la vara de su cargo, que hasta entonces había estado perezosamente apoyada en el rincón de la chimenea.

–Es una simple cuestión de identidad, como podrá ver –dijo el doctor.

–Eso es lo que es, señor –replicó el alguacil, tosiendo con gran violencia, pues había apurado la cerveza apresuradamente y parte de ella le entró por mal sitio.

–Por un lado tenemos una casa allanada –dijo el doctor–, y un par de hombres entrevén un instante a un muchacho en medio del humo de pólvora y con toda la confusión del susto y la oscuridad. Por otro lado tenemos a un muchacho que a la mañana siguiente llega a la misma casa y, porque resulta que lleva un brazo vendado, aquellos hombres le ponen la mano encima de forma violenta, circunstancia con la que ponen su vida en peligro, y juran que es un ladrón. Ahora la cuestión es saber si el acto de estos hombres se justifica o, si no, en qué situación se hallan.

Asintió el alguacil con un profundo movimiento de cabeza y dijo que si aquello no era ley, le encantaría saber qué es lo que lo era.

–Vuelvo a preguntarles –vociferó el doctor–, ¿pueden ustedes, bajo juramento solemne, identificar a ese muchacho?

Brittles miró indeciso al señor Giles, el señor Giles miró indeciso a Brittles, el alguacil se llevó la mano tras la oreja para captar la respuesta, las dos mujeres y el hojalatero se inclinaron hacia adelante para escuchar, y el doctor miraba atentamente en torno, cuando se oyó la campanilla de la puerta y al mismo tiempo ruido de ruedas.

–¡Son los corchetes! –gritó Brittles, visiblemente aliviado.

–¿Los qué? –exclamó el doctor aterrado a su vez.

–Los policías de Bow Street[1], señor –respondió Brittles, cogiendo una vela–; yo y el señor Giles los mandamos llamar esta mañana.

–¿Qué? –gritó el doctor.

–Sí –replicó Brittles–, yo mandé recado con el cochero y lo que no me explico es por qué no han llegado antes, señor.

–¿Tal hiciste? Pues que el cielo confunda y condene a esos... coches tan lentos; eso es todo –dijo el doctor, marchándose.

1. Cuerpo especial de policía criminal que tenía sus cuarteles en la calle del mismo nombre en Londres. Fue creado por Fielding (véase pág. 7, nota 1), en sus tiempos de magistrado.

Capítulo 31

Que contiene una situación crítica

–¿Quién va? –preguntó Brittles, abriendo la puerta un poquito, con la cadena puesta, y asomándose mientras protegía la vela con la mano.

–Abran la puerta –respondió un hombre fuera–; somos los policías de Bow Street que mandaron llamar hoy.

Aliviadísimo por la seguridad que le daban aquellas palabras, abrió Brittles la puerta de par en par y se halló frente a un hombre corpulento con abrigo, que entró sin decir más y se limpió los zapatos en el felpudo con la misma naturalidad que si viviera allí.

–Anda, muchacho, manda a alguien a ayudar a mi compañero, ¿quieres? –dijo el policía–; está en el cabriolé al cuidao del trotón. ¿Tenéis por aquí una cochera donde meterlo cinco o diez minutos?

Señalando el edificio, Brittles respondió afirmativamente, el hombre corpulento volvió a la puerta del jardín y ayudó a su compañero a aparcar el cabriolé, mientras Brittles los alumbraba en estado de gran admiración. Hecho lo cual volvieron a la casa y, conducidos hasta el salón, se despojaron de sus abrigos y sombreros y se ofrecieron a la vista tal como eran.

El que había llamado a la puerta era un robusto personaje de estatura mediana, cincuentón, pelo negro brillante muy rapado, medias patillas, cara redonda y ojos penetrantes. Era el otro pelirrojo, huesudo, y con botas altas, poco agraciado de cara y con una nariz respingona de siniestra apariencia.

–Di a tu amo que Blathers y Duff están aquí, ¿quieres? –dijo el hombre robusto atusándose el pelo y poniendo en la mesa un par de esposas–. Oh, buenas tardes, jefe. ¿Puedo decirle dos palabras a solas, si hace usted el favor?

Aquello se dirigía al señor Losberne, que aparecía en aquel momento y que, haciendo señas a Brittles para que se retirara, hizo entrar a las dos damas y cerró la puerta.

–Ésta es la dueña de la casa –dijo el señor Losberne indicando a la señora Maylie.

El señor Blathers se inclinó. Invitado a tomar asiento, puso el sombrero en el suelo y, cogiendo una silla, indicó a Duff que hiciera lo mismo. Este último caballero, que no parecía tan acostumbrado a la buena sociedad o no tan a gusto en ella –una de dos–, se sentó tras sufrir varias alteraciones musculares en los miembros y, con cierta turbación, se metió el puño del bastón en la boca.

–Bueno, y por lo que se refiere al robo este, jefe –dijo Blathers–, ¿cuáles son las circunstancias?

El señor Losberne, que parecía querer ganar tiempo, se las contó con mucho detalle y grandes circunloquios. Los señores Blathers y Duff pusieron mientras tanto cara de saber mucho y de vez en cuando intercambiaban un movimiento de cabeza aprobatorio.

–Naturalmente que no puedo hablar con certeza hasta que no vea la operación –dijo Blathers–, pero mi primera impresión (pues no me preocupa comprometerme a tal extremo) es que esto no lo ha hecho un patán, ¿eh, Duff?

–Claro que no –repuso Duff.

–Y, traduciendo la palabra patán para beneficio de las damas, ¿debo suponer que usted quiere decir que esto no lo ha hecho un campesino? –dijo el señor Losberne sonriendo.

–Exactamente, jefe –respondió Blathers–. Y eso es todo lo que tiene que decirme sobre el robo, ¿no?

–Todo –repuso el doctor.

–Bueno, ¿y qué pasa con ese muchacho del que hablan los criados? –dijo Blathers.

–Nada en absoluto –respondió el doctor–. A uno de los criados, que se asustaron, se le ha metido en la cabeza que tiene algo que ver con esta tentativa de robo en la casa, pero es ridículo, totalmente absurdo.

–Fácil manera de resolver la cosa, si así es –observó Duff.

–Lo que dice es muy acertado –señaló Blathers con un gesto corroborativo de la cabeza y jugueteando despreocupadamente con las esposas como si fueran un par de castañuelas–. ¿Quién es ese muchacho? ¿Qué cuenta da de sí mismo? ¿De dónde ha salido? ¿No se habrá caído de las nubes, eh, jefe?

–Claro que no –respondió el doctor con una nerviosa mirada a las dos damas–. Yo conozco su historial entero, pero podremos hablar de ello en seguida. Supongo que primero querrán ver el lugar de la intentona de los ladrones.

–Por supuesto –respondió el señor Blathers–. Mejor es que inspeccionemos primero el lugar y luego interroguemos a la servidumbre. Ésa es la manera habitual de hacer las cosas.

Trajéronse luego luces y los señores Blathers y Duff, acompañados por el alguacil local, por Brittles, por Giles y, para ser breves, por todos los demás, penetraron en el cuartito al fondo del pasillo y se asomaron al exterior por el ventanuco, y luego dieron la vuelta por el césped y se asomaron por el ventanuco al interior, y luego hicieron que les pasaran una vela para examinar el postigo, y luego una linterna para seguir las huellas, y luego una horca para escarbar en los arbustos. Hecho lo cual y en medio del embargado interés de todos los presentes, volvieron a entrar, y el señor Giles y Brittles hubieron de hacer una melodramática descripción de su participación en los sucesos de la noche anterior, que realizaron media docena de veces, contradiciéndose uno al otro en no más de un punto importante la primera y en no más de doce la última. Habiéndose llegado a tal resultado, Blathers y Duff despejaron la habitación y celebraron juntos un prolongado cónclave, comparado con el cual, en lo que a reserva y solemnidad toca, una consulta de grandes doctores sobre el más peliagudo punto de la medicina habría sido simple juego de niños.

Mientras tanto el doctor daba vueltas en la habitación contigua en desosegadísimo estado, y la señora Maylie y Rose le miraban con cara anhelante.

–Palabra de honor –dijo, deteniéndose tras una larga serie de rapidísimas vueltas–, que apenas sé qué hacer.

–Seguro –dijo Rose– que si a estos hombres se les cuenta fielmente la historia del pobre muchacho será suficiente para eximirlo.

–Lo dudo, mi querida joven –dijo el doctor, meneando la cabeza–. No creo que eso le eximiría ante ellos o ante funcionarios jurídicos de rango más elevado. Dirían que qué es, después de todo, más que un fugitivo. Su historia es muy sospechosa, si se la juzga por consideraciones y probabilidades desprovistas de sentimentalismos.

–Pero usted la cree, ¿no es cierto? –le interrumpió Rose.

–Sí que la creo, con todo lo extraña que es, y quizá soy un viejo tonto por creerla –repuso el doctor–, pero no creo que sea precisamente lo que haya que contarle a un agente de policía experimentado.

–¿Por qué no? –preguntó Rose.

–Porque, mi linda inquiridora –respondió el doctor–, porque a sus ojos hay en ella muchos detalles turbios, pues el muchacho sólo puede probar cosas que producen mal efecto y ninguna que parezca bien. Esos demonios *quieren* saber el cómo y el porqué y no darán nada por supuesto. Según su propio testimonio, ya ha visto usted, que ha sido compañero de ladrones durante algún tiempo, que fue llevado a la comisaría acusado de vaciarle el bolsillo a un caballero, que lo condujeron a la fuerza de la casa de este caballero a un lugar que no puede describir o indicar y de cuya ubicación no tiene ni la más remota idea. A Chertsey lo traen unos hombres que parecen haberse encaprichado violentamente de él y lo descuelgan por una ventana para robar en una casa, y luego, justo en el momento en que se dispone a advertir a los moradores, y hacer así la única cosa que le habría solucionado todo, se precipita en su camino un chucho mestizo disfrazado de mayordomo torpón ¡y le da un tiro! Como adrede para impedirle hacer algo para su provecho. ¿No ve usted todo esto?

–Claro que lo veo –respondió Rose sonriendo ante la impetuosidad del doctor–, pero aun y así no veo nada que condene al pobre niño.

–No –repuso el doctor–, ¡claro que no! ¡Benditos los luminosos ojos del sexo débil! Sea para bien o para mal, nunca ven más que un aspecto del asunto, que siempre es el que primero se les ofrece.

Tras desahogarse con aquel resultado de su experiencia, metió el doctor las manos en los bolsillos y volvió a pasear por la habitación más de prisa incluso que antes.

—Cuanto más pienso en ello –dijo el doctor–, más claro veo que habrá problemas y dificultades interminables si ponemos en conocimiento de estos hombres la verdadera historia del muchacho. Estoy seguro de que no la creerán, e incluso si al final no pueden hacerle nada, el hecho de contarla y divulgar todas las sospechas que ocasione obstaculizará su benévolo propósito de librarle del infortunio.

—¡Oh! ¿Qué ha de hacerse? –gritó Rose–. ¡Dios mío! ¿Por qué mandaron llamar a esos hombres?

—Eso, ¿por qué? –exclamó la señora Maylie–. Yo no los habría traído aquí por nada del mundo.

—Todo lo que sé –dijo el señor Losberne, sentándose finalmente con una especie de serena desesperación– es que tenemos que enfrentarnos al asunto y resolverlo sin titubeos. El fin es bueno y eso será lo que nos excuse. El muchacho tiene claros síntomas de fiebre, condición suficiente para que no vuelva a hablársele, y eso es ya un consuelo. Debemos sacar el mejor partido de ello y, si en este caso lo malo es lo mejor, no es culpa nuestra. ¡Adelante!

—Bueno, jefe –dijo Blathers, entrando en la habitación seguido de su colega y cerrando bien la puerta antes de volver a hablar–. Esto no ha sido cosa amañada.

—¿Y qué diablos es una cosa amañada? –preguntó el doctor con impaciencia.

—Nosotros lo llamamos un robo amañado, señoras –dijo Blathers, volviéndose a las damas como compadeciéndose de su ignorancia, y con desdén hacia la del doctor–, cuando la servidumbre está en el ajo.

—Nadie sospecha de ellos en este caso –dijo la señora Maylie.

—Es mu probable que no, señora –repuso Blathers–, pero puede que estuvieran en ello, de todas formas.

—Más probablemente por esa misma razón –dijo Duff.

–Hemos averiguado que se trata de una mano urbana –dijo Blathers continuando su informe–, pues la técnica del trabajo es de primera categoría.

–Mu bonito de verdad –observó Duff a media voz.

–Había dos en ello –continuó Blathers– y llevaban a un muchacho, eso está claro por las dimensiones de la ventana. Eso es todo lo que se puede decir por el momento. Veamos ya a ese mozo que tienen arriba, si les parece.

–Quizá deseen beber algo antes, ¿eh, señora Maylie? –dijo el doctor, ilulminándosele el rostro como si se le hubiera ocurrido una nueva idea.

–¡Oh, claro que sí! –exclamó Rose solícita–. En seguida serán servidos, si lo desean.

–Pues, ¡muchas gracias, señorita! –dijo Blathers, pasándose la manga del abrigo por la boca–; es trabajo seco, este oficio nuestro. Cualquier cosa que tenga a mano, señorita, no se moleste mucho a cuenta nuestra.

–¿Qué va a ser? –preguntó el doctor, siguiendo a la joven hasta el aparador.

–Una pintita de alcohol, jefe, si le da igual –repuso Blathers–. Es un viaje frío desde Londres, señora, y a mí siempre me parece que el alcohol le calienta a uno el sentimiento.

Esta interesante declaración se dirigía a la señora Maylie, que la acogió cortésmente. Mientras le era comunicada, el doctor se escabulló de la habitación.

–¡Ah! –dijo el señor Blathers cogiendo la copa, no por el pie, sino asiendo el fondo entre el pulgar y el índice de la mano izquierda y llevándosela a la altura del pecho–. Yo he visto muchas operaciones como ésta en mi vida, señoras.

–Como aquella fractura en una calleja trasera en Edmonton, Blathers –dijo el señor Duff, ayudando a recordar al señor Blathers.

–Aquello fue algo como aquí, ¿verdad? –dijo el señor Blathers–; y lo hizo Napiolas Chickweed, sí señor.

–Siempre se lo atribuyes a él –repuso Duff–. Fue el Mimao del Hampa, te digo. El Napiolas no tuvo que ver en aquello más que yo.

–¡Anda allá! –replicó el señor Blathers–. ¿No lo sabré yo? ¿O quieres decir aquella vez que le robaron el dinero a Napiolas? ¡Menudo follón! ¡Mejor que cualquier novela que *yo* haya visto!

–¿Qué fue? –preguntó Rose deseosa de fomentar cualquier síntoma de buen humor en los inoportunos visitantes.

–Fue un robo, señorita, que difícilmente hubieran podido apretarle las clavijas a nadie por él –dijo Blathers–. Este Napiolas Chickweed que le digo...

– Napiolas significa Narizotas, señora –interrumpió Duff.

–La señora sabe eso, hombre, ¿no es cierto? –preguntó el señor Blathers–. ¡Siempre estás interrumpiendo, colega! Pues este Napiolas Chickweed que le digo, señorita, tenía una taberna cerca de Battlebridge, y una bodega adonde iban muchos señoritos a ver peleas de gallos y acoso de tejones[1] y cosas de ésas; y era mu intelectual la manera de organizarse estos deportes allí, que yo los vi muchas veces. Por aquel tiempo no pertenecía al hampa y una noche le robaron trescientas veintisiete guineas en un talego de lona, que le quitó de la alcoba en la oscuridad de la noche un hombre alto con un parche en un ojo, que se había escondido bajo la cama y que después de cometer el robo saltó por la ventana, que sólo estaba a un piso de altura. Se le hizo mu rápido,

---

1. Práctica que consistía en meter un tejón en un tonel y soltar perros para ver cuál de ellos lo sacaba primero.

pero el Napiolas era rápido también, pues el ruido le despertó y saltó de la cama como una flecha y disparó un trabuco tras otro y despertó a todo el vecindario. Se organizó en seguida un escándalo y cuando fueron a ver encontraron que el Napiolas había alcanzado al ladrón, pues había rastro de sangre todo el camino hasta una estacada a un buen trecho de allí, y allí se perdía. Pero el otro había conseguido escapar con la guita y en consecuencia el nombre del señor Chickweed, espandidor autorizado de bebidas alcohólicas, salió en la Gaceta entre otros arruinados, y se reunió toda clase de ayudas y suscripciones y no sé qué más para aquel pobre hombre, que se hallaba con el ánimo por los suelos con aquella pérdida y anduvo por las calles tres o cuatro días tirándose del pelo de forma tan desesperada, que mucha gente creyó que acabaría quitándose de en medio. Un día llegó corriendo a la comisaría y se entrevistó en privado con el juez, que después de hablar un montón, va y toca la campanilla y ordena que entre Jem Spyers (que era policía de paisano) y le dice que vaya a ayudar al señor Chickweed a apresar al hombre que robó en su casa. «Spyers», dijo Chickweed, «ayer mañana le vi pasar por delante de mi casa.» «¿Por qué no fue a él y le agarró por el cuello?», dijo Spyers. «Me quedé tan pasmao, que me podían haber cascao la calavera con un mondadientes», dice el pobre hombre, «pero seguro que lo tenemos, pues volvió a pasar por la noche entre las diez y las once.» En cuanto Spyers oyó aquello se metió en el bolsillo algo de ropa limpia y un peine, en caso de que tuviera que quedarse un día o dos, y andando que se va y se coloca en una ventana de la taberna, detrás de la cortinilla roja, con el sombrero puesto, preparado para salir disparado a la mínima señal. Allí estaba fumando en pipa, entrada ya la noche, cuando de pronto Chickweed va y ruge: «¡Ahí está! ¡Al ladrón! ¡Que me matan!». Sale Jem Spyers como una flecha y allí encuentra a Chickweed comiéndose la calle a grito pelado. Spyers sale corriendo, Chickweed continúa adelante, la gente se vuelve, todo el mundo grita: «¡Ladrones!», y el mismo Chickweed continúa gritando sin parar como un loco. Al doblar una esquina Spyers le pierde de vista un segundo, la dobla él también a toda velocidad, ve un grupo de gente, se precipita en él. «¿Quién es?» «¡Maldición!», dice Chickweed, «¡Otra vez lo he perdido!» Era cosa extraordinaria, pero no había rastro de él por ninguna parte, así que se volvieron a la taberna. A la mañana siguiente Spyers volvió a su puesto y desde detrás de la cortina se quedó al acecho de un hombre alto con un parche en el ojo hasta que volvió a tener los dos suyos doloridos. Finalmente no pudo evitar cerrarlos un segundo para que descansaran y en el mismo momento en que lo hacía, oye a Chickweed que brama: «¡Aquí está!». Sale otra vez disparado, con Chickweed a mitad de camino corrriendo por la calle delante de él y, después de una carrera el doble de larga que el día antes, ¡el hombre desaparece otra vez! Esto pasó una o dos veces más hasta que la mitad de los vecinos empezaron a decir que al señor Chickweed le había robado el diablo, que seguía gastándole bromas después, y la otra mitad que el pobre señor Chickweed se había vuelto loco de pena.

–¿Qué dijo Jem Spyers? –preguntó el doctor, que había vuelto a la habitación poco después de comenzada la historia.

–Jem Spyers –continuó el agente– no dijo nada de nada por largo tiempo y escuchaba todo haciendo como que no, lo que quiere decir que conocía su oficio. Pero una mañana llega a la barra y sacando la caja de rapé va y dice: «Chickweed, ya he averiguado quién hizo el robo aquel». «¿Sí?», dijo Chickweed. «Ay, amigo Spyers, déjeme únicamente vengarme y moriré contento. Ay, amigo Spyers, ¿dónde está el canalla?» «¡Vamos, hombre!», dijo Spyers, ofreciéndole una pizca de rapé. «¡Basta ya de bromas! Fuiste tú.» Y así era, y un buen puñado de dinero que sacó con ello, y nadie lo habría averiguado, si no se hubiera andado con tantos tiquismiquis para guardar las apariencias –dijo el señor Blathers, dejando la copa y haciendo chocar una esposa con otra.

–Curiosísimo en verdad –observó el doctor–. Ahora, si les parece, pueden subir arriba.

–Si a *usted* le parece –respondió el señor Blathers.

Pegados al señor Losberne subieron los dos agentes al dormitorio de Oliver, con el señor Giles a la cabeza del grupo con una vela encendida.

Oliver había estado dormido, pero tenía peor aspecto y más fiebre que la que había parecido tener hasta entonces. Ayudado por el doctor consiguió incorporarse durante un minuto o así y miró a los desconocidos sin entender en absoluto qué estaba pasando, en realidad sin parecer recordar dónde se hallaba o qué había sucedido.

–Éste –dijo el señor Losberne en voz baja pero con gran vehemencia–, éste es el mozo que, herido accidentalmente por una escopeta de aire al meterse a jugar en los terrenos del señor No-sé-cómo-se-llama, en las traseras de aquí, llegó a la casa esta mañana pidiendo ayuda e inmediatamente se apoderó de él y lo maltrató este diestro caballero que tiene la vela en la mano, que puso su vida en gran peligro, como puedo certificar profesionalmente yo.

Los señores Blathers y Duff miraron al señor Giles mientras se le encarecía a su atención. El atónito mayordomo trasladó su mirada de ellos a Oliver y de Oliver al señor Losberne con una ridiculísima mezcla de miedo y estupefacción.

—Supongo que no tendrá intención de negarlo, ¿eh? —dijo el doctor, volviendo a dejar cuidadosamente que Oliver se echara.

—Todo se hizo con... con la mejor intención, señor —respondió Giles—. Estoy seguro de haber pensado que era el mismo muchacho, que si no, no me habría metido con él. Yo no soy inhumano de mi natural, señor.

—¿Pensó que era qué muchacho? —preguntó el agente de más grado.

—¡El muchacho de los ladrones, señor! —repuso Giles—. Tenían... seguro que tenían un muchacho.

—¿Y qué? ¿Piensa ahora lo mismo? —preguntó Blathers.

—¿Pensar qué? —repuso Giles con la mirada perdida en su interlocutor.

—¿Que es el mismo muchacho, estúpido? —preguntó Blathers impaciente.

—No lo sé; en realidad no lo sé —dijo Giles con pesaroso semblante—. No podría jurar que fuera él.

—¿A usted qué le parece? —preguntó el señor Blathers.

—No sé qué me parece —replicó el pobre Giles—. No creo que sea el mismo muchacho; en realidad estoy casi seguro de que no lo es. Ya ven ustedes que no puede serlo.

—¿Ha estado bebiendo este hombre, señor? —preguntó Blathers, volviéndose al doctor.

—¡Buen atolondrao estás hecho! —dijo Duff, dirigiéndose al señor Giles con sumo desprecio.

Durante aquel breve diálogo el señor Losberne había estado tomando el pulso del paciente, pero ahora se levantó de la silla junto a la cama y manifestó que, si a los agentes les cabía alguna duda sobre el asunto, quizá desearan pasar a la habitación contigua y que Brittles compareciera en su presencia.

Obrando de conformidad con tal sugerencia se trasladaron a una estancia contigua, donde el señor Brittles, tras ser convocado, se metió y metió a su respetado superior en tan fenomenal laberinto de nuevas contradicciones e imposibilidades, que no echaron luz ninguna sobre nada salvo sobre el hecho de su propio y grandísimo engaño, exceptuadas, por supuesto, sus declaraciones de que no reconocería al verdadero muchacho si se lo pusieran delante, que sólo lo había confundido con Oliver porque el señor Giles había dicho que era el mismo, y que el señor Giles había admitido cinco minutos antes en la cocina que empezaba a temerse mucho que se había precipitado un poquito.

Entre otras ingeniosas hipótesis se planteó entonces la cuestión de si en realidad el disparo del señor Giles había alcanzado a alguien y, tras inspeccionarse la pistola gemela de la que había utilizado, resultó que no tenía carga más destructiva que pólvora y papel de estraza, descubrimiento aquel que causó considerable impresión en todo el mundo, excepto en el doctor, que había retirado la bala unos diez minutos antes. A nadie le causó más impresión, empero, que al propio señor Giles, que, tras pasar varias horas temiendo haber herido mortalmente a un congénere, se aferró firmemente a aquella idea y la apoyó con todas sus fuerzas. Finalmente los agentes, sin preocuparse mucho de Oliver, dejaron al alguacil de Chertsey en la casa y se fueron a pernoctar al pueblo, prometiendo que volverían a la mañana siguiente.

Con la mañana llegó el rumor de que dos hombres y un muchacho estaban en el calabozo de Kingston tras haber sido detenidos durante la noche en sospechosas circunstancias, y en consecuencia a Kingston se encaminaron los señores Blathers y Duff. No obstante, habiéndose reducido las sospechosas circunstancias –tras las indagaciones debidas–, al simple hecho de que se les había descubierto durmiendo debajo de un almiar, cosa que, aunque enorme delito, se castiga sólo con la cárcel y se considera, a los misericordiosos ojos de la ley inglesa y su universal cariño por todos los súbditos del rey, que no consituye prueba satisfactoria –a falta de cualquier otro testimonio–, de que el durmiente o los durmientes hayan cometido robo acompañado de violencia y se hayan hecho así acreedores de la pena de muerte, los señores Blathers y Duff regresaron tan enterados como habían ido.

En resumen, que tras algún interrogatorio más y mucha más conversación, se convenció fácilmente a un juez cercano de que la señora Maylie y el señor Losberne conjuntamente salieran fiadores de Oliver en caso de que fuera llamado a comparecer, y, recompensados con un par de guineas, Blathers y Duff regresaron a la ciudad con divergencia de opiniones sobre el motivo de su viaje, el último de estos caballeros inclinándose a creer, tras sopesada consideración de todas las circunstancias, que el intento de robo tenía su origen en el Mimao del Hampa, y el primero no menos dispuesto a atribuir todo el mérito del mismo al gran Don Napiolas Chickweed.

Mientras tanto Oliver prosperaba poco a poco y se recobraba con los cuidados conjuntos de la señora Maylie, de Rose y del bondadoso señor Losberne. Si en el cielo se escuchan las plegarias fervorosas que brotan de corazones rebosantes de gratitud –¿qué son las plegarias, si no?–, las bendiciones que el huérfano pidió para ellos penetraron en sus almas difundiendo paz y felicidad.

Capítulo 32

De la vida feliz que Oliver empezó a disfrutar con sus buenos amigos

Las dolencias de Oliver no eran ni leves ni pocas. Además de los dolores y el lento restablecimiento que conlleva un miembro quebrado, la humedad y el frío a que había estado expuesto le producían calenturas y fiebres intermitentes, que le anduvieron rondando muchas semanas y le sumieron en un deplorable estado de debilidad. Pero, al cabo, empezó paulatinamente a mejorar y a poder decir en más de una ocasión y con unas cuantas palabras llorosas cuán hondo le llegaba la bondad de las dos dulces damas y cuán ardientemente deseaba, cuando volviera a ponerse fuerte y bueno, poder hacer algo para mostrarles su agradecimiento, algo que les revelara el cariño y reconocimiento que le henchía el corazón, algo que, por muy insignificante que fuera, les demostrara que no habían malgastado su cariñosa bondad, sino que el pobre muchacho a quien con su caridad habían rescatado del infortunio o de la muerte anhelaba servirlas con toda el alma y de todo corazón.

–¡Pobrecillo! –dijo Rose cuando un día Oliver intentaba pronunciar débilmente unas palabras de agradecimiento que subían a sus pálidos labios–. Muchas serán las ocasiones que tendrás de servirnos, si lo deseas. Vamos a ir al campo y mi tía tiene intención de que nos acompañes. La tranquilidad del lugar, el aire puro y todas las delicias y bellezas de la primavera te restablecerán en pocos días. Te ocuparemos en mil cosas cuando puedas soportar la molestia que conllevan.

–¿La molestia? –gritó Oliver–. ¡Oh, querida señorita!, si me fuera posible trabajar para usted, si me fuera posible complacerla regándole las flores, cuidándole los pájaros o corriendo de un lado para otro el día entero por hacerla feliz, ¿qué no daría por hacerlo?

–No darás nada de nada –dijo la señorita Maylie, sonriendo–, pues, como te dije antes, te ocuparemos en mil cosas, y con la mitad de la molestia que te tomes en complacernos, que prometes ahora, me harás muy feliz de verdad.

–¡Feliz, señorita! –exclamó Oliver–. ¡Qué buena es usted diciéndome eso!

–Me harás más feliz de lo que pueda decirte –replicó la joven–. Sólo pensar que mi tiíta querida ha sido el instrumento para salvar a alguien de tan lamentable miseria como nos has contado sería para mí placer inenarrable, pero saber que el receptor de su bondad y compasión está sinceramente agradecido y lleno de cariño, eso me satisface más que todo lo que puedas imaginarte. ¿Me entiendes? –preguntó, mirando el pensativo rostro de Oliver.

–¡Oh, sí, señorita, sí! –respondió Oliver anhelosamente–, pero estaba pensando que ahora estoy siendo desagradecido.

–¿Con quién? –preguntó la joven.

–Con el bondadoso caballero y la querida vieja aya que me cuidaron tan bien antes –repuso Oliver–. Si supieran lo feliz que soy, seguro que se alegrarían.

–Seguro que sí –afirmó la bienhechora de Oliver–, y el señor Losberne ha sido tan amable, que ya me ha prometido llevarte a verlos cuando estés suficientemente repuesto para hacer el viaje.

–¿De verdad, señorita? –gritó Oliver, iluminándosele la cara de contento–. No puedo imaginar lo alegre que me pondré cuando vuelva a ver sus bondadosas caras.

En poco tiempo se recuperó Oliver lo suficiente para soportar las molestias de tal expedición. Y así, una mañana él y el señor Losberne se pusieron en camino en un pequeño carruaje de la señora Maylie. Al llegar al puente de Chertsey, Oliver palideció sobremanera y profirió una sonora exclamación.

–¿Qué pasa contigo, muchacho? –gritó el doctor, agitadísimo como de costumbre–. ¿Ves algo..., oyes algo..., te pasa algo..., eh?

–Allí, señor –gritó Oliver, señalando por la ventanilla del carruaje–. ¡Aquella casa!

–Sí, bueno, ¿qué pasa con ella? Alto, cochero. Pare ahí –gritó el doctor–. ¿Qué pasa con la casa, eh, mocito?

–Los ladrones... ¡ésa es la casa adonde me trajeron! –dijo Oliver en voz baja.

–¡Demonios! –gritó el doctor–. ¡Ea! ¡Deje que me baje!

Pero antes de que el cochero pudiera apearse del pescante, ya se había bajado del coche de alguna extraña manera, corría hasta el solitario edificio y empezó a dar patadas en la puerta como un loco.

–¡Hombre! –dijo un hombrecillo feo y jorobado, abriendo la puerta tan de repente, que el doctor casi se cae de bruces en el pasillo con el ímpetu de la última patada–. ¿Qué pasa aquí?

–¿Que qué pasa? –exclamó el otro, agarrándole por el cuello sin reflexionar un momento–. Mucho. Pasa que ha habido un robo.

–Y habrá también un asesinato –replicó el jorobado fríamente–, si no me quita las manos de encima. ¿Me oye?

—Le oigo –dijo el doctor, dando un enérgido meneo a su presa–. ¿Dónde está ese...?, que el cielo le confunda, ¿cómo se llama ese granuja...? Sikes, eso es. ¿Dónde está Sikes, eh, ladrón?

El jorobado se le quedó mirando, presa de gran asombro e indignación y luego, retorciéndose hábilmente, se liberó del agarrón del doctor, soltó una andanada de horribles juramentos y entró en la casa. Mas, antes de que pudiera cerrar la puerta, el doctor se había metido hasta la sala sin más palabras. Miró ansiosamente a todas partes: ningún mueble, ningún ápice de nada, animado o inanimado, ni incluso la disposición de los armarios respondía a la descripción de Oliver.

—¡Pero, bueno! –dijo el jorobado, que le había estado mirando con gran atención–. ¿Qué es lo que pretende usted entrando en mi casa de tan violenta manera? ¿Quiere usted robarme, o matarme? ¿Cuál de los dos?

—¿Vio usted jamás a alguien que saliera a hacer lo uno o lo otro en coche y con dos caballos, viejo vampiro ridículo? –dijo el irascible doctor.

—¿Qué quiere, entonces? –preguntó el jorobado–. ¿Va a largarse de aquí antes de que le desgracie? ¡Maldito!

—En cuanto me parezca conveniente –dijo el señor Losberne, mirando en la otra sala, que, como la primera, no guardaba parecido alguno con la descripción que de ella diera Oliver–. Algún día le desenmascararé, amigo.

—¿De verdad? –dijo burlonamente el grotesco engendro–. Si quiere verme, aquí estoy. No llevo viviendo aquí veinticinco años loco y completamente solo para que me asuste usted. Ya me las pagará, ya me las pagará.

Y así diciendo, el deforme diablillo lanzó un horrible chillido y se puso a patalear como loco de rabia.

–Menuda metedura de pata –balbució el doctor para sí–. El muchacho debe de haberse equivocado. ¡Tome! Guárdese esto en el bolsillo y cállese ya.

Con aquellas palabras arrojó al jorobado una moneda y se volvió al carruaje.

Siguióle el hombre hasta la puerta del vehículo sin parar de proferir las más horribles imprecaciones y maldiciones, y, en lo que el señor Losberne se volvió a hablar al cochero, se asomó al interior del carruaje y miró a Oliver un instante con una mirada tan penetrante y fiera y al mismo tiempo tan furiosa y vengativa, que, dormido o despierto, el muchacho no pudo olvidarla durante meses. Continuó lanzando los más temibles improperios hasta que el cochero hubo vuelto a ocupar su asiento y, cuando ya estaban de nuevo en el camino, podían verlo a cierta distancia detrás, pateando en el suelo y mesándose el cabello en arrebatos de frenética furia.

–¡Soy un asno! –dijo el doctor tras largo silencio–. ¿Lo sabías, Oliver?

–No, señor.

–Entonces no lo olvides para otra vez. –Y, tras otro silencio de varios minutos, volvió a decir el doctor:– Un asno. Incluso si hubiera sido la casa y los individuos hubieran estado en ella, ¿qué podría haber hecho yo solo? Y, aunque hubiera tenido ayuda, no veo cuál es el provecho que hubiera conseguido, sino haberme expuesto y tener que confesar ineludiblemente la manera como he acallado este asunto. Aunque eso me habría estado bien. Siempre estoy metiéndome en un lío u otro por obrar impulsivamente. Quizá me hubiera venido bien.

Mas la realidad era que el excelente doctor jamás en la vida había obrado sino impulsivamente, y no era pequeño cumplido a la naturaleza de los impulsos que le regían el hecho de que, lejos de incurrir en algún contratiempo o desgracia particular, gozaba del más afectuoso respeto y estima de todo el que le conocía. Si ha de decirse la verdad, estuvo un tanto fuera de sí, durante un minuto o dos, al sentirse decepcionado por no conseguir pruebas que corroboraran la historia de Oliver en la primera ocasión que tuvo de obtenerlas. Pero pronto volvió a ser quien era y, como viera que las respuestas de Oliver a sus preguntas seguían siendo igual de claras y coherentes y que las expresaba con los mismos visos de sinceridad y verdad, decidió darles pleno crédito de allí en adelante.

Como Oliver sabía el nombre de la calle en que residía el señor Brownlow, pudieron dirigirse hasta allá directamente. Cuando el coche entró en ella, el corazón le latía con tanta fuerza, que apenas si podía respirar.

–Bueno, mocito, ¿qué casa es? –preguntó el señor Losberne.

–¡Aquélla! ¡Aquélla! –respondió Oliver, señalando entusiasmado por la ventanilla–. La blanca. ¡Oh, de prisa, de prisa, por favor! Siento como si me fuera a morir, de tanto que me hace temblar.

–Vamos, vamos –dijo el buen doctor, dándole unas palmaditas en el hombro–. En seguida los verás y se pondrán locos de alegría al ver que estás sano y salvo.

–¡Oh, así lo espero! –gritó Oliver–. Fueron tan buenos conmigo, tan buenísimos conmigo.

Continuó el coche. Se detuvo. No, aquélla no era la casa, sino la siguiente. Continuó unos cuantos pasos y volvió a detenerse. Oliver alzó los ojos hacia las ventanas con lágrimas de gozosa expectativa corriéndole por el rostro.

Mas ¡ay!, la casa blanca estaba vacía y había un letrero en la ventana: «Se alquila».

–Llama a la puerta de al lado –gritó el señor Losberne, tomando del brazo a Oliver–. ¿Sabe usted qué ha sido del señor Brownslow, que vivía en la casa de al lado?

La criada no sabía, pero dijo que iría a preguntar. Volvió luego y dijo que hacía seis semanas que el señor Brownlow había vendido todos sus bienes y marchado a las Antillas. Oliver se restregó las manos y retrocedió vacilante.

–¿Se fue también su ama de llaves? –preguntó el señor Losberne tras una pausa.

–Sí, señor –respondió la criada–. El anciano, el ama de llaves y un señor, amigo del señor Brownlow, se fueron todos juntos.

–Entonces, de vuelta para casa –dijo el señor Losberne al cochero–, ¡y no pares a echar de comer a los caballos hasta que no salgamos de este condenado Londres!

–¿Y el librero, señor? –dijo Oliver–. Yo sé ir allí. Vaya a verlo, por favor, señor. ¡Véalo!

–Mi pobre muchachito, esto es decepción suficiente por hoy –dijo el doctor–. Suficiente para los dos. Si vamos al librero, seguro que hallaremos que ha muerto o que puso fuego a su casa o huyó. No, ¡de vuelta para casa en seguida!

Y, obedeciendo al impulso del doctor, a casa volvieron.

Aquella amarga decepción produjo en Oliver mucha pena y aflicción, incluso en medio de su felicidad, pues muy a menudo mientras duró su enfermedad, se había complacido en imaginar todo lo que el señor Brownlow y la señora Bedwin le dirían y lo agradable que sería contarles cuántos largos días y noches había pasado meditando en lo que habían hecho por él y lamentando la crueldad de separarse de ellos. Y también que la esperanza de disculparse finalmente ante ellos y explicarles cómo había sido llevado a la fuerza le había alentado y sostenido en muchas de sus últimas aflicciones, y que ahora la idea de que se hubieran marchado tan lejos con la creencia de que era un impostor y un ladrón –creencia que podría permanecer sin refutación hasta el día de su muerte–, era casi más de lo que podía soportar.

Aquella circunstancia no produjo cambios, empero, en la conducta de sus bienhechores. Al cabo de otra quincena, cuando hubo llegado el tiempo bueno y cálido y todos los árboles y flores echaban sus hojitas y abrían sus espléndidos capullos, hicieron preparativos para marchar de la casa de Chertsey por unos meses. Tras enviar al banco la vajilla que tanto había excitado la codicia de Fagin y dejar a Giles y a otro criado al cuidado de la casa, marcharon a un chalecito a cierta distancia en el campo, llevándose a Oliver consigo.

¿Quién podrá describir el placer y deleite, la paz de espíritu y la apacible calma que el delicado muchacho sintió en el aire embalsamado y en las verdes colinas y espesos bosques de un pueblecito de tierras adentro? ¿Quién podrá contar cómo en el espíritu de aquellos a quienes abruma el dolor de vivir en ruidosas aglomeraciones penetran los paisajes de paz y quietud cuando llegan con la pureza de su frescura hasta el fondo de sus exhaustos corazones? Gentes que se mataron a trabajar entre calles atestadas y estrechas y que nunca sintieron ganas de cambiar, gentes en quienes la rutina fue una segunda naturaleza y que casi llegaron a encariñarse con cada ladrillo y cada piedra de los que formaban los reducidos límites de sus cotidianos callejeos, incluso a éstos, con la mano de la muerte ya encima, se los ha visto anhelando al cabo un resquicio del rostro de la Naturaleza, y han pasado inmediatamente a un nuevo estado de ser cuando se les ha llevado lejos del escenario de sus anteriores sufrimientos y placeres. Llegan arrastrándose un día y otro a algún lugar verde y soleado, y allí se les despiertan tales recuerdos a la vista del cielo, la colina, la llanura y el agua reluciente, que es como un bocadito de cielo anticipado que aliviara su rápido ocaso, y descienden al sepulcro tan plácidamente como el sol cuyo crepúsculo contemplaron desde la ventana de su solitaria alcoba sólo unas horas antes al difuminarse ante sus ojos débiles y apagados. Las imágenes que los campestres paisajes evocan no son de este mundo ni de sus preocupaciones y deseos. Su suave influencia puede enseñarnos a tejer frescas guirnaldas para la tumba de aquellos que amamos, puede purificar nuestros pensamientos y rendir a sus pies la enemistad y el odio antiguos, pero, por debajo de todo esto late en la mente menos dada a la reflexión la vaga y todavía informe conciencia de haber experimentado tales sensaciones mucho antes, en alguna época remota y distante que evoca solemnes pensamientos de un futuro lejano y somete el orgullo y el mundanal ruido.

Era amenísimo lugar aquel donde fueron. Oliver, que había pasado sus días entre inmundas muchedumbres y rodeado de ruidos y reyertas, parecía entrar allí en una nueva existencia. La rosa y la madreselva se abrazaban a las paredes del chalecito, la yedra se enroscaba trepando por los troncos de los árboles, y las flores del jardín perfumaban el aire con deliciosos aromas. Había muy cerca una iglesita con su camposanto, no abarrotado de elevadas y feas lápidas, sino lleno de modestos montículos cubiertos de césped y musgo frescos, bajo los cuales reposaban los viejos de la aldea. Oliver erraba a menudo por allí y, pensando en la miserable tumba donde yacía su madre, se sentaba a veces y sollozaba sin ser visto, pero, cuando alzaba los ojos a la inmensidad del cielo que tenía encima, dejaba de pensar que yaciera en el suelo y lloraba tristemente pero sin dolor por ella.

Tiempo feliz aquel. Los días eran apacibles y tranquilos, las noches libres de temores y cuidados, lejos el languidecer en mísera prisión o reunirse con hombres miserables, nada sino pensamientos agradables y felices. Cada mañana iba a ver a un anciano peliblanco que vivía cerca de la pequeña iglesia, que le enseñaba a mejorar la lectura y a escribir, y que hablaba de manera tan amable y se tomaba tantas molestias, que Oliver nunca pensaba que hacía lo suficiente para complacerle. Luego solía pasear con la señora Maylie y con Rose, oyéndoles hablar de libros, o, si no, se sentaba junto a ellas en algún sombreado lugar y escuchaba mientras la joven leía, cosa que él mismo habría hecho, hasta que era demasiado oscuro para ver las letras. Luego tenía que prepararse la lección para el día siguiente y en ello trabajaba afanosamente en un cuartito que daba al jardín hasta que el anochecer empezaba a caer lentamente y las damas volvían a salir y él con ellas, escuchando con tanto agrado todo lo que decían y tan contento si se les antojaba una flor que él podía alcanzar trepando u olvidaban algo, que él podía ir a buscar corriendo, que nunca le parecía hacerlo con suficiente celeridad. Cuando la noche caía del todo y regresaban a casa, la joven se sentaba al piano e interpretaba alguna agradable melodía o cantaba con voz sonora y dulce alguna vieja canción que gustaba escuchar su tía. No se encendían velas en semejantes ocasiones y Oliver se sentaba junto a una ventana a escuchar la suave música mientras una furtiva lágrima de serena alegría le corría por el rostro.

Y cuando llegaba el domingo, ¡cuán distinto era el día de aquellos que había pasado hasta entonces! ¡Y qué feliz, como todos los demás días de aquella felicísima temporada! Por la mañana la pequeña iglesia, con las hojas verdes que revoloteaban tras las ventanas, los pájaros que cantaban fuera y el aire de suaves aromas que penetraba por el pequeño pórtico e inundaba el sencillo edificio de su fragancia. Las pobres gentes estaban tan limpias y aseadas y se arrodillaban a rezar con tanta reverencia, que el reunirse allí juntos era placer más que fastidioso deber y, aunque el canto fuera rudo, era auténtico y parecía más musical, a oídos de Oliver al menos, que todo lo que había oído jamás en una iglesia. Luego los paseos de costumbre y las muchas visitas a las casas limpias de los trabajadores, y por la noche Oliver leía uno o dos capítulos de la Biblia, que había estudiado durante la semana, y al cumplir este deber se sentía más orgulloso y complacido que si hubiera sido el mismísimo pastor.

Por la mañana Oliver ya estaba en pie a las seis, vagando por el campo y despojando setos a lo largo y a lo ancho para hacer ramilletes de flores silvestres con los que regresaba cargado a casa y que con gran cuidado y atención disponía de la mejor manera para adornar la mesa del desayuno. Para los pájaros de la señorita Maylie recogía también hierba cana tierna, con la cual Oliver, que había estado estudiando la materia bajo la calificada docencia del secretario del pueblo, adornaba las jaulas con acreditadísimo gusto. Cuando los pájaros estaban limpitos y guapos para todo el día, había casi siempre que hacer algún caritativo encargo en el pueblo, o, si no, había algunas veces unos fenomenales partidos de cricket en el ejido, o, si no, había algo que hacer en el jardín o con las plantas, a lo cual Oliver (que había estudiado también esta ciencia con el mismo maestro, que era jardinero de oficio) se aplicaba con entusiasmo, hasta que la señorita Rose aparecía y entonces recibía mil alabanzas por todo lo que había hecho.

Así transcurrieron tranquilamente tres meses, tres meses que habrían sido felicidad pura en la vida del más bendito y agraciado de los mortales y que en la de Oliver fueron de auténtica gloria. Con la generosidad más pura y afable por un lado y la gratitud más auténtica, viva y profunda por otro, no sorprende que al término de aquel breve periodo, Oliver Twist se hubiera compenetrado totalmente con la anciana y su sobrina y que el ferviente apego de su joven y sensible corazón fuera correspondido con el orgullo y apego que sentían hacia él.

Capítulo 33

En el que la felicidad de Oliver y sus amigos experimenta un brusco revés

La primavera se pasó rápidamente y llegó el verano. Si al principio el pueblecito había estado hermoso, se hallaba ahora en todo el esplendor y exuberancia de su preciosidad. Los árboles grandes, que en los anteriores meses parecieran encogidos y desnudos, reventaban ahora de vida y lozanía y, extendiendo sus verdes brazos sobre el sediento suelo, transformaban parajes abiertos y pelados en recogidísimos rincones, proyectando una sombra intensa y agradable desde la cual se divisaba el amplio panorama, bañado de sol, que se extendía a lo lejos. La tierra se había puesto su manto de verde más intenso y exhalaba sus ricos perfumes. Era la plenitud y pujanza del año y todo reía y florecía.

La misma vida tranquila continuaba en el chalecito y la misma calma jubilosa prevalecía entre sus habitantes. Hacía tiempo que Oliver se había fortalecido y curado, pero la salud o la enfermedad no significaban cambio alguno en sus cálidos sentimientos hacia quienes le rodeaban, cosa que sucede con los sentimientos de muchísima gente. Seguía siendo el mismo ser dulce, apegado y afectuoso que cuando el dolor y el sufrimiento agotaron sus fuerzas y dependía para la más leve atención y comodidad de quienes lo cuidaban.

Una hermosa noche dieron un paseo más largo de lo que solían, pues el día había sido más caluroso que de costumbre, y había una luna brillante y se había levantado una brisa harto refrescante. Y además Rose se había mostrado muy animada y habían seguido andando en jovial conversación hasta que hubieron pasado con mucho los límites que acostumbraban. Como la señora Maylie se sintiera cansada, habían regresado a casa más despacio. Habiéndose despojado simplemente de su sencillo gorrito, la joven se sentó al piano como de costumbre y, tras juguetear distraídamente sobre el teclado unos minutos, acabó recogiéndose en una melodía grave y muy solemne, y, mientras así tocaba, oyeron los demás un como sollozo.

−¡Rose, querida! −dijo la anciana.

Rose no respondió, sino que siguió tocando un poco más de prisa, como si aquellas palabras la hubieran sacado de algún doloroso pensamiento.

−¡Rose, cariño! −gritó la señora Maylie, levantándose precipitadamente e inclinándose hacia ella−. ¿Qué sucede? ¡Estás llorando! Hijita querida, ¿qué es lo que te aflige?

−Nada, tía, nada −respondió la joven−. No sé lo que es. No puedo explicarlo, pero siento...

−¿No estarás enferma, cariño? −interrumpió la señora Maylie.

−¡No, no! ¡Oh, enferma no! −repuso Rose, estremeciéndose como si un escalofrío mortal la recorriera mientras hablaba−. Estaré bien en seguida. ¡Cierra la ventana, por favor!

Oliver se apresuró a satisfacer aquel ruego. Haciendo un esfuerzo por recuperar su optimismo, la joven procuró tocar una melodía más alegre, pero sus dedos caían sin fuerza sobre el teclado. Tapándose la cara con las manos, se hundió en un sofá y dio rienda suelta a sus lágrimas, que ya no podía contener.

–¡Hija mía! –dijo la anciana, estrechándola entre sus brazos–. Nunca te he visto así.

–No te asustaría si pudiera evitarlo –dijo Rose–, pero de verdad que lo he intentado con todas mis fuerzas y no lo he conseguido. Me temo que *estoy* enferma, tía.

Sí que lo estaba, pues cuando trajeron velas vieron que, en el brevísimo espacio que transcurriera desde que regresaron a casa, el color de su rostro se había vuelto blanco como el mármol. Sus facciones no habían perdido nada de su belleza, pero estaban alteradas y había en aquel dulce semblante una expresión de ansiedad y extravío que nunca había revestido antes. Un minuto después aparecía bañado por un resplandor carmesí y un profundo delirio se apoderó de aquellos ojos azules. Luego desapareció, como la sombra de una nube pasajera, y la muchacha volvió a quedarse pálida como la muerte.

Oliver, que observaba ansiosamente a la anciana, vio que aquellos fenómenos la alarmaban y a decir verdad también a él, mas, notando que ella hacía como si no pasara nada, trató de hacer lo mismo y tan bien lo hicieron que, cuando la tía convenció a Rose para que se retirara a pasar la noche, se hallaba de mejor ánimo e incluso parecía haberse puesto mejor y les aseguraba que sin duda por la mañana se levantaría bien del todo.

–Espero –dijo Oliver cuando la señora Maylie volvió– que no sea nada grave. No tiene buena cara ahora, pero...

La anciana le hizo señas de que se callara y, sentada en un oscuro rincón de la habitación, permaneció un rato en silencio. Al cabo, con temblorosa voz, dijo:

–Espero que no, Oliver. He sido muy feliz con ella algunos años, tal vez demasiado feliz. Es hora quizá de que me toque alguna desgracia, pero espero que no sea ésta.

–¿Cuál? –preguntó Oliver.

–El duro golpe –dijo la vieja dama– de perder a la chiquilla que durante tanto tiempo ha sido mi consuelo y felicidad.

–¡Oh, que Dios no lo permita! –se apresuró a exclamar Oliver.

–¡Así sea, hijo mío! –dijo la anciana, restregándose las manos.

–Seguro que no hay riesgo de nada tan horrible –dijo Oliver–. Hace dos horas estaba perfectamente bien.

–Ahora está muy enferma –dijo la señora Maylie–, y empeorará, estoy segura. ¡Mi queridísima Rose! ¡Ay! ¿Qué haría yo sin ella?

Tanto se dejó llevar de la pena, que Oliver, conteniendo su propia emoción se atrevió a reprochárselo y a pedirle encarecidamente que por mor de la querida joven se calmara.

–Y considere, señora –dijo Oliver mientras los ojos se le saltaban en lágrimas a pesar de sus esfuerzos por contenerlas–, considere lo joven y buena que es y el gusto y alivio que da a todos cuantos la rodean. Estoy seguro..., convencido..., totalmente convencido de que, por usted, que es tan buena, y por sí misma y por todos a quienes tan dichosos hace, no morirá. El cielo no la dejará morir tan joven.

–¡Chist! –dijo la señora Maylie, poniendo la mano en la cabeza de Oliver–. Piensas como un niño, pobre chiquillo. Pero me enseñas mi deber. Lo olvidé un momento, Oliver, pero espero que se me perdone, pues soy vieja y he visto enfermedades y muertes suficientes para conocer el dolor que dejan en los que quedan detrás. Y he visto de sobra para saber que no son siempre los jóvenes y los mejores quienes se salvan para quedarse con quienes los aman, aunque esto debería consolar nuestra aflicción, pues el cielo es justo y estas cosas nos enseñan, de manera ejemplar, que hay un mundo más luminoso que éste, y que el paso a él es rápido. ¡Que sea lo que Dios quiera! La amo, y sólo Él sabe cuánto.

A Oliver le sorprendió ver que mientras decía aquello la señora Maylie reprimió sus lamentos como con un único esfuerzo, y luego se irguió según hablaba y adoptó una actitud digna y firme. Se asombró aún más de ver que aquella firmeza duraba y que, con todos los cuidados y atenciones que se sucedieron, la señora Maylie estaba siempre dispuesta y tranquila, y que realizaba diligentemente todos los deberes que en ella recaían e incluso alegremente, a juzgar por las apariencias. Pero era joven y no sabía lo que un espíritu enérgico es capaz de hacer en circunstancias extremas. ¿Cómo podría si el propio interesado tan raramente lo sabe él mismo?

Siguió una noche de inquietud. Cuando llegó la mañana, los presagios de la señora Maylie se confirmaron sobradamente. Rose se hallaba en la primera fase de una fiebre alta y peligrosa.

–Tenemos que actuar, Oliver, y no dejarnos llevar por la congoja inútil –dijo la señora Maylie, llevándose el dedo a los labios y mirándole fijamente en la cara–; hay que enviar esta carta al señor Losberne con toda la urgencia posible. Hay que llevarla al pueblo, que no está a más de cuatro millas por el sendero que atraviesa los campos, y despacharla luego por correo a caballo directamente hasta Chertsey. La gente de la posada se encargará de ello y sé que puedo confiar en que ti para que así se haga.

Oliver no podía responder, pero notó que su ansiedad le desapareció al punto.

–Aquí tienes otra carta –dijo la señora Maylie, interrumpiéndose a pensar–, pero no sé bien si mandarla ahora o esperar a ver cómo va Rose. No la enviaría a menos que temiera lo peor.

–¿Es también para Chertsey, señora? –preguntó Oliver, impaciente por llevar a cabo el encargo y con la mano extendida y temblando para recibir la carta.

–No –respondió la anciana, dándosela maquinalmente.

Oliver la miró y vio que iba dirigida al señor Harry Maylie, en la casa de campo de algún señor importante, pero no podía saber dónde.

–¿La llevo, entonces, señora? –preguntó Oliver, mirando con impaciencia.

–Creo que no –respondió la señora Maylie, volviendo a tomarla–. Esperaré hasta mañana.

Diciendo lo cual dio a Oliver el monedero y él salió corriendo sin más dilaciones a toda la velocidad que podía.

Corrió velozmente a través de los campos y por los senderillos que aquí y allá los dividían, ora casi ocultos por las altas mieses a ambos lados, ora desembocando en un campo abierto en el que segadores y braceros se afanaban en su labor; y no se detuvo ni una vez, excepto unos segundos de vez en cuando para recuperar el aliento, hasta que llegó, sofocado y cubierto de polvo, a la placita del mercado del pueblo.

Allí se detuvo y miró alrededor buscando la posada. Había un banco blanco, una cervecería roja y un ayuntamiento amarillo, y en un rincón había una casa grande con todo su maderamen pintado de verde y una enseña delante que decía: «Rey Jorge». Allá se apresuró en cuanto la divisó.

Dirigióse a un postillón que dormitaba en el zaguán, quien, tras enterarse de lo que quería, le mandó al mozo de cuadra, quien, tras enterarse de lo que Oliver hubo de repetir, le mandó al dueño, que era un señor alto con fular azul, sombrero blanco, calzones pardos y botas con la caña a juego, que estaba recostado sobre la bomba del agua junto a la puerta de la cuadra, escarbándose los dientes con una biznaga de plata.

El caballero aquel caminó con mucha parsimonia hasta el bar para echar la cuenta, cosa que le tomó largo tiempo calcular, y una vez que estuvo echada y pagada hubo que ensillar un caballo, y hubo de prepararse un hombre, lo cual duró otros diez minutos. Mientras tanto Oliver se hallaba en tal desesperado estado de impaciencia y ansiedad, que ganas le dieron de saltar él mismo sobre el caballo y salir galopando a toda prisa hasta la siguiente posta. Al cabo estuvo todo dispuesto y, entregado el paquetito con muchas recomendaciones y ruegos de que se despachara prontamente, espoleó el hombre su caballo, hizo resonar los cascos sobre el irregular pavimento de la plaza del mercado y en un par de minutos estaba fuera del pueblo y galopando por el camino de portazgo.

Como podía estar seguro de que la ayuda llegaría y que no se había perdido tiempo alguno, Oliver atravesó rápidamente el patio de la posada con el pecho un tanto más desahogado. Salía por la puerta cuando casualmente tropezó con un hombre alto envuelto en una capa, que en aquel momento salía por la puerta de la posada.

–¡Vaya! –gritó el hombre, clavando los ojos en Oliver y retrocediendo súbitamente–. ¿Qué diablos es esto?

–Le pido disculpas, señor –dijo Oliver–. Tenía prisa por volver a casa y no le vi venir.

–¡Maldición! –balbució el hombre para sí, mirando fieramente al muchacho con sus ojos grandes y negros–. ¿Quién lo hubiera pensado? ¡Maldito sea, conseguiría salir de un sarcófago de mármol para ponerse en mi camino!

–Lo siento –titubeó Oliver, confundido por la loca mirada del desconocido–. Espero no haberle hecho daño.

–¡Malditos sean tus huesos! –masculló el hombre entre dientes, apretándolos en un terrible acceso de cólera–; si sólo hubiera tenido valor para decirlo, me habría librado de él en una noche. ¡Que te lluevan mil maldiciones y la muerte negra en el corazón, demonio! ¿Qué estás haciendo aquí?

El hombre agitaba el puño y rechinaba los dientes al pronunciar aquellas deshilvanadas palabras. Se adelantó hacia Oliver, como con intención de darle un golpe, pero, presa de un ataque, cayó violentamente al suelo retorciéndose y echando espumarajos.

Oliver se quedó mirando un instante los temibles esfuerzos del loco (pues por tal lo tuvo), y luego se precipitó al interior de la casa en busca de ayuda. Tras ver que no corría peligro, pues lo metían en la posada, se encaminó hacia casa, corriendo tanto como pudo para recuperar el tiempo perdido y recordando con harto asombro y algún miedo la singular conducta del individuo que dejaba atrás.

Mas aquel lance no le duró mucho en el pensamiento, pues, cuando llegó al chalecito había demasiado en que ocupar la mente para desterrar completamente de la memoria todas las preocupaciones propias.

Rose Maylie había empeorado rápidamente y antes de medianoche ya deliraba. Un médico del lugar estaba constantemente a su lado y, tras haber visto por vez primera a la paciente, había tomado aparte a la señora Maylie y le había anunciado que el mal era sumamente alarmante.

–De hecho –dijo–, sería poco más que milagroso que se recuperara.

¡Cuántas veces no saltó Oliver de la cama aquella noche y, deslizándose con sigilosos pasos hasta la escalera, no estuvo atento al más leve ruido en la alcoba de la enferma! ¡Cuántas veces no se estremeció su cuerpo entero y no brotaron de su frente frías gotas de terror cuando un repentino ruido de pasos le hizo temer que algo demasiado espantoso para pensarlo había ocurrido en aquel momento! ¡Y cuál pudo haber sido el fervor de todas las oraciones que hubiera articulado jamás, comparado con el de las que ahora derramaba en la angustia y frenesí de sus súplicas por la vida y salud de la dulce criatura que se tambaleaba al borde de la honda sepultura!

¡Ah, la ansiedad, la temible y punzante ansiedad de estar presentes sin poder hacer nada mientras la vida de alguien a quien queremos profundamente oscila en la balanza! ¡Ah, los atormentadores pensamientos que, agolpándose en la mente, hacen latir violentamente el corazón y comprimen la respiración bajo el impulso de las imágenes que evocan, el desesperado anhelo de *hacer algo* por aliviar el dolor o disminuir el peligro que no está en nuestro poder mitigar, el derrumbamiento del alma y del entendimiento que produce la triste constatación de nuestra impotencia! ¿Qué tormentos pueden igualarse a éstos, qué consideraciones o esfuerzos pueden aliviarlos en la vorágine y fiebre del momento?

Llegó la mañana y el solitario chalecito aparecía silencioso. La gente hablaba en susurros, de vez en cuando aparecían caras anhelantes a la puerta del jardín, mujeres y niños se iban llorando. A lo largo de todo el día y horas después del anochecer paseó Oliver calladamente de una parte a otra del jardín, alzando los ojos a cada instante hacia la alcoba de la enferma, estremeciéndose de ver la ventana en sombras, como si la muerte se hubiera aposentado dentro. Entrada ya la noche llegó el señor Losberne.

–Es cruel –dijo el buen doctor, retirándose del lecho–, tan joven, tan querida, pero hay pocas esperanzas.

Otra mañana más. El sol brillaba radiante, radiante como si no contemplara ninguna desgracia ni cuidado, y la hermosa y joven criatura yacía, consumiéndose de prisa, en medio de la plenitud de todas las hojas y flores, con la vida y la lozanía y los rumores e imágenes de la alegría rodeándola por doquier. Oliver se acercó al viejo camposanto y, sentado en uno de los verdes montículos, lloró y rezó por ella en silencio.

Había tanta paz y belleza en aquel cuadro, tanta luminosidad y alegría en el soleado paisaje, música tan gozosa en los cantos de los pajarillos veraniegos, tanta soltura en el velocísimo vuelo del grajo que cruzaba el cielo, tanta vida y júbilo en todo, que, cuando el muchacho levantó sus doloridos ojos y miró alrededor, le vino instintivamente el pensamiento de que aquél no era momento para la muerte, que seguro que Rose no podía morir cuando seres más sencillos estaban tan contentos y alegres, que los sepulcros eran para el invierno frío y melancólico, no para la luz del sol y la fragancia. Casi llegó a pensar que los sudarios son para los viejos y consumidos y que sus siniestros pliegues nunca envuelven a los jóvenes y gráciles.

La campana de la iglesia quebró bruscamente aquellas juveniles reflexiones con una fúnebre campanada. ¡Otra! ¡Y otra más! Tocaba a muerto. Entró por la puerta un grupo de humildes dolientes con cintas blancas, pues el difunto era joven. Permanecieron de pie descubiertos junto a una tumba, y había una madre –madre que fue– entre el lacrimoso cortejo. Pero el sol brillaba radiante y los pájaros continuaban cantando.

Oliver se volvió a casa, pensando en las muchas bondades que había recibido de la joven y deseando que volviera el momento en que pudiera continuar mostrándole sin cesar cuán agradecido y apegado a ella se sentía.

No encontraba motivo para reprocharse nada en lo que a descuido o a irreflexión tocaba, pues se había entregado plenamente a servirla y, sin embargo, se le representaban mil ocasioncillas en que le parecía que podía haber puesto más empeño y más entusiasmo, y deseaba que hubiese sido así. Hemos de poner cuidado en cómo tratamos a quienes nos rodean, ya que cada muerte evoca en el pequeño círculo de sobrevivientes pensamientos de lo mucho que se dejó de hacer y de lo poco que se hizo, y de tantas cosas olvidadas y muchas más que hubieran podido arreglarse, pues esos recuerdos se hallan entre los más amargos que podamos tener. No hay remordimiento más hondo que aquel que no sirve para nada; recordemos esto a tiempo si deseamos librarnos de sus tormentos.

Cuando Oliver llegó a casa, la señora Maylie estaba sentada en el saloncito. El corazón le dio un vuelco al verla, pues no se había apartado ni un momento de la cabecera de su sobrina, y se estremeció al pensar qué novedad podía haberla alejado de allí. Se enteró de que se había sumido en un sueño profundo, del cual se despertaría bien para recuperarse y vivir o para decirles adiós y morir.

Permanecieron sentados, atentos y sin atreverse a hablar, varias horas. La comida fue retirada sin que la probaran, y, con muestras de que tenían el pensamiento puesto en otra parte, contemplaron cómo el sol se hundía más y más hasta que al final esparció por cielo y tierra esos brillantes tonos que anuncian su partida. Sus atentos oídos percibieron el sonido de unos pasos que se acercaban. Instintivamente se precipitaron ambos hasta la puerta según entraba el señor Losberne.

–¿Qué hay de Rose? –gritó la anciana–. ¡Dígamelo en seguida! Podré soportarlo, ¡cualquier cosa menos esta incertidumbre! ¡Ah, dígame, en nombre del cielo!

–Debe usted sosegarse –dijo el doctor, sosteniéndola–. Cálmese, mi querida señora, por favor.

–¡Déjeme ver, en nombre de Dios! ¡Hija mía! ¡Ha muerto! ¡Está muriéndose!

–¡No! –exclamó el doctor con vehemencia–. Como es bueno y misericordioso, vivirá para hacernos dichosos muchos años.

Cayó la dama de hinojos, tratando de poner las manos juntas, pero la fuerza que la había sostenido tanto tiempo se elevó al cielo con su primera acción de gracias y se desplomó en los brazos amigos, que se abrieron para recibirla.

Capítulo 34

Que contiene algunos detalles preliminares
sobre un señorito que ahora entra en escena
y una nueva aventura que aconteció a Oliver

Era casi demasiada felicidad para poder con ella. La inesperada noticia dejó a Oliver atontado y estupefacto y no
podía ni llorar ni hablar ni estarse quieto. Apenas si fue
capaz de entender algo de lo que había sucedido hasta
que, tras un largo paseo en la serena brisa del atardecer,
vino a aliviarle un ataque de llanto y pareció despertar
de pronto a la plena percepción del gozoso cambio que
había acaecido y la casi insoportable carga de angustia
que se le había quitado del pecho.

La noche caía de prisa cuando regresaba a casa cargado de flores que había ido recogiendo con especial cuidado para adornar la habitación de la enferma. Según
iba por el camino oyó detrás el ruido de un vehículo que
se aproximaba muy de prisa. Volviéndose, vio que era
una silla de posta que venía a toda velocidad y, como los
caballos fueran al galope y el camino estrecho, se apoyó
contra un portillo hasta que pasara.

Al cruzar como un rayo frente a él, Oliver vislumbró
a un hombre con un gorro de dormir blanco cuya cara le
resultó familiar, aunque la visión fue tan fugaz que no
pudo identificarlo. Uno o dos segundos después el gorro
de dormir asomó por la ventanilla y una estentórea voz
bramó ordenando al cochero que se detuviera, cosa que
éste hizo en cuanto pudo retener a los caballos. Luego

volvió a aparecer el gorro de dormir y la misma voz llamó a Oliver por su nombre.

–¡Eh! –gritó la voz–. Señorito Oliver, ¿qué hay de nuevo? ¡De la señorita Rose! ¡Señorito O-li-ver!

–¿Es usted, Giles? –gritó Oliver, corriendo hasta la portezuela.

Giles volvió a mostrar el gorro de dormir, como preámbulo para responder algo, cuando de pronto un joven caballero que ocupaba el otro lado de la silla de posta le apartó hacia atrás y preguntó ansiosamente qué había de nuevo.

–¡En una palabra! –gritó el caballero–. ¿Mejor o peor?

–Mejor... ¡mucho mejor! –se apresuró a responder Oliver.

–¡Gracias al cielo! –exclamó el caballero–. ¿Estás seguro?

–Completamente, señor –repuso Oliver–. El cambio se produjo hace sólo unas horas y el señor Losberne dice que todo el peligro ha pasado.

El caballero no dijo más, pero, abriendo la portezuela, se apeó de un salto y, tomando a Oliver apresuradamente por un brazo, se lo llevó a un lado.

–¿Estás completamente seguro? ¿No habrá ninguna posibilidad de que te hayas equivocado, mocito? –preguntó el caballero con trémula voz–. No me engañes, haciéndome albergar esperanzas que no se cumplan.

–No lo haría por nada del mundo, señor –respondió Oliver–. De verdad que puede creerme. Las palabras del señor Losberne fueron que vivirá para hacernos dichosos muchos años todavía. Es lo que le oí decir.

Los ojos se le saltaban en lágrimas a Oliver al recordar la escena que dio principio a tanta felicidad y el caballero volvió la cabeza y permaneció callado unos momentos. A

Oliver le pareció oírle sollozar más de una vez, pero, temiendo interrumpirle con algún otro comentario –pues entendía perfectamente sus sentimientos–, se mantuvo a un lado haciendo como que se ocupaba de su ramillete.

Todo aquel rato lo pasó el señor Giles con el gorro de dormir puesto, sentado en el estribo del carruaje, con un codo en cada rodilla y enjugándose los ojos con un pañuelo de algodón azul con lunares blancos. Que aquel honrado individuo no simulaba su emoción lo demostraban los enrojecidos ojos con que miró al joven caballero cuando éste se dirigió a él.

–Creo que es mejor que continúes hasta casa de mi madre en la silla, Giles –dijo–. Yo prefiero ir andando despacio, para hacer un poco de tiempo antes de verla. Puedes decirle que en seguida llego.

–Disculpe usted, señor Harry –dijo Giles, dando a su alterado semblante un último restregón con el pañuelo–, pero si permite que sea el postillón quien lleve ese recado, se lo agradecería muchísimo. No es conveniente que las criadas me vean en este estado, señor, pues si me vieran, ya nunca tendría autoridad sobre ellas.

–Bueno –repuso Harry Maylie, sonriendo–, puedes hacer como quieras. Déjale que continúe con el equipaje, si lo deseas, y sigue con nosotros. Sólo cámbiate ese gorro de dormir por algún tocado más apropiado, o nos tomarán por locos.

Dándose cuenta de su inadecuada indumentaria, el señor Giles se arrancó el gorro de dormir, lo guardó en el bolsillo y lo sustituyó por un sombrero de formas serias y sobrias que sacó del vehículo. Hecho lo cual, el postillón continuó adelante y Giles, el señor Maylie y Oliver siguieron tranquilamente a su paso.

Según caminaban, miraba Oliver de vez en cuando al recién llegado con harto interés y curiosidad. Parecía de unos veinticinco años y era de mediana estatura, franco y agraciado semblante y porte desenvuelto y agradable. A pesar de la diferencia de edad se parecía tanto a la anciana, que a Oliver no le habría resultado difícil imaginar su parentesco, si él mismo no la hubiera llamado madre.

La señora Maylie estaba esperando ansiosamente a recibir a su hijo cuando éste llegó al chalecito. El encuentro tuvo lugar no sin gran emoción por ambas partes.

—¡Madre! —musitó el joven—, ¿por qué no escribiste antes?

—Lo hice —repuso la señora Maylie—, pero, después de pensarlo, decidí retener la carta hasta no haber oído la opinión del señor Losberne.

—Pero, ¿por qué? —dijo el joven—, ¿por qué correr el riesgo de que ocurriera lo que casi llegó a suceder? Si Rose hubiera..., ahora no puedo pronunciar esa palabra... si su enfermedad hubiera terminado de manera diferente, ¿cómo te lo habrías perdonado? ¿Cómo podría yo haber vuelto a conocer la felicidad?

—Si ese *hubiera* sido el caso, Harry —dijo la señora Maylie—, me temo que tu felicidad habría quedado arruinada irremisiblemente y tu llegada aquí un día antes o después hubiera sido de poquísima consecuencia.

—¿Y quién puede dudar de si es así, madre? —preguntó el joven—, ¿O por qué debería decir *si*? Es..., es..., tú lo sabes, madre..., debes de saberlo.

—Sé que merece el mejor y el más puro amor que pueda ofrecer el corazón de un hombre —dijo la señora Maylie—. Sé que la dedicación y el cariño de su carácter exigen que sea correspondida de manera no corriente, sino profunda y duradera. Si no lo creyera así y supiera además que un cambio de actitud en alguien que ella ama le quebrantaría el corazón, no sentiría que mi cometido es tan difícil de realizar, ni tendría que experimentar tantos combates en mi propio pecho cuando me ciño a lo que me parece ser la estricta línea de conducta dictada por mi deber.

–Eso es cruel, madre –dijo Harry–. ¿Todavía piensas que soy un muchacho que desconoce su propio entendimiento y confunde los impulsos de su propia alma?

–Creo, hijo mío –respondió la señora Maylie, poniéndole la mano en el hombro–, que la juventud tiene muchos impulsos generosos poco duraderos, y que entre ellos hay algunos que cuanto más pronto se satisfacen más efímeros son. Creo sobre todo, hijo –dijo la dama clavando los ojos en el rostro de su hijo–, que si un hombre entusiasta, apasionado y ambicioso casa con mujer sobre cuyo nombre se cierne una mancha que, aun no debiéndose a ninguna falta suya, puedan recordársela gentes duras y ruines, a ella y también a sus hijos, y que, paralelamente a los éxitos que él coseche en el mundo, se le eche en cara y sea objeto de burlas, puede que un día, por muy generoso y bueno de naturaleza que sea, se arrepienta de la alianza que en época más temprana contrajo. Y puede que ella llegue a conocer el dolor de descubrirlo.

–Madre –dijo el joven con impaciencia–, quien así obrara sería un salvaje egoísta, tan indigno del nombre de hombre como de la mujer que describes.

–Así piensas ahora, Harry –replicó su madre.

–¡Y así pensaré siempre! –dijo el joven–. La zozobra mental que he sufrido estos dos últimos días me arranca la confesión que ahora te hago de una pasión que, como bien sabes, ni es de ayer ni se ha forjado a la ligera. De Rose, ¡muchacha dulce y amable! está prendado mi corazón con toda la firmeza con que jamás se prendó de una mujer el corazón de un hombre. Yo no tengo pensamientos, ni objetivos, ni ilusiones de vivir si no es con ella, y si te opones a mí en esta importante coyuntura, me quitas la paz y la felicidad con tus manos y las arrojas al viento. Madre, presta más consideración a esto y a mí, y no desoigas la dicha en la que tan poco pareces pensar.

–Harry –dijo la señora Maylie–, es por consideración hacia unos corazones ardientes y sensibles por lo que les evitaría que se hirieran. Pero ya hemos hablado bastante y más que bastante de este asunto por ahora.

–Deja que Rose decida, entonces –interpuso Harry–. ¿No irás a forzar esas desorbitadas opiniones tuyas tanto como para poner obstáculos en mi camino?

–No –dijo la señora Maylie–, pero me gustaría que recapacitaras...

–¡Ya *he* recapacitado! –fue la impaciente respuesta–. Madre, he recapacitado durante años y años. Vengo recapacitando desde que soy capaz de pensar seriamente. Mis sentimientos continúan inalterables y seguirán siempre así, y ¿por qué debería yo sufrir el dolor de esperar a darles rienda suelta, cuando esto no produce provecho visible alguno? ¡No! Rose me oirá antes de marcharme de aquí.

–Te oirá –dijo la señora Maylie.

–Hay algo en tu actitud, madre, que casi quiere decir que me escuchará fríamente –dijo el joven.

–Fríamente no –dijo la anciana–; lejos de eso.

–¿Cómo, entonces? –requirió el joven–. ¿No habrá contraído otros compromisos?

–Claro que no –respondió su madre–; tú tienes, si no me equivoco, un ascendiente demasiado fuerte sobre sus afectos. Lo que deseo decir –continuó la anciana, haciendo callar a su hijo según iba a hablar– es esto: antes de que lo arriesgues todo en este lance, antes de dejarte llevar hasta la cima de las ilusiones, reflexiona unos instantes, hijo mío, sobre el pasado de Rose y considera las consecuencias que pueda tener en su decisión el enterarse de su dudoso nacimiento, entregada como está a nosotros con toda la fuerza de su noble espíritu y con esa total abnegación que en todos los asuntos, importantes o insignificantes, la ha caracterizado siempre.

–¿Qué quieres decir?

–Eso te dejo que lo descubras por ti mismo –replicó la señora Maylie–. Debo volver a ella. ¡Que Dios te bendiga!

–¿Volveré a verte esta noche? –dijo el joven con ansiedad.

–Luego –repuso la dama–, cuando deje a Rose.

–¿Le dirás que estoy aquí? –dijo Harry.

–Por supuesto –respondió la señora Maylie.

–Y dile lo preocupado que he estado y cuánto he sufrido y cuántas ganas tengo de verla. ¿No te negarás a esto, madre?

–No –dijo la anciana–; se lo diré todo.

Y, tras apretar cariñosamente la mano de su hijo, se apresuró a salir de la habitación.

El señor Losberne y Oliver habían permanecido en el otro extremo de la estancia mientras aquella apresurada conversación tenía lugar. El primero tendió ahora la mano a Harry Maylie e intercambiaron un saludo cordial. En respuesta a las múltiples preguntas de su joven amigo, el doctor le dio entonces pormenorizada cuenta de la situación de su paciente, que era tan tranquilizadora y prometedora como las afirmaciones de Oliver le habían alentado a esperar, y a todo lo cual el señor Giles, que simulaba estar muy ocupado con el equipaje, escuchó con ávidos oídos.

–¿Ha disparado usted sobre algo en especial últimamente, señor Giles? –preguntó el doctor cuando hubo terminado.

–Nada en especial, señor –respondió el señor Giles, sonrojándose hasta las orejas.

–¿Ni al coger a algún ladrón o reconocer a algún caco? –preguntó el doctor.

–Nada de nada, señor –replicó el señor Giles con mucha seriedad.

–Bueno –dijo el doctor–, pues siento oírle decir eso, ya que usted hace esas cosas estupendamente. Dígame, ¿cómo está Brittles?

–El muchacho está muy bien, señor –dijo el señor Giles, recobrando su acostumbrado tono paternal–, y le manda sus respetuosos saludos, señor.

–Muy bien –dijo el doctor–. Al verle aquí recuerdo, señor Giles, que la víspera del día en que me mandaron llamar con tanta prisa, realicé a petición de su buena ama un encarguito en favor suyo. Venga a este rincón un momento, ¿le parece?

Caminó el señor Giles hasta el rincón con mucha importancia y cierto asombro, y le cupo el honor de celebrar una entrevista en susurros con el doctor, al término de la cual hizo muchísimas reverencias y se retiró con pasos de desacostumbrada majestuosidad. El tema de aquella entrevista no se desveló en el salón, pero la cocina fue rápidamente instruida de su contenido, pues el señor Giles se dirigió a ella directamente y, tras pedir una jarra de cerveza, anunció con aire mayestático que produjo mucho efecto, que placía a su ama, en consideración a su valerosa conducta con ocasión de la tentativa de robo, ingresar en la caja de ahorros local la suma de veinticinco libras para su exclusivo uso y beneficio. A esto las dos criadas alzaron las manos y los ojos, y opinaron que ahora el señor Giles empezaría a mostrarse muy arrogante, a lo cual el señor Giles, sacándose la chorrera de la camisa, replicó que no, no, y que, si notaban que se mostraba algo altivo para con sus subordinados, les agradecería que se lo dijeran. Y luego hizo muchas otras observaciones no menos elocuentes sobre su humildad, que fueron acogidas con igual aceptación y aplauso, y que en conjunto fueron tan originales y tan a propósito como lo son normalmente las observaciones de los grandes hombres.

Escaleras arriba el resto de la tarde se pasó alegremente, pues el doctor estaba de buen humor y, por muy cansado y meditabundo que Harry Maylie pudiera haber estado al principio, no podía hacer frente al buen humor del distinguido caballero, que se traducía en una gran variedad de ocurrencias y recuerdos profesionales y una plétora de chascarrillos que impresionaban a Oliver como la cosa más divertida que jamás hubiera oído y le hacían reír en igual medida, con evidente satisfacción por parte del doctor, que se reía desmesuradamente de sí mismo y hacía reír a Harry casi de tan buena gana únicamente por contagio. Era aquél pues un grupo tan alegre como lo permitían las circunstancias, y era tarde cuando se retiraron con el corazón alegre y agradecido para entregarse al descanso que tanto necesitaban, tras la incertidumbre y la ansiedad que poco antes habían experimentado.

Oliver se levantó aquella mañana con mejores ánimos y se entregó a sus habituales quehaceres con más ilusión y gusto que en días anteriores. Volvió a colgar fuera las jaulas de los pájaros en sus habituales lugares para que cantaran y una vez más recogió las más bonitas flores silvestres que encontró para alegrar a Rose con su belleza y fragancia. La melancolía que a los ojos del preocupado muchacho había parecido empañar los últimos días todas las cosas, independientemente de su belleza, se desvanecía como por arte de magia. El rocío parecía chispear con más brillo en las verdes hojas, la brisa susurrar entre ellas con música más dulce, y el cielo más azul y luminoso. Tal es la influencia que ejerce la condición de nuestros propios pensamientos incluso sobre el aspecto de los objetos visibles. Quienes observan la naturaleza y a sus semejantes y exclaman que todo es oscuro y tétrico no mienten, pues los sombríos colores son reflejos de sus propios ojos y corazones amargados. Los colores reales son delicados y precisan una visión más limpia.

Merece mencionarse, y Oliver no dejó de notarlo en su momento, que sus expediciones matutinas no las hacía ya solo. Tras la primera mañana en que encontró a Oliver volviendo cargado a casa, a Harry Maylie le entró tal pasión por las flores y mostró tanto gusto en componerlas, que superó con mucho a su joven compañero. Mas, aunque Oliver se quedaba para atrás en este aspecto, sabía dónde se encontraban las mejores, y una mañana tras otra recorrían el campo juntos y llevaban a casa las más bonitas que florecían. La ventana de la habitación de la joven permanecía ahora abierta, pues le gustaba sentir cómo el aire, impregnado de verano, entraba a raudales y le infundía vida con su frescura, pero justo en la parte interior de la celosía había siempre en agua un ramilletito especial que se hacía con sumo cuidado cada mañana. Oliver no podía impedir ver que nunca se arrojaban las marchitadas flores, aunque el pequeño florero se llenaba regularmente, ni podía evitar ver que siempre que el doctor iba al jardín, sistemáticamente lanzaba una mirada a aquel rinconcito especial y meneaba la cabeza de la más elocuente manera según se encaminaba a su paseo matutino. Exceptuadas estas observaciones, los días pasaban volando y Rose se recuperaba rápidamente.

Y a Oliver no se le hacían pesadas las horas, aunque la joven no había abandonado aún su habitación y todavía no había paseos al atardecer, excepto de vez en cuando y de corta distancia con la señora Maylie. Se aplicaba con redoblado interés a las enseñanzas del anciano peliblanco y trabajaba tanto, que él mismo se sorprendió de sus rápidos progresos. Fue mientras se hallaba ocupado en tales menesteres cuando un inesperadísimo acontecimiento vino a sobresaltarlo y angustiarlo.

El cuartito en el que solía sentarse cuando estaba ocupado con sus libros se hallaba en el piso bajo de la trasera de la casa. Era una típica habitación de casita de campo, con una ventana de celosía, en torno a la cual se apiñaban el jazmín y la madreselva, que trepaban hasta el marco y llenaban el aposento de su deliciosa fragancia. Daba a un jardín que un portillo comunicaba con un pequeño prado, más allá del cual todo eran buenos pastizales y bosques. No había ninguna otra vivienda en aquella dirección y el panorama que dominaba era amplísimo.

Un hermoso atardecer, cuando las primeras sombras del crepúsculo empezaban a posarse sobre la tierra, Oliver estaba sentado junto a aquella ventana absorto en sus libros. Llevaba estudiando concienzudamente en ellos algún tiempo y, como el día hubiera sido especialmente bochornoso y hubiera hecho mucho ejercicio, no es desacreditar a sus autores, quienesquiera que fuesen, decir que paulatina y lentamente se quedó dormido.

Hay una especie de sueño que nos entra furtivamente algunas veces que, aun manteniendo preso al cuerpo, no libera a la mente de la sensación de lo que la rodea, y le permite divagar a su aire. En la medida en que a una pesadez abrumadora, a un abatimiento de las fuerzas y a una incapacidad total de controlar nuestros pensamientos o la facultad de movernos puede llamárseles sueño, aquél lo es, y sin embargo continuamos siendo conscientes de todo lo que sucede alrededor y, si en aquel momento estamos soñando, las palabras que se dicen o los sonidos que se producen en la realidad al mismo tiempo encajan con sorprendente agilidad en nuestras visiones hasta que lo real y lo imaginario se mezclan de tan extraña manera, que luego es casi imposible separarlos. Y no es éste el más sorprendente fenómeno que se produce en dicho estado. Es un hecho indudable que, aunque nuestros sentidos del tacto y de la vista estén muertos por un tiempo, nuestros pensamientos oníricos y las visionarias escenas que se nos presentan acusarán la influencia, la influencia sensible, de la *mera presencia silenciosa* de algún objeto exterior que puede no encontrarse cerca cuando cerramos los ojos y de cuya proximidad no fuimos conscientes estando despiertos.

Oliver sabía perfectamente que se hallaba en su cuartito, que sus libros se hallaban ante él en la mesa, que la suave brisa revoloteaba entre las plantas trepadoras del exterior. Y sin embargo estaba dormido. De pronto la escena cambió, el aire se hizo denso y escaso y en un destello de terror creyó hallarse otra vez en la casa del judío. Allí estaba el horrible viejo sentado en su rincón habitual, señalándole a él y susurrando algo a otro hombre sentado junto a él con la cara vuelta.

–¡Chist, querido! –creyó oír decir al judío–. Es él, seguro. Vámonos.

–¡Él! –pareció responder el otro hombre–. ¿Piensas que podría confundirle? Si un montón de diablos adoptaran su misma forma y él entre ellos, algo hay que me diría cómo identificarlo. Entiérralo a cincuenta pies de profundidad y hazme pasar por encima de su tumba, y créeme que, aunque no haya señal ninguna encima, sabré que es él el que está enterrado debajo. ¡Que se muera, si no!

El hombre parecía decir aquello con odio tan terrible, que Oliver se despertó sobresaltado del miedo.

¡Dios mío! ¿Qué fue aquello que hizo que se le estremeciera la sangre hasta el corazón y le dejó sin habla y le privó del movimiento? Allí... allí..., en la ventana..., muy cerca de él..., tan cerca, que habría podido tocarlo antes de dar un salto atrás, con los ojos acechando en la habitación y cruzándose con los suyos, ¡estaba el judío! Y junto a él, blanco de rabia o temor, o ambas cosas, estaba el ceñudo rostro del mismísimo hombre que le había abordado en el patio de la posada.

Duró sólo un instante, un abrir y cerrar de ojos, un relámpago ante sus ojos, y desaparecieron. Pero lo habían reconocido y él a ellos, y su aspecto se le grabó tan firmemente en la memoria como si hubiera estado esculpido profundamente en piedra y lo hubiera tenido delante desde que nació. Se quedó paralizado un momento y luego, saltando al jardín por la ventana, pidió socorro a gritos.

Capítulo 35

Que contiene el poco satisfactorio resultado
de la aventura de Oliver y una conversación
de cierta importancia entre Harrie Maylie
y Rose

Cuando los moradores de la casa, atraídos por los gritos de Oliver, corrieron al lugar de donde procedían, lo encontraron, pálido y agitado, señalando en dirección de los prados detrás de la casa e incapaz apenas de articular las palabras «¡El judío! ¡El judío!».

El señor Giles no podía entender qué significaba aquel escándalo, pero Harry Maylie, de percepciones mucho más rápidas y que había oído la historia de Oliver a su madre, lo entendió inmediatamente.

–¿En qué dirección se fue? –preguntó, cogiendo una gruesa estaca que había en un rincón.

–Por allí –respondió Oliver, apuntando en la dirección que tomara el hombre–. Los perdí de vista en un momento.

–Entonces están en la zanja –dijo Harry–. ¡Seguidme! Y manteneos tan cerca de mí como podáis.

Así diciendo, saltó por encima del seto y salió corriendo a tanta velocidad, que para los demás era muy difícil seguirle de cerca.

Giles le seguía como podía y Oliver también, y al cabo de un minuto o dos el señor Losberne, que había estado fuera paseando y regresaba en aquel momento, se cayó al saltar tras ellos por encima del seto y, levantándose con más agilidad de la que podía suponérsele, se lanzó a la misma carrera con velocidad no despreciable, preguntando todo el rato con prodigiosos gritos qué sucedía.

Siguieron adelante todos y no pararon a recobrar el aliento ni una vez hasta que el guía, metiéndose en un entrante del campo que Oliver indicara, se puso a buscar en la zanja y seto colindantes, lo cual dio tiempo a que el resto del grupo le alcanzara y a Oliver a comunicar al señor Losberne las circunstancias que habían dado lugar a tan enérgica persecución.

La búsqueda fue totalmente inútil. No había ni rastro de huellas recientes. Se hallaban ya en la cima de un otero desde donde se dominaba el campo abierto tres o cuatro millas a la redonda. En la hondonada a la izquierda estaba el pueblo, pero para llegar allí siguiendo el camino que Oliver indicaba, los hombres tenían que haber dado un rodeo por campo abierto, que era imposible hubieran podido hacer en tan breve tiempo. En otra dirección un espeso bosque bordeaba los prados, pero por la misma razón no podían haber alcanzado aquel cobijo.

–Tiene que haber sido un sueño, Oliver –dijo Harry Maylie.

–¡Oh, de verdad que no, señor –repuso Oliver con un escalofrío, sólo de recordar el semblante del viejo miserable–. Lo vi demasiado claramente para ser sueño. Los vi a los dos tan claramente como le veo a usted ahora.

–¿Quién era el otro? –preguntaron Harry y el señor Losberne al mismo tiempo.

–El mismo hombre que les dije que encontré tan de repente en la posada –dijo Oliver–. Tuvimos los ojos clavados uno en el otro, y podría jurar que era él.

–¿Fueron en esta dirección? –preguntó Harry–. ¿Estás seguro?

–Tanto como que estuvieron a la ventana –repuso Oliver, apuntando al seto que separaba el jardín del chalecito del prado–. El alto saltó por encima exactamente allí, y el judío, corriendo unos pasos hacia la derecha, se coló por aquella abertura.

Los dos caballeros observaban el rostro sincero de Oliver según hablaba y, mirándose luego, parecieron sentirse satisfechos de la autenticidad de lo que decía. Con todo, en ninguna dirección se veían señales de huellas de hombres en rápida huida. La hierba estaba alta, pero en ninguna parte aparecía pisada, excepto en donde sus pies la habían aplastado. Las paredes y bordes de las zanjas eran de arcilla húmeda, pero en ningún lugar pudieron distinguir huellas de zapatos ni el más mínimo vestigio que indicara que algún pie había hollado la tierra en las últimas horas.

–¡Esto es muy extraño! –dijo Harry.

–¿Extraño? –repitió el doctor–. Ni Blathers ni Duff podrían sacar algo en claro de esto.

A pesar de la evidente inutilidad de la búsqueda, no desistieron hasta que la llegada de la noche les impidió continuar, e incluso entonces lo dejaron de mala gana. Despacharon a Giles a las diferentes cervecerías del pueblo, proporcionándole la mejor descripción que Oliver pudo dar de la apariencia y vestido de los desconocidos. De los dos, el judío al menos era suficientemente peculiar para recordarlo, suponiendo que hubiera sido visto bebiendo o merodeando, pero Giles regresó sin noticia alguna que disipara o redujera el misterio.

Al día siguiente se hizo una nueva búsqueda y se renovaron las indagaciones, pero sin mejor fortuna. Al otro día Oliver y el señor Maylie se trasladaron al pueblo con la esperanza de ver u oír allí algo de los hombres, pero su esfuerzo fue igualmente infructuoso. Después de unos días la cosa empezó a caer en el olvido, como sucede con la mayoría de las cosas cuando lo insólito, privado de nuevo alimento que lo sustente, se desvanece por sí solo.

Mientras tanto Rose se recuperaba rápidamente. Había abandonado su cuarto, podía salir fuera y, mezclándose otra vez con la familia, puso alegría en todos los corazones.

Mas, aunque este feliz cambio producía un efecto evidente en el pequeño grupo y aunque volvían a oírse en el chalecito voces alegres y risas jubilosas, a veces había en algunos, incluso en Rose, una desacostumbrada reserva que Oliver no podía dejar de advertir. La señora Maylie y su hijo se encerraban a menudo por largo tiempo y más de una vez Rose aparecía con indicios de lágrimas en la cara. Estos síntomas aumentaron cuando el señor Losberne fijó una fecha para partir a Chertsey y resultó evidente que algo estaba sucediendo que afectaba a la tranquilidad de la joven y a la de alguien más.

Al cabo, una mañana, cuando Rose se hallaba sola en el comedor a la hora del desayuno, entró Harry Maylie y con alguna vacilación pidió permiso para hablarle unos minutos.

–Unos pocos..., muy pocos... bastarán, Rose –dijo el joven acercando la silla a ella–. Lo que tengo que decir ya se te ha pasado por el pensamiento; no ignoras las ilusiones más queridas de mi corazón, aunque no las has oído todavía de mis labios.

Rose había estado muy pálida desde el momento en que él entró, pero eso podía deberse a su reciente enfermedad. Simplemente saludó con la cabeza y luego, inclinada sobre unas plantas que había cerca, esperó a que él continuara.

–Yo...yo... debería haberme marchado antes –dijo Harry.

–La verdad es que sí –repuso Rose–. Perdona que lo diga, pero ojalá lo hubieras hecho.

–Me trajo aquí la más horrible y angustiosa aprensión –dijo el joven–, el miedo a perder el único ser querido en quien están puestos todos mis deseos e ilusiones. Estabas muriéndote, vacilando entre la tierra y el cielo. Sabemos que cuando los jóvenes, los hermosos, los buenos reciben la visita de la enfermedad, su espíritu puro se encamina inadvertidamente hacia el luminoso hogar del reposo eterno; sabemos, ¡que el cielo nos proteja! que los mejores y más bellos de nuestra especie muy a menudo se consumen en flor.

Según sonaban aquellas palabras había lágrimas en los ojos de la dulce joven y, cuando una cayó en la flor sobre la que estaba inclinada y se deslizó brillando en el cáliz haciéndolo más hermoso, pareció como si la efusión de su joven y tierno corazón proclamara su parentesco natural con las cosas más encantadoras de la naturaleza.

–Una criatura –prosiguió el joven apasionadamente–, una criatura tan bella e inocente de cualquier fingimiento como los mismos ángeles de Dios se debatía entre la vida y muerte. ¡Ah, quién podía esperar, cuando el lejano mundo de su mismo linaje se entreabrió ante sus ojos, que volvería a la aflicción y calamidad de éste! Rose, Rose, saber que te ibas como la tenue sombra que una luz de arriba proyecta sobre la tierra, no haber ninguna esperanza de que te libraras para los que quedábamos aquí abajo, no conocer apenas una razón para que así fuera, sentir que pertenecías a aquella brillante esfera a la que tantas privilegiadas criaturas en la infancia y la mocedad volaron en temprano vuelo, y con todo suplicar en medio de todos estos consuelos que se te devolviera a aquellos que te aman…, distracciones estas casi demasiado grandes para poder sufrirlas. Eran las mías día y noche, y con ellas venía tan impetuoso torrente de miedos y aprensiones y egoístas angustias de que murieras y nunca supieras cuán fervorosamente te amaba, que casi se llevaba en su caudal el sentido y la razón. Te restableciste. Día tras día y casi hora tras hora volvía alguna gota de salud y, sumándose al exhausto y débil chorro de vida que corría lánguidamente dentro de ti, se hinchió de nuevo hasta formar una corriente alta e impetuosa. Te he visto pasar casi de la muerte a la vida con ojos que se humedecían con su propia ansiedad y profundo cariño. No me digas que ojalá que hubiera perdido esto, pues esto me ha ablandado el corazón para con toda la humanidad.

–No quise decir eso –dijo Rose, llorando–, sólo que ojalá que te hubieras marchado para que hubieras podido volver a ocupaciones elevadas y nobles, ocupaciones verdaderamente dignas de ti.

–No hay ocupación más digna de mí, más digna de la naturaleza más sublime que exista, que la lucha por ganar un corazón como el tuyo –dijo el joven, tomándole la mano–. Rose, mi querida Rose; si jamás hombre sintió amor verdadero, honrado y ardiente, ése es mi amor por ti. Dime que puedo hacer algún esfuerzo por merecerte. Durante años..., durante años... te he querido, esperando conquistar el camino a la fama y luego venir orgullosamente a casa y decirte que sólo había aspirado a él para compartirlo contigo, imaginando en mis sueños de despierto cómo en aquel feliz momento recordaría contigo las muchas y mudas prendas que te di de mi cariño de muchacho y pedir tu mano en cumplimiento de un viejo y tácito contrato que hubiéramos sellado entre los dos. Ese momento no ha llegado, pero ahora, sin haber ganado fama y sin haber realizado sueño juvenil alguno, te ofrezco el corazón que ha sido tuyo por tanto tiempo y me juego todo en las palabras con que recibas este ofrecimiento.

—Tu conducta siempre fue buena y noble –dijo Rose, dominando las emociones que la agitaban–. Como crees que no soy insensible ni desagradecida, escucha mi respuesta.

—¿Es que puedo tratar de merecerte, querida Rose?

—Es –repuso Rose– que debes tratar de olvidarme, no como tu antigua y fidelísima compañera, pues eso me heriría profundamente, sino como objeto de tu amor. Contempla el mundo, piensa cuántos corazones hay en él que estarías orgulloso de conquistar. Confíame otra pasión a mí, si lo deseas; yo seré la más verdadera, cordial, y leal amiga que puedas tener.

Hubo una pausa durante la cual Rose, que había ocultado la cara tras una mano, dio rienda suelta a sus lágrimas. Harry sostenía la otra todavía.

—¿Y tus razones, Rose –dijo él al cabo en voz baja–, las razones de esta decisión?

—Tienes derecho a saberlas –respondió Rose–. Nada podrás decir que cambie mi resolución. Es un deber que debo cumplir. Se lo debo a otros y a mí misma.

—¿A ti misma?

—Sí, Harry. Me debo a mí misma, muchacha sin amigos, sin dote y con una mancha sobre mi nombre, el no dar a tus amigos motivo de sospechar que cedí vilmente a tu primera pasión y me agarré como una traba a todas tus ilusiones y proyectos. Te debo a ti y a los tuyos el impedir que, arrastrado por tu generosa naturaleza, eleves este gran obstáculo a tu carrera en el mundo.

—Si tus sentimientos concuerdan con tu sentido del deber... –empezó a decir Harry.

—No concuerdan –repuso Rose, ruborizándose sobremanera.

–¿Entonces mi amor es correspondido? –dijo Harry–. Di tan sólo eso, querida Rose, tan sólo eso, y suaviza la amargura de este cruel desengaño.

–Si hubiera podido hacerlo sin ofender gravemente a quien amo –dijo Rose–, podría...

–¿Podrías haber escuchado mi declaración de manera muy diferente? –dijo Harry–. No me ocultes esto por lo menos, Rose.

–Podría –dijo Rose–. ¡Basta! –añadió, liberando la mano–. ¿Por qué tenemos que prolongar esta dolorosa entrevista? Dolorosísima para mí y a pesar de ello, fuente de dicha duradera, pues *será* dicha saber que una vez ocupé en tu estima el alto lugar que ahora ocupo y que todos los triunfos que consigas en la vida me infundirán nueva fortaleza y firmeza. ¡Adiós, Harry! No nos veremos más como nos hemos visto hoy, pero podremos seguir unidos larga y felizmente por otros vínculos distintos de aquellos a los que esta conversación nos habría conducido, y ¡que todas las bendiciones que las plegarias de un corazón sincero y ardiente pueden obtener de la fuente de toda verdad y sinceridad te reconforten y favorezcan!

–Otra palabra, Rose –dijo Harry–. El porqué en tus propias palabras. ¡Déjame oírlo de tus propios labios!

–La perspectiva que tienes delante –respondió Rose firmemente– es muy brillante. Te esperan todos los honores a los que los grandes talentos y las influyentes relaciones pueden ayudar a los hombres en la vida pública. Pero esas relaciones son orgullosas y yo ni me mezclaré con nadie capaz de despreciar a la madre que me dio vida ni llevaré la deshonra ni el fracaso al hijo de quien tan bien ha ocupado el lugar de esa madre. En una palabra –dijo la joven, volviéndose al abandonarle su pasajera firmeza–, hay una mancha sobre mi nombre, que el mundo impone en cabezas inocentes. No la llevaré a ninguna otra sangre excepto la mía, y el reproche recaerá solo en mí.

–Una palabra más, Rose. ¡Queridísima Rose! ¡Una más! –gritó Harry arrojándose ante ella–. Si hubiera sido menos... menos afortunado, como lo llamaría el mundo..., si mi destino hubiera sido una vida oscura y pacífica..., si hubiera sido pobre, enfermo, desvalido..., ¿te habrías alejado de mí? ¿O es la probabilidad de que consiga riquezas y honores la causa de esos escrúpulos?

–No me obligues a responder –repuso Rose–. Esa cuestión no se plantea y nunca se planteará. Es injusto, casi cruel, exigirla.

–Si tu respuesta es lo que casi me atrevo a esperar –replicó Harry–, proyectará un rayo de felicidad sobre mi solitario andar y me alumbrará el camino. No es fruslería dar tanto, con sólo unas breves palabras, a alguien que te ama sobre todo lo demás. ¡Oh, Rose! En nombre de mi ardiente y duradero cariño, en nombre de todo lo que por ti he sufrido y lo que me destinas a sufrir, ¡respóndeme a esa única pregunta!

–Entonces, si tu fortuna hubiera sido distinta –dijo Rose–, si hubieras estado incluso un poco por encima de mí, pero no demasiado, si hubiera podido ser ayuda y consuelo tuyos en cualquier humilde lugar de paz y soledad, y no una mancha y un inconveniente entre la muchedumbre ambiciosa y distinguida, me habría ahorrado el presente tormento. Tengo todas las razones para ser feliz, muy feliz ahora, pero, entonces, Harry, reconozco que habría sido más feliz.

Al hacer tal confesión se agolparon en la mente de Rose apretados recuerdos de viejas ilusiones que abrigara cuando muchacha, hacía de eso mucho tiempo, pero trajeron consigo lágrimas, como hacen las viejas ilusiones cuando vuelven marchitas, y la aliviaron.

–No puedo evitar esta debilidad, que fortalece mi propósito –dijo Rose, tendiendo la mano–. Ahora debo dejarte, de verdad.

–Una promesa te pido –dijo Harry–. Una vez y sólo una vez más..., digamos en un año, pero puede ser mucho antes... que pueda volver a hablarte de este asunto por última vez.

–No para insistir que modifique mi legítima decisión –repuso Rose con una sonrisa melancólica–; sería en vano.

–No –dijo Harry–. Es para oírte repetirlo, si así lo deseas..., ¡repetirlo por última vez! Echaré a tus pies cualquier rango o fortuna que posea y, si todavía te aferras a tu presente resolución, no trataré de cambiarla ni de palabra ni de obra.

–Entonces, que así sea –dijo Rose–; sólo es una punzada más y para entonces tal vez pueda soportarla mejor.

Volvió a tender la mano. Pero el joven se la llevó al pecho y, estampando un beso en la hermosa frente de la muchacha, se apresuró a salir de la estancia.

Capítulo 36

Que es muy breve y quizá parezca
de no mucha importancia en este lugar,
pero debería leerse como continuación
del anterior y clave de otro que a su debido
tiempo seguirá

—Así que sigues con la misma intención y decidido a ser mi compañero de viaje esta mañana, ¿eh? —dijo el doctor cuando Harry Maylie se unió a él y a Oliver en la mesa del desayuno.

—Si me deja un asiento en su coche —fue la respuesta—. ¿Pensó que había cambiado de parecer?

—Pues, para decirte la verdad, no me pareció en manera alguna imposible —replicó el doctor—, pues vosotros los jóvenes sois tan antojadizos, que la veleta de la iglesia de ahí fuera, que gira en vueltas rápidas en cuanto sopla un poco el viento, es la constancia misma comparada con vosotros. Ella al menos siempre da vueltas, mientras que vosotros os movéis a cuadros, ángulos y retorcidos zigzags de todas clases.

—Ustedes, los mayores, tan notables por la seriedad y la firmeza de propósito, tienen licencia para ridiculizarnos por nuestras fechorías —repuso Harry, sonriendo.

—Echarme a correr tras misteriosos rufianes, judíos y cristianos, con más celeridad de la que conviene a mi solemne profesión y a mis viejas piernas —dijo el doctor— y divertir a mis amistades ocho o diez veces por semana haciendo algo sobremanera extravagante, esos son los límites de mis irregularidades, mientras que vosotros... no tenéis el mismo pensamiento o propósito dos medias horas seguidas.

—Un día de estos me contará usted un cuento diferente —dijo Harry, ruborizándose sin ninguna razón visible.

—Espero tener buena razón para hacerlo —replicó el señor Losberne—, aunque confieso que no creo que lo haga. Pero ayer por la mañana decidiste, de forma precipitada, que te quedabas y que acompañarías a tu madre, cual hijo cumplidor, a la playa, luego, antes del mediodía, anuncias que me haces el honor de acompañarme hasta donde voy en tu ruta a Londres, y por la noche me instas con mucho misterio a que salgamos antes de que las damas se levanten, la consecuencia de todo lo cual es que el pequeño Oliver está inmovilizado aquí con su desayuno cuando debería andar corriendo por los prados buscando curiosidades botánicas de toda especie. A fastidiarse, ¿eh, Oliver?

—Habría sentido muchísimo no haberme encontrado en casa cuando usted y el señor Maylie se marcharan, señor —dijo Oliver.

—Buen muchacho —dijo el doctor—; cuando vuelvas irás a verme. Pero, hablando en serio, Harry, ¿alguna noticia de los peces gordos te ha causado este súbito deseo de marcharte?

—Los peces gordos —repuso Harry—, bajo cuyo apelativo supongo que incluye usted a mi distinguidísimo tío, no me han notificado nada de nada, señor, en todo lo que llevo aquí, ni en esta época del año es probable que ocurra nada que necesite mi inmediata presencia entre ellos.

—Bueno —dijo el doctor—, eres un tipo raro. Pero claro, te meterán en el Parlamento en las elecciones de antes de Navidad y estos bruscos cambios y alteraciones no son mala preparación para la vida política. Hay algo de eso.

Un buen entrenamiento es siempre deseable, sea la carrera por una posición, una copa o una apuesta.

–Pero suponga que la persona que se entrena, o el caballo inscrito (por continuar su afortunada comparación) no tiene intención ninguna de correr –dijo Harry–, ¿qué pasa entonces?

–Pues que entonces no es caballo sino asno quien se preocupa tanto por lo que no le concierne –replicó el señor Losberne–, y como esa suposición no te concierne a ti, que estás seguro de estar inscrito y de correr, no peco de indelicado al asignarle su lugar adecuado en la historia natural.

Pareció como si Harry Maylie hubiera podido añadir a aquel breve diálogo una o dos observaciones que habrían asombrado no poco al doctor, pero se contentó con decir: «Ya veremos», y no continuó con el tema. Poco después la silla de posta llegaba hasta la puerta y, como Giles entrara a buscar el equipaje, el buen doctor se precipitó fuera para supervisar cómo lo disponían.

–Oliver –dijo Harry Maylie en voz baja– déjame que te diga unas palabras.

Oliver se dirigió al entrante de la ventana al que el señor Maylie le hacía señas que fuera, muy sorprendido por la mezcla de tristeza y excitación que su conducta toda mostraba.

–¿Ya sabes escribir bien? –dijo Harry, poniéndole la mano en el brazo.

–Supongo que sí –respondió Oliver.

–No volveré a casa quizá por algún tiempo. Me gustaría que me escribieras... digamos una vez cada quince días, cada dos lunes, a la oficina central de correos de Londres. ¿Lo harás?

–¡Oh! Por seguro, señor; me sentiré orgulloso de hacerlo –exclamó Oliver encantadísimo con el encargo.

–Me gustaría saber cómo..., cómo van mi madre y la señorita Maylie –dijo el joven–, y puedes llenar una hoja contándome los paseos que hacéis y lo que habláis y si ella..., ellas, quiero decir..., son felices y están bien. ¿Me entiendes?

–¡Oh! Claro, señor, claro –repuso Oliver.

–Preferiría que no se lo dijeras a ellas –dijo Harry atropelladamente–, pues podría incitar a mi madre a escribirme más a menudo y eso la molesta e inquieta mucho. Que quede en secreto entre tú y yo, y ¡acuérdate de contármelo todo! Cuento contigo.

Contentísimo y honrado por la sensación de su importancia, prometió Oliver fielmente mantener el secreto de sus envíos y ser explícito. El señor Maylie se despidió de él con muchas prendas de su consideración y protección.

El doctor estaba en la silla, Giles (que se había decidido que quedara allí) tenía la mano en la portezuela abierta y las criadas miraban desde el jardín. Harry dirigió una leve mirada a la ventana de la celosía y subió al carruaje de un salto.

–¡Adelante! –gritó–. ¡Deprisa, rápido, a todo galope! Nadie sino es volando irá hoy a mi paso.

–¡Hola! –gritó el doctor precipitándose a bajar el cristal delantero y gritar al postillón–. Todos menos quienes vuelen irán a *mi* paso, así que tenga la bondad de ir moderada y tranquilamente, ¿me oye?

El hombre sonrió, se tocó el sombrero y se alejaron, aunque a un paso más acorde con las órdenes de Harry que con las del señor Losberne, cuya cabeza asomó pronto por la ventanilla para protestar airada pero inútilmente.

Cencerreando y traqueteando hasta que la distancia enmudeció su ruido haciendo imperceptible su rápido avance excepto a los ojos, el vehículo serpenteaba por el camino, oculto casi tras una nube de polvo, ora desapareciendo del todo, ora volviendo a aparecer, a capricho de los objetos interpuestos o los recovecos del camino. Hasta que la polvareda misma no dejó de verse, no se retiraron los presentes.

Y uno hubo que permaneció con los ojos clavados en el punto donde desapareció el carruaje largo tiempo después de que hubiera recorrido muchas millas, pues, tras los visillos blancos que la habían ocultado a la vista cuando Harry alzó los ojos hacia la ventana, estaba sentada Rose.

–Parece que está de buen humor y contento –dijo al cabo–. Por un momento temí que fuera de otro modo. Me equivoqué, y me alegro mucho, mucho.

Las lágrimas son señales de gozo y también de pesar, pero las que corrían por el rostro de Rose, sentada pensativamente a la ventana, mirando todavía en la misma dirección, parecían hablar más de pena que de alegría.

Capítulo 37

En el que el lector podrá percibir una discrepancia no rara en las relaciones matrimoniales

Estaba el señor Bumble sentado en el salón del hospicio con los ojos desazonadamente puestos en la rejilla de la inerte chimenea, de la que, por ser verano, no surgía destello más vivo que el de unos enfermizos rayos de sol que rebotaban en su fría y brillante superficie. Del techo colgaba una trampa de papel para moscas hacia la que de vez en cuando alzaba los ojos con melancólico pensar y, cuando los despreocupados insectos rondaban alrededor de la deslumbrante redecilla, el señor Bumble exhalaba un profundo suspiro mientras una sombra aún más melancólica se difundía sobre su semblante. El señor Bumble estaba meditando y tal vez los insectos le traían al pensamiento algún doloroso suceso de su vida pasada.

Y no era la melancolía del señor Bumble lo único destinado a despertar cierta agradable pesadumbre en el pecho de un espectador. No faltaban otros indicios, estrechamente relacionadas con su propia persona, que anunciaran un gran cambio ocurrido en la situación de sus negocios. La galoneada casaca y el sombrero de tres picos, ¿qué se hicieron? Todavía llevaba calzones cortos y medias de algodón oscuro en sus miembros inferiores, pero aquéllos no eran *los* calzones. La levita era de amplios faldones, y en este punto igual que *la* casaca, pero ¡cuán diferente! El impresionante sombrero de tres picos había sido sustituido por un modesto sombrero redondo. El señor Bumble ya no era celador.

Hay ascensos en la vida que, independientemente de las más sustanciosas recompensas que deparan, adquieren especial valor y dignidad por las levitas y chalecos a que van unidos. Un mariscal de campo tiene su uniforme, un obispo su delantal de seda, un letrado su toga de seda, un celador su sombrero de tres picos. Despojad al obispo de su delantal, o al celador de su sombrero de tres picos y dorados galones, y ¿qué son? Hombres, simples hombres. Ascendedlos, elevadlos a diferentes y más altos cargos oficiales y, despojados de sus delantales de seda negra y de sus sombreros de tres picos, carecerán de su antigua dignidad y se verán privados en alguna medida de su influencia sobre la multitud. La dignidad e incluso también la santidad son a veces más cosa de levita y chaleco que lo que algunos se imaginan.

El señor Bumble se había casado con la señora Corney y era superintendente del hospicio. Otro celador había subido al poder. A él habían ido a parar el sombrero de tres picos, la casaca de galones dorados y el bastón.

–Y mañana hace dos meses que lo hicimos –dijo el señor Bumble con un suspiro–. Parece un siglo.

Puede que el señor Bumble quisiera decir que había concentrado una existencia entera de felicidad en el breve espacio de ocho semanas, pero aquel suspiro... Había un enorme carga de significado en aquel suspiro.

–Me vendí –dijo el señor Bumble, continuando el mismo curso de reflexiones– por seis cucharillas, unas tenacillas de azúcar y una jarrita de leche con unos cuantos muebles de segunda mano y veinte libras en metálico. Me di por poco. Barato, ¡asquerosamente barato!

–¡Barato! –gritó una voz chillona al oído del señor Bumble–. Habrías sido caro a cualquier precio, y bien caro te pagué yo, ¡Dios que está en los cielos lo sabe!

El señor Bumble se volvió y se topó con la cara de su interesante cónyuge que, entendiendo malamente las pocas palabras que había oído de su queja, lanzó la mencionada observación a la buena ventura.

–¿Es ésa –dijo el señor Bumble con sentimental firmeza–, es ésa la voz que me llamó pollo irresistible en el cuartito? ¿Es ésta la criatura que era todo mansedumbre, dulzura y sensibilidad?

–Sí que lo es, por mala suerte –repuso la esposa–; aunque sin mucha sensibilidad, que si no, habría tenido más sentido que el que tuve para hacer el sacrificio que hice.

–¿El sacrificio, señora Bumble? –dijo el caballero con gran acritud.

–Puedes repetir esa palabra si te parece –dijo la dama–; no debería abandonar nunca mis labios, Dios lo sabe.

–No me he percatado de que los haya abandonado jamás, señora –replicó el señor Bumble–. Siempre está saliendo de tu boca, mi señora, pero siempre está en ella. Señora Bumble.

–¿Y bien? –gritó la dama.

–Ten la bondad de mirarme –dijo el señor Bumble clavando los ojos en ella («Si resiste una mirada como ésta», dijo el señor Bumble para sí, «podrá resistir cualquier cosa. Es una mirada que nunca vi que fallara con los pobres y si me falla con ella mi autoridad está perdida»).

El que una pequeñísima dilatación del ojo sea suficiente para dominar a los pobres que, escasamente alimentados, no se hallan en su mejor forma, o el que la ex señora Corney estuviera especialmente hecha a prueba de miradas de águila es materia opinable. La realidad del hecho es que a la gobernanta no la amilanó en manera alguna la ceñuda mirada del señor Bumble, sino que, al contrario, la recibió con harto desdén e incluso le provocó una carcajada que sonó como si fuera auténtica.

Al oír aquel inesperadísimo sonido, el señor Bumble pareció primero incrédulo y luego estupefacto. Luego volvió a sumirse en su anterior estado y no salió de su ensimismamiento hasta que la voz de su consorte volvió a llamarle la atención.

–¿Vas a estarte sentado ahí roncando todo el día? –preguntó la señora Bumble.

–Voy a estarme sentado aquí todo el tiempo que me parezca conveniente, señora –repuso el señor Bumble–, y aunque *no* estaba roncando, roncaré, bostezaré, estornudaré, reiré o gritaré según me pete, que ésa es mi prerrogativa.

–¿*Tu* prerrogativa? –se burló la señora Bumble con indescriptible desprecio.

–Ésa es la palabra que he dicho, señora –dijo el señor Bumble–. La prerrogativa de un hombre es dar órdenes.

–¿Y cuál es la prerrogativa de una mujer, en el nombre de Dios? –exclamó la viuda del difunto señor Corney.

–Obedecer, señora –tronó el señor Bumble–. Tu difunto y desgraciado esposo debería habértelo enseñado, y puede que estuviera vivo todavía. ¡Ojalá lo estuviera, el pobre hombre!

Viendo en un abrir y cerrar de ojos que el momento decisivo había llegado y que un golpe asestado para decidir la autoridad de una parte o la otra debe ser necesariamente definitivo y concluyente, la señora Bumble, no bien oyó aquella alusión al muerto y enterrado, se dejó caer en una silla y, gritando que el señor Bumble era una bestia de duro corazón, se abandonó a un ataque de lágrimas.

Pero las lágrimas no eran cosa que llegaran al alma del señor Bumble, pues tenía el corazón impermeable. Igual que los sombreros lavables de castor que mejoran con la lluvia, sus nervios se robustecían y vigorizaban con torrentes de lágrimas que, por ser prendas de flaqueza y por lo tanto tácita admisión de su propio poder, le agradaban y extasiaban. Miró a su señora con ojos de gran satisfacción y la animó cortésmente a que llorara todo lo que pudiera, que tal ejercicio era tenido por el cuerpo facultativo como muy beneficioso para la salud.

–Despeja los pulmones, purifica el semblante, ejercita los ojos y suaviza el carácter –dijo el señor Bumble–. Así que sigue llorando.

Tras despacharse con aquella broma, el señor Bumble cogió el sombrero de la percha, se lo puso de lado con un aire un tanto desenvuelto, como hombre seguro de haber dejado clara su superioridad de manera apropiada, hundió las manos en los bolsillos y se encaminó tranquilamente hacia la puerta con mucha soltura y guasa dibujándosele en toda la figura.

Ahora bien, la que había sido señora Corney tenía gran experiencia en tácticas matrimoniales, pues antes de haber concedido la mano al señor Corney había estado unida a otro respetable caballero, fallecido también. Había intentado lo de las lágrimas porque eran menos problemáticas que la agresión manual, pero estaba resuelta a intentar este último modo de actuar, como el señor Bumble no tardaría en descubrir.

La primera prueba que experimentó de ello le llegó en forma de un ruido sordo, seguido inmediatamente por la repentina pirueta de su sombrero hasta el otro extremo de la habitación. Aquella acción preliminar le dejó la cabeza desnuda y la experta dama, agarrándole fuerte por el cuello con una mano, le asestó un chaparrón de golpes (dados con extraordinaria energía y destreza) en ella con la otra. Hecho lo cual, introdujo una ligera variante arañándole la cara y tirándole del pelo y, habiéndole infligido para entonces el castigo que le parecía proporcionado a la ofensa, le dio un empujón contra una silla, que por fortuna se hallaba bien situada para aquel fin, y le desafió a que volviera a hablar de su prerrogativa si se atrevía.

–¡Levántate! –dijo la señora Bumble con tono autoritario–. Y sal de aquí, si no quieres que haga algo grave.

El señor Bumble se levantó con cara compungidísima, preguntándose muy mucho qué podría ser aquello de algo grave. Recogiendo el sombrero, se dirigió hacia la puerta.

–¿Te vas? –preguntó la señora Bumble.

–Claro, querida, claro –respondió el señor Bumble, moviéndose más de prisa hacia la puerta–. No fue mi intención... ¡Me marcho, querida! Te pones tan violenta, que la verdad es que yo...

En aquel momento la señora Bumble avanzó de pronto para volver a poner en su sitio la alfombra, que había quedado recogida en la pelea. El señor Bumble salió como una flecha de la habitación sin dedicar más consideración a su inacabada frase y dejando a la ex señora Corney en pleno dominio del campo de batalla.

–No lo hubiera creído –dijo el señor Bumble mientras se arrastraba pasillo adelante, componiéndose su desarreglada vestimenta–. Nunca imaginé que fuera de ese tipo de mujeres. Si los pobres supieran esto, me convertiría en la comidilla de la porroquia.

Al señor Bumble le habían cogido lindamente por sorpresa y zurrado de lo lindo. Era decididamente propenso al fanfarroneo, le daba placer no desdeñable el hacer pequeñas crueldades y era por consiguiente (huelga decirlo) un cobarde. No se dice esto en modo alguno en detrimento de su carácter, pues muchas personalidades oficiales a quienes se tiene en gran admiración y respeto son víctimas de semejantes flaquezas. Se hace esta observación en realidad a favor suyo más que otra cosa y con el propósito de proporcionar al lector una justa apreciación de sus aptitudes para el cargo.

Pero no se había colmado con aquello la medida de su denigración. Tras darse una vuelta por la casa y pensar por vez primera que la ley de pobres era realmente demasiado dura para la gente y que los hombres que abandonaban a sus esposas dejándolas a cargo de la parroquia no deberían en toda justicia recibir castigo alguno, sino más bien ser recompensados en tanto que individuos meritorios que habían sufrido mucho, llegó el señor Bumble a una habitación en la que algunas pobres se ocupaban normalmente de lavar la ropa parroquial, y de donde procedía un ruido de voces que conversaban.

–¡Ejem! –dijo el señor Bumble, armándose de toda su dignidad natural–. Al menos estas mujeres seguirán respetando la prerrogativa. ¡Hola! ¡Hola! ¿Qué significa este jaleo, eh, tunantas?

Con aquellas palabras abrió el señor Bumble la puerta y entró con ademán fiero y airado, que al punto se transformó en expresión humillada y acobardada al posarse inesperadamente sus ojos en la figura de su señora esposa.

–Querida –dijo el señor Bumble–. No sabía que estuvieras aquí.

–¡No sabías que estuviera aquí! –repitió la señora Bumble–. Y tú, ¿qué haces aquí?

–Me pareció que hablaban demasiado para concentrarse en el trabajo, querida –repuso el señor Bumble, mirando distraídamente a una pareja de viejas junto a la tina de lavar, que intercambiaban expresiones de admiración ante la humildad del superintendente del hospicio.

–¿A ti te pareció que hablaban demasiado? –dijo la señora Bumble–. ¿Y a ti qué te importa?

–Hombre, querida... –insistió el señor Bumble sumiso.

–¿A ti qué te importa? –volvió a preguntar la señora Bumble.

–Es cierto, aquí la gobernanta eres tú –señaló el señor Bumble–, pero pensé que quizá no andabas por aquí en este momento.

–Escucha lo que te digo, señor Bumble –replicó su señora–. No necesitamos nada de tus entrometimientos. A ti te gusta demasiado meter las narices en lo que no te importa, y así haces reír a todos los de la casa en cuanto te das la vuelta y te muestras como un tonto a toda hora del día. ¡Anda, lárgate!

Viendo con una sensación de agonía el deleite de las dos viejas indigentes, que juntas hacían risitas de la manera más exaltada, el señor Bumble vaciló un instante. La señora Bumble, que tenía una paciencia incapaz de soportar dilaciones, cogió una palangana de jabonaduras y, señalándole la puerta, le ordenó que se marchara en seguida so pena de recibir el contenido sobre su corpulenta persona.

¿Qué podía hacer el señor Bumble? Miró abatido alrededor y se escabulló, y cuando llegó a la puerta las risitas de las viejas eran ya una carcajada chillona de incontenible deleite. Lo que le hacía falta. Había sido humillado delante de ellas, había perdido casta y rango ante las mismísimas pobres, había caído desde la cumbre y esplendor de la celaduría hasta el profundo abismo de la más humillante derrota perpetrada por faldas.

–¡Todo esto en dos meses! –dijo el señor Bumble presa de tristes pensamientos–. ¡Dos meses! No hace más de dos meses que yo era, no sólo mi propio dueño, sino el de todo el mundo, en lo que se refiere al hospicio porroquial, ¡y ahora...!

Era demasiado. El señor Bumble dio un bofetón en las orejas al muchacho que le abrió la puerta (pues en sus cavilaciones había llegado al zaguán), y salió distraídamente a la calle.

Subió por una calle y bajó por otra, hasta que el ejercicio calmó el primer embate de su aflicción y luego el cambio brusco de sensaciones le dio sed. Pasó por delante de muchas tabernas y al cabo se detuvo un instante frente a una en un pasaje, en cuyo salón, como pudo vislumbrar con un rápido vistazo por encima de las cortinas, no había nadie excepto un solitario cliente. En aquel momento se puso a llover con fuerza. Aquello le decidió. El señor Bumble entró, pidió algo de beber al pasar frente a la barra y penetró en la estancia a la que se había asomado desde la calle.

El hombre que allí estaba sentado era alto y moreno y llevaba encima una amplia capa. Tenía cara de forastero y parecía, por su aspecto un tanto demacrado, así como por sus ropas manchadas de polvo, que había viajado algún trecho. Miró a Bumble de reojo cuando entró, pero apenas si se dignó hacer un gesto con la cabeza en respuesta a su saludo.

Al señor Bumble le sobraba dignidad para dos, incluso suponiendo que el forastero se hubiera mostrado más afable, de modo que se bebió su ginebra con agua en silencio mientras leía el periódico con gran alarde de pompa y solemnidad.

Sucedió no obstante, como sucede a menudo cuando la gente se halla en compañía en tales circunstancias, que el señor Bumble sentía de vez en cuando un imperioso e irresistible deseo de lanzar una furtiva mirada al forastero y que cada vez que lo hacía, retiraba los ojos un tanto confuso de haber visto que el forastero le dirigía una mirada furtiva a él. La incomodidad del señor Bumble aumentó por la particular expresión de los ojos del forastero, que eran penetrantes y brillantes, pero empañados por una ceñuda expresión de desconfianza y sospecha distinta de todo lo que había visto jamás y que resultaba repelente.

Cuando sus miradas se hubieron cruzado varias veces de semejante manera, el desconocido rompió el silencio con voz áspera y profunda.

–¿Me andaba usted buscando –dijo– cuando se asomó a la ventana?

–No que yo sepa, a menos que no sea usted el señor...

Aquí el señor Bumble se interrumpió, pues tenía curiosidad por saber el nombre del desconocido y pensó en su impaciencia que éste rellenaría el hueco.

–Ya veo que no –dijo el desconocido con una expresión de sereno sarcasmo jugueteándole en los labios–, o si no, sabría cómo me llamo. No lo sabe. Le recomendaría que no me lo pregunte.

–No tenía intención de ofenderle, joven –indicó el señor Bumble solemnemente.

–Y no me ha ofendido –dijo el forastero.

A aquel breve diálogo siguió otro silencio, que volvió a romper el desconocido retirando el periódico atrasado que tenía delante y reanudando la conversación.

–Creo haberle visto antes –dijo–. Iba vestido de otra manera aquella vez y únicamente nos cruzamos en la calle, pero podría reconocerlo. Usted era celador aquí, ¿no es cierto?

–Sí, señor –dijo el señor Bumble con cierta sorpresa–, celador porroquial.

–Exactamente –dijo el otro, asintiendo con la cabeza–. Fue en esa capacidad en la que le vi.

–Claro, claro –dijo el señor Bumble, mirando atentamente al desconocido y haciendo desfilar por el pensamiento a todos los padres solteros, los no pagadores de impuestos y otros infractores de la ley de pobres cuyo aspecto podía recordar–. No le recuerdo.

–Milagro sería si me recordara –observó fríamente el otro–. ¿Qué hace usted ahora?

–Superintendente del hospicio –respondió Bumble pausada y ostentosamente para prevenir cualquier libertad indebida que el desconocido pudiera tomarse–. ¡Superintendente del hospicio, jovencito!

–¿Casado? –preguntó el forastero.

–Sí –dijo el señor Bumble con un movimiento de desasosiego en la silla–. Dos meses mañana.

–Se casó usted bastante mayor ya –dijo el desconocido–. Bueno, más vale tarde que nunca.

El señor Bumble estaba a punto de dar la vuelta al refrán y manifestar su opinión de que para la buena marcha de la humanidad debería decir «más vale nunca que tarde», cuando el desconocido le interrumpió.

–Usted tiene la misma perspicacia por sus intereses que tuvo siempre, ¿me equivoco? –prosiguió el desconocido y miró al señor Bumble a los ojos, al alzarlos éste, sorprendido por aquella pregunta–. No le dé reparo responder abiertamente, hombre. Ya ve que le conozco bastante bien.

–Supongo que un hombre casado –repuso el señor Bumble, haciéndose sombra sobre los ojos con la mano y examinando al desconocido de la cabeza a los pies con evidente perplejidad– no opone más objeciones que un soltero a ganarse honradamente un penique cuando puede. Los funcionarios porroquiales no están tan bien pagados como para permitirse rechazar una propinilla extraordinaria cuando se la ofrecen educada y debidamente.

Sonrió el desconocido y volvió a menear la cabeza como diciendo que no se había equivocado de hombre, y luego tocó la campanilla.

–Vuelva a llenar este vaso –dijo dando al patrón el vaso vacío del señor Bumble–. Fuerte y caliente. Así es como le gusta, ¿eh?

–No demasiado fuerte –respondió el señor Bumble con una tosecilla.

–Ya entiende lo que eso quiere decir, patrón –dijo secamente el desconocido.

Sonrió el tabernero, desapareció y poco después volvía con un tazón humeante, el primer trago del cual anegó los ojos del señor Bumble.

–Ahora escúcheme –dijo el desconocido tras cerrar la puerta y la ventana–. He venido hoy a este lugar para encontrarle y, por una de esas casualidades que el diablo pone a veces en el camino de sus amigos, usted ha entrado en la mismísima habitación en la que yo estaba sentado en el momento en que usted ocupaba exclusivamente mi pensamiento. Responda rápidamente a lo que voy a preguntarle, pues quiero llegar al lugar donde pienso pernoctar antes de que la maldita noche negra caiga; el camino es solitario y la noche oscura, y yo odio ambas cosas sólo. ¿Me sigue?

–Le escucho –dijo el señor Bumble, aplicándose a la ginebra con agua como buscando una respuesta a aquel misterio–, pero decir que le he entendido, sabe usted, sería estirar mucho la cosa en este momento.

–Seré claro de sobra –dijo el forastero–: necesito alguna información de usted. No le pido que me la dé por nada, aunque es insignificante. Guárdese esto para empezar.

Y así diciendo, fue empujando un par de soberanos a lo largo de la mesa hasta su interlocutor, con mucho cuidado, como deseoso de que el sonido de las monedas no se oyera fuera. Cuando el señor Bumble las hubo examinado minuciosamente para ver que eran auténticas y se las hubo guardado con harta satisfacción en el bolsillo del chaleco, continuó el otro:

–Haga memoria... Veamos...., doce años el invierno pasado.

–Es mucho tiempo –dijo el señor Bumble–. Bueno, ya está.

–La escena, el hospicio.

–¡Vale!

–Y el momento, por la noche.

–Sí.

–Y el lugar, el infame agujero, dondequiera que fuera, en el que las infelices pelanduscas daban a luz la vida y salud que tan a menudo se les negaba a ellas..., daban a luz chicos berreones para que la parroquia los criara y escondían su vergüenza en la tumba. ¡Que en ella se pudran!

–¿La maternidad? –dijo el señor Bumble sin entender del todo la emotiva descripción del desconocido.

–Sí –dijo el desconocido–. Allí nació un muchacho.

–Muchos muchachos –observó el señor Bumble, meneando la cabeza decepcionado.

–¡La peste los mande al infierno! –gritó el forastero–. Hablo de uno, un cachorro mansote y paliducho de cara, que fue aprendiz aquí de un fabricante de ataúdes..., que ojalá hubiera hecho el suyo y clavado su cadáver dentro... y luego se escapó a Londres, según se creyó.

–¡Hombre, quiere decir Oliver! ¡El pequeño Twist! –dijo el señor Bumble–. Claro que lo recuerdo. No había granuja más testarudo...

–No es de él de quien quiero que me hablen. Ya he oído bastante de él –dijo el desconocido, parando al señor Bumble en el umbral de una perorata sobre el tema de los defectos del pobre Oliver–. Es de una mujer, la bruja que asistió a su madre. ¿Dónde está?

–¿Dónde está? –dijo el señor Bumble, a quien la ginebra con agua hacía chistoso–. Sería difícil decirlo. Allí no hay trabajo para parteras, haya ido donde haya ido, así que supongo que estará en el paro de todos modos.

–¿Qué quiere decir? –preguntó el forastero severamente.

–Que murió el invierno pasado –repuso el señor
Bumble.

El hombre le miró fijamente cuando oyó aquella noticia y, aunque no retiró los ojos por algún tiempo, su
mirada se hizo cada vez más vacía y extraviada y pareció
que él se perdía en sus pensamientos. Por un tiempo pareció dudoso si la información le aliviaba o le decepcio-
naba, pero al cabo respiró más tranquilo y, apartando los
ojos, dijo que no tenía mucha importancia. Tras lo cual
se levantó como para marcharse.

Pero el señor Bumble era más que astuto e inmediatamente vio que se presentaba la ocasión de utilizar lucrati-
vamente algún secreto que poseía su media naranja. Recordaba bien la noche de la muerte de la vieja Sally, que
los acontecimientos de aquel día le ofrecían buenas razones para no olvidar, ya que fue la ocasión en que se declaró a la señora Corney y, aunque esta señora nunca le
confiara el secreto del que había sido testigo única, había
escuchado lo suficiente para saber que tenía que ver con
algo que sucedió mientras la vieja asistía como enfermera del hospicio a la joven madre de Oliver Twist. Recordando apresuradamente aquella circunstancia, informó
al desconocido, con mucho misterio, de que una mujer
se había encerrado con la vieja arpía poco antes de morir, y que tenía motivos para creer que ella podría arrojar
alguna luz sobre el asunto de sus pesquisas.

–¿Cómo puedo encontrarla? –dijo el forastero cogido
desprevenido y revelando claramente que todos sus temores (cualesquiera que fueran) despertaban de nuevo
con aquella noticia.

–Sólo por mediación mía –repuso el señor Bumble.

–¿Cuándo? –exclamó presto el forastero.

–Mañana –repuso Bumble.

–A las nueve de la noche –dijo el desconocido, sacando un trozo de papel, en el que escribió la dirección de un apartado lugar junto al río, en letra que delataba su agitación–, a las nueve de la noche, llévemela aquí. No necesito decirle que guarde el secreto. Es en su propio interés.

Con aquellas palabras salió por delante hasta la puerta, después de detenerse a pagar la bebida consumida. Tras comentar brevemente que iban en direcciones distintas, se marchó sin más ceremonia que la de repetir enfáticamente la hora de la cita la noche siguiente.

Al leer la dirección, el funcionario parroquial notó que no incluía nombre. El desconocido no se había alejado mucho, así que fue tras él a preguntárselo.

–¿Qué quiere? –preguntó el hombre, volviéndose al tocarle Bumble en el brazo–. ¿Siguiéndome?

–Sólo para hacerle una pregunta –dijo el otro, señalando el trozo de papel–. ¿Por quién tengo que preguntar?

–¡Por Monks! –repuso el hombre, y se alejó apresuradamente a grandes zancadas.

Capítulo 38

Que da cuenta de lo que trataron el señor y la señora Bumble con el señor Monks en su nocturna entrevista

Era un atardecer gris, bochornoso y nublado de verano. Las nubes, que habían estado amenazando todo el día, se extendían en una espesa y perezosa masa de vapor, empezaban a soltar ya gruesas gotas de lluvia y parecían presagiar una violenta tormenta, cuando el señor y la señora Bumble, alejándose de la calle principal de la ciudad, encaminaron sus pasos hacia una desperdigada agrupación de casas en ruinas distante milla y media o algo así que se elevaba en una malsana ciénaga a orillas del río.

Iban envueltos ambos en ropa de calle vieja y raída, que tal vez tenía el doble fin de protegerlos de la lluvia y de hacerlos pasar inadvertidos. El marido llevaba un farol, en el que no obstante no brillaba todavía luz alguna, y caminaba penosamente unos pasos por delante, como para permitir que su mujer pisara en sus profundas huellas, ya que el camino estaba lleno de barro. Avanzaban en profundo silencio y, de vez en cuando, el señor Bumble aflojaba el paso y volvía la cabeza como para cerciorarse de que su esposa le seguía, y luego, viendo que la llevaba pegada a los talones, volvía a apretarlo y continuaba, mucho más deprisa, hacia su lugar de destino.

La reputación de aquel lugar estaba lejos de ser dudosa, pues desde hacía mucho tiempo se le conocía como morada exclusiva de viles rufianes que, bajo diferentes apariencias de ganarse la vida trabajando, vivían sobre todo del robo y la delincuencia. Era una serie de auténticas chabolas, unas apresuradamente contruidas con ladrillos sueltos, otras de madera de barco vieja y carcomida, amontonadas sin orden ni concierto y situadas en su mayoría a pocos metros de la orilla del río. Unas cuantas barcas rotas varadas en el barro y amarradas al muro del dique paralelo a la orilla y aquí y allá un remo o un rollo de soga parecían indicar a primera vista que los habitantes de aquellas míseras casuchas ejercían alguna profesión relacionada con el río, pero una mirada al quebrantado e inservible estado de los objetos así expuestos habría llevado a concluir al transeúnte, sin gran dificultad, que se hallaban allí dispuestos más para guardar las apariencias que con intención alguna de ser efectivamente utilizados.

En el corazón de aquel puñado de chozas y al borde del río, sobre el cual daban sus pisos altos, se alzaba un edificio grande, destinado antaño a fábrica de alguna cosa. Tal vez en su día había dado trabajo a los habitantes de las viviendas circundantes. Pero desde hacía mucho tiempo estaba en ruinas. Las ratas, la carcoma y la humedad habían debilitado y podrido los pilares que lo sostenían y una gran parte del edificio se había hundido ya en el agua, mientras que la restante, ruinosa e inclinada sobre la oscura corriente, parecía esperar una ocasión favorable para seguir a su antigua compañera y sufrir el mismo destino.

Fue delante de aquel ruinoso edificio donde la distinguida pareja se detuvo cuando retumbaba en el aire el estruendo del primer trueno y la lluvia comenzaba a caer con fuerza.

–Tiene que ser en alguna parte cerca de aquí –dijo Bumble consultando un trozo de papel que tenía en la mano.

–¡Hola! –gritó una voz que venía de arriba.

Al oír la voz, el señor Bumble alzó la cabeza y distinguió en el segundo piso a un hombre asomado a una puerta que le llegaba hasta el pecho.

–Esperen un momento –gritó la voz–. En seguida estoy con ustedes.

Con lo cual la cabeza desapareció y la puerta se cerró.

–¿Es ése el hombre? –preguntó la buena señora del señor Bumble.

El señor Bumble asintió con la cabeza.

–Entonces, acuérdate de lo que te he dicho –dijo la gobernanta–, y ten cuidado de decir lo menos posible, o nos delatarás en seguida.

El señor Bumble, que había examinado el edificio con pesaroso semblante, se disponía aparentemente a emitir algunas dudas sobre lo aconsejable de continuar adelante en aquella empresa, cuando se lo impidió la aparición de Monks, que abrió una puertecilla cerca de donde estaban y les hizo señas de que entraran.

–¡Adelante! –exclamó con impaciencia y golpeando con el pie en el suelo–. ¡No me tengan aquí!

La mujer, que al principio vaciló, entró valientemente sin más invitaciones. El señor Bumble, que tenía vergüenza o miedo de quedarse atrás, la siguió, visiblemente muy preocupado y con apenas nada de aquella admirable dignidad que solía ser su principal característica.

–¿Qué demonios les hacía quedarse ahí mojándose? –dijo Monks, volviéndose y dirigiéndose a Bumble tras atrancar la puerta.

–Estábamos..., estábamos tomando el fresco –balbució Bumble mirando con aprensión alrededor.

–¡Tomando el fresco! –replicó Monks–. Toda la lluvia caída y por caer no podrá apagar todo el fuego infernal que un hombre puede llevar encima. No se refrescarán tan fácilmente, ¡no lo crean!

Con aquellas agradables palabras Monks se volvió a la gobernanta y le clavó la mirada hasta que ella, que no se acobardaba fácilmente, se vio obligada a apartar los ojos y dirigirlos al suelo.

—Ésta es la mujer, ¿no? —preguntó Monks.

—¡Ejem! Ésta es —repuso el señor Bumble, acordándose de la advertencia de su esposa.

—Usted cree que las mujeres no saben guardar secretos, ¿eh? —terció la gobernanta devolviendo la escrutadora mirada de Monks.

—Sé que hay *uno* que guardarán hasta que se descubra —dijo Monks desdeñosamente.

—¿Y cuál es ése? —preguntó la gobernanta.

—La pérdida de su buen nombre —repuso Monks—. De modo que, por la misma razón, si una mujer participa de un secreto que pueda mandarla a la horca o a la deportación, no seré yo quien se preocupe de que se lo cuente a alguien. ¿Entiende usted, señora?

—No —respondió la gobernanta, sonrojándose ligeramente.

—¡Por supuesto que no! —dijo Monks—. ¿Cómo podría entender?

Tras dispensar una entre sonrisa y mohín de enfado a sus dos huéspedes e indicarles otra vez que le siguieran, se apresuró el hombre a atravesar la estancia, que era de considerables dimensiones pero de techo bajo. Se disponía a subir por una empinada escalera o mejor dicho una especie de escalera de mano que conducía a un piso superior de almacenes, cuando el brillante fulgor de un relámpago irrumpió por la abertura seguido del estallido del trueno, que estremeció al ruinoso edificio hasta las entrañas.

–¡Escuchen! –gritó retrocediendo–. ¡Escúchenlo! Retumbando y retronando como si resonara en mil cavernas donde los demonios se escondieran de él. ¡Ruido del infierno! ¡Lo odio!

Permaneció callado unos momentos y luego, retirando súbitamente las manos de la cara, dejó ver, con indescriptible desconcierto por parte del señor Bumble, que la tenía distorsionada y descolorida.

–Estos ataques me dan de vez en cuando –dijo Monks, advirtiendo el sobresalto del otro–, y a veces el trueno me los provoca. No se preocupen ya por mí, ya se pasó por esta vez.

Y así diciendo, subió el primero por la escalera, se apresuró a cerrar la contraventana de la habitación a la que aquélla conducía, y bajó un farol, colgado de una cuerda con polea sujeta a una de las gruesas vigas del techo, que esparcía una luz pálida sobre una mesa y tres sillas viejas situadas debajo.

–Ahora –dijo Monks cuando se hubieron sentado los tres–, cuanto antes entremos en materia, mejor para todos. La mujer sabe de qué va, ¿no es cierto?

La pregunta se dirigía al señor Bumble, pero su esposa anticipó la respuesta, declarando que estaba perfectamente enterada de lo que se trataba.

–¿Es cierto lo que él dice de que la noche en que aquella bruja murió estaba usted con ella, y que le dijo algo...?

–Sobre la madre del muchacho que usted nombró –repuso la gobernanta, interrumpiéndole–. Sí.

–La primera pregunta es de qué índole era lo que le comunicó –dijo Monks.

–Ésa es la segunda –señaló la mujer con mucha flema–. La primera es cuánto puede valer lo que me comunicó.

–¿Quién diablos puede decirle eso sin saber de qué se trata? –preguntó Monks.

–Nadie mejor que usted, estoy segura –respondió la señora Bumble, que no carecía de redaños, como podía ampliamente atestiguar su compañero de yugo.

–¡Hum! –dijo Monks con tono de entendimiento y una expresión de inquisitiva ansiedad–. Quizá haya dinero que merezca la pena ganar, ¿eh?

–Quizá lo haya –fue la serena respuesta.

–Algo que le quitaron –dijo Monks–. Algo que llevaba puesto. Algo que...

–Mejor será que haga su oferta –le interrumpió la señora Bumble–. Ya he oído bastante para saber que es usted el hombre con quien tengo que hablar.

El señor Bumble, a quien su media naranja no había dado más cuenta del secreto de la que tuvo desde el principio, escuchaba aquel diálogo con el cuello estirado y los ojos desorbitados, dirigiéndolos a su esposa y a Monks alternativamente sin ocultar su asombro, que aumentó, si cabía, cuando aquél preguntó qué suma deseaba por la revelación del secreto.

–¿Cuánto vale para usted? –preguntó la mujer con el mismo aplomo de antes.

–Puede que nada, puede que veinte libras –repuso Monks–. Hable y sepamos qué.

–Añada cinco libras a la cantidad que ha dicho. Déme veinticinco libras en oro –dijo la mujer– y le diré todo lo que sé. No antes.

–¡Veinticinco libras! –exclamó Monks, echándose atrás.

–He hablado lo más claro posible –replicó la señora Bumble–. Y no es cantidad tan grande.

–¿No es tan grande por un secreto insignificante, que puede que no valga nada cuando lo oigamos –gritó

Monks con impaciencia–, y que lleva muerto doce años o más?

–Esas cosas se conservan bien y, como el buen vino, a menudo valen el doble con el paso del tiempo –respondió la gobernanta, manteniendo la resuelta indiferencia que había adoptado–. Y eso de estar muerto, algunos hay que llevan muertos doce mil años, o doce millones, igual nos da a usted y a mí, que contarán por fin cosas curiosas.

–¿Y si le doy el dinero por nada? –preguntó Monks vacilando.

–Fácilmente puede volver a quitármelo –repuso la mujer–. Tan sólo soy una mujer, sola aquí y sin protección.

–Sola no, querida, ni sin protección –señaló el señor Bumble con voz trémula del miedo–. Aquí estoy *yo*, querida. Y además –dijo el señor Bumble con los dientes castañeteándole–, el señor Monks es muy caballero para pretender violencia alguna contra personas de la porroquia. El señor Monks sabe bien que ya no soy mozo, querida, y también que estoy, como si dijéramos, un poco avellanado, pero ha oído, digo que no me cabe duda de que el señor Monks ha oído, querida, que soy un funcionario muy resuelto, con fuerzas fuera de lo común si se me provoca. Sólo necesito que se me provoque un poquito y ya estoy.

Según hablaba, el señor Bumble hizo un tímido amago de coger el farol con fiera resolución y, con una expresión de sobresalto en todas sus facciones, dejó ver claramente que sí que *necesitaba* que se le provocara un poquito, y no sólo un poquito, antes de manifestar cualquier tipo de hostilidad, excepto, claro está, hacia pobres u otra persona o personas sometidas a dieta de adelgazamiento para tal fin.

–Tú estás bobo –dijo la señora Bumble en respuesta–, y harías mejor dejando quieta la lengua.

–Hubiera hecho mejor cortándosela antes de venir, si no puede hablar más bajo –dijo Monks fríamente–. O sea que es su marido, ¿eh?

–¡Mi marido! –rió disimuladamente la gobernanta por eludir la pregunta.

–Es lo que pensé cuando llegaron –dijo Monks, notando la airada mirada que la señora lanzó a su esposo al decir aquello–. Tanto mejor, pues me decido mejor cuando trato con dos personas que veo que obran con una única voluntad. Estoy hablando en serio. ¡Aquí tienen!

Metió la mano en un bolsillo lateral y, sacando un taleguillo de lona, fue contando y poniendo en la mesa hasta veinticinco soberanos, y los empujó hasta la mujer.

–Ahora –dijo– guárdeselos y, cuando pase ese maldito trueno que se acerca y que romperá según creo encima del tejado, cuéntenos su historia.

Cuando el trueno, que en realidad pareció más cercano y reverberó y rompió casi encima de sus cabezas, se hubo calmado, Monks, levantando la cara de la mesa, se inclinó hacia adelante para escuchar lo que la mujer tenía que decir. Las caras de los tres casi se tocaban, pues los dos hombres estaban apoyados sobre la pequeña mesa ansiosos de escuchar, y la mujer se inclinaba también hacia adelante para que su susurro resultara audible. Los pálidos rayos del suspendido farol les caían justo encima y acentuaban la palidez y la ansiedad de sus semblantes, que, sumidos en la más tenebrosa oscuridad, parecían absolutamente siniestros.

–Cuando aquella mujer que llamábamos la vieja Sally murió –empezó la gobernanta–, estábamos solas ella y yo.

–¿No había nadie cerca? –preguntó Monks con la misma voz baja y hueca–. ¿Ninguna miserable enferma o idiota en ninguna otra cama? ¿Nadie que pudiera oír y tal vez entender?

–Ni un alma –respondió la mujer–; estábamos solas. *Yo* estaba sola junto al cuerpo cuando la muerte se apoderó de él.

–Vale –dijo Monks, mirándola fijamente–. Continúe.

–Habló de una joven –prosiguió la gobernanta– que había dado a luz un niño años antes, no sólo en la misma habitación, sino en la misma cama donde ella estaba muriéndose.

–¿Sí? –dijo Monks, temblándole el labio y echando una mirada por encima del hombro–. ¡Sangre de Cristo! ¡Qué cosas pasan!

–El niño fue el que usted le mencionó anoche a éste –dijo la gobernanta, señalando despreocupadamente con la cabeza a su marido–, y a la madre le robó la enfermera que digo.

–¿En vida? –preguntó Monks.

–Muerta –replicó la mujer con un como escalofrío–. Robó del cadáver, cuando apenas se había enfriado, lo que la madre muerta le había rogado con su último suspiro que guardara por el bien de la criatura.

–¿Lo vendió? –gritó Monks con desesperada ansiedad– ¿Lo vendió? ¿Dónde? ¿Cuándo? ¿A quién? ¿Cuánto tiempo hacía?

–Según estaba diciéndome, con gran dificultad, que había hecho aquello –dijo la gobernanta–, cayó para atrás y murió.

–¿Sin decir nada más? –gritó Monks con una voz que por más contenida parecía más furiosa–. ¡Es mentira! A mí no me la juegan así. Dijo algo más. Sabré qué fue, aunque tenga que arrancarles la vida a los dos.

–No dijo ni una palabra más –dijo la mujer visiblemente impasible (cosa que el señor Bumble estaba muy lejos de estar) ante la violencia del desconocido–, pero se me agarró fuertemente al vestido con una mano, que la tenía semicerrada y, cuando vi que estaba muerta y desasí la mano a la fuerza, vi que apretaba un trozo de papel sucio.

–Que contenía... –interrumpió Monks, acercándose más.

–Nada –repuso la mujer–; era una papeleta de empeños.

–¿Por qué objeto? –preguntó Monks.

–En su momento se lo diré –dijo la mujer–. Imagino que conservó la alhaja algún tiempo con la esperanza de poder sacar mejor partido de ella, y que luego la empeñó y fue ahorrando o juntando malamente dinero para pagar el interés de la casa de empeños año tras año e impedir que caducara, de manera que todavía pudiera recuperarla en caso de que resultara algo de ella. No resultó nada y, como le digo, murió con el trozo de papel, ajado y roto, en la mano. El plazo se cumplía dos días después. Yo también pensé que algún día podría resultar algo de ella, así que fui y lo desempeñé.

–¿Dónde está ahora? –se apresuró apreguntar Monks.

–¡*Aquí!* –repuso la mujer.

Y, como contenta de quitarse aquel peso de encima, se apresuró a arrojar en la mesa una bolsita de cabritilla en la que apenas cabía un relojito de colgante, sobre la cual se abalanzó Monks y la desgarró con temblorosas manos. Contenía un pequeño guardapelo de oro en el que había dos mechoncitos y una sencilla alianza de oro.

–Tiene grabada la palabra «Agnes» por la parte de dentro –dijo la mujer–. Hay un espacio en blanco para el apellido y luego sigue la fecha, que es un año antes de que el niño naciera. Es lo que he podido descubrir.

–¿Y esto es todo? –dijo Monks tras una detenida y ávida inspección del contenido del paquetillo.

–Todo –repuso la mujer.

El señor Bumble aspiró profundamente, como contento de ver que la historia terminara sin alusión alguna a la devolución de las veinticinco libras, y luego cobró ánimos para enjugarse el sudor que durante todo el anterior diálogo le había estado goteando de la nariz sin impedirlo.

–No sé nada más de la historia, aparte de lo que puedo imaginar –dijo su mujer, dirigiéndose a Monks tras breve pausa–, y no quiero saber nada, pues es más seguro. Pero ¿puedo preguntarle dos cosas?

–Puede preguntar –dijo Monks con ciertas muestras de sorpresa–, pero que responda o no, eso es otra cosa.

–Ya son tres –señaló el señor Bumble, aventurando un toque jocoso.

–¿Es esto lo que usted esperaba obtener de mí? –preguntó la gobernanta.

–Lo es –respondió Monks–. ¿Y la otra pregunta?

–¿Qué se propone hacer con ello? ¿Puede utilizarse contra mí?

–Nunca –repuso Monks–, ni contra mí. ¡Miren! Pero no avancen ni un paso, o su vida no vale un rábano.

Diciendo lo cual, arrastró súbitamente la mesa a un lado y, tirando de una argolla de hierro que había en el entablado, levantó una trampilla enorme, que se abrió junto a los pies del señor Bumble y que hizo que este caballero retrocediera varios pasos con gran precipitación.

–Miren ahí abajo –dijo Monks, bajando el farol dentro de la sima–. No tengan miedo de mí. Podría haberles echado abajo sin ruidos cuando estaban sentados encima, si ése hubiera sido mi juego.

Animada con aquellas palabras se acercó la gobernanta al borde, e incluso el señor Bumble, llevado de la curiosidad, se aventuró a hacer lo mismo. Las turbias aguas, crecidas por la fuerte lluvia, corrían velozmente allá abajo y todos los demás sonidos se perdían en el rumor de su chocar y arremolinarse contra los verdosos y viscosos pilares. Antaño había habido allí una aceña y la espumosa corriente, que se desgarraba entre las pocas y podridas estacas y trozos de maquinaria que todavía quedaban, parecía precipitarse adelante con renovado impulso al verse libre de los obstáculos que inútilmente habían tratado de frenar su impetuoso curso.

—Si tiraran a un hombre por aquí, ¿dónde estaría mañana por la mañana? —preguntó Monks, agitando el farol de un lado a otro en el oscuro pozo.

—Doce millas río abajo y además hecho trizas —replicó Bumble, retrocediendo de sólo pensarlo.

Sacó Monks el paquetillo del pecho, donde se había apresurado a guardarlo, y, atándolo a un peso de plomo que había pertenecido a alguna polea y yacía en el suelo, lo dejó caer en la corriente. Çayó derecho como una plomada, atravesó el agua con un ruido apenas perceptible y desapareció.

Mirándose a la cara unos a otros, los tres parecieron respirar más desahogados.

—¡Hecho! —dijo Monks, cerrando la trampilla, que cayó pesadamente hasta su posición inicial—. Aunque el mar devuelva siempre a sus muertos, como dicen los libros, se guardará el oro y la plata y esa baratija también. No hay nada más que decir y podemos concluir nuestra agradable reunión.

—Por supuesto —observó prontamente el señor Bumble.

—Mantendrá la lengua quietecita en la boca, ¿eh? —dijo Monks con expresión amenazadora—. De su mujer no temo nada.

—Puede confiar en mí, joven —respondió el señor Bumble, inclinándose con excesiva cortesía mientras avanzaba poco a poco hacia la escalera–. Por el bien de todos, joven, por el mío, ya sabe, señor Monks.

–Y sírvase aprender también a no mencionar ese nombre, ¿le importa? –dijo la persona a quien había nombrado.

–Claro, claro –respondió el señor Bumble mientras seguía alejándose.

–Y si volvemos a vernos, dondequiera que sea, nada de darnos a conocer, ¿entendido? –dijo Monks frunciendo el ceño.

–Puede confiar en mí, joven, que no diré ni una palabra a usted ni sobre usted por motivo ninguno –dijo el señor Bumble.

–Me alegra oírlo por su bien –observó Monks–. ¡Encienda el farol! Y lárguense de aquí todo lo de prisa que puedan.

Fue suerte que la conversación terminara en aquel momento, pues si no el señor Bumble, que había seguido inclinándose hasta llegar a seis pulgadas de la escalera, se habría precipitado de cabeza y sin remedio a la habitación de abajo. Encendió el farol con el que Monks había desatado de la cuerda y llevaba ahora en la mano y, sin intentar prolongar más la conversación, descendió en silencio seguido de su mujer. Monks siguió en retaguardia tras detenerse en las escaleras para cerciorarse de que no se oían más sonidos que el batir de la lluvia fuera y el correr del agua.

Atravesaron la habitación de abajo lenta y cautelosamente, pues Monks se sobresaltaba ante cualquier sombra, y, con el farol a un pie del suelo, el señor Bumble caminaba no sólo con evidente cuidado, sino también con un paso prodigiosamente aéreo para un caballero de su porte, y mirando nerviosamente a los lados por si hubiera trampillas ocultas. Monks desatrancó y abrió sin ruido la puerta por la que entraran y la pareja, tras intercambiar un simple gesto con su misterioso amigo, salió a la oscuridad y lluvia del exterior.

En cuanto se fueron, Monks, que parecía padecer una aversión irresistible a quedarse solo, llamó a un muchacho que había estado escondido en algún lugar del piso bajo, le ordenó que fuera delante de él con la luz y volvió a la habitación que acababa de dejar.

Capítulo 39

Que presenta a unos respetables personajes
que el lector ya conoce, y muestra cómo Monks
y el judío aunaron sus nobles ideas

La tarde que siguió a aquella en la que los tres distinguidos personajes mencionados en el capítulo anterior despacharan sus asuntillos como en él se narra, el señor William Sikes, al despertar de una siestecilla, preguntó con una especie de gruñido soñoliento qué hora de la noche era.

La habitación en la que el señor Sikes formulaba tal pregunta no era ninguna de aquellas que había tenido alquiladas antes de la expedición a Chertsey, aunque estaba en el mismo barrio de la ciudad y no lejos de su antiguo domicilio. Por las apariencias no era alojamiento tan deseable como sus anteriores cuarteles, pues era un cuartucho mal amueblado de reducidísimas dimensiones, iluminado tan sólo por un ventanillo en el techo en declive, y daba a una callejuela angosta y sucia. Y no faltaban otros indicios de que el buen caballero había descendido últimamente en la vida, pues la gran escasez de mobiliario y la carencia total de comodidades, junto con la ausencia absoluta de menudas posesiones como prendas de vestir y ropa blanca, hablaban de un estado de extrema pobreza, mientras que el enflaquecido y desmedrado aspecto del señor Sikes confirmaba plenamente tales síntomas, si hubiera habido necesidad alguna de corroborarlos.

Estaba el ladrón tumbado en la cama, envuelto en su abrigo claro a manera de bata y ostentando un juego de facciones que no se veía mejorado en grado alguno por el cadavérico color de su enfermedad ni por el aditamento de un gorro de dormir sucio y una barba recia y negra de una semana. A la cabecera estaba sentado el perro, ora mirando a su amo con aire melancólico, ora aguzando las orejas y emitiendo un gruñido ronco al atraer su atención algún ruido de la calle o de la parte baja de la casa. Sentada a la ventana, afanándose en remendar un viejo chaleco que formaba parte de la habitual indumentaria del ladrón, había una hembra, tan pálida y consumida de velar y de las privaciones, que habría sido dificilísimo reconocer en ella a la Nancy que ya ha aparecido en este cuento, sino por la voz con que respondió a la pregunta del señor Sikes.

—Las siete pasadas —dijo la muchacha—. ¿Cómo te encuentras esta noche, Bill?

—Flojo como el aire —respondió el señor Sikes con una maldición contra su cuerpo y su alma—. Pero ven, dame una mano y ayúdame a salir de esta cama de tós los demonios.

La enfermedad no había mejorado el carácter del señor Sikes, pues, según le levantaba la muchacha y le llevaba a una silla, masculló algunas maldiciones por su torpeza y la golpeó.

—¿Gimoteando, eh? —dijo Sikes—. ¡Venga! No te quedes ahí de yoriqueo. Si es tó lo que sabes hacer, corta ya de una vez. ¿Me oyes?

—Te oigo —respondió la muchacha, volviendo la cara a un lado y riendo sin ganas—. ¿Qué se te ha metido ahora en la cabeza?

—¡Ah! Te lo has pensao mejor, ¿eh? —gruñó Sikes, viendo la lágrima que temblaba en el ojo de la muchacha—. Tanto mejor pa ti, así.

—Pero no querrás decir que habrías sido malo conmigo esta noche, ¿eh Bill? —dijo la muchacha, poniéndole la mano en el hombro.

–¡No! –gritó el señor Sikes–. ¿Por qué no?

–Tantas noches –dijo la muchacha con un toque de ternura femenina que transmitía una cierta dulzura incluso a su voz–, tantas noches como te he asistido y cuidado pacientemente, como si fueras un niño, y ésta que es la primera que te veo en tu ser, no me habrías tratado como acabas de hacerlo, si te hubieras parado a pensarlo, ¿eh? Venga, venga, di que no.

–Bueno, pues –dijo el señor Sikes–, no. Pero ¡maldición, otra vez está gimoteando esta muchacha!

–No es nada –dijo la muchacha, dejándose caer en una silla–. No te preocupes por mí. Pronto se me pasará.

–¿Qué se pasará? –preguntó el señor Sikes con voz salvaje–. ¿Qué nueva bobá tiés ahora entre manos? Levántate y andando, y no me vengas con tus tonterías de mujer.

En cualquier otro momento aquella reprimenda y el tono en que se transmitía habrían surtido el efecto deseado, pero la muchacha estaba realmente débil y agotada, y apoyó la cabeza en el respaldo de la silla y se desmayó antes de que el señor Sikes pudiera proferir algunos de los juramentos apropiados con los que en semejantes situaciones solía aderezar sus amenazas. No sabiendo muy bien qué hacer en aquella desacostumbrada emergencia, pues los ataques de nervios de la señorita Nancy solían ser de esa violenta especie de la que la víctima sale luchando y forcejeando sin mayor ayuda, el señor Sikes probó con una leve blasfemia y, viendo que aquel tipo de tratamiento era totalmente ineficaz, pidió ayuda.

–¿Qué pasa aquí, querido? –dijo Fagin, asomándose.

–Echa una mano a la muchacha, ¿quieres? –repuso Sikes con impaciencia–. ¡No te quedes ahí de cháchara y haciendo muecas!

Con una exclamación de sorpresa se apresuró Fagin a ir en ayuda de la muchacha, mientras el señor John Dawkins (alias el Artero Perillán), que había entrado tras su venerable amigo en la habitación, depositó en el suelo un bulto que traía y, arrancando una botella de las manos del señorito Bates, que venía pisándole los talones, la destapó con los dientes en un abrir y cerrar de ojos y virtió parte de su contenido en la garganta de la paciente, después de probarlo para evitar equivocaciones.

–Dale una bocaná de aire fresco con el fueye, Charley –dijo el señor Hawkins–, y tú golpéale las manos, Fagin, mientras Bill desata las faldas.

Aquellos reconstituyentes juntos, administrados con harta energía, especialmente el cometido asignado al maestro Bates, que parecía considerar su participación en la operación un ejemplo de broma inigualable, no tardaron en producir el efecto deseado. La muchacha recobró poco a poco el sentido y, tambaleándose hasta una silla junto a la cama, hundió la cara en la almohada dejando que el señor Sikes se entendiera con los recién llegados, un tanto asombrado de su inesperada aparición.

–Bueno, ¿qué mal viento os ha traído hasta aquí? –preguntó a Fagin.

–Ningún mal viento, querido, pues los malos vientos no le van bien a nadie, y te traigo algo bueno, que te alegrará ver. Perillán, querido, abre el envoltorio y da a Bill las cosillas en las que nos hemos gastado todos nuestros dineros esta mañana.

Cumpliendo la orden del señor Fagin, el Artero deshizo el envoltorio, que era de grandes dimensiones y hecho de un viejo mantel, y fue dando los objetos que contenía, uno por uno, a Charley Bates, que fue poniéndolos en la mesa con variados elogios de su rareza y excelencia.

–Qué empanada de conejo, Bill –exclamó el caballerete, mostrando a la vista un pastelón enorme–, qué animalitos más delicaos, y qué patas más tiernas, Bill, que hasta los huesos se te derriten en la boca y no hay ni que mondarlos; media libra de té verde de siete chelines y seis peniques, tan fuerte tan fuerte, que si lo echas en agua hirviendo, casi salta la tapa de la tetera; libra y media de azúcar mascabao en el que los negros no dejaron de trabajar hasta conseguir la mejor calidá, ¡no señor, no!; dos panes de a dos libras cada uno; una libra de mantequiya fresca de la mejor; un trozo de queso curao de Gloucester, y de remate ¡un poco de la cosa con más cuerpo que jamás trincaste!

Al pronunciar aquel último panegírico el señorito Bates sacó de uno de sus enormes bolsillos una botella de vino de las grandes esmeradamente tapada, mientras que en el mismo instante el señor Dawkins vertía un vaso lleno de alcohol puro de la botella que traía, que el paciente se echó tragadero abajo sin pestañear.

–¡Ah! –dijo Fagin, frotándose las manos con gran satisfacción–. Ahora te pondrás bien, Bill, ahora sí.

–¡Ponerme bien! –exclamó el señor Sikes–. Podía haberlas palmao veinte veces antes de que tú hubieras hecho algo pa ayudarme. ¿Qué es lo que pretendes dejando a un hombre en este estao tres semanas y más, vagamundo malvao?

–¡Oídle, muchachos! –dijo Fagin, encogiéndose de hombros–. Y nosotros que venimos a traerle todas estas cosas es-tu-pen-das.

–Las cosas están bien por lo que valen –señaló el señor Sikes, calmándose un poco mientras echaba una ojeada a la mesa– pero, ¿qué tiés que decir de ti mismo y de dejarme aquí, sin manduca, ni saluz, ni pasta y tó lo demás, y no hacer más caso de mí en tó este maldito tiempo que si hubiera sido ese perro? ¡Yévalo abajo, Charley!

–Nunca vi un perro tan divertido como éste –exclamó el señorito Bates, haciendo lo que le decían–. ¡Husmeando la jamancia como una vieja en el mercao! Haría carrera en el escenario, este chucho, y además haría resurgir el teatro.

Tras permitirse aquel humorístico esparcimiento, el señorito Bates soltó tal carcajada por su propio chiste, que hizo lanzarse al temible Certero (perro que era de misantrópico temperamento) en un auténtic arrebato de ladridos que, para detenerlo, fue precisa toda la autoridad de su amo.

–Basta de escándalo –gritó Sikes mientras el perro retrocedía bajo la cama, gruñendo furiosamente todavía–. ¿Qué tiés que decir pa disculparte, viejo peristón chupao, eh?

–He estado fuera de Londres más de una semana, querido, preparando un golpe –respondió el judío.

–¿Y la quincena anterior? –preguntó Sikes–. ¿Y la quincena anterior, que me dejaste postrao aquí como una rata enferma en su madriguera?

–No pude evitarlo, Bill. No puedo darte largas explicaciones con gente delante, pero no pude evitarlo, palabra de honor.

–¿Palabra de qué? –gruñó Sikes como con asco–. ¡Venga! Cortazme un trozo de esa empaná, uno de vosotros, chavales, que se me quite de la boca el sabor de lo que acabo de oír, o me muero atragantao.

Aviado apresuradamente con una enorme ración de empanada, el señor Sikes blandió un rato su cuchillo y tenedor en silencio y, tras apartar al cabo el plato y trasegar otro vaso lleno de la botella del Perillán, se dirigió al judío en estos términos:

–Te voy a decir lo que pasa, Fagin. Me cogí esta calentura a cuenta tuya por andar haciendo el canelo tanto tiempo en la humedaz y retirarme de la circulación después de aquel embolao en que me metiste, que me podía haber costao el pescuezo y a ti las mejores manos que jamás te ayudaron a amontonar oro en tus viejos y enmohecíos talegos. Me has tenío aquí muerto de hambre y abatío pa machacarme de sobra pa que te haga cualquier trabajo que te traigas entre manos a cualquier precio. No digas que no, que es así y tú lo sabes. Tó lo que te digo es que me lo vuelvas a hacer otra vez y s'acabó la partía. Antes prefiero verme colgao que volver a pasarlas tan canutas, y muchísimo antes pa tener el gusto de verte columpiándote de la misma viga. Vuelvémelo a hacer otra vez y los dos estaremos bailando en el aire en menos de seis semanas, como que me llamo Bill Sikes y que tú eres una víbora, y no tengo más que decir.

–No te salgas de tus casillas, querido –instó Fagin muy sumiso–. Nunca te he olvidado, Bill, ni una vez.

–¡No! Me juego lo que sea que no –replicó Sikes con una amarga sonrisa–. Has estao tramando y urdiendo cada hora que yo he pasao tirao ahí tiritando y abrasándome, y Bill tié que hacer esto, y Bill tié que hacer lo otro, y Bill lo tié que hacer tó, por una miseria, en cuanto se ponga bueno, y sea pobre de sobra pa tu trabajo. Si no yega a ser por la chavala, me podía haber muerto.

–Vamos, Bill –replicó Fagin, agarrándose ávidamente a aquellas palabras–. ¡Si no llega a ser por la chavala! ¿Y gracias a quién sino al pobre vejete de Fagin tienes a esta muchacha tan servicial contigo?

–Ahí sí que dice la verdad, ¡Dios lo sabe! –dijo Nancy, acercándose presurosa–. Déjale estar, déjale estar.

La intervención de Nancy dio un nuevo giro a la conversación, pues los muchachos, captando un furtivo guiño del astuto judío, empezaron a ofrecerle insistentemente alcohol, que ella aceptó sin embargo con moderación, mientras Fagin, mostrando una inhabitual vena de buen humor, puso poco a poco al señor Sikes de mejor talante simulando recibir sus amenazas como bromas graciosas y, más aún, riendo a carcajadas los dos o tres chistes groseros que, tras repetidos toques a la botella de alcohol, se dignó contar.

–Tó eso está mu bien –dijo el señor Sikes–, pero tiés que darme algo de guita esta noche.

–No tengo ni blanca encima –replicó el judío.

–Entonces tiés montones en casa –repuso Sikes–, y tiés que darme algo de ello.

–¡Montones! –gritó Fagin, levantando las manos–. No tengo tanto como...

–No sé cuánto tiés y me atrevo a decir que apenas lo sabes tú mismo porque te yevaría bastante tiempo contarlo –dijo Sikes–, pero tiés que darme algo esta noche y s'acabó.

–Bueno, bueno –dijo Fagin con un suspiro–. Mandaré al Artero en seguida.

–No harás ná de eso –dijo el señor Sikes–. El Artero es demasiao artero y se le olvidaría volver o se perdería en el camino, o se enredaría dando rodeos pa no poder venir, o cualquier otro pretesto, si tú se lo indicas. Nancy irá al queli a buscarlo pa que tó esté seguro, y yo me echaré una cabezá mientras tanto.

Tras mucho regateo y discusión, Fagin logró rebajar a tres libras y seis peniques la suma del anticipo solicitado de cinco libras, quejándose con muchas y solemnes afirmaciones de que aquello le dejaba con sólo dieciocho peniques para administrar su casa y, mientras el señor Sikes comentaba desabrido que si no podía conseguir más debería contentarse con ello, Nancy se preparó a acompañarlo a casa, mientras el Perillán y el señorito Bates guardaban los comestibles en la alacena. Luego el judío, tras despedirse de su queridísimo amigo, regresó a casa en compañía de Nancy y de los muchachos, mientras el señor Sikes, arrojándose en la cama, se dispuso a matar el rato durmiendo hasta que la joven regresara.

A su debido tiempo llegaron a la morada de Fagin, donde hallaron a Toby Crackit y al señor Chitling enfrascados en su decimoquinta partida de cribbage, que perdió, casi huelga decirlo, el segundo de estos caballeros y con ello su decimoquinta y última moneda de seis peniques, ante el mucho regocijo de sus jóvenes amigos. Un tanto avergonzado a lo que parece de que lo encontraran esparciéndose con un caballero tan inferior a él en situación y en facultades mentales, el señor Crackit bostezó y, tras preguntar cómo andaba Sikes, cogió el sombrero para marcharse.

–¿No ha venido nadie? –preguntó Fagin.

–Ni quisque –respondió el señor Crackit, alzándose el cuello–; menos atraztivo que la cerveza aguá. Deberías portarte bien, Fagin, y recompensarme por haberte cuidao la casa tanto tiempo. Mecachis, me he aburrío más que los miembros de un jurao; y me habría quedao en un sueño más profundo que las mazmorras de Newgate, si mi buen natural no me hubiera aconsejao entretener a este chaval. ¡Que me yeven tós los diablos si no me muero casi de aburrimiento!

Con aquella y otras exclamaciones de la misma índole, el señor Toby Crackit recogió sus ganancias y se las metió en el bolsillo del chaleco con altivo gesto, como si aquella calderilla de plata no fuera digna de la atención de un hombre de su talle, y luego salió contoneándose de la habitación con tanta elegancia y gallardía que el señor

Chitling, dispensando muchas y admirativas miradas a sus piernas y botas hasta que desaparecieron de su vista, aseguró a los presentes que consideraba su amistad barata por quince monedas de seis peniques el encuentro, y que sus pérdidas no le importaban más que un crujido del dedo meñique.

–¡Qué tío más raro eres, Tom! –dijo el señorito Bates regocijado por aquella declaración.

–Ni pizca de eso –replicó el señor Chitling–. ¿Eh, Fagin?

–Un tipo muy listo, querido –dijo Fagin, dándole palmaditas en el hombro y guiñando a sus otros discípulos.

–Y el señor Crackit *es* un tío mu chic, ¿eh, Fagin? –preguntó Tom.

–No cabe la menor duda, querido.

–Y *es* cosa honrosa andar con él, ¿eh, Fagin? –prosiguió Tom.

–Muchísimo, querido, de verdad. Lo que pasa es que tienen envidia, Tom, porque a ellos no se lo permite.

–¡Ah! –exclamó Tom triunfante–. ¡Eso es lo que pasa! A mí me ha limpiao, pero yo puedo ir y ganar más cuando quiera, ¿eh, Fagin?

–Claro que puedes, y cuanto antes vayas mejor, Tom, así que recupera tus pérdidas inmediatamente y sin perder más tiempo. ¡Perillán! ¡Charley! Es hora de que estuvierais en el tajo. ¡Venga! Son casi las diez y no habéis hecho nada.

Obedeciendo a aquella advertencia, los muchachos saludaron a Nancy con un gesto, cogieron sus sombreros y abandonaron la habitación, y el Perillán y su vivaracho amigo iban divirtiéndose con bromas a costa del señor Chitling, en cuya conducta, justo es decirlo, no había nada de llamativo ni singular, ya que en la ciudad hay un gran número de jóvenes de carácter que pagan precios más altos que el señor Chitling por ser vistos en buena compañía y gran número de elegantes caballeros (que forman la mencionada buena compañía) que cimentan su reputación sobre bases muy parecidas a las del fulgurante Toby Crackit.

–Bueno –dijo Fagin cuando salieron–, voy a buscarte ese dinero, Nancy. Ésta es sólo la llave de un armarito donde guardo unas cosillas que los muchachos traen, querida. Yo nunca guardo el dinero bajo llave, pues no tengo ningún dinero que guardar..., ja, ja, ja..., ningún dinero que guardar. Es una profesión pobre, Nancy, y poco agradecida, pero me gusta verme rodeado de gente joven y aguanto lo que sea, aguanto lo que sea.

Nancy meneó la cabeza de una manera que parecía indicar que sabía tan bien como el judío lo que la profesión valía. Tras encender una vela y con la llave en la mano, Fagin se disponía a subir al piso de arriba cuando de pronto se detuvo al oír que los muchachos al salir habían topado con alguien a la puerta de la calle.

–¡Chist! –dijo el judío, escondiendo la llave en el pecho–. ¿Quién es? ¡Escucha!

A la muchacha, que estaba sentada a la mesa con los brazos cruzados, no pareció interesarle nada aquella llegada ni preocuparse de si la persona, quienquiera que fuese, iba o venía, hasta que el rumor de una voz de hombre llegó a sus oídos. En el momento en que captó aquel sonido se arrancó el gorrito y el mantón con la celeridad del rayo y los arrojó bajo la mesa. Al volverse el judío acto seguido, murmuró una queja sobre el calor que hacía con un tono tan lánguido, que contrastaba sobremanera con la desmesurada rapidez y violencia de su gesto, que, empero, había pasado desapercibido a Fagin, de espaldas a ella en aquel momento.

–¡Bah! –musitó él como irritado por la interrupción–. Es el hombre que esperaba antes; ya baja. Ni una palabra del dinero mientras esté aquí, Nancy. No parará mucho. Ni diez minutos, querida.

Llevando su sarmentoso índice a los labios, el judío se dirigió a la puerta con una vela mientras se oían fuera pasos de hombre por las escaleras. Llegó a ella al mismo tiempo que el visitante, que, penetrando apresuradamente en la habitación, se halló junto a la muchacha antes de percatarse de su presencia.

Era Monks.

—Una de mis jóvenes, nada más —dijo Fagin al advertir que Monks retrocedía al ver a la desconocida—. No te muevas, Nancy.

La muchacha se acercó más a la mesa y, tras mirar a Monks con expresión de despreocupada ligereza, apartó los ojos, mas, al volver él los suyos hacia Fagin, le lanzó furtivamente otra mirada, tan penetrante y escrutadora y tan preñada de intención, que si se hubiera hallado algún observador para notar el contraste, difícilmente podría haber creído que las dos miradas procedían de la misma persona.

—¿Cuándo has vuelto a la ciudad? —preguntó el judío, despabilando la luz que tenía en la mano.

—Hace dos horas —respondió Monks.

—¿Lo viste? —preguntó el judío.

—Lo vi —replicó el otro con un gesto de la cabeza que, al igual que el tono de su respuesta, iba preñada de significado.

—¿Alguna noticia? —preguntó Fagin.

—Enorme.

—Y..., y..., ¿buena? —preguntó Fagin, titubeando como de miedo de irritar al otro por mostrarse demasiado optimista.

—No mala, de todos modos —respondió Monks sonriendo—. Esta vez me he movido de prisa. Tengo algo que decirte a solas.

La muchacha se acercó más a la mesa sin manifestar intención alguna de abandonar la habitación, aunque podía ver que Monks la señalaba a ella. Temiendo que fuera a decir en voz alta algo sobre el dinero si intentaba deshacerse de ella, el judío apuntó hacia arriba y se llevó a Monks fuera de la habitación.

–No a aquel agujero del infierno donde estuvimos la otra vez –podía oír ella al hombre mientras subían.

Fagin reía y, respondiendo algo que ella no acertó a entender, pareció, por el crujir del entarimado, que llevaba a su acompañante al segundo piso.

Antes de que el ruido de sus pisadas cesara de resonar por la casa, ya se había despojado la muchacha de los zapatos y echádose el mantón suelto por encima de la cabeza, metió en él los brazos para que su silueta no la delatara en caso de que proyectara alguna sombra según iba, y se detuvo en la puerta a escuchar atentamente, conteniendo el aliento. En cuanto el ruido cesó, se deslizó fuera de la habitación, subió las escaleras con increíble ligereza y sigilo, y se perdió en las tinieblas de arriba.

La habitación permaneció vacía durante un cuarto de hora o más, la muchacha volvió con el mismo paso ingrávido e inmediatamente se oyó bajar a los dos hombres. Monks salió directamente a la calle y el judío volvió a arrastrarse escaleras arriba por el dinero. Cuando volvió, la muchacha estaba ajustándose el mantón y el gorrito como preparándose para marchar.

–Cuánto has tardado, Fagin –dijo con impaciencia–; buen humor va a tener Bill cuando vuelva.

–No pude evitarlo, querida –dijo el judío–; cosas de negocios sobre un poco de seda y terciopelo del que el señor quiere deshacerse sin que se le hagan preguntas. ¡Ja, ja! Pero, Nancy –exclamó el judío, retrocediendo sobresaltado al dejar la vela–, ¡qué pálida estás!

–¿Pálida? –repitió la muchacha, protegiéndose los ojos con las manos como para mirarle fijamente.

–Terrible de verdad. ¿Qué has estado haciendo?

–Nada que yo sepa, excepto estar sentada en este lugar cerrado no sé cuánto tiempo –respondió la muchacha despreocupadamente–. ¡Venga! Déjame marchar, no seas así.

Con un suspiro por cada moneda fue Fagin contando la suma y poniéndosela en la mano. Se despidieron sin hablar más, con un simple «Buenas noches».

Cuando la muchacha se halló en plena calle, se sentó en un umbral y por unos momentos pareció totalmente desconcertada e incapaz de continuar camino. Súbitamente se levantó y, apresurándose a andar en dirección contraria a aquella en que Sikes esperaba su regreso, apretó poco a poco el paso hasta que acabó transformándolo en frenética carrera. Cuando se sintió totalmente agotada, se detuvo a tomar aliento y, como serenándose de repente y lamentando su incapacidad para hacer algo en lo que estaba empeñada, se restregó las manos y prorrumpió en lágrimas.

Fuera porque las lágrimas la desahogaran o porque sintiera que su situación era totalmente desesperada, la cosa es que se dio la vuelta y, corriendo con casi la misma celeridad en dirección opuesta, en parte por recuperar el tiempo perdido y en parte por mantenerse al ritmo de la impetuosa corriente de sus pensamientos, pronto llegó a la morada en la que había dejado al ladrón.

Si alguna agitación podía delatarla cuando llegó ante el señor Sikes, él no lo notó, pues simplemente preguntó si traía el dinero y, como recibiera una respuesta afirmativa, soltó un gruñido de satisfacción y, volviendo a apoyar la cabeza en la almohada, reanudó el sueño que la llegada de la muchacha había interrumpido.

Fue una suerte para ella que el disponer de dinero le ocupara mucho a él en comer y beber al día siguiente, y además produjo el beneficioso efecto de suavizar las asperezas de su temperamento, con lo que no le quedaron ni tiempo ni ganas para mostrarse muy exigente sobre la manera como ella se conducía y obraba. La actitud toda de la muchacha, ensimismada e inquieta como la de quien se halla a punto de dar algún paso atrevido y arriesgado al que se ha llegado a costa de una tremenda lucha interior, habría resultado evidente a los ojos de lince de un Fagin, que seguramente habría captado el peligro de inmediato, pero el señor Sikes carecía de tal agudeza de discernimiento y, como no le preocuparan aprensiones más sutiles que aquellas que se concretan en una obstinada grosería de conducta hacia los demás, y encontrándose además en un estado insólitamente amable, como queda dicho, no notó nada raro en la conducta de la muchacha y la verdad es que se preocupaba tan poco de ella que, aunque su agitación hubiera sido mucho más evidente, habría sido poco probable que hubiera despertado sus sospechas.

A medida que el final del día se acercaba, la excitación de la joven aumentaba y, cuando llegó la noche y se sentó junto al ladrón a ver si se quedaba dormido de tanto beber, había en sus mejillas una inusitada palidez y un fuego en sus ojos que incluso Sikes contempló asombrado.

Débil por la fiebre yacía el señor Sikes en la cama, tomando agua con ginebra para bajar la calentura, y acababa de alargar el vaso a Nancy para que lo llenara por tercera o cuarta vez cuando aquellos síntomas le llamaron la atención por primera vez.

–¡Por tós los demonios! –dijo el hombre, incorporándose y apoyándose en las manos para mirar a la muchacha en la cara–. Paeces un cadáver resucitao. ¿Qué te pasa?

–¿Pasar? –replicó la muchacha–. Nada. ¿Por qué me miras con tanta fijeza?

–¿Qué tontería es ésta? –preguntó Sikes, agarrándola por la mano y zarandeándola–. ¿Qué pasa? ¿Qué tiés en la cabeza? ¿En qué estás pensando?

–En muchas cosas, Bill –repuso la muchacha, temblando y apretándose los ojos con las manos al mismo tiempo–. ¡Ay, Dios mío! ¿Qué importa eso?

El tono de alegría forzada con que se pronunciaron las últimas palabras pareció producir en Sikes mayor impresión que la mirada extraviada y fija que las precediera.

–Voy a decirte lo que pasa –dijo Sikes–; si no te has cogío la fiebre, y te está entrando, entonces hay algo raro en el aire, y algo peligroso también. ¿No irás a...? ¡No, maldita sea! ¡Tú no harías eso!

–¿Lo qué? –preguntó la muchacha.

–No hay en el mundo –dijo Sikes, clavándole los ojos y murmurando para sí–, no hay en el mundo una gachí de corazón más fiel, o la habría cortao el pescuezo hace tres meses. Tié la fiebre encima, eso es lo que pasa.

Fortalecido con aquel convencimiento, vació Sikes todo el vaso y luego gruñendo un montón de juramentos, pidió su medicina. La muchacha se levantó de un salto con gran solicitud, la virtió en seguida, aunque de espaldas a él, y le sostuvo el recipiente en los labios mientras él bebía todo el contenido.

–Ahora –dijo el ladrón–, ven y siéntate a mi lao y pon la cara de siempre o te la cambio, y no la reconocerás cuando *quieras*.

Obedeció la muchacha. Estrechándole la mano con la suya, Sikes cayó en la almohada con los ojos en ella. Se cerraron, volvieron a abrirse, se cerraron otra vez, se volvieron a abrir. Cambiaba de postura sin cesar y, tras quedarse dormido una y otra vez durante dos o tres minutos y erguirse sobresaltado otras tantas con una expresión de terror y mirar extraviadamente alrededor, le asaltó repentinamente, como si dijéramos, en el mismo momento de erguirse, un sueño profundo y pesado. El apretón de la mano se relajó, el brazo erguido cayó lánguidamente junto al costado y quedó tendido como en un profundo trance.

–Por fin le ha hecho efecto el láudano –musitó la muchacha, levantándose de la cabecera–. Puede que sea demasiado tarde ya.

Se puso en seguida el gorrito y el mantón, volviéndose a mirar con miedo de vez en cuando, como si, a pesar de la poción somnífera, temiera sentir a cada momento el apretón de la pesada mano de Sikes en el hombro, y luego, inclinándose despacito sobre la cama, besó los labios del ladrón, abrió y cerró la puerta sin hacer ningún ruido, y se precipitó fuera de la casa.

Un sereno voceaba las nueve y media en el fondo de un oscuro pasadizo por el que tenía que pasar para llegar a la calle principal.

–¿Hace mucho que pasó la media? –preguntó la muchacha.

–Daré la hora dentro de un cuarto –dijo el hombre, alzando el farol hacia la cara de la muchacha.

–Y no podré llegar allá en menos de una hora o más –murmuró Nancy, rozándole al alejarse y corriendo rápidamente calle abajo.

Muchas tiendas estaban ya cerrando en las callejuelas y travesías traseras por las que enderezaba su camino para ir desde Spitalfields hacia el West End londinense. El reloj dio las diez, aumentando así su impaciencia.

Avanzaba de prisa por las estrechas aceras codeando a los transeúntes de un lado y otro, y se arrojaba casi bajo las cabezas de los caballos para atravesar las calles atestadas, en las que la gente se apiñaba esperando la oportunidad de hacer lo mismo.

–¡Esa mujer está loca! –decía la gente, volviéndose a mirarla según corría.

Cuando llegó al barrio más rico de la ciudad, las calles estaban relativamente desiertas y su precipitada carrera despertaba aún más la curiosidad de los rezagados que tan de prisa pasaba. Algunos apretaban el paso tras ella, como para ver adónde se apresuraba con premura tan insólita, y algunos la adelantaban y miraban para atrás asombrados de ver cómo mantenía su velocidad, pero todos fueron desapareciendo uno a uno y, cuando ya se aproximaba a su lugar de destino, estaba sola.

Era un hotel familiar en una tranquila pero hermosa calle cerca de Hyde Park. El reloj daba las once cuando la brillante luz de la lámpara que ardía ante la puerta la guió hasta aquel punto. Había aflojado el paso, como indecisa y preguntándose si debería continuar, pero las campanadas la determinaron y entró en el vestíbulo. El asiento del portero estaba vacío. Miró alrededor con cara de incertidumbre y se dirigió hacia las escaleras.

–¡Hola, joven! –dijo una mujer elegantemente vestida, asomándose a una puerta detrás de ella–. ¿A quién buscas aquí?

–A una dama que se hospeda en esta casa –respondió la muchacha.

–¿Una dama? –fue la respuesta, acompañada de una mirada burlona–. ¿Qué dama?

–La señorita Maylie –dijo Nancy.

La mujer, que para entonces había reparado en su aspecto, respondió únicamente con una mirada de virtuoso desdén y llamó a un hombre para que la atendiera. Nancy le repitió el ruego.

–¿Qué nombre debo anunciar? –preguntó el camarero.

–No hace falta decir ninguno –replicó Nancy.

–¿Ni qué asunto? –dijo el hombre.

–No, tampoco –respondió la muchacha–. Debo ver a la señora.

–¡Vamos! –dijo el hombre, empujándola hacia la puerta–. Nada de historias. Venga fuera.

–¡Si he de salir, tendrán que sacarme! –gritó la muchacha con fuerza–. Y daré trabajo que ni dos como usted quieran hacer. ¿No hay aquí nadie –dijo, mirando en torno– que quiera llevar un sencillo recado de una pobre infeliz como yo?

Aquel llamamiento produjo efecto en un cocinero con cara de buena persona que estaba mirando con algunos otros miembros de la servidumbre y que se adelantó a intervenir.

–Llévaselo, Joe, ¿quieres? –dijo aquel hombre.

–¿Para qué? –repuso el otro–. No creerás que la señorita querrá ver a nadie como ella, ¿eh?

Aquella alusión al dudoso carácter de Nancy levantó oleadas de casta ira en los pechos de cuatro camareras, que manifestaron con harto ardor que la muchacha era oprobio de su sexo y recomendaron enérgicamente que la arrojaran al arroyo sin más miramientos.

–Hagan de mí lo que quieran –dijo la muchacha, volviéndose de nuevo a los hombres–, pero primero hagan lo que les pido, y les estoy pidiendo que lleven un recado en nombre de Dios Todopoderoso.

El bondadoso cocinero volvió a interceder y el resultado fue que el hombre que había aparecido en primer lugar se ofreció a llevarlo.

–¿De qué se trata? –dijo el hombre con un pie en la escalera.

–Que una muchacha pide encarecidamente poder hablar a la señorita Maylie a solas –dijo Nancy–, y que, con que oiga la primera palabra de lo que tiene que decirle, sabrá ella si deberá escuchar lo que le interesa o mandar que la echen fuera por impostora.

–Digo –manifestó el hombre– que vienes tú muy lanzada.

–Déle el recado –dijo la muchacha con firmeza– y tráigame la respuesta.

Corrió el hombre escaleras arriba. Pálida y casi sin aliento quedó Nancy, escuchando con labios temblorosos los despectivos comentarios, perfectamente audibles, que las castas camareras prodigaban y que prodigaron aún más cuando volvió el hombre y dijo que la joven debía subir arriba.

–No sirve ser decente en este mundo –dijo la primera camarera.

–La bandera que ha triunfado en mil batallas suele abandonarse por el más raído pendón –dijo la segunda.

La tercera se contentó con preguntarse de «qué estarán hechas las damas» y la cuarta fue primera en un cuarteto de «¡Vergonzoso!» con el que aquellas Dianas concluyeron.

Indiferente a todo aquello, pues llevaba en el corazón cosas de más peso, siguió Nancy al hombre con temblorosas piernas hasta una pequeña antecámara iluminada por una lámpara en el techo. Allí la dejó y se retiró.

Capítulo 40

Extraña entrevista, continuación
del capítulo anterior

La muchacha había derrochado su vida en las calles y en los burdeles y tugurios más sórdidos de Londres, pero quedaba algo en ella todavía de su prístina naturaleza femenina y, cuando oyó que unos suaves pasos se acercaban a la puerta opuesta a aquella por la que había entrado y pensó en el enorme contraste que un momento después ofrecería la pequeña habitación, se sintió abrumada por la sensación de su propia vergüenza y se agobió como si no pudiera soportar casi la presencia de aquella con quien había solicitado entrevistarse.

Mas en lucha contra aquellos buenos sentimientos estaba su orgullo..., vicio no menos común en los seres más bajos y abyectos que en los altos y seguros de sí mismos. Aquella desgraciada compañera de ladrones y rufianes, aquel marginado desecho de sórdidas guaridas, aquella cómplice de las heces de cárceles y presidios, que vivía bajo la sombra de la horca misma..., incluso aquel degradado ser tenía demasiado orgullo para exteriorizar una chispa de sensibilidad femenina, que le parecía flaqueza, pero que era lo único que la vinculaba a aquella humanidad de la que su devastadora vida había borrado tantas y tantas huellas cuando era muy niña.

Alzó los ojos lo suficiente para ver que la figura que apareció ante ella era la de una muchacha esbelta y hermosa, y luego, volviéndolos al suelo, sacudió la cabeza con afectada desenvoltura, diciendo:

–No es fácil llegar a verla, señorita. Si me hubiera sentido ofendida y marchado, como muchos habrían hecho, a usted le habría pesado mucho algún día y no sin razón.

–Lo siento mucho si alguien la ha tratado mal –respondió Rose–. No piense más en ello. Dígame por qué desea verme. Soy la persona por quien preguntaba.

El amable tono de aquella respuesta, la dulce voz, la afable manera, la ausencia de cualquier deje de altivez o desagrado sorprendieron totalmente a la muchacha y prorrumpió en lágrimas.

–¡Ay, señorita, señorita! –dijo, apretando vehementemente las manos delante de su rostro–, si hubiera más como usted, habría menos como yo... Seguro..., ¡seguro!

–Siéntese –dijo vivamente Rose–. Si se halla en la pobreza o la aflicción, de verdad que me encantará socorrerla si puedo..., de verdad. Siéntese.

–Déjeme estar de pie, señorita –dijo la muchacha, llorando todavía–, y no me hable con tanta bondad hasta que no me conozca mejor. Se hace tarde. ¿Está... está... cerrada esa puerta?

–Sí –dijo Rose, retrocediendo unos pasos, como para estar más cerca de ir por ayuda en caso de que fuera necesaria–. ¿Por qué?

–Porque –dijo la muchacha–, voy a poner mi vida y la de otros en sus manos. Yo soy la muchacha que se llevó al pequeño Oliver a la casa del viejo Fagin, el judío, la noche que salió de la casa de Pentonville.

–¡Usted! –dijo Rose Maylie.

–¡Yo, señorita! –respondió la muchacha–. Yo soy la criatura infame de quien ha oído hablar, que vivo entre ladrones y que nunca, que yo recuerde, desde el primer momento en que se me abrieron los ojos y los sentidos a las calles de Londres, he conocido vida mejor o palabras más amables que las que ellos me han dado, ¡bien lo sabe Dios! No tenga reparo en retroceder abiertamente ante mí, señora. Soy más joven de lo que usted puede pensar viéndome, pero estoy acostumbrada a ello. Las mujeres más pobres se echan a un lado cuando camino por las aceras llenas de gente.

—¡Qué cosas más horribles! —dijo Rose, alejándose sin querer de la desconocida.

—Dé gracias al cielo de rodillas, querida señorita —gritó la muchacha—, de que tuvo amigos que la cuidaron y criaron en la infancia y de que nunca se halló expuesta al frío y al hambre y al desenfreno y a la borrachera, y... y... a algo peor que todo eso..., como me ha pasado a mí desde la cuna. Bien puedo utilizar esta palabra, pues el callejón y el arroyo lo fueron, como serán mi lecho de muerte.

—¡La compadezco! —dijo Rose con voz entrecortada—. ¡Se me parte el corazón de oírla!

—¡Que Dios la bendiga por su bondad! —dijo la muchacha—. Si usted supiera lo que a veces soy, entonces sí que me compadecería. Pero me he escapado de quienes me matarían si supieran que he estado aquí a decirle lo que he oído. ¿Conoce usted a un hombre llamado Monks?

—No —dijo Rose.

—Él la conoce —repuso la muchacha—, y sabe que está usted aquí, pues ha sido oyéndole mencionar este lugar como he dado con usted.

—Nunca oí ese nombre —dijo Rose.

—Entonces es que se hace pasar por algún otro entre nosotros —dijo la muchacha—, cosa que he más que sospechado. Hace algún tiempo, poco después de que Oliver fuera introducido en la casa de ustedes la noche del robo, yo..., sospechando de ese hombre..., escuché una conversación a oscuras entre él y Fagin. De lo que escuché me enteré de que Monks..., el hombre por quien le he preguntado, sabe...

–Sí –dijo Rose–. Entiendo.

–Ese Monks –prosiguió la muchacha– lo había visto por casualidad con dos de nuestros muchachos el día que lo perdimos la primera vez y en seguida lo reconoció como el muchacho que él mismo andaba buscando, aunque no pude entender por qué. Hizo un trato con Fagin de que si éste recuperaba a Oliver recibiría una cierta suma y más aún por hacer de él un ladrón, como quería Monks para algún fin suyo.

–¿Qué fin? –preguntó Rose.

–Percibió mi sombra en la pared, según escuchaba yo tratando de enterarme –dijo la muchacha–, y no hay mucha gente que, como yo, hubiera podido desaparecer a tiempo para evitar ser descubierta. Pero lo hice y no volví a verlo hasta anoche.

–¿Y qué ocurrió entonces?

–Le diré, señorita. Anoche volvió. Volvieron a subir arriba y, embozada para que la sombra no me delatara, volví a escuchar a la puerta. Las primeras palabras que le oí decir a Monks fueron: «De modo que las únicas pruebas de la identidad del muchacho están en el fondo del río y la vieja bruja que las recibió de la madre está pudriéndose en el ataúd». Rieron y hablaron de cómo había logrado hacer aquello con éxito, y, volviendo a hablar del muchacho y enloquecido, Monks dijo que, aunque ya tenía seguro el dinero del diablillo, preferiría haberlo obtenido por el otro camino, pues habría sido buena broma burlar la jactancia del testamento del padre, haciendo visitar al hijo todas las cárceles de la ciudad para terminar colgado por algún delito grave que Fagin hubiera podido ingeniar fácilmente después de haber sacado buen provecho de él.

–¿Qué significa todo esto? –dijo Rose.

–La verdad, señorita, aunque venga de mis labios –repuso la muchacha–. Luego dijo con juramentos de sobra familiares a mis oídos, aunque extraños a los de usted, que si pudiera saciar su odio quitando la vida al muchacho sin que su propio cuello corriera peligro, que lo haría, pero que como no podía, estaría al acecho por si lo encontraba en cualquier encrucijada de la vida y, si trataba de aprovecharse de su nacimiento e historial, poder hacerle daño todavía. «En resumen, Fagin», dijo, «judío como eres, nunca tendiste tales trampas como las que prepararé yo a mi hermanito Oliver.»

–¡Su hermano! –exclamó Rose.

–Ésas fueron sus palabras –dijo Nancy, mirando inquieta alrededor como apenas había dejado de hacer desde que empezara a hablar, pues la imagen de Sikes la perseguía continuamente–. Y aún más. Cuando habló de usted y de la otra señora y dijo que parecía que el cielo o el demonio habían tramado en contra suya que Oliver fuera a parar a mano de ustedes, se echó a reír y dijo que también había alguna consolación en ello pues cuántos miles y cientos de miles de libras no dará usted, en el caso de que las tenga, por saber quién es su perrito de dos patas.

–¿No querrá usted decirme –dijo Rose, palideciendo sobremanera– que eso lo decía en serio.

–Habló en serio, y dura y airadamente, como el que más –repuso la muchacha, meneando la cabeza–. Es hombre que habla en serio cuando se le sube el odio. Yo conozco a muchos que hacen cosas peores, pero antes los oiría a ellos una docena de veces que a Monks una.

Se hace tarde y tengo que volver a casa sin que se sospeche que he estado haciendo semejante recado. Debo marcharme en seguida.

–¿Pero qué puedo hacer yo? –dijo Rose–. ¿Qué utilidad puedo dar a estas noticias sin usted? ¡Volver! ¿Por qué desea volver con compañeros que describe en términos tan terribles? Si usted repite esta información a un caballero a quien puedo llamar en un instante de la habitación contigua, podríamos enviarla a algún lugar seguro en menos de media hora.

–Quiero volver –dijo la muchacha–. Debo volver porque... ¿cómo decirle tales cosas a una dama inocente como usted?..., porque entre los hombres que le he dicho hay uno, el más sanguinario de todos, a quien no puedo abandonar, no, incluso por salvarme de la vida que llevo ahora.

–El haber intervenido antes a favor de ese pobre chiquillo –dijo Rose–, el venir aquí con riesgo tan grande a decirme lo que ha oído, sus maneras, que me convencen de la veracidad de lo que dice, su evidente contrición y sentido de la vergüenza, todo esto me lleva a creer que puede rescatársela todavía. ¡Oh! –dijo ardientemente la muchacha, juntando las manos mientras las lágrimas surcaban su rostro–, no preste oídos sordos a las súplicas de alguien de su sexo, la primera..., la primera, creo, que jamás le implora en nombre de la piedad y la compasión. Escuche mis palabras y déjeme salvarla para mejor fin.

–señorita –exclamó la muchacha, hincándose de hinojos–, señorita querida, dulce angelito, usted *es* la primera persona en mi vida que me dispensa la bendición de semejantes palabras y, si las hubiera escuchado hace muchos años, quizá me hubieran apartado de una vida de pecado y aflicción, pero es demasiado tarde, ¡es demasiado tarde!

–Nunca es demasiado tarde –dijo Rose– para arrepentirse y enmendarse.

–Lo es –gritó la muchacha torturada por la angustia de sus pensamientos–. ¡No puedo abandonarle ahora! No podría ser la causa de su muerte.

–¿Por qué habría de serlo? –preguntó Rose.

–Nada le salvaría –gritó la muchacha–. Si yo contara a otra gente lo que le he dicho a usted y eso condujera a su detención, seguro que moriría. Es el más decidido de todos, ¡y ha sido tan cruel!

–¿Es posible –exclamó Rose– que por un hombre como ése pueda usted renunciar a toda esperanza futura y a la certeza de la salvación inmediata? Es locura.

–No sé lo que es –respondió la muchacha–, sólo sé que es así, y no sólo para mí, sino para cientos de otros tan malos y miserables como yo. Debo volver. Si es la cólera divina por el mal que he hecho, no lo sé, pero me siento atraída hacia él con todo el sufrimiento y malos tratos que eso supone, y creo que volvería aun sabiendo que al final iba a morir por su mano.

–¿Qué debo hacer yo? –dijo Rose–. No debería dejarla marchar así.

–Debe, señorita, y sé que me dejará –dijo la muchacha, levantándose–. No impedirá que me marche porque he confiado en su bondad y no le he exigido ninguna promesa, como podía haber hecho.

–¿De qué me sirven entonces las noticias que me ha traído? –dijo Rose–. Habrá que hacer indagaciones sobre este misterio, o si no, ¿cómo el habérmelo revelado beneficiará a Oliver, a quien usted está tan deseosa de ayudar?

–No faltará algún amable caballero en su entorno que lo escuchará como secreto y la aconsejará sobre lo que debe hacer –dijo la muchacha.

–¿Pero dónde puedo volver a encontrarla si fuera necesario? –preguntó Rose–. No pretendo saber dónde vive esa horrible gente, pero ¿por dónde andará o pasará usted dentro de algún tiempo que podamos fijar?

–¿Me promete que guardará religiosamente mi secreto y que vendrá sola o con la otra única persona que lo sepa y que no me vigilarán ni seguirán? –preguntó la muchacha.

–Se lo prometo solemnemente –respondió Rose.

–Cada domingo por la noche desde las once hasta que el reloj dé las doce –dijo la muchacha sin vacilar– me pasearé por el puente de Londres siempre que esté viva.

–Quédese otro poco –terció Rose al apresurarse la muchacha hacia la puerta–. Piense otra vez en su situación y en la oportunidad que se le ofrece de escapar de ella. Tiene usted cuenta abierta conmigo, no sólo como mensajera voluntaria de esta información, sino como mujer perdida casi sin remisión. ¿Volverá usted a esa banda de ladrones y a ese hombre cuando puede salvarla una palabra? ¿Qué fascinación puede hacerla volver y aferrarse a la maldad y a la miseria? ¡Oh! ¿No hay en su corazón una fibra sensible que yo pueda tocar? ¿No queda nada a lo que pueda apelar en contra de ese terrible hechizo?

–Cuando damas tan jóvenes, buenas y hermosas como usted –repuso la muchacha firmemente–, entregan su corazón, el amor puede llevarlas a cualquier extremo..., incluso a aquellas como usted que pueden ocuparlo con un hogar, amigos, otros admiradores, todo. Cuando aquellas como yo, que no tengo techo más seguro que la tapa del ataúd y ningún amigo en la enfermedad o la muerte excepto la enfermera del hospital, ponemos nuestro podrido corazón en cualquier hombre y le dejamos que ocupe el espacio que ha estado vacío toda nuestra miserable vida, ¿quién puede tener esperanza de curarnos?

Compadézcase de nosotras, señora, compadézcase de nosotras porque no nos quede más que un sentimiento femenino y porque una rígida sentencia lo haya transformado, de consuelo y orgullo, en nueva causa de violencias y padecimientos.

–¿Aceptará de mí –dijo Rose tras una pausa– un poco de dinero, que le permitirá vivir sin faltar a la honradez... al menos hasta que volvamos a vernos?

–Ni un penique –repuso la muchacha, agitando la mano con un gesto de rechazo.

–No cierre el corazón a todos mis esfuerzos por serle útil –dijo Rose, adelantándose dulcemente–. De verdad que deseo ayudarla.

–La mejor manera de ayudarme, señorita –repuso la muchacha, restregándose las manos–, sería quitarme la vida ahora mismo, pues esta noche he sentido más pena que nunca pensando en lo que soy, y sería ya algo no morir en el infierno en que he vivido. Que Dios la bendiga, amable señorita, y derrame sobre su cabeza tanta felicidad como vergüenza he labrado yo sobre la mía.

Así diciendo y con fuertes sollozos la infeliz criatura se marchó, mientras Rose Maylie, abrumada por aquella extraordinaria entrevista, que más parecía fugaz sueño que suceso real, se hundió en un sillón y trató de coordinar sus erráticos pensamientos.

Capítulo 41

Que contiene recientes revelaciones
y muestra que las sorpresas, como las desgracias,
nunca vienen solas

Y la verdad era que se encontraba en una situación de tribulación y dificultad poco comunes. Aunque sentía el más anhelante y ardiente deseo de desentrañar el misterio en que la historia de Oliver aparecía envuelta, no podía sino tener por sagrada la confidencia que la miserable mujer con quien acababa de entrevistarse había depositado en ella, joven y cándida muchacha. Sus palabras y maneras le habían llegado al corazón a Rose Maylie, y con el cariño que sentía hacia su joven protegido se mezclaba su vivo deseo, apenas menos intenso en sinceridad y fervor, de ganar a la marginada para atraerla al arrepentimiento y a la esperanza.

Los planes eran quedarse en Londres sólo tres días antes de marchar a algún lejano lugar de la costa por algunas semanas. Eran ahora las doce de la noche del primer día. ¿Qué línea de acción podría adoptar que pudiera ponerse en práctica en cuarenta y ocho horas? ¿O cómo podría aplazar el viaje sin levantar sospechas?

El señor Losberne estaba con ellas y estaría otros dos días, pero Rose conocía demasiado bien la impetuosidad del excelente caballero y adivinaba demasiado claramente la indignación con que, en un primer arranque de cólera, vería al instrumento de la segunda captura de Oliver, para confiarle el secreto, sabiendo además que sus declaraciones en nombre de la muchacha no serían corroboradas por ninguna persona experimentada. Todas aquellas eran razones para observar la máxima prudencia y la más circunspecta actitud al comunicárselo a la señora Maylie, cuya primera reacción sería sin duda alguna celebrar una reunión sobre el tema con el distinguido doctor. En cuanto a recurrir a algún asesor jurídico, incluso si hubiera sabido cómo hacerlo, era casi impensable por las mismas razones. El pensamiento le vino de pedir ayuda a Harry, pero aquello despertó el recuerdo de su último adiós y parecióle indigno de ella pedirle que volviera cuando –los ojos se le saltaban en lágrimas al abundar en este razonamiento– tal vez para entonces él ya había aprendido a olvidarla y a ser más feliz lejos de ella.

Preocupada por aquellas variadas reflexiones, inclinándose ora por una solución ora por otra, para rechazarlas todas según iban surgiendo en su mente las sucesivas consideraciones, Rose pasó la noche sin dormir y llena de inquietud. Al día siguiente, tras más deliberaciones consigo misma, llegó a la desesperada conclusión de consultar a Harry.

«Si le resulta doloroso venir aquí –pensó–, ¡cuán doloroso no me resultará a mí? Pero quizá no venga; puede que escriba, o que venga pero me evite... como cuando se marchó. Apenas pensé que lo haría, pero fue mejor para los dos.»

Y allí Rose dejó caer la pluma y se apartó, como si el papel mismo que iba a ser su mensajero no debiera verla llorar.

Había vuelto a coger la misma pluma y dejádola cincuenta veces y pensado y repensado la primera línea de la carta sin llegar a escribir la primera palabra cuando Oliver, que había estado paseando por las calles con el señor Giles de guardaespaldas, entró en la habitación con tal precipitación y jadeante agitación, que parecieron presagiar algún nuevo motivo de alarma.

–¿De dónde vienes tan sofocado? –preguntó Rose, yendo hacia él.

–Apenas si lo sé, pero siento como si me ahogara –repuso el muchacho–. ¡Oh, Dios mío! ¡Pensar que lo vería finalmente y que puedan saber ustedes que les dije toda la verdad!

–Nunca pensé que nos decías nada más que la verdad –dijo Rose, serenándole–. Pero ¿qué pasa? ¿De quién hablas?

–He visto al caballero –respondió Oliver sin poder apenas articular palabra–, el caballero que fue tan bueno conmigo..., el señor Brownlow, del que tan a menudo hablamos.

–¿Dónde? –preguntó Rose.

–Bajando de un coche –respondió Oliver derramando lágrimas de alegría– y entrando en una casa. No le hablé..., no pude hablarle porque no me vio y yo temblaba tanto que no pude legar hasta él. Pero Giles me hizo el favor de preguntar si vive allí y le dijeron que sí. Mire –dijo Oliver, desdoblando un trozo de papel–, aquí está, es aquí donde vive..., ¡voy allá en seguida! ¡Oh, Dios mío, Dios mío! ¿Qué voy a hacer cuando llegue a verlo y le vuelva a oír hablar?

Aunque distraída su atención no poco por aquellas y muchísimas otras deshilvanadas exclamaciones de gozo, leyó Rose la dirección, que era en la calle Craven, en el Strand. Al punto decidió sacar partido de aquel descubrimiento.

–¡Rápido! –dijo–. Di que manden venir un coche de alquiler y prepárate a ir conmigo. Te llevaré allí en seguida, sin perder un momento. Sólo voy a decirle a mi tía que salimos una hora y estaré lista en cuanto lo estés tú.

No le hizo falta a Oliver que le metieran prisa y en poco más de cinco minutos estaban camino de la calle Craven. Cuando llegaron, Rose dejó a Oliver en el coche, tras explicarle que iba a preparar al anciano para que lo recibiera y, enviándole su tarjeta de visita con el criado, pidió ver al señor Brownlow sobre un asunto muy urgente. Pronto volvió el criado a decirle que se sirviera subir arriba y, siguiéndole a una habitación del piso superior, la señorita Maylie fue presentada a un anciano caballero de benévola apariencia y traje verde botella. A poca distancia de él estaba sentado otro anciano de calzones de mahón y polainas, que no parecía especialmente benévolo y que tenía las manos apretadas sobre la empuñadura de un grueso bastón y el mentón apoyado encima.

—¡Dios mío! —dijo el caballero del traje verde botella, levantándose apresuradamente con gran cortesía—. Le ruego me disculpe, señorita... Pensé que fuera algún inoportuno que... Le ruego acepte mis disculpas. Siéntese, por favor.

—¿El señor Brownlow, según creo, no? —dijo Rose, trasladando la mirada desde el otro caballero hasta el que había hablado.

—Así me llamo —dijo el anciano—. Éste es mi amigo, el señor Grimwig. Grimwig, ¿puedes dejarnos unos minutos?

—Creo —interrumpió la señorita Maylie— que a estas alturas de la entrevista, no necesito dar al caballero la molestia de marcharse. Si mis noticias son ciertas, es sabedor del asunto del que deseo hablarle.

—El señor Brownlow inclinó la cabeza. El señor Grimwig, que había hecho una rigidísima reverencia al levantarse de la silla, hizo otra rigidísima reverencia y se dejó caer en ella otra vez.

–No me cabe duda de que les daré una sorpresa –dijo Rose con natural turbación–, pero en una ocasión mostró usted gran benevolencia y bondad para con un queridísimo joven amigo mío y estoy segura de que tendrá interés en volver a saber de él.

–¡Claro que sí! –dijo el señor Brownlow–. ¿Puedo preguntarle su nombre?

–Usted lo conoció por Oliver Twist –repuso Rose.

No bien hubieron escapado de sus labios aquellas palabras cuando el señor Grimwig, que fingía estar enfrascado en un libro enorme que sobre la mesa estaba, lo cerró con gran ruido y, echándose para atrás en la silla, desterró de sus facciones toda expresión excepto una de irresistible asombro y se permitió una mirada prolongada y perdida, tras lo cual, como avergonzado de haber exteriorizado tanta emoción, se sacudió como si dijéramos de un tirón para recuperar su anterior postura y, mirando al frente, emitió un largo y profundo silbido que pareció no salir finalmente al aire libre, sino desvanecerse en los más recónditos rincones de su vientre.

No menos sorprendido quedó el señor Brownlow, aunque su asombro no se expresó de manera tan extravagante. Acercó más la silla a la de la señorita Maylie y dijo:

–Tenga la bondad, estimada señorita, de no mencionar para nada esa bondad y benevolencia de que habla y de la que nadie más sabe nada, y si está en su poder presentar alguna prueba que modifique la negativa opinión que en una ocasión llegué a albergar para con aquel pobre niño, hágame sabedor de ella en nombre del cielo.

–¡Un maleante! Me como la cabeza si no es un maleante –gruñó el señor Grimwig, hablando con algún procedimiento de ventrílocuo sin mover un solo músculo de la cara.

–Es un niño de naturaleza noble y generoso corazón –dijo Rose, ruborizándose–, y Aquel que consideró conveniente someterle a pruebas superiores a su edad puso en su pecho afectos y sentimientos que honrarían a muchos que tienen seis veces más años que él.

–Sólo tengo sesenta y uno –dijo el señor Grimwig con la misma cara rígida–. Y como el mismo diablo sabe que ese Oliver tiene por lo menos doce, no veo a quién se aplica esa observación.

–No haga caso a mi amigo, señorita Maylie –dijo el señor Brownlow–; no cree lo que dice.

–Sí lo cree –gruñó el señor Grimwig.

–No, no lo cree –dijo el señor Brownlow visiblemente más enojado cada vez.

–Se comerá la cabeza si no lo cree –gruñó el señor Grimwig.

–Merecería que se la machacaran, si lo cree –dijo el señor Brownlow.

–Y a él le encantaría saber qué hombre se atrevería a hacerlo –repuso el señor Grimwig, golpeando el suelo con el bastón.

Habiendo llegado a tal punto, los dos ancianos tomaron rapé cada uno por su lado y luego se dieron la mano siguiendo su invariable costumbre.

–Bueno, señorita Maylie –dijo el señor Brownlow–, volvamos al asunto por el que su generosidad tanto se interesa. Sírvase enterarme de las noticias que usted tenga de ese pobre niño y permítame decirle antes que nada que yo agoté todos los medios en mi poder para encontrarlo y que, desde que me ausenté de este país, mi primera impresión de que había abusado de mí y que sus antiguos cómplices le habían convencido para que me robara, se ha visto considerablemente quebrantada.

Rose, que tuvo tiempo para ordenar sus ideas, inmediatamente contó en unas cuantas palabras sinceras todo lo que a Oliver le había acaecido desde que abandonara la casa del señor Brownlow, guardándose la información de Nancy para comunicársela en privado a aquel caballero, y concluyendo con la afirmación de que la única pena del muchacho desde hacía varios meses había sido no poder encontrar a su antiguo benefactor y amigo.

–¡Gracias a Dios! –dijo el anciano–. Esto me colma de alegría, me colma de alegría. Pero no me ha dicho dónde se halla ahora, señorita Maylie. Disculpe que le haga un reproche..., pero ¿por qué no le trajo con usted?

–Está esperando en un coche a la puerta –repuso Rose.

–¡A esta puerta! –gritó el anciano.

Y así diciendo, se precipitó fuera de la habitación, escaleras abajo, escaleras del coche arriba y hasta el interior del coche sin más palabras.

Cuando la puerta de la habitación se cerró tras él, el señor Grimwig alzó la cabeza y, tomando una de las patas traseras de la silla por eje, describió tres diferentes circunferencias sin levantarse de ella y con ayuda del bastón y de la mesa. Tras realizar aquellas evoluciones se levantó y se puso a pasear, cojeando tan de prisa como podía, de un lado a otro de la habitación hasta una docena de veces, y luego se detuvo súbitamente delante de Rose y le dio un beso sin el más mínimo preámbulo.

–¡Chist! –dijo al levantarse la joven un tanto alarmada ante tan extraña conducta–. No tengas miedo. Podría ser tu abuelo. Eres una chica encantadora. Me gustas. ¡Ahí están!

Al arrojarse en su anterior asiento con diestra pirueta, volvía, en efecto, el señor Brownlow acompañado de Oliver, a quien el señor Grimwig recibió afablemente, y Rose Maylie se habría considerado bien pagada, si la satisfacción de aquel momento hubiera sido la única recompensa a cambio de toda su ansiedad y cuidados por Oliver.

—A propósito, hay alguien más que no hay que olvidar —dijo el señor Brownlow, tocando la campanilla—. Mande venir a la señora Bedwin, por favor.

La vieja ama de llaves respondió a la llamada con toda prontitud y, ya en la puerta, hizo una reverencia y esperó órdenes.

—Vaya, cada día ve menos, Bedwin —dijo el señor Brownlow un tanto arisco.

—Claro, señor —replicó la anciana—. Los ojos, a mi edad, no mejoran con los años, señor.

—¿Qué va usted a decirme a mí? —repuso el señor Brownlow—, pero póngase las gafas y vea si puede adivinar para qué la llamaba, ¿quiere?

La anciana empezó a rebuscar en el bolsillo tras los lentes. Pero la paciencia de Oliver no pudo resistir aquella nueva prueba y, cediendo a su primer impulso, saltó a sus brazos.

—¡Que Dios me bendiga! —gritó la anciana, abrazándolo—. ¡Es mi chiquillo inocente!

—¡Mi querida enfermerita! —gritó Oliver.

—Volvería..., sabía que volvería —dijo la anciana, estrechándole entre los brazos—. ¡Qué buena cara tiene, y qué bien vestido está otra vez, como el hijo de un señor! ¿Dónde has estado tanto, tanto tiempo? ¡Ah! La misma cara bonita, pero no tan pálida, los mismos ojos dulces, pero no tan tristes. Nunca los olvidé, ni su serena sonrisa, sino que los he visto un día tras otro, junto con los de mis propios hijitos muertos y enterrados cuando yo era ágil y joven.

Sin parar de hablar de aquella manera, ora apartando a Oliver para ver cuánto había crecido, ora estrechándolo contra sí y hundiéndole cariñosamente los dedos en el pelo, la buena señora reía ahora y luego lloraba sobre su cuello.

Dejándola con Oliver para que intercambiaran impresiones tranquilamente, el señor Brownlow condujo a Rose a otra habitación y allí escuchó de ella el relato íntegro de su entrevista con Nancy, que produjo en él no poca sorpresa y perplejidad. Rose explicó también sus razones para no confiarse en primer lugar a su amigo el señor Losberne. El anciano opinó que había actuado con prudencia y en seguida se ofreció a celebrar una solemne entrevista con el distinguido doctor. Para permitirle una pronta oportunidad de realizar tal propósito, se decidió que él iría al hotel a las ocho de la tarde y que mientras tanto se informaría prudentemente a la señora Maylie de todo lo que había sucedido. Sentados aquellos prolegómenos, Rose y Oliver regresaron a casa.

Rose no había sobrestimado la magnitud de la ira del buen doctor. En cuanto le fue revelada la historia de Nancy, soltó un torrente de amenazas mezcladas con maldiciones, amenazó con hacerla la primera víctima de la inteligencia conjunta de los señores Blathers y Duff, e incluso se puso el sombrero como preliminar para salir en busca de la ayuda de aquellos personajes. Y sin duda que en aquel primer arranque habría transformado en realidad la intención, sin pararse a considerar un momento las consecuencias, si no le hubieran contenido por un lado una violencia equivalente por parte del señor Brownlow, que también era de irascible carácter, y por otro lado aquellos argumentos y declaraciones que parecieron lo mejor calculados para disuadirle de su exaltado empeño.

–¿Entonces qué diablos ha de hacerse? –dijo el impetuoso doctor cuando se hubieron reunido con las dos damas–. ¿Vamos a dispensar un voto de gracias a todos esos vagabundos y vagabundas y pedirles que acepten cien libras o lo que sea por cabeza como insignificante prenda de nuestra estima y modesto agradecimiento por su bondad hacia Oliver?

–No exactamente –dijo el señor Brownlow, riendo–, pero debemos proceder despacio y con mucho cuidado.

–Despacio y con cuidado –exclamó el doctor–. Yo los mandaría a todos a...

–No importa adónde –le interrumpió el señor Brownlow–. Pero considere si el mandarlos a alguna parte puede lograr el objetivo que tenemos en perspectiva.

–¿Qué objetivo? –preguntó el doctor.

–Sencillamente descubrir el parentesco de Oliver y restituirle la herencia de la que, si la historia es cierta, se le ha despojado fraudulentamente.

–¡Ah! –dijo el señor Losberne, enjugándose con el pañuelo–. Casi me olvido de eso.

–Ya ve –prosiguió el señor Brownlow–, dejando totalmente aparte a esa pobre muchacha y suponiendo que fuera posible llevar a esos sinvergüenzas a la justicia sin poner en peligro su seguridad, ¿qué beneficio obtendríamos?

–Según todas las probabilidades, colgar a algunos de ellos por lo menos –sugirió el doctor–, y deportar a los demás.

–Muy bien –repuso el señor Brownlow sonriendo–, pero seguro que ellos mismos llegarán a eso a su debido tiempo, y si nosotros nos entrometemos para adelantarnos a ellos, me parece a mí que estaremos realizando un acto totalmente quijotesco, totalmente opuesto a nuestros propios intereses..., o al menos a los de Oliver, que viene a ser lo mismo.

–¿Por qué?

–Porque está bien claro que encontraremos grandes dificultades para llegar al fondo de este misterio, a menos que consigamos hacer doblar la rodilla a ese hombre, Monks. Esto sólo podremos lograrlo mediante una estratagema y cogiéndole cuando no esté rodeado de esa gente. Pues, suponiendo que fuera detenido, nosotros no tenemos pruebas contra él. No tiene incluso nada que ver (que nosotros sepamos o según los hechos se nos presentan) con la banda en ninguno de sus robos. Si no saliera absuelto, es poco probable que recibiera otro castigo que el de mandarlo a la cárcel por vago y maleante, y huelga decir que después de eso cerraría la boca tan tenazmente para siempre que, para nuestros propósitos, igual nos daría que estuviera sordo, mudo, ciego e idiota.

–Entonces –dijo el doctor impulsivamente–, vuelvo a preguntarle si usted considera razonable que la promesa hecha a la muchacha debería considerarse vinculante, una promesa que se hizo con las mejores y más generosas intenciones, pero que realmente...

–No discuta este punto, por favor, estimada jovencita –dijo el señor Brownlow anticipándose a Rose, que se disponía a hablar–. La promesa se cumplirá. Yo no creo que obstaculice en lo más mínimo nuestra actuación. Pero antes de que podamos decidir una línea de acción precisa será necesario ver a la muchacha, averiguar si estará dispuesta a identificar a ese Monks con tal de que seamos nosotros y no la justicia quien se encargue de él o, si no quiere o no puede hacerlo, conseguir de ella detalles de los lugares que frecuenta y una descripción de su persona que nos permitan identificarlo. No podremos verla hasta el próximo domingo por la noche y hoy es martes. Yo sugeriría que mientras tanto nos estemos totalmente calladitos y guardemos secretas estas cosas incluso a Oliver.

Aunque el señor Losberne recibió con muchas muecas una propuesta que suponía una demora de cinco días enteros, se vio forzado a admitir que no se le ocurría mejor solución en aquel momento y, como tanto Rose como la señora Maylie se pusieron enérgicamente del lado del señor Brownlow, se aprobó por unanimidad la propuesta de este caballero.

–Me gustaría –dijo– apelar a la ayuda de mi amigo Grimwig. Es un ser extraño, pero sagaz, y podría sernos de gran utilidad. Debo decir que estudió para abogado y abandonó los tribunales asqueado porque sólo tuvo un expediente y una solicitud de procedimiento en veinte años, aunque, si eso es una recomendación o no, ustedes mismos deben decidirlo.

–No tengo objeción alguna a que llame a su amigo, si yo puedo llamar a uno mío –dijo el doctor.

–Debemos someterlo a votación –repuso el señor Brownlow–, ¿quién es?

–El hijo de esta señora y... viejo amigo de esta joven –dijo el doctor señalando hacia la señora Maylie y terminando con una expresiva mirada a su sobrina.

Rose se sonrojó sobremanera, pero no se le oyó poner objeción alguna a aquella propuesta (quizá se sentía en una minoría sin posibilidades), y en consecuencia se añadió a Harry Maylie y al señor Grimwig al equipo.

–Nos quedaremos en la ciudad, claro está –dijo la señora Maylie–, mientras exista la mínima posibilidad de proseguir esta indagación con probabilidades de éxito. No escatimaré ni molestias ni gastos por la persona en la que todos tenemos tan profundo interés y con gusto me quedare aquí, aunque sean doce meses, siempre que me aseguren ustedes que queda alguna esperanza.

–¡Muy bien! –dijo el señor Brownlow–. Y, como en las caras que me rodean veo cierta predisposición a preguntarme cómo sucedió que no pudo encontrárseme para corroborar el relato de Oliver por haber abandonado el reino tan de repente, permítanme dejar sentado que no se me hagan preguntas hasta que no considere conveniente anticipárselas contándoles mi propia historia. Créanme que tengo buenas razones para hacer este ruego, pues de otro modo podría alimentar ilusiones que nunca se realizaran y aumentar sólo las dificultades y desilusiones, que ya son más que numerosas. ¡Vamos! Ya han anunciado la cena y el pequeño Oliver, que está solo en la habitación contigua, habrá empezado a preguntarse si nos hemos cansado de su compañía y tramamos alguna oscura conspiración para arrojarlo al mundo.

Así diciendo, dio el anciano la mano a la señora Maylie y la acompañó al comedor. Siguió el señor Losberne, llevando a Rose. Por el momento se había levantado la sesión de aquel consejo.

Capítulo 42

Un viejo conocido de Oliver, dando claras muestras de ingenio, se convierte en personaje público en la capital

La noche en que, tras adormecer al señor Sikes, Nancy se fue corriendo a ver a Rose Maylie en la misión que se había impuesto, avanzaban hacia Londres, por el camino real del norte, dos personas a las cuales conviene que esta historia dedique alguna atención.

Eran un hombre y una mujer, o quizá se les describiría mejor diciendo un varón y una hembra, pues era el primero uno de esos individuos membrilargos, patizambos, de mucho hueso y pies a rastras a quienes es difícil asignar una edad precisa, ya que cuando todavía mozos parecen hombres poco crecidos y cuando casi hombres muchachos muy estirados. La mujer era joven, pero de robusta y fornida factura, como tenía que serlo para poder con el pesado hato que llevaba atado a la espalda. A su compañero no le molestaba mucho el equipaje, ya que de un palo que llevaba al hombro colgaba únicamente un hatillo envuelto en un pañuelo corriente, bastante ligero a lo que parecía. Esta circunstancia, amén de la longitud de sus piernas, que eran de descomunal tamaño, le permitía mantenerse cómodamente a media docena de pasos por delante de su compañera, hacia quien de vez en cuando se volvía con un impaciente tirón de la cabeza como reprochándole su lentitud e incitándola a que redoblara el esfuerzo.

Fueron así tirando por el polvoriento camino sin hacer mucho caso de lo que se les ponía a la vista, excepto cuando tenían que echarse a un lado para dejar paso a las diligencias que salían de la ciudad a toda velocidad, hasta que pasaron por el arco de Highgate, donde el viajero que iba a la cabeza se detuvo y llamó con impaciencia a su compañera.

–Vamos, ¿o es que no puedes? Qué haragana estás hecha, Charlotte.

–Es que pesa mucho, te digo –dijo la hembra, llegando hasta él casi sin aliento del cansancio.

–¡Pesa mucho! ¿De qué me hablas? ¿Pa qué estás hecha? –dijo el viajero, cambiando el hatillo de hombro mientras así decía–. ¡Oh, otra vez descansando! Bueno, si esto no es pa cansarle la paciencia a uno, ya me contarás.

–¿Falta mucho más? –preguntó la mujer, apoyándose contra un terraplén y alzando la cara bañada en sudor.

–¡Mucho más! Es como si estuviéramos ayí –dijo el patilargo caminante, señalando hacia adelante–. ¡Mira! Aqueyas son las luces de Londres.

–Están a dos buenas millas, por lo menos –dijo la mujer con desaliento.

–No te preocupe si están a dos miyas o a veinte –dijo Noah Claypole, pues él era–, y levántate y tira p'alante o te meto una patada a ver si te enteras.

Al ponérsele la nariz más colorada de ira a Noah y atravesar la calzada mientras tal decía, como decidido a ejecutar su amenaza, la mujer se levantó sin más comentarios y siguió penosamente adelante junto a él.

–¿Dónde tienes pensao que pasemos la noche, Noah? –preguntó ella cuando hubieron caminado unos cientos de yardas.

–¿Cómo podría saberlo? –repuso Noah, cuyo talante se había deteriorado considerablemente con la caminata.

–Espero que sea cerca –dijo Charlotte.

–No, cerca no –repuso el señor Claypole–. ¡Qué gaitas! Cerca no, así que no lo pienses.

–¿Por qué no?

–Cuando te digo que no pienso hacer algo, basta, sin porqués ni porque nós –replicó el señor Claypole con dignidad.

–Bueno, no hace falta que te enfades –dijo su compañera.

–Estaría bonito, ¿eh? Ir y quedarnos en la primera posada a la entrada de la ciudad pa que Sowerberry, si viene persiguiéndonos, asome las narizotas y nos vuelva a llevar en un carro con las esposas puestas –dijo el señor Claypole con tono burlón–. ¡No! Yo voy y me pierdo en las cayes más estrechas que pueda encontrar, y no paramos hasta que yeguemos a la casa más escondida que se me ponga a la vista. Mecachis, bien puedes agradecerle a tu estreya que tengo cabeza, pues si no hubiéramos cogido adrede el camino que no era pa volver luego campo a través, hace una semana que estabas encerrada a cal y canto, amiga mía. Y te habría estao bien por ser tan tonta.

–Ya sé que no soy tan lista como tú –repuso Charlotte–, pero no me eches toda la culpa a mí diciendo que *yo* estaría encerrada. Si a mí me hubieran encerrao, a ti también, de todos modos.

–Tú cogiste el dinero de la caja, bien lo sabes –dijo el señor Claypole.

–Lo cogí para ti, Noah, querido –repuso Charlotte.

–¿Me lo guardé? –preguntó el señor Claypole.

–No; tuviste confianza en mí y me dejaste llevarlo, porque eres un cielo –dijo la dama, haciéndole la mamola y metiendo el brazo debajo del suyo.

Tal era en efecto el caso, pero como no fuera costumbre del señor Claypole depositar una confianza ciega e insensata en cualquiera, debería señalarse para hacer justicia a dicho caballero que había confiado en Charlotte hasta tal extremo con el fin de que, si los perseguían, se hallara en ella el dinero, lo cual le permitiría alegar que era inocente de cualquier robo y facilitaría considerablemente sus probabilidades de escapar. Por supuesto que en aquel momento no se puso a dar explicaciones sobre sus motivos y continuaron caminando juntos tan amorosamente.

De conformidad con aquel cauteloso plan, el señor Claypole continuó sin detenerse hasta que llegó a la posada del Ángel, en Islington, donde, por la multitud de transeúntes y la cantidad de vehículos, sabiamente coligió que Londres empezaba de verdad. Tras detenerse brevemente a observar cuáles parecían las calles más concurridas y en consecuencia las que más había que evitar, cruzó hasta la calle Saint John y pronto se hundió en la oscuridad de los intrincados y sucios pasajes que se extienden entre Gray's Inn Lane y Smithfield y que hacen de esa parte de la ciudad una de las más bajas y peores que el progreso haya dejado en el centro de Londres.

Por aquellas calles caminó Noah Claypole arrastrando detrás a Charlotte, ora bajando del bordillo para abarcar con una mirada el aspecto exterior de algún establecimientucho público, ora siguiendo tranquilamente adelante al antojársele ver algún detalle que le inducía a considerarlo demasiado público para sus propósitos. Al cabo se detuvo frente a uno de más modesta apariencia y más sucio que todo lo que había visto y, tras cruzar al otro lado e inspeccionarlo desde la acera opuesta, anunció con mucho estilo su intención de alojarse allí aquella noche.

—Trae el hato —dijo Noah, desatándolo de los hombros de la mujer, y echándolo sobre los suyos—, y no hables más que cuando te hablen. ¿Cómo se llama esta casa...? T...r...e... ¿tres qué?

—Patacones —dijo Charlotte.

—Los Tres Patacones —repitió Noah—, y una buena enseña que es, sí señor. ¡Bueno, vamos! Pégate a mis talones y sígueme.

Dando aquellas órdenes, empujó la renqueante puerta con el hombro y penetró en la casa seguido de su compañera.

No había nadie en la barra excepto un joven judío que, con los codos en el mostrador, estaba leyendo un mugriento periódico. Atravesó a Noah con la mirada y Noah le atravesó a él con la suya.

Si Noah hubiera ido vestido con las ropas de inclusero, podía haber habido alguna razón de que el judío abriera tanto los ojos, pero, como se había deshecho de la chaqueta y la insignia y llevaba una blusa corta encima de los calzones de cuero, no parecía haber razón especial para que su entrada llamara tanto la atención en una taberna.

—¿Es esto Los Tres Patacones? —preguntó Noah.

—Afí fe yaba efta cafa —respondió el judío.

—Un señor que nos encontramos por el camino, según veníamos de fuera, nos recomendó esto —dijo Noah dando un codazo a Charlotte tal vez para que notara aquel ingeniosísimo ardid para hacerse respetar, tal vez para advertirle que no manifestara ninguna sorpresa—. Queremos dormir aquí esta noche.

—No efdoy feguro que buedan —dijo Barney, que era el trasgo de servicio—, bero voy a blegundá.

—Dinos dónde está la sala y tráenos un poco de fiambre y cerveza mientras preguntas, ¿te parece? —dijo Noah.

Barney obedeció llevándolos a un cuartucho trasero y sirviéndoles lo que pedían, tras lo cual informó a los viajeros que podían alojarse aquella noche y dejó a la afable pareja tomar su refrigerio.

Ahora bien, aquel cuarto trasero se hallaba justamente detrás de la barra y unos pasos más bajo, de modo que cualquiera de la casa, corriendo una cortinilla que ocultaba un único cristal incrustado en la pared a unos cinco pies del suelo de la barra, podía no sólo ver desde arriba a cualquier cliente que se hallara en el cuarto trasero sin riesgo alguno de ser visto (pues el cristal estaba en un ángulo oscuro de la pared, entre el cual y una enorme viga vertical tenía que meterse el observador), sino que podía también, poniendo la oreja en el tabique, seguir con bastante nitidez el contenido de su conversación. El dueño del local no llevaba cinco minutos con el ojo pegado en aquel lugar de acecho y Barney volvía apenas de comunicar la antedicha información, cuando Fagin, en el curso de sus negocios de la tarde, entró en la taberna a preguntar por alguno de sus jóvenes discípulos.

–¡Chift! –dijo Barney–, forafterof en el cualto de al lao.

–¡Forasteros! –repitió el viejo en voz baja.

–¡Ah! Y mu rarof –añadió Barney–. De fuera, bero de lof tuyof, fi no m'equivoco.

Fagin pareció recibir aquella información con gran interés. Subido en un taburete, acercó cautelosamente los ojos al cristal y desde aquel secreto lugar pudo ver al señor Claypole tomando carne del plato y cerveza negra de la jarra y administrando dosis homeopáticas de ambas a Charlotte, que estaba sentada pacientemente al lado comiendo y bebiendo lo que a él se le antojaba.

–¡Ajá! –susurró, volviéndose a mirar a Barney–. La cara de ese tipo me gusta. Nos sería de utilidad, pues ya sabe cómo adiestrar a la muchacha. No hagas más ruido que un ratón, querido, y déjame oírle hablar..., déjame oírlos.

Volvió a poner los ojos en el cristal y, pegando la oreja al tabique, escuchó atentamente con una expresión sutil y ansiosa en la cara que bien hubiera podido ser la de un viejo duende.

–Así que pienso hacerme un señor –dijo el señor Claypole, estirando las piernas y continuando una conversación a cuyo principio Fagin había llegado tarde para oír–. Se acabaron los malditos ataúdes, Charlotte, y venga una vida de señor y, si tú quieres, serás una señora.

–Mucho me gustaría, querido –repuso Charlotte–, pero no se vacían cajas todos los días y queda uno libre después.

–¡Al diablo las cajas! –dijo el señor Claypole–. Hay más cosas que vaciar que cajas.

–¿Qué quieres decir? –preguntó su compañera.

–¡Bolsiyos, bolsos de señora, casas, diligencias, bancos! –dijo el señor Claypole, exaltándose con la cerveza.

–Pero tú no puedes hacer todo eso, querido –dijo Charlotte.

–Ya estaré atento pa encontrar compañeros con los que pueda –repuso Noah–. Podrán emplearnos bien de alguna u otra manera. Mira, tú misma vales por cincuenta mujeres. Nunca vi una tía tan astuta y mentirosa como tú cuando te dejo.

–¡Señor, qué bonito es oírte hablar así! –exclamó Charlotte, estampándole un beso en su fea cara.

–Vale, con eso basta; no te pongas cariñosa, no me vaya a enfadar contigo –dijo Noah, liberándose de ella con mucha seriedad–. Me gustaría ser jefe de alguna banda y darles traya y controlarlos sin que lo supieran. Eso me vendría bien si diera buenos beneficios y, si pudiéramos llegar a conocer a algunos señores de éstos, te digo que sería barato por ese billete de veinte libras que tienes…, sobre todo porque no sabemos bien cómo deshacernos de él.

Tras emitir aquella opinión, el señor Claypole miró en el interior de la jarra de cerveza con cara de profunda sabiduría y, tras agitar bien el contenido, hizo con la cabeza un gesto condescendiente a Charlotte y echó un trago, que pareció refrescarle mucho. Estaba pensando en el siguiente cuando la puerta se abrió súbitamente y la aparición de un desconocido le interrumpió.

El desconocido era el señor Fagin. Que se mostró muy amable e hizo una inclinación muy pronunciada al acercarse y, tras sentarse en la mesa más próxima, pidió algo de beber al sonriente Barney.

–Bonita noche, joven, pero fresca para esta época –dijo Fagin, frotándose las manos–. ¿De campo, según veo, eh?

–¿En qué lo nota? –preguntó Noah Claypole.

–Aquí en Londres no tenemos tanto polvo –respondió Fagin, señalando sucesivamente a los zapatos de Noah, a los de su compañera y luego a los dos hatos.

–Es usté mu fino –dijo Noah–. ¡Ja, ja! ¿Has oído, Charlotte?

–Hombre, uno tiene que ser fino en esta ciudad, querido –repuso el judío, bajando la voz hasta un susurro confidencial–, ésa es la verdad.

Fagin remató aquella observación, dándose un golpecito en el lado de la nariz con el índice derecho, gesto que Noah trató de imitar, aunque sin conseguirlo del todo por no tener la nariz tan larga para tal cosa. Con todo, el señor Fagin pareció interpretar aquel intento como expresión de que coincidía totalmente con su opinión y repartió el alcohol que Barney trajo de manera harto amistosa.

–Buen género –observó Claypole, chasqueando los labios.

–¡Caro! –dijo Fagin–. Uno tiene que andar siempre vaciando cajas, o bolsillos, o bolsos de mujer, o casas, o diligencias, o bancos, para beberlo regularmente.

Tan pronto como el señor Claypole oyó aquel resumen de sus propios comentarios, se echó para atrás en la silla y miró al judío y luego a Charlotte con un semblante de sombría palidez y grandísimo terror.

–No me hagas caso, querido –dijo Fagin, acercando la silla–. ¡Ja, ja! Suerte que he sido yo quien te ha oído por casualidad. Mucha suerte que he sido yo.

–Yo no lo cogí –tartamudeó Noah, no con las piernas estiradas como un señorito, sino escondiéndolas todo lo que podía debajo de la silla–; fue cosa de eya; ahora lo tienes tú, Charlotte, tú sabes que es así.

–¡No importa quién lo tiene o quién lo hizo, querido! –repuso Fagin, mirando no obstante con ojos de buitre a la muchacha y los dos hatos–. Yo también soy del oficio y por eso me caes bien.

–¿Qué oficio? –preguntó el señor Claypole, recobrándose un poco.

–El de esos asuntos –dijo Fagin–, y también la gente de la casa. Has dado en el clavo y aquí estás todo lo seguro que pueda estarse. No hay en esta ciudad lugar más seguro que Los Tres Patacones, es decir cuando yo quiero que sea seguro. Y me habéis gustado, tú y la joven, y ya he dado órdenes y podéis tranquilizaros.

Puede que la mente de Noah Claypole se sintiera tranquilizada tras aquellas seguridades que le daban, pero su cuerpo no lo estaba de ninguna manera, pues no paraba de moverse y retorcerse adoptando torpes posturas mientras miraba a su nuevo amigo con una mezcla de miedo y recelo.

–Te diré más –dijo Fagin tras tranquilizar a la muchacha a fuerza de gestos amistosos y alentadoras palabras entre dientes–. Tengo un amigo que creo puede satisfacer tu deseo tan querido y colocarte en el buen camino, donde podrás elegir la rama del negocio que pienses te convenga mejor para empezar, y enseñarte todas las demás.

–Hablas como en serio –repuso Noah.

–¿Qué provecho sacaría yo si así no fuera? –preguntó Fagin, encogiéndose de hombros–. ¡Venga! Déjame que te diga algo ahí fuera.

–No hace falta tomarse la molestia de movernos –dijo Noah, sacando otra vez las piernas poco a poco–. Ésta subirá el equipaje arriba mientras tanto. ¡Charlotte, encárgate de los bultos!

Aquella orden, pronunciada con gran solemnidad, fue obedecida sin la mínima vacilación, pues Charlotte se apresuró a salir con los bultos mientras Noah mantenía la puerta abierta, mirándola salir.

–Está bastante bien amaestrada, ¿eh? –preguntó, volviéndose a sentar con el tono de un domador que ha desbravado a una fiera.

–Perfectamente –dijo Fagin, dándole una palmadita en el hombro–. Eres un genio, querido.

–Hombre, supongo que si no lo fuera no estaría aquí –repuso Noah–. Pero, venga, que volverá si pierdes el tiempo.

–Bueno, ¿qué te parece? –dijo Fagin–. Si mi amigo te gusta, ¿podrías hacer algo mejor que unirte a él?

–¿Está metido en alguna buena rama del negocio? ¡Ésa es la cosa! –respondió Noah, guiñando uno de sus ojillos.

–Lo mejorcito; emplea a un montón de manos y tiene a la flor y nata de la profesión.

–¿De la capital todos? –preguntó el señor Claypole.

–Ni un pueblerino entre ellos, y no creo que te tomara, incluso recomendándote yo, si no anduviera un poco escaso de ayudantes precisamente ahora –repuso Fagin.

–¿Tengo que aflojar? –dijo Noah, golpeando el bolsillo de los calzones.

–No puede prescindirse de eso de ningún modo –repuso Fagin con voz decidida.

–Pero veinte libras... ¡es un montón de dinero!

–No cuando están en un billete del que no puedes deshacerte –replicó Fagin–. Seguramente que anotaron el número y la fecha. ¿Y si detienen el pago en el banco? ¡Ah! No es de mucho valor para él. Habría que sacarlo al extranjero, y él no podría venderlo por mucho en el mercado.

–¿Cuándo podría verlo? –preguntó Noah indeciso.

–Mañana por la mañana.

–¿Dónde?

–Aquí.

–¡Hum! –dijo Noah–. ¿Cuál es el sueldo?

–Vivir como un señor..., comida y cama, tabaco y alcohol gratis..., la mitad de lo que ganes y la mitad de todo lo que gane la muchacha –replicó el señor Fagin.

Es muy poco seguro que Noah Claypole, cuya rapacidad no era en absoluto limitada, hubiera accedido incluso a condiciones tan atractivas, si hubiera podido obrar libremente, pero advirtiendo que, si las rechazaba, su nuevo amigo tenía en su mano el entregarle a la justicia inmediatamente (que cosas más inverosímiles se han visto), se ablandó poco a poco y dijo que aquello parecía convenirle.

–Pero, ya ves –indicó Noah–, como eya podrá hacer un montón de cosas, a mí me gustaría algo ligeriyo.

–¿Un trabajito de artesanía? –sugirió Fagin.

–¡Oh! algo por el estilo –repuso Noah–. ¿Qué crees que me convendría ahora? Algo que no exija demasiao esfuerzo y no mu peligroso, ya sabes. ¡Eso es lo mío!

–Te oí decir algo de espiar a los demás, querido –dijo Fagin–. A mi amigo la hace mucha falta alguien que pueda hacer eso bien.

–Hombre, lo mencioné y no me importaría ocuparme de eso de vez en cuando –dijo el señor Claypole lentamente–, pero no sería rentable por sí mismo, ya sabes.

–Eso es cierto –observó el judío, cavilando o haciendo como que cavilaba–. No, puede que no.

–¿Qué piensas entonces? –preguntó Noah, observándole con ansiedad–. Algo de birlar, donde haya trabajo seguro y no mucho más riesgo que quedarse en casa.

–¿Qué te parece lo de las viejas? –preguntó Fagin–. Se hace un montón de dinero dándoles un tirón al bolso y a los paquetes y desapareciendo a la vuelta de la esquina.

–¿No berrean mucho y arañan a veces? –preguntó Noah, meneando la cabeza–. No creo que eso responda a mis propósitos. ¿No hay alguna otra vía abierta?

–¡Calla, hombre! –dijo Fagin, poniendo la mano en la rodilla de Noah–. El truco del parvulito.

–¿Qué es eso? –preguntó el señor Claypole.

–Los parvulitos, querido –dijo Fagin– son los niños pequeños a quienes sus madres mandan a hacer recados con monedas de seis peniques y de chelín, y el truco sólo consiste en quitarles el dinero (siempre lo llevan preparado en la mano), empujarlos luego fuera de la acera y marcharse muy lentamente como si no pasara nada más que un niño caído y herido. ¡Ja, ja, ja!

–¡Ja, ja! –rugió el señor Claypole, echando las piernas al aire en un arrebato–. ¡Señor, eso es lo mío!

–Por supuesto que lo es –repuso Fagin–, y puedes planearte unos cuantos buenos golpes en Candem Town y en Battle Bridge y barrios así, donde siempre andan yendo a hacer recados, y puedes tirar a todos los parvulitos que quieras a cualquier hora del día. ¡Ja, ja, ja!

Diciendo lo cual Fagin hundió el dedo en el costado del señor Claypole y juntos soltaron una larga y sonora carcajada.

–Bueno, eso está bien –dijo Noah cuando se hubo recobrado y volvió Charlotte–. ¿A qué hora podemos decir mañana?

–¿Te parece bien a las diez? –preguntó Fagin.

Y, al ver que el señor Claypole asentía con la cabeza, añadió:

–¿Cuál es la gracia de mi buen amigo?

–Señor Bolter –repuso Noah, que se había preparado para tal emergencia–. Señor Morris Bolter. Ésta es la señora Bolter.

–Humilde servidor de la señora Bolter –dijo Fagin, inclinándose con grotesca cortesía–. Espero poder conocerla mejor muy pronto.

–¿Oyes al caballero, Charlotte? –tronó el señor Claypole.

–¡Sí, Noah querido! –respondió la señora Bolter tendiendo la mano.

–Me llama Noah, de forma cariñosa –dijo el señor Morris Bolter, antes Claypole, volviéndose a Fagin–. ¿Entiendes?

–¡Oh, sí! Entiendo..., perfectamente –repuso Fagin, diciendo la verdad por una vez–. ¡Buenas noches, buenas noches!

Con muchos adioses y votos de felicidad se marchó el señor Fagin. Diciendo a su dama que estuviera atenta, Noah Claypole procedió a ilustrarla sobre el acuerdo que había concluido, con toda la altivez y aires de superioridad que convenían no sólo a un representante del sexo fuerte, sino también a un caballero capaz de apreciar la dignidad de un nombramiento especial para dedicarse al truco del parvulito en Londres y sus contornos.

Capítulo 43

En que se muestra cómo el Artero Perillán se metió en líos

–Conque tú eres tu propio amigo, ¿eh? –preguntó el señor Claypole, alias Bolter, cuando, en virtud del convenio acordado entre los dos, se mudó al día siguiente a la casa de Fagin–. ¡Mecachis, anoche lo pensé!

–Todo hombre es su propio amigo, querido –repuso Fagin con su más insinuante sonrisa–. No tiene otro mejor que sí mismo en ninguna parte.

–Excepto algunas veces –replicó Morris Bolter, dándose aires de hombre de mundo–. Alguna gente no es enemiga de nadie más que de sí mismos, ya sabes.

–No creas tal –dijo Fagin–. Cuando un hombre es su propio enemigo, es sólo porque es demasiado amigo de sí mismo, no porque se preocupe de todos los demás y no de sí. ¡Bah, bah! Eso no existe en la naturaleza.

–No debería existir, si es que existe –replicó el señor Bolter.

–Evidentemente que no. Algunos magos dicen que el número tres es el número mágico, y otros dicen que es el siete. No es ninguno de los dos, amigo, ninguno de los dos. Es el número uno[1].

–¡Ja, ja! –gritó el señor Bolter–. ¡Viva el número uno!

---

1. En inglés la frase «el número uno» *(number one)* también significa 'mi menda'.

477

–En una comunidad pequeña como la nuestra, querido –dijo Fagin, que consideró necesario matizar aquella declaración–, tenemos un número uno general, es decir que tú no puedes considerarte el número uno sin considerarme también número uno a mí y a todos los demás muchachos.

–¡Ah, demonio! –exclamó el señor Bolter.

–Ya ves –prosiguió Fagin como ignorando la interrupción–, estamos tan mezclados y tan identificados en nuestros intereses, que tiene que ser así. Por ejemplo, tu objetivo es preocuparte del número uno...; es decir, de ti mismo.

–Claro –replicó el señor Bolter–. Ahí tienes razón.

–¡Bueno! Pues no puedes preocuparte de ti mismo, número uno, sin preocuparte de mí, número uno.

–Número dos, querrás decir –dijo el señor Bolter, que estaba generosamente dotado de la virtud del egoísmo.

–¡No, no! –replicó Fagin–. Yo tengo la misma importancia para ti que tú para ti.

–Mira –interrumpió el señor Bolter–, eres un tío mu majo, y me caes mu bien, pero no estamos tan ataos como quieres decir.

–Párate a pensar –dijo Fagin, encogiéndose de hombros y extendiendo las manos–. Párate a reflexionar. Tú hiciste algo muy bonito, y mucho te aprecio por haberlo hecho, pero eso te podría poner la corbata alrededor del cuello, esa que se ata tan fácilmente, pero que es tan difícil de desatar..., en cristiano: ¡la soga!

El señor Bolter se llevó la mano al fular, como si lo sintiera incómodamente apretado, y balbució un sí disminuido de tono, pero no de contenido.

–La horca –prosiguió Fagin–, la horca, querido, es un poste indicador muy feo que señala un viraje muy corto y muy cerrado que ha detenido la carrera de mucho individuo valiente por el camino real. Mantenerte en el camino fácil y alejado de él es el objetivo número uno para ti.

–Por supuesto que lo es –repuso el señor Bolter–. ¿Por qué me cuentas estas cosas?

–Sólo para mostrarte claramente lo que quiero decirte –dijo el judío, arqueando las cejas–. Para conseguir eso dependes de mí. Para mantener mi negocillo viento en popa, yo dependo de ti. Lo primero es tu número uno, lo segundo es mi número uno. Cuanto más valor des a tu número uno, más tendrás que preocuparte del mío, y así llegamos finalmente a lo que te dije al principio: que un respeto hacia el número uno nos mantiene a todos juntos, y así debe ser, o, si no, acabaríamos todos hechos trizas juntitos.

–Eso es cierto –dijo el señor Bolter pensativo–. ¡Ah, eres perro viejo!

El señor Fagin vio con deleite que aquel tributo a sus facultades no era simple cumplido, sino que de verdad había infundido en su neófito el sentido de su astuto ingenio, que importaba muchísimo cultivara desde el comienzo mismo de sus relaciones. Para fortalecer una impresión tan deseable y útil, remató aquel golpe informándole en algún detalle de la envergadura y amplitud de sus operaciones, mezclando la verdad y la ficción como mejor convenía a sus propósitos y presentándolas con tanta industria, que el respeto del señor Bolter aumentaba a ojos vistas, aunque al mismo tiempo se atemperaba con algo de sano temor, que era cosa harto deseable suscitar.

–Es esta confianza mutua que tenemos unos en otros lo que me consuela de las grandes pérdidas –dijo Fagin–. Ayer por la mañana perdí a mi mejor operario.

–¿No querrás decir que murió? –exclamó el señor Bolter.

–No, no –repuso Fagin–, no tan grave como eso. No tan grave.

–¿Qué entonces? ¿Lo...?

–Lo han cogido –interrumpió Fagin–. Sí, lo han cogido.

–¿Por cosa seria? –preguntó el señor Bolter.

–No –respondió Fagin–, no mucho. Le acusaron de tratar de limpiar un bolsillo y le encontraron una caja de rapé de plata..., la suya, querido, la suya, pues él tomaba rapé, que le gustaba mucho. Le pusieron en custodia hasta hoy porque pensaban que conocían al dueño. ¡Ah! Valía cincuenta cajas y yo daría el precio de ellas porque me lo devolvieran. Tenías que haber conocido al Perillán, querido, tenías que haber conocido al Perillán.

–Bueno, ya lo conoceré, supongo, ¿no crees? –dijo el señor Bolter.

–Lo dudo –replicó Fagin con un suspiro–. Si no consiguen ninguna otra prueba, será sólo una condena leve y lo tendremos de vuelta al cabo de seis semanas o así, pero si la consiguen, es un caso de flete. Saben lo listo que es el mozo y acabará perpe. Harán al Perillán nada menos que un perpe.

–¿Qué quieres decir con eso de flete y perpe? –preguntó el señor Bolter–. ¿De qué sirve hablarme así a mí? ¿Por qué no me hablas de manera que pueda entenderte?

Fagin se disponía a traducir aquellas misteriosas expresiones a la lengua vulgar y, una vez interpretadas, el señor Bolter se habría enterado de que equivalían a la frase «deportación de por vida», cuando el diálogo se vio interrumpido por la entrada del señorito Bates, con las manos en los bolsillos de los calzones y la cara encogida en una mueca de pena casi cómica.

–Se acabó, Fagin –dijo Charley, una vez que él y el nuevo compañero fueron presentados.

–¿Qué quieres decir?

–Han encontrao al dueño de la caja y dos o tres más van a ir a identificarlo, y el Artero ya tiene reservao el pasaje –repuso el señorito Bates–. Tengo que ponerme un traje de duelo, Fagin, y una cinta en el sombrero pa ir a visitarle antes de que empiece sus viajes. ¡Pensar que a Jack Dawkins..., Jack el fetén..., el Perillán..., el Artero Perillán..., le manden al extranjero por una cajucha de rapé de dos peniques y medio! Nunca pensé que llegara a eso por menos de un reloj de oro, con cadena y colgantes como mínimo. ¡Oh! ¿Por qué no robó tó la fortuna a algún señor rico y viejo y se marcharía *como* un cabayero, y no como un vulgar chorizo sin honra ni gloria?

Tras expresar así sus sentimientos por su desgraciado amigo, el señorito Bates se sentó en la silla más cercana con cara de pena y desaliento.

–¿Qué dices de que no tiene ni honra ni gloria? –exclamó Fagin, lanzando una mirada airada a su discípulo–. ¿No fue siempre un as entre todos vosotros? ¿Hay alguno entre vosotros que pudiera medirse con él o llegarle cerca en cualquier asunto que fuera, eh?

–Ninguno –respondió el señorito Bates con voz enronquecida por el pesar–, ninguno.

–¿Entonces de qué estás hablando? –repuso Fagin enojado–. ¿Por qué estás gimoteando?

–Porque no queda en azta, ¿no? –dijo Charley irritado e incluso desafiando, movido por el pesar, a su venerable amigo–, porque no puede salir en la cusación, porque nunca sabrá nadie la mitaz de lo que fue. ¿Cómo aparecerá en el *Candelario de Newgate*[1]? Quizá ni le pondrán en él. ¡Ay, maldita sea, qué golpe más fuerte!

---

1. Publicación anual en la que se detallaban la vida, obra, proceso y últimos días de los criminales de la prisión de Newgate.

–¡Ja, ja! –exclamó Fagin, señalando con la mano derecha y volviéndose al señor Bolter en un ataque de risa que le zarandeó como si tuviera perlesía–. ¿Ves qué orgullosos están de su profesión, querido? ¿No es cosa hermosa?

El señor Bolter asintió y Fagin, tras contemplar el dolor de Charley Bates unos segundos con evidente satisfacción, se acercó hasta el caballerete y le dio unas palmaditas en el hombro.

–No te preocupes, Charley –dijo Fagin, tranquilizándole–, todo se arreglará, seguro que todo se arreglará. Todos sabrán lo listo que fue; él mismo lo demostrará y no deshonrará a sus antiguos compinches y maestros. ¡Piensa también lo joven que es! ¡Qué distinción, Charley, ser deportado a su edad!

–Bueno, es un honor, eso sí! –dijo Charley algo consolado.

–Tendrá todo lo que necesite –continuó el judío–. Le tendrán en el talego de piedra, Charley, como a un señor. Con su cerveza todos los días y dinero en el bolsillo para jugar a cara y cruz, si no puede gastarlo.

–No, ¿de verdad? –exclamó Charley Bates.

–Claro que sí –respondió Fagin–, y nosotros conseguiremos a un pez gordo, Charley, el que mejor dotado esté de labia para que lo defienda, y también él echará un discurso en su propia defensa si quiere, y lo leeremos todos en los periódicos: «El Artero Perillán..., carcajadas..., aquí el tribunal se retorcía de risa...», ¿eh, Charley, eh?

–¡Ja, ja! –reía el señorito Bates–, menuda broma sería ésa, ¿eh, Fagin? Figúrate cómo el Artero los iba a fastidiar, ¿verdad?

–¡Verdad! –gritó Fagin–. Seguro... ¡Segurísimo!

–Ah, por supuesto, ¡segurísimo! –repitió Charley, frotándose las manos.

–Parece que le estoy viendo en este momento –gritó el judío, dirigiendo los ojos hacia su discípulo.

–Y yo también –gritó Charley Bates–. ¡Ja, ja, ja! Yo también. Lo estoy viendo todo delante de mí, por mis muertos que sí, Fagin. ¡Menuda risa! ¡Qué risa más total! Todos los peces gordos tratando de parecer solemnes y Jack Dawkins dirigiéndose a ellos tan familiarmente y tan pancho como si fuera el propio hijo del juez echando un discurso de sobremesa, ¡ja, ja, ja!

Y así fue como el señor Fagin incensó tan bien el extravagante humor de su joven amigo, que el señorito Bates, que al principio se hallaba dispuesto a considerar al encarcelado Perillán más bien como una víctima, le veía ahora como actor principal en una escena del más extraordinario y exquisito humor, y estaba impaciente por ver llegar el momento en el que su antiguo compañero tuviera oportunidad tan favorable para hacer alarde de sus habilidades.

–Tenemos que enterarnos mediante alguna maña u otra de cómo le va hoy –dijo Fagin–. Déjame pensar.

–¿Voy a ver? –preguntó Charley.

–Por nada del mundo –repuso Fagin–. ¿Estás loco, querido, loco de atar, para entrar en el lugar mismo donde...? No, Charley, no. Es suficiente con perder a uno a un tiempo.

–Supongo que no piensas ir tú –dijo Charley con una pícara mirada de reojo.

–No convendría –repuso Fagin, meneando la cabeza.

–¿Por qué no mandas entonces a este nuevo randa? –preguntó el señorito Bates, poniendo la mano en el brazo de Noah–. Nadie le conoce.

–Hombre, si no le importa... –comentó Fagin.

–¿Importar? –interrumpió Charley–. ¿Qué podría importarle a *él*?

–En realidad nada, querido –dijo Fagin, volviéndose al señor Bolter–, en realidad nada.

–Oh, sobre eso tengo que decir que... ya sabes –observó Noah retrocediendo hacia la puerta y agitando la cabeza con una especie de seria aprensión–. No, no..., nada de eso. No es mi especialidad, eso no lo es.

–¿Qué especialidad tiene, Fagin? –preguntó el señorito Bates examinando la desgarbada figura de Noah con harto desagrado–. Rajarse cuando algo va mal y comerse toda la jamancia cuando todo va bien, ¿es ésa su especialidad?

–No importa –replicó el señor Bolter–, y no te tomes libertades con tus superiores, chiquiyo, o te encontrarás lo que no buscas.

El señorito Bates se rió con tantas ganas ante tan magnífica amenaza, que pasó algún tiempo antes de que Fagin pudiera interponerse y explicar al señor Bolter que no corría peligro posible alguno visitando la comisaría, que como ningún parte del asuntillo en el que había estado implicado ni descripción alguna de su persona habían sido enviados todavía a la capital, era muy probable que ni se sospechara de que había acudido a ella para protegerse, y que, si iba adecuadamente disfrazado, aquél sería lugar tan seguro para él como cualquier otro en Londres, ya que sería el último de todos en el que se podría pensar que había acudido por propia y libre voluntad.

Persuadido en parte por aquellas consideraciones, pero convencido mucho más por el miedo a Fagin, el señor Bolter accedió al cabo, de malísima gana, a realizar la expedición. A instancias de Fagin cambió en seguida su atuendo por uno de carretero: blusón, calzones de pana y polainas de cuero, prendas todas que el judío tenía a mano. Se le proporcionó, asimismo, un sombrero de fieltro bien adornado con vales de portazgo, y un látigo de carretero. Equipado así, tenía que entrar tranquilamente en la comisaría como podía suponerse que entrara cualquier rústico del mercado de Covent Garden para satisfacer su curiosidad y, como era todo lo desgarbado, torpe y esquelético que pudiera desearse, el señor Fagin no tenía miedo ninguno de que no interpretara tal papel a la perfección.

Concluidos aquellos preparativos, recibió las señas y detalles necesarios para reconocer al Artero Perillán, y el señorito Bates le condujo por oscuras y tortuosas calles hasta muy cerca de Bow Street. Tras describirle la situación exacta de la comisaría, acompañándolo con abundantes indicaciones de cómo debía caminar recto hasta el fondo del pasillo y, cuando llegara al patio, entrar por la puerta arriba de las escaleras a la derecha y quitarse el sombrero al entrar en la sala, Charley Bates le dijo que continuara de prisa solo y le prometió esperar su regreso en el mismo punto donde se separaban.

Noah Claypole, o Morris Bolter, según guste el lector, siguió puntualmente las instrucciones que había recibido y que eran tan precisas –pues el señorito Bates conocía bastante bien el lugar–, que pudo llegar hasta hallarse en presencia de los magistrados sin hacer ninguna pregunta ni encontrar ningún contratiempo en el camino. Acabó a codazos en medio de una multitud de gente, sobre todo mujeres, apiñados todos juntos en una sala sucia y descuidada, al fondo de la cual había un estrado separado del resto por una barandilla, con un banquillo para los reos, a la izquierda, contra la pared, un banquillo para los testigos en el medio y un escritorio para los magistrados a la derecha, y este último y terrible lugar estaba separado por un tabique que ocultaba el estrado de las miradas del pueblo y dejaba que el vulgo imaginara (si podía) la plena majestad de la justicia.

Había en el banquillo de los acusados sólo un par de mujeres, que hacían señas con la cabeza a sus amigos admiradores, mientras el escribano leía unas declaraciones a una pareja de policías y a un hombre de paisano inclinado sobre la mesa. Un carcelero estaba recostado en la barandilla del banquillo, tocándose la nariz sin parar con una llave enorme, menos cuando reprimía la indebida tendencia a la charla de los mirones imponiéndoles silencio, o alzaba los ojos muy serio para ordenar a alguna mujer: «Llévese a ese niño fuera», cuando la gravedad de la justicia se veía interrumpida por los tenues chillidos, medio ahogados en el mantón de la madre, de algún desmirriado mamoncillo. La sala olía a cerrado y a aire viciado, las paredes estaban descoloridas por la suciedad y el techo ennegrecido. Había un viejo busto ahumado en el manto de la chimenea y un reloj empolvado por encima del banquillo..., la única cosa allí que parecía funcionar como es debido, pues la depravación o la pobreza, o el habitual contacto con ambos habían dejado su mancha en toda la materia animada, apenas menos desagradable que la espesa y grasienta pátina de todos los objetos inanimados que adustamente la contemplaban.

Noah miraba ansiosamente alrededor buscando al Perillán, pero, aunque había varias mujeres que habrían hecho perfectamente de madre o hermana de aquel distinguido personaje y más de un hombre del que podía suponerse guardara gran parecido con su padre, no se veía a nadie en absoluto que respondiera a la descripción que le habían dado del señor Dawkins. Esperó en un estado de gran inquietud e incertidumbre hasta que las mujeres, remitidas a los tribunales, salieron pavoneándose, y luego le alivió en seguida la aparición de otro acusado que en seguida sintió no poder ser otro que el objeto de su visita.

Era efectivamente el señor Dawkins, quien, arrastrando los pies, entró en la sala con las mangas de su gran levita arremangadas como de costumbre, la mano izquierda en el bolsillo y el sombrero en la derecha, delante del carcelero y con un indescriptible contoneo en el andar y, tras ocupar su lugar en el banquillo, pidió con voz bien clara «que le informaran de por qué le ponían en aqueya situación tan desgraciá».

—Cállate, ¿quieres? —dijo el carcelero.

—Soy inglés, ¿no? —dijo el Perillán—. ¿Aónde están mis previlegios?

—Ya te darán a ti privilegios en seguida —replicó el carcelero—, y picantes además.

—Ya veremos qué dirá el ministro del Interior a los jueces, si no se lo digo yo —replicó el señor Dawkins—. ¡Vaya, hombre! ¿Qué es esto? Agradeceré a los magistraos que se ocupen de este asuntiyo y no me tengan aquí mientras leen el pedíorico, que tengo una cita con un cabayero en el centro y, como soy un tío de palabra y mu puntual en cosas de negocios, se marchará si no estoy ayí a tiempo, y luego claro que no se aceptará mi demanda por daños y prejuicios contra eyos por retenerme. ¡Ah, no, por seguro que no!

Tras lo cual el Perillán, mostrándose muy exigente en cuanto al pleito que incoaría ulteriormente, pidió al carcelero que le comunicara «el nombre de los dos carcamales que estaban en el estrao». Cosa que hizo tanta gracia a los espectadores que rieron casi con tanta gana como el señorito Bates si hubiera oído la petición.

—¡Silencio ahí! —gritó el carcelero.

—¿Qué es esto? —preguntó uno de los magistrados.

—Un caso de ratería, su señoría.

–¿Ha estado aquí antes el muchacho?

–Debería haber estado y muchas veces –replicó el carcelero–. Ha estado en muchos otros sitios. *Yo* le conozco bien, señoría.

–Ah, usté me conoce, ¿eh? –exclamó el Artero, tomando buena nota de aquella declaración–. Mu bien. Pos ése es un ejemplo de lesa reputación.

Hubo entonces otra carcajada y otro grito pidiendo silencio.

–Bueno, venga, ¿dónde están los testigos? –dijo el escribano.

–¡Ah, eso es! –añadió el Perillán–. ¿Dónde están? Me gustaría verlos.

Aquel deseo se satisfizo inmediatamente, pues se adelantó un policía que había visto al detenido asaltar el bolsillo de un señor desconocido en una multitud y sacar efectivamente de él un pañuelo, que, como fuera muy viejo, volvió a meterlo tranquilamente en su sitio tras probarlo en su propio rostro. Por aquella razón detuvo al Perillán en cuanto pudo acercarse a él y el dicho Perillán, tras ser registrado, llevaba en su persona una caja de rapé de plata con el nombre del dueño grabado en la tapadera. Este caballero había sido localizado consultando la Guía del Tribunal y, hallándose presente allí y en aquel momento, juró que la caja de rapé era suya y que la había echado de menos la víspera en el momento en que se liberó de la mencionada multitud. También había notado entre el gentío la presencia de un jovencito, que andaba muy activo abriéndose paso, y que aquel jovencito era el detenido que estaba delante de él.

–¿Tienes algo que preguntar al testigo, muchacho? –dijo el magistrado.

–No me rebajaría a agacharme a tener una conversación con él –respondió el Perillán.

–¿No tienes nada que decir?

–¿No oyes a su señoría preguntar si tienes algo que decir? –preguntó el carcelero, dando al callado Perillán con el codo.

–Le ruego me disculpe –dijo el Perillán, alzando la vista con cara abstraída–. ¿Se digería otra vez usté a mí, amigo?

–Nunca vi a un golfillo más redomado, su señoría –señaló el agente con una mueca–. ¿Quieres decir algo, chavea?

–No –repuso el Perillán–, aquí no, que ésta no es la tienda de la justicia, y además que mi abogao está desayunando esta mañana con el vicepresidente de la Cámara de los diputaos, pero ya diré yo algo en alguna otra parte, y él también, y también un numeroso y respetable grupo de amistades que harán desear a los jueces no haber nacido, o que sus criaos los colgaran de la sombrerera antes de que los dejaran venir esta mañana pa echárseme encima. Porque yo...

–¡Venga! ¡Remitido al tribunal! –intervino el escribano–. ¡Lléveselo!

–Vamos –dijo el carcelero.

–¡Eh, vale! Ya voy –repuso el Perillán, cepillando el sombrero con la palma de la mano–. ¡Ah! –dirigiéndose al estrado–. Es inútil que pongan cara de miedo. No tendré piedad, ni por asomo. *Pagarán* por esto, amiguitos. ¡No me gustaría ser ustedes por nada! No me iría libre ahora, aunque se hincaran de rodillas a pedírmelo. ¡Venga, lléveme a la cárcel! ¡Llévenme!

Con aquellas últimas palabras el Perillán consintió que le llevaran por el cuello de la levita, amenazando hasta que llegó al patio con que llevaría aquel asunto al parlamento, y riéndose luego en las narices del agente con jubilosa autosuficiencia.

Habiendo visto cómo lo encerraban en una reducida celda, Noah se apresuró a hacer el camino de vuelta hasta donde había dejado al señorito Bates. Tras esperar allí algún tiempo, aquel joven caballero se le unió, pues prudentemente se había abstenido de aparecer hasta observar desde un escondite seguro y cerciorarse de que a su nuevo amigo no le había seguido ningún impertinente.

Los dos se apresuraron a volver a casa juntos para llevar al señor Fagin las alentadoras noticias de que el Perillán estaba haciendo plena justicia a su crianza y labrándose una gloriosa reputación.

Capítulo 44

Llega el momento de que Nancy cumpla la promesa que hizo a Rose Maylie. No lo hace

Con todo lo experta que la joven Nancy era en todas las artes de la astucia y la simulación, no podía ocultar del todo el efecto que producía en su ánimo el pensar en el paso que había dado. Recordaba que tanto el astuto judío como el brutal Sikes le habían confiado proyectos, ocultos a todos los demás, porque se fiaban plenamente de ella y la creían por encima de toda sospecha. Por muy ruines que aquellos proyectos fueran, por muy capaces de cualquier cosa que fueran sus autores y por muy acerbos que fueran sus sentimientos hacia Fagin, que paso a paso la había conducido a un abismo cada vez más hondo de delito y miseria del que no había escapatoria, había veces en que incluso hacia él sentía una cierta indulgencia, por miedo a que sus revelaciones le llevaran al férreo apretón que por tan largo tiempo había esquivado y cayera finalmente –aun mereciendo ampliamente tal destino– por su mano.

Mas eran aquéllas meras divagaciones de una mente incapaz de desprenderse completamente de viejos camaradas y relaciones, aunque capaz de fijarse firmemente un objetivo y resuelta a no apartarse de él por consideración alguna. Sus temores por Sikes habrían sido alicientes más poderosos para retroceder cuando todavía estaba a tiempo, pero había establecido la condición de que su secreto sería fielmente guardado, no había dejado escapar ninguna pista conducente a que le descubrieran, había incluso rechazado por él un refugio contra toda la culpa y miseria que la envolvían, y..., ¿qué más podía hacer? Estaba decidida.

Aunque todos sus conflictos mentales terminaban con aquella conclusión, una y otra vez se apoderaban de ella e iban dejando su huella. Se quedó pálida y delgada en el espacio de pocos días. A veces no se daba cuenta de lo que pasaba a su alrededor, ni participaba en conversaciones en las que antes era la más bulliciosa. Otras veces reía sin alegría y alborotaba sin motivo ni razón. Otras –a menudo con un momento de intervalo– se sentaba silenciosa y abatida a cavilar, apoyada la cabeza en las manos, mientras el esfuerzo mismo que hacía para salir de su ensimismamiento decía con más claridad incluso que aquellos otros indicios que no se encontraba a gusto y que sus pensamientos se ocupaban en cosas muy distantes y distintas de las que sus compañeros estaban tratando.

Era domingo por la noche y la campana de la iglesia más cercana empezó a dar la hora. Sikes y el judío estaban hablando y se callaron para escuchar. La muchacha levantó los ojos desde la silla baja en la que estaba acurrucada y escuchó también. Las once.

–Una hora pa medianoche –dijo Sikes tras levantar la cortina, asomarse y volver a su asiento–. Y oscura y cargá que está además. Buena noche pa negocios, ésta.

–¡Ah! –repuso Fagin–. Qué pena, Bill, querido, que no tengamos ninguno preparado para hacerlo.

–Por una vez tiés razón –repuso Sikes roncamente–. Es una pena, pos además estoy en vena.

Fagin suspiró y meneó la cabeza en señal de pesimismo.

–Habrá que recuperar el tiempo perdío en cuanto tengamos las cosas en marcha. Eso es tó lo que sé –dijo Sikes.

–Así se habla, querido –replicó Fagin, arriesgándose a darle una palmadita en el hombro–. Me sienta bien oírte.

–Te sienta bien, ¿eh? –exclamó Sikes–. Pos tanto mejor.

–¡Ja, ja, ja! –rió Fagin como aliviado por aquella mínima concesión–. Esta noche vuelves a ser el mismo de siempre, Bill. Justo el de siempre.

–No me siento el mismo cuando me echas esa zarpa vieja y marchitá en el hombro, así que quítala –dijo Sikes, echando a un lado la mano del judío.

–Te pone nervioso, Bill..., te hace pensar que te echan el guante, ¿eh? –dijo Fagin decidido a no darse por ofendido.

–Me hace pensar que me echa el guante el diablo –repuso Sikes–. Nunca hubo hombre con una jeta como la tuya, a menos que fuera tu padre, y supongo que a estas horas *le* están chamuscando las barbas entrecanas y bermejas, a no ser que desciendas direztamente del Patiyas sin padre ninguno entre los dos, cosa que no me sorprendería ni pizca.

Fagin no respondió a aquel cumplido, sino que, tirando a Sikes de la manga, señaló con el dedo a Nancy, que había aprovechado la anterior conversación para ponerse el gorrito y abandonaba la habitación.

–¡Hola! –gritó Sikes–. Nancy. ¿Aónde va la chorba a estas horas de la noche?

–No lejos.

–¿Qué respuesta es ésa? –replicó Sikes–. ¿Aónde vas?

–Digo que no lejos.

–Y yo digo que aónde –repuso Sikes–. ¿Me oyes?

–No sé adónde –respondió la muchacha.

–Entonces lo sé yo –dijo Sikes más por obstinación que porque tuviera alguna objeción real a que la muchacha fuera adonde le pluguiera–. A ninguna parte. Siéntate.

–No estoy bien. Ya te lo dije –respondió la muchacha–. Necesito un poco de aire.

–Saca la cabeza por la ventana –replicó Sikes.

–Aquí no hay bastante –dijo la muchacha–. Necesito el de la calle.

–Entonces te quedarás sin él –replicó Sikes. Y tras hacer tal promesa se levantó, cerró la puerta, quitó la llave y, arrancándole el gorrito de la cabeza, lo arrojó encima de un viejo ropero–. Ya está –dijo el ladrón–. Ahora quietecita donde estás, ¿te parece?

–No es un gorrito lo que me detendrá aquí –dijo la muchacha, palideciendo sobremanera–. ¿Qué pretendes, Bill? ¿Sabes lo que estás haciendo?

–¿Que si sé lo que estoy...? ¡Ah! –gritó Sikes, volviéndose a Fagin–. Ha perdío la cabeza, ya ves, o no se atrevería a hablarme así.

–Me obligarás a hacer algo desesperado –murmuró la muchacha, poniendo ambas manos sobre el pecho como comprimiendo a la fuerza un violento acceso–. Déjame marchar, ¿quieres? Ahora mismo... en seguida.

–¡No! –dijo Sikes.

–Dile que me deje marchar, Fagin. Le sería mejor. Sería mejor para él. ¿Me oyes? –gritó Nancy, pataleando.

–¿Oírte? –repitió Sikes, girando en la silla hasta ponerse frente a ella–. ¡Sí! Y si te oigo medio minuto más, el perro te echará tal denteyá en el pescuezo, que te arrancará un poco esa voz chiyona. ¿Qué te ha dao, tía? ¿Qué pasa?

–Déjame marchar –dijo la muchacha con gran vehemencia, y luego se sentó en el suelo, delante de la puerta–. Bill, déjame ir; no sabes lo que estás haciendo. De verdad que no. Sólo por una hora... venga..., ¡venga!

–¡Que me descuarticen –gritó Sikes, agarrándola brutalmente por el brazo–, si no me da que la chorba está loca rematá! Levántate.

–No hasta que no me dejes marchar... No hasta que no me dejes marchar... ¡Nunca..., nunca! –gritaba la muchacha.

Sikes se quedó mirándola un instante esperando la ocasión y, sujetándola de pronto las manos, la arrastró, mientras ella se debatía y forcejeaba todo el trayecto, hasta un cuarto contiguo, donde él se sentó en un banco y, encajándola en una silla, la mantuvo inmóvil a la fuerza. Ella alternó el forcejeo y las súplicas hasta que sonaron las doce y luego, agotada y exhausta, dio por perdida la partida. Con la advertencia, respaldada con muchos juramentos, de que no hiciera más esfuerzos por salir aquella noche, Sikes la dejó recuperarse sola y volvió con Fagin.

–¡Jo! –dijo el ladrón, enjugándose el sudor de la cara–. ¡Qué gachí más rara es ésta!

–Bien puedes decirlo, Bill –replicó Fagin pensativo–. Bien puedes decirlo.

–¿Pa qué crees que se le metería en la cabeza salir esta noche? –preguntó Sikes–. Venga, tú tiés que conocerla mejor que yo. ¿Qué quié decir esto?

–Terquedad, terquedad femenina, supongo, querido.

–Bueno, espero que sea eso –gruñó Sikes–. Creí que la había domao, pero está más rabiosa que nunca.

–Peor –dijo Fagin pensativo–. Yo nunca la vi así por tan poca cosa.

–Ni yo –dijo Sikes–. Creo que tié una chispa de aqueya fiebre en la sangre entoavía, y no se le quié salir..., ¿eh?

–A lo mejor.

–La sangraré un poco, sin andar yamando al médico, si le vuelve a coger así –dijo Sikes.

Con un movimiento de cabeza aprobó Fagin aquel tipo de tratamiento.

–Cuando estuve tumbao ahí boca arriba, se pasaba tó el día y toa la noche a mi lao, mientras que tú, lobo de alma negra, te mantuviste lejos –dijo Sikes–. Y estábamos mu pobres también, tó el rato, y creo que eso la ha preocupao y trabajao de alguna manera, y el haber estao aquí encerrá tanto tiempo la ha agitao, ¿eh?

–Eso es, querido –repuso el judío en voz baja–. ¡Chist!

Según pronunciaba aquellas palabras la muchacha apareció y volvió a sentarse donde estaba antes. Tenía los ojos hinchados y rojos, empezó a mecerse, echó la cabeza para atrás y, a poco, soltó una carcajada.

–¡Hombre, ahora cambia de rumbo! –exclamó Sikes, dirigiendo una mirada de gran asombro a su compañera.

Fagin le hizo una seña de que no le prestara más atención por el momento, y unos minutos después la muchacha se sumía en su actitud habitual. Tras decir en voz baja a Sikes que no había temor de que reincidiera, cogió Fagin su sombrero y dijo buenas noches. Se detuvo al llegar a la puerta de la habitación y, dándose la vuelta, preguntó si alguien iba a alumbrarle por las oscuras escaleras.

–Baja a alumbrarle –dijo Sikes, que estaba cargando la pipa–. Sería una pena que se matara él mismo y dececionara a los espectadores. Acompáñale con una luz.

Nancy siguió al viejo hasta abajo con una vela. Cuando llegaron al pasillo se llevó él un dedo a los labios y, acercándose a la muchacha, le dijo:

–¿Qué pasa, Nancy querida?

–¿Qué quieres decir? –replicó la muchacha en el mismo tono.

–La razón de todo esto –repuso Fagin–. Si *ése* –y señalaba con su esquelético índice hacia arriba– te trata tan mal (es un bestia, Nancy, un bestia brutal), ¿por qué no...?

–¿Qué? –dijo la muchacha al callarse Fagin con la boca tocándole casi la oreja y los ojos puestos en los suyos.

–No importa ahora. Volveremos a hablar de esto. Tienes en mí a un amigo, Nancy, un amigo fiel. Yo tengo los medios a mano, discretos y ocultos. Si quieres vengarte de quienes te tratan como a un perro..., ¿como a un perro, digo? peor que al perro, pues a él le da gustos algunas veces..., acude a mí. Ya te lo digo, acude a mí. Él no es más que pollo de un día. Pero tú me conoces desde hace mucho tiempo, Nancy.

–Te conozco bien –repuso la muchacha sin manifestar la más mínima emoción–. Buenas noches.

Y se echó atrás al ir Fagin a ponerle la mano en la suya, pero volvió a decir buenas noches con voz firme y, contestando a su mirada de adiós con un gesto de inteligencia, cerró la puerta tras él.

Caminó Fagin en dirección a su casa sumido en los pensamientos que le bullían en el cerebro. Había concebido la idea –no por lo que acababa de suceder, aunque aquello había contribuido a confirmárselo lenta y paulatinamente– de que Nancy, harta de la brutalidad del ladrón, había empezado a sentir apego por algún nuevo amigo. Su alterada actitud, sus repetidas ausencias de casa sola, su relativa indiferencia por los intereses de la banda, de los que antaño fuera tan entusiasta y, añadido a todo aquello, su desesperada impaciencia por salir de casa aquella noche a una hora precisa, todo ello apoyaba su suposición y la hacía, al menos para él, casi cosa cierta. El destinatario de sus nuevas simpatías no se hallaba entre sus acólitos. Sería una valiosa adquisición con una asistente como Nancy y había que asegurárselo (así razonaba Fagin) sin demoras.

Había otro, más oscuro, designio que lograr. Sikes sabía demasiado y sus pullas de rufián no habían producido menos mataduras en Fagin porque las heridas fueran invisibles. La muchacha debía de saber bien que, si se lo quitaba de encima, nunca estaría a salvo de su furor y que este furor descargaría en el objeto de su más reciente afición, con quebradura de huesos y tal vez pérdida de la vida.

«Con un poco de persuasión –pensó Fagin–, ¿qué cosa hay más probable que el que consienta en envenenarlo? Las mujeres han hecho tales cosas y peores para conseguir los mismos fines antes de ahora. Desaparecería el canalla peligroso, el hombre que odio, tendría a otro seguro en su lugar, y mi influencia sobre la muchacha, sustentada por mi conocimiento de su crimen, sería ilimitada.»

Aquellas cosas pasaron por la cabeza de Fagin en el breve rato que estuvo sentado solo en la habitación del ladrón y, con ellas frescas en el pensamiento, había aprovechado la ocasión que se le ofreció después para tantear a la muchacha con las veladas insinuaciones que le lanzó al despedirse. No hubo en ella expresión de asombro ni fingimiento de incapacidad de entender lo que quería decirle. La muchacha lo había entendido claramente. Su manera de mirar al despedirse lo probaba.

Pero quizá retrocediera ante un complot para quitar la vida a Sikes, y aquél era uno de los objetivos principales que había que lograr.

«¿Cómo –pensaba Fagin según se arrastraba hacia casa– puedo aumentar mi influencia sobre ella? ¿Qué nuevo poder puedo adquirir?»

Cerebros tales son fértiles en recursos. Si, sin necesidad de hacerle confesar nada, la espiaba, descubría el objeto de sus nuevas atenciones y la amenazaba con revelar toda la historia a Sikes (de quien tenía un miedo fuera de lo común), si no aceptaba participar en sus planes, ¿no podría asegurarse su obediencia?

–Sí podré –dijo Fagin casi en voz alta–. Y entonces no se atreverá a negarse. ¡Por nada del mundo, por nada del mundo! Lo tengo todo. Los medios están dispuestos y empezarán a funcionar. ¡Ya te tengo!

Lanzó una torva mirada hacia atrás e hizo un gesto amenazador con la mano en dirección de donde había dejado al audaz canalla y continuó su camino hundiendo febrilmente sus sarmentosas manos en los pliegues de sus andrajosas ropas, retorciéndolas enérgicamente con la mano, como si estrujara a un odiado enemigo con cada presión de los dedos.

Capítulo 45

Fagin emplea a Noah Claypole en una secreta misión

A la mañana siguiente temprano ya estaba el viejo levantado y esperaba impaciente la aparición de su nuevo compinche, quien, tras un retraso que se hizo interminable, apareció al cabo y lanzó un voraz asalto al desayuno.

–Bolter –dijo Fagin, acercando una silla y sentándose frente a él.

–Aquí estoy, hombre –replicó Noah–. ¿Qué pasa? No me pidas que haga ná hasta que no termine de comer. Ése es el gran defezto de este lugar. Nunca le dan a uno tiempo pa las comidas.

–Puedes hablar mientras comes, ¿no? –dijo Fagin, maldiciendo en lo más hondo de su corazón la glotonería de su querido y joven amigo.

–¡Ah, claro, que puedo hablar! Me desenvuelvo mejor cuando hablo –dijo Noah, cortando una rebanada de pan monstruosa–. ¿Dónde está Charlotte?

–Fuera –dijo Fagin–. La mandé fuera esta mañana con la otra muchacha porque quería que nos quedáramos solos.

–¡Oh! –dijo Noah–. Ojalá le hubieras dicho que preparara antes algunas tostás con mantequiya. Bueno, habla, habla. No me interrumpes.

Y a la verdad que no parecía que hubiera temor alguno de que nada le interrumpiera, ya que era evidente que se había sentado resuelto a despachar gran cantidad de cosas.

–Ayer trabajaste muy bien, querido –dijo Fagin–. ¡Estupendo! ¡Seis chelines y nueve peniques y medio el primer día! Con el truco del parvulito vas a hacer una fortuna.

–No te olvides de añadir tres jarras de medio litro y una lechera –dijo el señor Bolter.

–Claro que no, querido. Las jarras fueron grandes toques de genio, y la lechera fue ya una auténtica obra maestra.

–Mu bien, creo yo, pa un principiante –observó el señor Bolter autosatisfecho–. Las jarras las cogí de repisas exteriores y la lechera estaba solita fuera de una taberna. Pensé que podía oxidarse con la yuvia o resfriarse, ya sabes, ¿eh? ¡Ja, ja, ja!

Afectó Fagin reír con muchísima gana y el señor Bolter, tras soltar todas sus carcajadas, dio una serie de grandes bocados que acabaron con su primer trozo de pan con mantequilla, y se atacó a un segundo.

–Te necesito, Bolter –dijo Fagin, inclinándose sobre la mesa–, para que me hagas un trabajillo, querido, que precisa gran cuidado y cautela.

–Oye –dijo Bolter–, a mí no me vayas a meter en algún peligro o mandarme a más comisarías. Eso no me va, eso no, y así te lo digo.

–No hay el más mínimo peligro en ello... ni el más mínimo –dijo el judío–; sólo hay que diquelar a una mujer.

–¿Vieja? –preguntó el señor Bolter.

–Joven –replicó Fagin.

–Eso puedo hacerlo yo estupendamente, lo sé –dijo Bolter–. Fui un chivato perfezto cuando iba a la escuela–. ¿Pa qué tengo que diquelarla? ¿Pa que no...?

–Para nada, sino decirme adónde va, a quién ve y si es posible lo que dice, recordar la calle si es una calle, o la casa si es una casa, y traerme toda la información que puedas.

—¿Qué me das? —preguntó Noah, dejando la taza y mirando ávidamente a su patrono en la cara.

—Si lo haces bien, una libra, querido. Una libra —dijo Fagin, tratando de interesarle todo lo posible en la empresa—. Y eso no lo he dado yo nunca por un trabajo del que no hay que ganar ninguna cosa de valor.

—¿Quién es? —preguntó Noah.

—Una de las nuestras.

—¡Oh, Señor! —exclamó Noah, arrugando la nariz—. Desconfías de eya, ¿eh?

—Se ha echado unos nuevos amigos, querido, y debo enterarme de quiénes son —repuso Fagin.

—Ya veo —dijo Noah—. Sólo pa tener el gusto de conocerlos, si son gente respetable, ¿eh? ¡Ja, ja, ja! Soy el hombre que buscas.

—Lo sabía —exclamó Fagin exaltado con el éxito de su propuesta.

—Por supuesto, por supuesto —replicó Noah—. ¿Dónde está? ¿Dónde tengo que esperarla? ¿Aónde tengo que ir?

—Todo eso, querido, ya me oirás decírtelo. Te indicaré quién es a su debido tiempo —dijo Fagin—. Tú estáte preparado y déjame lo demás a mí...

Aquella noche y la siguiente y la siguiente también esperó el espía con las botas puestas y ataviado de sus ropas de carretero, listo para salir a una orden de Fagin. Seis noches pasaron, seis largas y aburridas noches, y cada una de ellas Fagin llegaba a casa con cara de decepción y brevemente le daba a entender que el momento no había llegado. La séptima volvió más pronto y con un júbilo que no podía ocultar. Era domingo.

—Esta noche sale —dijo Fagin— y estoy seguro de que es para el recado que esperamos, pues ha estado todo el día sola y el hombre que teme no volverá mucho antes del amanecer. Ven conmigo. ¡Rápido!

Noah se levantó de un salto sin decir palabra, pues el judío estaba en un estado de entusiasmo tan intenso, que le contagiaba. Salieron de la casa sigilosamente y, apresurándose por un laberinto de calles, llegaron finalmente delante de una taberna que Noah reconoció ser la misma en que había dormido la noche de su llegada a Londres.

Eran las once pasadas y la puerta estaba cerrada. Giró suavemente sobre los goznes tras dar Fagin un leve silbido. Entraron sin hacer ruido y la puerta se cerró.

No arriesgándose apenas a hablar en voz baja y sustituyendo la palabra por la mímica, Fagin y el joven judío que los había dejado entrar señalaron a Noah el cristal y le indicaron por señas que se subiera y observara a la persona en el cuarto de al lado.

–¿Es ésa la mujer? –preguntó apenas sin aliento.

Fagin asintió con la cabeza.

–No puedo ver bien la cara –susurró Noah–. Está mirando pa abajo y la vela está detrás de eya.

–Quédate ahí –susurró Fagin.

Hizo una seña a Barney y éste desapareció. En un instante se hallaba en la habitación contigua y, con el pretexto de despabilar la vela, la movió en la dirección requerida y, hablando a la muchacha, hizo que levantara la cabeza.

–Ahora la veo –dijo el espía.

–¿Bien?

–La reconocería entre mil.

Descendió en seguida, ya que la puerta del cuarto se abrió y la muchacha salió. Fagin lo llevó tras un tabiquillo que tenía una cortina y allí retuvieron el aliento mientras ella pasó a pocos pies de su escondite y salió por la puerta por la que habían entrado.

—¡Chift! —gritó el mozo que tenía la mano en la puerta—. Ya.

Noah intercambió una mirada con Fagin y salió en seguida.

—A la izquierda —susurró el mozo—, coge a mano izquierda y anda bor el otro lao.

Así hizo y, a la luz de las farolas, vio alejarse la figura de la muchacha ya a alguna distancia de él. Avanzó hasta acercarse tanto como consideró prudente y se mantuvo en el lado opuesto de la calle para mejor observar sus movimientos. Ella miró inquieta para atrás dos o tres veces y en una ocasión se detuvo a dejar pasar a dos hombres que caminaban justo detrás de ella. A medida que avanzaba parecía cobrar ánimos y caminar con paso más decidido y firme. El espía guardaba la misma distancia y la seguía sin quitarle los ojos de encima.

Capítulo 46

Acude Nancy a la cita

Los relojes de las iglesias daban los tres cuartos después de las once cuando entraron dos personas en el puente de Londres. Una, de paso ágil y rápido, era una mujer que miraba anhelosa alrededor como buscando algo que esperara encontrar, y era la otra un hombre que avanzaba por las sombras más profundas que podía encontrar y ajustaba su paso al de ella a una cierta distancia, deteniéndose cuando ella se detenía y moviéndose sigilosamente cuando ella continuaba, pero sin dejar que el ardor de su persecución le hiciera ganar terreno. Así cruzaban el puente del lado de Middlesex al de Surrey, cuando la mujer, evidentemente decepcionada de su ansioso escudriñar a los transeúntes, se volvió. El movimiento fue repentino, pero no cogió desprevenido al que la espiaba, pues, metiéndose en uno de los entrantes que hay sobre los pilares del puente y apoyándose en el pretil para ocultar mejor su persona, esperó hasta que pasara por la acera opuesta. Cuando estuvo casi a la misma distancia de él de lo que había estado antes, salió de allí calladamente y continuó siguiéndola. Casi en el centro del puente ella se detuvo. El hombre se detuvo también.

Era noche muy oscura. El día había estado desapacible y a aquella hora y en aquel lugar era poca la gente que transitaba. Los que lo hacían pasaban de prisa, tal vez sin ver y por supuesto sin reparar en la mujer ni en el hombre que no la perdía de vista. La apariencia de ambos no era la más apropiada para atraer las importunas miradas de los desvalidos londinenses que casualmente hacían su camino por el puente aquella noche a la búsqueda de alguna fría arcada o cuchitril sin puerta donde reposar la cabeza, mientras ellos permanecían allí en silencio sin hablar y sin que nadie de los que pasaban les hablara.

Flotaba sobre el río una neblina que acentuaba el rojo resplandor de las luces que ardían en las pequeñas embarcaciones amarradas en los distintos muelles, y oscurecía y difuminaba los lúgubres edificios de las orillas. Los viejos y ahumados almacenes a cada lado se alzaban pesada y torpemente sobre la apretada masa de tejados y hastiales frunciendo sus ceños sombríos sobre un agua demasiado negra para reflejar siquiera sus densas siluetas. La torre de la antigua iglesia de Saint Saviour y la flecha de Saint Magnus, guardianes gigantes del viejo puente durante tanto tiempo, se vislumbraban entre las sombras, pero el bosque de mástiles por debajo del puente y el amplio cúmulo de agujas de las iglesias por encima aparecían casi todos ocultos a la vista.

La muchacha había dado unas cuantas vueltas, presa de agitación y estrechamente vigilada mientras tanto por su furtivo observador, cuando la pesada campana de Saint Paul dobló por la muerte de otro día más. La medianoche caía sobre la populosa ciudad. Sobre el palacio y la tasca nocturna, sobre la cárcel y el manicomio, sobre el aposento del nacimiento y de la muerte, sobre el de la salud y de la enfermedad, sobre el rostro yerto del cadáver y el plácido sueño del niño: la medianoche caía sobre todo.

No hacía ni dos minutos que había sonado la hora cuando una joven, acompañada de un caballero de pelo cano, se apeó de un coche de alquiler a poca distancia del puente y hacia él se dirigieron directamente tras despachar al vehículo. Apenas hubieron puesto los pies en la acera, cuando la muchacha se sobresaltó y se dirigió hacia ellos.

Continuaron ellos adelante mirando a todas partes con cara de quien llega con poquísimas esperanzas de verlas cumplidas, cuando de pronto se les unió aquella nueva compañía. Se detuvieron con una exclamación de sorpresa, pero immediatamente la reprimieron, pues un hombre con ropas de campesino se acercaba en aquel preciso momento e incluso los rozó.

–Aquí no –se apresuró a decir Nancy–. Tengo miedo de hablarles aquí. Vámonos de aquí..., de la vía pública..., abajo de aquellas escaleras.

Según decía aquellas palabras y señalaba con la mano la dirección que deseaba siguieran, el campesino se volvió y, preguntando groseramente por qué ocupaban toda la acera, siguió adelante.

Las escaleras que la muchacha indicara eran las que forman un desembarcadero del río en la orilla de Surrey y en el mismo flanco del puente donde está la iglesia Saint Saviour. Hacia aquel lugar se apresuró sin ser notado el hombre de rústica apariencia y, tras inspeccionar el lugar un instante, empezó a bajar.

Estas escaleras forman parte del puente y constan de tres tramos. Justo al final del segundo según se baja, el muro de piedra de la izquierda termina con una pilastra ornamental que da hacia el Támesis. En aquel punto los peldaños inferiores se hacen más anchos, de modo que si alguien dobla la esquina del muro no será visto por nadie que se halle más arriba, aunque sólo sea un escalón. Al llegar a aquel punto, el campesino echó una rápida ojeada alrededor y, como no pareciera haber mejor escondite y hubiera espacio de sobra por estar baja la marea, se apartó sigilosamente, pegada la espalda a la pilastra, y allí esperó, bastante seguro de que no bajarían más y de que, aunque no pudiera oír lo que dijeran, podría volver a seguirlos sin peligro.

Tan despacio pasaba el tiempo en aquel solitario lugar y tan ansioso estaba el espía por descubrir los motivos de una entrevista tan diferente de lo que se le había hecho creer, que más de una vez dio la cosa por perdida convencido o bien de que se habían detenido mucho más arriba, o de que habían acudido a algún lugar totalmente distinto para mantener su misteriosa conversación. Estaba a punto de salir de su escondite y volver a subir a la calzada, cuando oyó ruido de pasos e inmediatamente después voces casi encima de sus oídos.

Se arrimó contra la pared estirándose cuanto podía y apenas si respiró escuchando con atención.

–No hace falta ir más lejos –dijo una voz que era evidentemente la del hombre–. No permitiré que la señorita vaya más lejos. Muchos hubieran desconfiado de ti lo suficiente para llegar tan abajo, pero ya ves que estoy dispuesto a complacerte.

–¿A complacerme? –exclamó la voz de la muchacha a quien había seguido–. En verdad que es usted considerado, señor. ¡A complacerme! Bueno, bueno, no importa.

–Hombre, ¿por qué –dijo el caballero en tono más amable–, por qué motivo puedes habernos traído a este extraño lugar? ¿Por qué no dejarme que te hablara ahí arriba, donde hay luz y algo de movimiento en vez de traernos a este agujero oscuro y siniestro?

–Ya le dije –respondió Nancy– que tenía miedo de hablarle allí. No sé por qué –dijo la muchacha, estremeciéndose–, pero esta noche tengo tanto miedo y temor encima, que apenas si puedo tenerme en pie.

–¿Miedo de qué? –preguntó el caballero, aparentemente compadeciéndose de ella.

–Apenas sé de qué –repuso la muchacha–. Ojalá lo supiera. Todo el día me han asaltado terribles pensamientos de muerte, con sudarios llenos de sangre y un miedo que me abrasaba como si estuviera ardiendo. Esta noche he estado leyendo un libro para matar el rato y las mismas cosas se me aparecían entre las letras.

–Imaginaciones –dijo el caballero, calmándola.

–Nada de imaginaciones –repuso la muchacha con voz ronca–. Le juro que vi la palabra «ataúd» escrita en cada página del libro en grandes letras negras... sí, y esta noche por las calles traían uno justo detrás de mí.

–No hay nada raro en eso –dijo el caballero–. A mí me han pasado al lado a menudo.

–*Verdaderos* –dijo la muchacha–. Éste no lo era.

Había algo tan insólito en sus maneras, que al escondido oyente se le puso la carne de gallina al oír pronunciar a la muchacha aquellas palabras y la sangre se le heló. Nunca experimentó alivio más grande que cuando oyó la dulce voz de la señorita, que suplicaba a la otra se calmara y no se dejara llevar de tales espantosas imaginaciones.

–Háblele con amabilidad –dijo la joven a su acompañante–. ¡Pobrecilla! Parece necesitarlo.

–Las gentes altivas y devotas de su clase erguirían esta noche la cabeza viendo el estado en que me hallo, y me echarían sermones de llamas y venganzas –exclamó la muchacha–. Oh, querida señorita, ¿por qué esos que se dicen pueblo de Dios no son tan amables y buenos con nosotros los pobres desgraciados como usted que, con juventud, belleza y todo lo que ellos han perdido, podría mostrarse un poco orgullosa en vez de más humilde que ellos?

—¡Ah! –dijo el caballero–. Cuando los turcos hacen oración vuelven la cara hacia oriente después de habérsela lavado bien, pero esa buena gente, después de darse en la cara un refregón contra el mundo para arrancarse la sonrisa, se vuelve con no menos regularidad hacia la parte más oscura del cielo. Entre el musulmán y el fariseo, saludos al primero de mi parte.

Aquellas palabras parecían dirigirse a la señorita y se pronunciaron tal vez con el fin de dejar tiempo a que Nancy se recobrara. Poco después el caballero se dirigió a ella.

—No viniste el domingo pasado por la noche –dijo.

—No pude –repuso Nancy–. Me lo impidieron por la fuerza.

—¿Quién?

—Bill..., el que ya le dije a la señorita.

—Espero que no haya sospechado que mantienes contacto con nadie sobre el asunto que nos ha traído aquí esta noche –dijo el anciano con inquietud.

—No –repuso la muchacha, agitando la cabeza–. No me es muy fácil dejarle sin que sepa por qué. No habría podido ver a la señorita cuando la vi si no le hubiera dado una bebida con láudano antes de marchar.

—¿Se despertó antes de que regresaras? –preguntó el caballero.

—No, y ni él ni nadie sospecha de mí.

—Bien –dijo el caballero–. Ahora escúchame.

—Estoy preparada –repuso la muchacha al hacer él una pausa.

—Esta señorita –empezó el caballero– me ha manifestado, a mí y a otros amigos en quienes se puede confiar plenamente, lo que le contaste hace casi quince días. Te confieso que al principio tuve dudas de si se podría confiar en ti sin más, pero ahora lo creo firmemente.

–Se puede –dijo la muchacha con vehemencia.

–Repito que lo creo firmemente. Para probarte que estoy dispuesto a confiar en ti, te diré sin reservas que nos proponemos arrancar el secreto, cualquiera que sea, de los temores de ese Monks. Pero, si... si... –dijo el caballero–, si no podemos ponerle a buen recaudo, o si, tras lograrlo, no podemos utilizarlo como deseamos, deberás entregar al judío.

–¡Fagin! –exclamó la muchacha, retrocediendo.

–Debes entregar a ese hombre –dijo el caballero.

–¡No lo haré! ¡Nunca lo haré! –repuso la muchacha–. Con todo lo demonio que es, y peor que el demonio que ha sido conmigo, no haré eso nunca.

–¿No lo harás? –dijo el caballero, que parecía perfectamente preparado para aquella respuesta.

–¡Nunca! –repuso la muchacha.

–Dime por qué.

–Por una razón que la señorita sabe y en la que sé que me apoyará, pues me lo prometió, y por otra razón además, y es que si ha llevado una mala vida, también la he llevado yo, y hay muchos de nosotros que hemos hecho juntos el mismo recorrido, y yo no me volveré contra ellos, que podrían, cualquiera de ellos, haberse vuelto contra mí, pero no lo han hecho, con todo lo malos que sean.

–Entonces –se apresuró a decir el caballero, como si aquel fuera el asunto al que esperaba llegar–, pon a Monks en mis manos y deja que yo me ocupe de él.

–¿Y si se vuelve contra los otros?

–Te prometo que en ese caso, si se le arranca la verdad, las cosas quedarán así, pues tiene que haber detalles en la pequeña historia de Oliver que sería doloroso sacar a la luz pública, y una vez que se consiga la verdad, quedarán libres.

–¿Y si no se consigue? –aventuró la muchacha.

–Entonces –prosiguió el caballero–, a ese Fagin no se le llevará ante la justicia sin tu consentimiento. En tal caso te daría razones que creo te inducirían a darlo.

–¿Puedo contar con la promesa de la señorita? –preguntó la muchacha.

–Sí –respondió Rose–. Mi promesa sincera y verdadera.

–¿Nunca sabrá Monks cómo se enteraron de lo que saben? –dijo la muchacha tras breve pausa.

–Nunca –repuso el caballero–. Le impondremos las consecuencias de nuestra información de tal modo, que nunca podrá ni imaginarlo.

–He sido una mentirosa y vivido entre mentirosos desde muy niña –dijo la muchacha tras otra pausa–, pero me fiaré de sus palabras.

Tras recibir de ambos la seguridad de que podía hacerlo sin riesgos, procedió, con voz tan baja que era a menudo difícil para el auditor discernir siquiera el sentido de lo que decía, procedió a describir, sin olvidar nombre y situación, la taberna desde donde la habían seguido aquella noche. De la manera como de vez en cuando se interrumpía podía deducirse que el caballero estaba tomando nota apresurada de la información que ella daba. Cuando hubo explicado en detalle las características del lugar, el mejor emplazamiento para vigilarlo sin hacerse notar y la noche y hora en que Monks solía frecuentarlo, se concentró unos instantes con objeto de evocar más nítidamente en su memoria sus facciones y aspecto.

–Es alto –dijo la muchacha– y de fuerte constitución, pero no fornido; tiene el andar huidizo y al caminar siempre va mirando por encima del hombro, primero a un lado y luego al otro. No olviden esto, pues no hay hombre que tenga los ojos más hundidos en la cabeza, y casi sólo por eso podría reconocérsele. Tiene la tez morena, como el pelo y los ojos y, aunque no puede tener más de veintiséis o veintiocho años, arrugada y macilenta. A menudo lleva los labios descoloridos y desfigurados de mordiscos, pues le dan ataques horribles y algunas veces hasta se muerde las manos hasta llenárselas de llagas... ¿por qué se sobresaltan? –dijo la muchacha, interrumpiéndose de pronto.

El caballero respondió precipitadamente que no era consciente de haberse sobresaltado y le rogó que continuara.

–Parte de esto –dijo la muchacha– se lo he sonsacado a otra gente en la casa que les digo, pues sólo lo he visto dos veces y las dos iba envuelto en una capa enorme. Esto es todo lo que creo que puedo decirles para que lo reconozcan. Aunque esperen –añadió–. En la garganta y tan alta, que se le ve en parte debajo del fular cuando vuelve la cabeza, tiene...

–¿Una mancha roja como una quemadura o escaldadura? –exclamó el caballero.

–¿Qué es esto? –dijo la muchacha–. ¿Usted lo conoce?

La señorita profirió un grito de sorpresa y se quedaron unos instantes tan en silencio, que el espía podía oírles respirar con toda claridad.

–Creo que sí –dijo el caballero rompiendo el silencio–. Lo reconocería por la descripción que has hecho. Ya veremos. Mucha gente se parece a otra de manera extraordinaria. Puede que no sea el mismo.

Al expresarse en aquellos términos con fingida despreocupación, hizo un paso o dos que le acercaron al escondido espía, como éste pudo inferir de la nitidez con que le oyó decir entre dientes: «Tiene que ser él».

—Bueno —dijo volviendo, o así lo pareció por el sonido, al lugar donde había estado antes—, nos has dado, muchacha, información valiosísima y deseo que te beneficies de ello. ¿Qué puedo hacer para ayudarte?

—Nada —respondió Nancy.

—No te empeñes en decir eso —dijo el caballero con una voz henchida de bondad que habría conmovido a un corazón mucho más duro e impasible—. Piénsalo y dime.

—Nada, señor —dijo la muchacha, llorando—. No pueden hacer nada para ayudarme. Yo ya estoy más allá de toda esperanza.

—Tú misma te sitúas más allá de su umbral —dijo el caballero—. El pasado ha sido para ti un triste derroche de jóvenes energías desperdiciadas y un despilfarro de los inestimables tesoros que el Creador concede una vez sola y nunca vuelve a otorgar, pero para el futuro, puedes albergar esperanzas. No digo yo que esté en nuestro poder ofrecerte paz de espíritu y de conciencia, pues eso viene como tú lo busques, pero un refugio tranquilo, ya sea en Inglaterra o, si tienes miedo de quedarte aquí, en algún país extranjero, no sólo está al alcance de nuestras posibilidades, sino que es nuestro más ferviente deseo conseguírtelo. Antes de que amanezca, antes de que este río se despierte con las primeras luces del alba, te habremos llevado tan lejos del alcance de tus antiguos compañeros y habrás dejado detrás ausencia tan absoluta de todo rastro, como si desaparecieras de la tierra en este momento. ¡Vamos! No querría por nada que volvieras a intercambiar una sola palabra con cualquiera de tus antiguos camaradas o dirigir una sola mirada a ninguna vieja guarida, ni respirar el aire mismo, que para ti es pestilencia y muerte. ¡Déjalo todo ahora que estás a tiempo y se te ofrece la ocasión!

—Ahora se dejará convencer —exclamó la señorita—. Vacila, estoy segura.

–Me temo que no, querida –dijo el caballero.

–No, señor, no –repuso la muchacha tras breve lucha interior–. Estoy encadenada a mi vida anterior. La odio y abomino ahora, pero no puedo dejarla. Debo de haber ido demasiado lejos para poder volverme atrás... y sin embargo no sé, pues si me hubieran hablado así hace algún tiempo me lo habría tomado a risa. Pero –dijo, mirando rápidamente alrededor–, este miedo vuelve a invadirme. Tengo que marcharme a casa.

–¡A casa! –repitió la joven, haciendo hincapié en aquella palabra.

–A casa, señorita –dijo la muchacha–. Al hogar que he levantado con el trabajo de toda mi vida. Separémonos. Me seguirán o verán. ¡Márchense, márchense! Si les he hecho un favor, todo lo que les pido es que se vayan y me dejen seguir mi camino sola.

–Es inútil insistir –dijo el caballero con un suspiro–. Quizá ponemos en peligro su seguridad quedándonos aquí. Tal vez la hayamos detenido aquí más de lo que ella esperaba.

–Sí, sí –apremió la muchacha–. Más.

–¿Cuál –exclamó la señorita– puede ser el final de la vida de esta pobrecilla?

–¿Cuál? –repitió la muchacha–. Mire delante de usted, señorita. Mire esas aguas oscuras. ¿Cuántas veces no lee usted de tantas como yo que saltan a la corriente sin dejar ser vivo que se preocupe de ellas o las llore? Puede ser dentro de años, o sólo dentro de meses, pero al final llegaré a ello.

–No hable así, por favor –dijo la señorita, sollozando.

–Nunca llegará a sus oídos, querida señorita, y quiera Dios que nunca oiga de tales horrores –repuso la muchacha–. ¡Buenas noches, buenas noches!

El caballero se volvió para marchar.

–Este monedero –gritó la joven–. Acéptelo en mi nombre para que disponga de algunos recursos en un momento de necesidad y dificultad.

–¡No! –replicó la muchacha–. No lo he hecho por dinero. Deje que pueda creerlo así. Aunque... déme algo que usted haya llevado puesto, me gustaría que me diera algo... No, no, un anillo no..., sus guantes o pañuelo..., cualquier cosa que pueda guardar porque perteneció a usted, gentil señorita. Eso. ¡Dios la bendiga! Que Dios la bendiga. ¡Buenas noches, buenas noches!

La violenta agitación de la muchacha y el miedo a ser descubierta, con los consiguientes malos tratos y violencias a que se veía sometida, parecieron determinar al caballero a dejarla, como pedía. Se oyó el ruido de pasos que se alejaban y cesaron las voces.

Las siluetas de la joven y su acompañante aparecían poco después en el puente. Se detuvieron arriba de las escaleras.

–¡Oiga! –exclamó la joven escuchando atentamente–. ¿Ha llamado? Creo haber oído su voz.

–No, querida –repuso el señor Brownlow mirando atrás tristemente–. No se ha movido ni lo hará hasta que no nos marchemos.

Rose Maylie se quedaba atrás, pero el anciano la cogió del brazo y se alejó llevándola suave pero firmemente. Según desaparecían, la muchacha se desplomó y quedó tendida casi del todo sobre uno de los peldaños de piedra y desahogó la angustia de su corazón en amargas lágrimas.

Al cabo de un rato se levantó y con paso débil y vacilante subió a la calle. El atónito escucha permaneció inmóvil en su puesto algunos minutos más y, tras cerciorarse con muchas miradas cautelosas a su alrededor de que volvía a estar solo, surgió lentamente de su escondite y se volvió furtivamente y a la sombra del muro de la misma manera que había bajado.

Tras asomarse repetidas veces cuando llegó arriba para asegurarse de que no le observaban, Noah Claypole salió corriendo a toda velocidad y se encaminó hacia la casa del judío tan de prisa como sus piernas podían llevarle.

Capítulo 47

Funestas consecuencias

Faltaban casi dos horas para el amanecer, ese momento que en otoño puede bien llamarse la muerte de la noche, cuando las calles están silenciosas y desiertas, cuando incluso los ruidos parecen dormir y el libertinaje y el desenfreno haber vuelto a casa tambaleándose a soñar, momento aquel tranquilo y silencioso en el que Fagin se hallaba sentado y despierto en su vieja guarida con la cara tan distorsionada y pálida y los ojos tan rojos e inyectados de sangre, que menos parecía hombre que algún horrible espectro, húmedo todavía de la sepultura y agitado por un espíritu maligno.

Estaba acurrucado ante la chimenea apagada envuelto en una vieja colcha rasgada, con la cara vuelta hacia una vela moribunda que en una mesa a su lado estaba. Tenía la mano derecha a la altura de los labios y, al morderse sus largas uñas negras, absorto en sus pensamientos, mostraba entre sus desdentadas encías algún que otro colmillo que podía haber sido de perro o de rata.

Tumbado en un colchón en el suelo yacía Noah Claypole profundamente dormido. Hacia él dirigía a veces el viejo los ojos un instante y luego los volvía de nuevo a la vela, que, con la mecha quemada colgando casi vertical y dejando caer goterones de grasa caliente que se coagulaban en la mesa, manifestaba claramente que sus pensamientos estaban ocupados en otra cosa.

En verdad que lo estaban. La tortura de ver su formidable plan desbaratado, el odio a la muchacha que se había atrevido a intrigar con extraños, la total desconfianza en la sinceridad de su negativa a denunciarlo, la amarga decepción de perder la ocasión de vengarse de Sikes, el miedo a ser descubierto, a perderse y a morir, y una rabia furiosa y mortífera atizada por todo ello eran las apasionadas consideraciones que, sucediéndose una tras otra en veloz e incesante torbellino, atravesaban el cerebro de Fagin mientras en su corazón obraban todos los malos pensamientos y los más negros designios.

Permaneció sentado sin cambiar de actitud en lo más mínimo ni dar la más mínima muestra de preocupación por el paso del tiempo, hasta que sus agudas orejas parecieron reaccionar a unos pasos en la calle.

–Por fin –dijo entre dientes, enjugándose los labios secos y enfebrecidos–. ¡Por fin!

La campanilla sonó mientras así decía. Subió arrastrándose hasta arriba y en seguida volvió acompañado de un hombre embozado hasta el mentón que traía un envoltorio bajo el brazo. Tras sentarse y echar atrás el abrigo, el hombre reveló la fornida factura de Sikes.

–¡Aquí está! –dijo, dejando el envoltorio en la mesa–. Ten cuidao con eyo y saca tó lo que puedas. Mucho trabajo me ha dao conseguirlo, pos pensé estar aquí hace tres horas.

Fagin se apoderó del envoltorio y, guardándolo bajo llave en el armario, volvió a sentarse sin hablar. Pero no retiró los ojos del ladrón ni un instante durante aquella operación y, ahora que estaban sentados frente a frente, le miró fijamente con los labios temblándole tan violentamente y con la cara tan alterada por las emociones que le dominaban, que el ladrón retiró instintivamente la silla y le observó con una mirada de auténtico terror.

–¿Qué hay ahora? –gritó Sikes–. ¿Qué manera es esa de mirar a un tío?

Fagin levantó la mano derecha y agitó su tembloroso índice en el aire, pero su cólera era tan grande, que se quedó sin habla un momento.

–¡Maldición! –dijo Sikes, tentándose el pecho con una expresión de alarma–. Se ha vuelto majara. Tengo que andarme con cuidao.

–No, no –dijo Fagin recobrando la voz–. No eres..., no eres tú, Bill. No tengo... nada que reprocharte.

–¡Oh, no! ¿De verdaz que no? –dijo Sikes, mirándole severamente y pasando ostensiblemente una pistola a un bolsillo más conveniente–. Eso sí que es suerte... pa uno de los dos. Poco importa quién sea ese uno.

–Eso es lo que te tengo que decir, Bill –dijo Fagin acercando la silla–, te sentará peor que a mí.

–¿Sí? –replicó el ladrón con incrédula expresión–. ¡Suéltalo ya! Y abrevia, o Nancy va a pensar que me he perdío.

–¡Perdido! –gritó Fagin–. Ella ya tiene eso bien arreglado en la cabeza.

Sikes miró el rostro del judío con cara de extrema perplejidad y, no leyendo en él explicación satisfactoria del enigma que contenía, le agarró por el cuello de la camisa con su enorme mano y le zarandeó violentamente.

–¡Habla! ¿Quieres? –dijo–. O, si no, será porque te falte el aliento. Abre la boca y di lo que tengas que decir en palabras claras. ¡Échalo fuera, maldito canaya de tós los diablos, échalo fuera!

–Supongamos que ese mozo que está tumbado ahí... –empezó Fagin.

Sikes se volvió hacia donde Noah dormía como si no le hubiera visto antes.

–¿Qué? –dijo, volviendo a su primera postura.

–Supongamos que ese mozo –prosiguió Fagin– se chivara... fuera a dar el soplo de todos nosotros..., tras buscar primero a la gente adecuada para tal propósito y reunirse luego con ellos en la calle para dibujarles nuestro retrato, describir cada detalle por el que pudieran identificarnos y el tugurio donde sería más fácil cogernos. Supongamos que, además de todo eso, se chivara de un golpe en el que hubiéramos participado todos, más o menos..., sacándoselo de su propia imaginación, no después de que le echaran el guante, le enjaularan, le condenaran, le camelara el capellán y lo escupiera él a base de pan y agua, sino sacándoselo de su propia imaginación, por darse gusto, escapándose de noche a buscar a quienes más interesados están en perdernos y chivándose a ellos. ¿Me oyes? –gritó el judío, echando chispas por los ojos–. Supongamos que hiciera todo eso, ¿qué entonces?

–¿Entonces qué? –repuso Sikes, añadiendo un tremendo juramento–. Si entoavía estaba vivo cuando yo viniera, le machacaba el cráneo con el tacón de hierro de la bota hasta hacérselo más cachos que pelos tiene en la cabeza.

–¿Y si lo hiciera _yo_ –exclamó Fagin casi con un chillido–, _yo_, que sé tanto y podría colgar a tantos además de a mí mismo?

–No sé –repuso Sikes, apretando los dientes y palideciendo sólo de pensarlo–. Haría algo en la cárcel que me valiera los griyos y, si me juzgaban junto contigo, saltaba encima ti con eyos y en medio la sala te machacaba los sesos delante tó el mundo hasta sacártelos. Tendría tanta fuerza –dijo el ladrón entre dientes, blandiendo su musculoso brazo–, que te aplastaba la cabeza como un carro cargao que te hubiera pasao por encima.

–¿Lo harías?

–¡Vaya que si lo haría! –dijo el ladrón–. Prueba.

–Si fuera Charley, o el Perillán, o Bet, o...

–No me importa quién –repuso Sikes con impaciencia–. Cualquiera que fuera, le trataré igual.

Fagin miró fijamente al ladrón y, haciéndole señas de que se callara, se inclinó sobre el lecho en el suelo y zarandeó al que dormía para despertarlo. Sikes se inclinó hacia adelante desde la silla, mirando con las manos en las rodillas y preguntándose en qué iba a parar todo aquel interrogatorio y preparación.

–¡Bolter, Bolter! ¡Pobre chico! –dijo Fagin, alzando los ojos con una expresión de diabólica expectación y hablando despacio y con mucho énfasis–. Está cansado..., cansado de vigilar-*la* tanto tiempo... de vigilar-*la*, Bill.

–¿Qué quiés decir? –preguntó Sikes, echándose para atrás.

Fagin no respondió y, volviendo a inclinarse sobre el dormido, le incorporó hasta que estuvo sentado. Cuando su falso nombre hubo sido repetido varias veces, Noah se restregó los ojos y, bostezando profundamente, miró a su alrededor con cara de dormido.

–Cuéntame eso otra vez..., otra vez, sólo para que lo escuche éste –dijo el judío, señalando a Sikes.

–¿Contar qué? –preguntó el soñoliento Noah, reaccionando de mala gana.

–Aquello acerca de... Nancy –dijo Fagin, agarrando a Sikes por la muñeca como para impedirle que abandonara la casa antes de haber escuchado lo suficiente–. ¿La seguiste?

–Sí.

–¿Al puente de Londres?

–Sí.

–¿Y allí se reunió con dos personas?

–Sí.

–Un señor y una señora a quienes ya había ido a ver antes por propia iniciativa, y le pidieron que entregara a todos sus compinches, y a Monks el primero, y aceptó..., y describirlo, y lo describió..., y decirles en qué casa nos reunimos e ir a ella, y se lo dijo..., y desde dónde se podía vigilarla mejor, y se lo dijo también..., y a qué hora la gente va por allí, y también se lo dijo. Todo eso hizo. Lo contó todo palabra por palabra sin una amenaza, sin un murmullo..., eso es lo que hizo..., ¿o no? –gritó Fagin medio loco de furia.

–Esaztamente –repuso Noah, rascándose la cabeza–. ¡Eso fue lo que pasó!

–¿Qué dijeron del domingo pasado?

–¿Del domingo pasao? –replicó Noah, pensando–. Pero eso ya te lo conté.

–Otra vez. ¡Cuéntalo otra vez! –gritó Fagin, clavando la mano en Sikes y agitando la otra bien alta mientras de la boca le saltaban espumarajos.

–Le preguntaron –dijo Noah que, al ir despertándose, parecía percibir un vislumbre de quién era Sikes–, le preguntaron por qué no fue el domingo pasao, como prometió. Dijo que no pudo...

–¿Por qué, por qué? Dile eso.

–Porque la obligó a quedarse en casa por la fuerza Bill, el hombre de quien les había hablao antes –repuso Noah.

–¿Qué más acerca de él? –gritó Fagin–. ¿Qué más del hombre de quien les había hablado antes? Dile eso, díselo.

–Pues que no podía salir de casa fácilmente a menos que él supiera adónde iba –dijo Noah–, y por eso la primera vez que fue a ver a la señora, le..., ¡ja, ja, ja!, me hizo reír cuando lo dijo, de verdad..., le dio a beber láudano.

–¡Fuego del infierno! –gritó Sikes, desasiéndose ferozmente del judío–. ¡Suéltame!

Arrojando al viejo lejos de sí, se precipitó fuera de la habitación y se lanzó salvaje y furiosamente escaleras arriba.

–¡Bill, Bill! –gritó el judío, siguiéndole a toda prisa–. Una palabra. Sólo una palabra.

No habría habido tal palabra si el ladrón hubiera podido abrir la puerta, contra la cual estaba derrochando vanos juramentos y golpes cuando el judío llegó jadeando.

–Déjame salir –dijo Sikes–. No me hables, es peligroso. ¡Déjame salir, te digo!

–Escúchame una palabra –dijo Fagin, poniendo la mano en la cerradura–. ¿No te pondrás...?

–¿Qué?

–¿No te pondrás... excesivamente... violento, Bill?

El día rompía y había luz suficiente para que los dos hombres se vieran la cara. Intercambiaron una breve mirada: había fuego en los ojos de ambos que no admitía equívocos.

–Quiero decir –dijo Fagin, mostrando saber que toda simulación era ya inútil– no excesivamente violento por razones de seguridad. Sé astuto, Bill, y no excesivamente temerario.

Sikes no respondió y, abriendo la puerta de un tirón, una vez que Fagin hubo abierto la cerradura, se arrojó al silencio de la calle.

Sin una pausa y sin reflexionar un momento, sin volver la cara ni a derecha ni a izquierda, ni levantar los ojos al cielo o bajarlos al suelo, sino mirando al frente con salvaje resolución, los dientes tan apretados que la crispada mandíbula parecía saltársele bajo la piel, siguió el ladrón su impetuosa carrera sin murmurar una palabra ni relajar un músculo hasta que llegó a su propia puerta. La abrió despacio con una llave, subió ágilmente las escaleras a grandes zancadas y, tras penetrar en su habitación, cerró la puerta con dos vueltas de llave, arrimó contra ella una pesada mesa y descorrió la cortina de la cama.

Yacía en ella la muchacha medio vestida. La había despertado, pues se incorporó con una mirada rápida y sobresaltada.

–¡Arriba! –dijo el hombre.

–¿*Eres* tú, Bill? –dijo la muchacha con cara de contento por su regreso.

–Soy yo –fue la respuesta–. Arriba.

Había una vela ardiendo, pero el hombre la arrancó de la palmatoria y la arrojó bajo la rejilla de la chimenea. Viendo fuera la tenue luz del amanecer, la muchacha se levantó a descorrer la cortina.

–Déjalo –dijo Sikes, interponiendo la mano por delante de ella–. Hay luz de sobra pa lo que tengo que hacer.

–Bill –dijo la muchacha con la voz baja que caracteriza al susto–, ¿por qué me miras así?

El ladrón se sentó a mirarla unos segundos mientras las ventanillas de la nariz se le dilataban y el pecho le palpitaba, y luego, agarrándola por la cabeza y la garganta, la arrastró hasta el centro de la habitación y, echando una ojeada hacia la puerta, le tapó la boca con su pesada mano.

–¡Bill, Bill! –dijo la muchacha con voz entrecortada y debatiéndose con la fuerza del miedo a la muerte–. No..., no gritaré ni chillaré..., ni una vez..., escúchame..., háblame..., ¡dime qué he hecho!

–¡Tú lo sabes, hija del diablo! –respondió el ladrón, conteniendo el aliento–. Te espiaron anoche, te oyeron cada palabra que dijiste.

–Entonces perdóname la vida en el nombre del Cielo, como yo la tuya –dijo la muchacha aferrándose a él–. Bill, querido Bill, no puedes tener corazón para matarme. ¡Oh! Piensa en todo lo que he rechazado sólo esta noche por ti. *Tienes* que tomarte tiempo para pensar y ahorrarte este crimen. No soltaré esta presa, no podrás deshacerte de mí. Bill, Bill, por Dios, por ti mismo, por mí, ¡detente antes de derramar mi sangre! ¡Te he sido fiel, por mi alma pecadora que lo he sido!

El hombre forcejeaba violentamente por liberarse los brazos, pero los de la muchacha se aferraban a ellos y, por mucho que tiraba, no conseguía arrancárselos de encima.

–Bill –gritó la muchacha, tratando de poner la cabeza sobre su pecho–, el señor y aquella buena señorita me hablaron anoche de un hogar en algún país extranjero donde podría pasar mis días en paz y soledad. Déjame volver a verlos y pedirles de rodillas que tengan la misma piedad y bondad contigo, y abandonemos este horrible lugar y vivamos lejos una vida mejor, y olvidemos cómo hemos vivido, excepto en nuestras oraciones, y no nos veamos nunca más. Nunca es tarde para arrepentirse. Eso me dijeron..., lo siento ahora..., pero necesitamos tiempo..., un poquito, ¡un poquito de tiempo!

El ladrón se soltó un brazo y agarró la pistola. La certeza de ser descubierto inmediatamente si disparaba le atravesó el cerebro incluso en medio de su furor, así que descargó dos golpes con todas sus fuerzas sobre la cara que le miraba tocándose casi con la suya.

La muchacha se tambaleó y cayó cegada casi por la sangre que fluía de una profunda brecha en la frente, pero, alzándose con dificultad sobre las rodillas, sacó del pecho un pañuelo blanco..., el de Rose Maylie..., y, sosteniéndolo en sus manos juntas todo lo cerca del cielo que le permitían sus débiles fuerzas, exhaló una súplica de misericordia al Hacedor.

Espectáculo horrible de contemplar. Retrocedió el asesino tambaleándose hasta la pared y, ocultándose la vista con la mano, cogió un pesado garrote y la derribó de un golpe.

Capítulo 48

La huida de Sikes

De todas las malas obras que al abrigo de la oscuridad se cometieron en el amplio perímetro de Londres desde que la noche cayó sobre él, aquélla fue la peor. De todos los horrores que se elevaban con su fétido olor al aire matutino, aquél era el más espantoso y cruel.

El sol..., el sol radiante que vuelve a traer no sólo luz, sino nueva vida y esperanza y vigor al hombre..., reventó sobre la populosa ciudad en toda su gloria luminosa y resplandeciente. A través de las costosas vidrieras de colores y de las ventanas remendadas con papeles, a través de las cúpulas catedralicias y de las grietas carcomidas esparcía sus equitativos rayos. Iluminó la habitación en que yacía la mujer asesinada. La iluminó también. Sikes trató de mantenerlo fuera, pero él se empeñaba en entrar a raudales. Si la escena había resultado aterradora en el pálido amanecer, ¿qué no sería ahora con toda aquella luz deslumbradora?

Él no se había movido, pues tenía miedo a salir. Había habido un gemido y un movimiento de la mano y, con terror a la par que con rabia, había golpeado una y otra vez. En algún momento le echó un cobertor por encima, pero era peor imaginarse los ojos, imaginar que se movían hacia él, que verlos clavados en lo alto como contemplando los reflejos del charco de sangre que temblaban y bailoteaban en el sol sobre el techo. Se lo arrancó y lo echó a un lado. Y allí estaba el cuerpo... simple carne y sangre, nada más..., pero aquella carne, ¡y tanta sangre!

Sacó chispa con el eslabón, hizo fuego y arrojó en él el garrote. Habían quedado en la punta unos pelos, que ardieron y se redujeron a ligeras pavesas que, absorbidas por el aire, se arremolinaron chimenea arriba. Resuelto como era, aquello llegó a asustarle, pero sostuvo el arma hasta que se partió y luego la colocó sobre los carbones para que ardiera lentamente y se convirtiera en ceniza. Se lavó y luego se restregó la ropa y, como hubiera manchas que no podían quitarse, recortó los trozos y los quemó. ¡Cómo las salpicaduras se esparcían por la habitación! Las patas mismas del perro estaban llenas de sangre.

En todo aquel tiempo no había vuelto la espalda al cadáver ni una vez, no, no, ni un instante. Concluidos aquellos preparativos, avanzó de espaldas hasta la puerta arrastrando al perro consigo, no fuera a mancharse las patas otra vez y sacar hasta la calle pruebas del crimen. Cerró la puerta suavemente, la candó, cogió la llave y salió de la casa.

Atravesó la calzada y miró hacia la ventana para asegurarse de que nada se veía desde el exterior. Seguía corrida la cortina que ella habría descorrido para que entrara la luz que nunca volvió a ver. El cadáver yacía casi justo debajo. *Él* lo sabía. ¡Dios, qué torrente de sol sobre aquel preciso lugar!

La ojeada fue instantánea. Era un alivio haberse liberado de aquella habitación. Silbó al perro y se alejó de prisa.

Atravesó Islington, subió a grandes zancadas la cuesta de Highgate, donde se levanta la lápida en honor de

Whittington[1], volvió a bajar hacia Highgate Hill, indeciso de qué hacer y sin saber adónde ir, volvió a doblar a la derecha casi en cuanto empezó a bajar y, tomando el sendero que atraviesa los campos, bordeó el valle de Caen y así llegó al brezal de Hampstead. Atravesando la vaguada por el valle de Health, subió a la ladera opuesta y, atravesando el camino que une los pueblos de Hampstead y Highgate, continuó a lo largo del resto del brezal hasta los campos de North End, en uno de los cuales se tumbó bajo un seto y se durmió.

Pronto estaba otra vez en pie y andando..., no para adentrarse en la campiña, sino de vuelta hacia Londres por el camino real..., luego volvió a dar la vuelta..., luego por otra parte del mismo terreno que ya había atravesado..., luego errando de un lado para otro por los campos y echándose en el borde de las zanjas a descansar, y levantándose para dirigirse a otro sitio, y volver a hacer lo mismo, y seguir dando vueltas.

¿A qué lugar cercano y no demasiado concurrido podría ir para comer y beber algo? A Hendon. Era buen sitio, no muy lejos y apartado del camino de la mayor parte de los mortales. Hacia allá dirigió sus pasos..., ora

---

1. Dick Whittington, riquísimo comerciante londinense muerto en 1423, que fue tres veces alcalde de la ciudad y dejó su fortuna para obras de interés público y de beneficiencia. La leyenda, que hizo de él un héroe popular celebrado aún hoy, cuenta que era huérfano, pinche en la cocina de un rico mercader, y que sólo poseía un gato, al que la fortuna quiso que vendiera a un moro cuyo reino estaba plagado de ratas, con lo cual se hizo riquísimo, se casó con la hija de su amo, heredó sus bienes y llegó a ser alcalde. Huyendo un día de Londres tras haber sido maltratado por un cocinero, llegó a la colina de Highgate, desde donde oyó las campanas de Cheapside, cuyo talán talán se le antojó que decía: *Turn again, Whittington, Lord Mayor of great London* ('Whittington, vuélvete, alcalde de Londres'), y se volvió, y por eso en aquel lugar se le levantó el monumento junto al que pasa Sikes.

corriendo, ora moviéndose con extraña obstinación a paso de caracol, o deteniéndose del todo a tronchar distraídamente los setos con el bastón. Pero, cuando llegó allá, toda la gente que encontró, hasta los niños en las puertas, parecían mirarle con recelo. Volvió a darse la vuelta, sin atreverse a comprar ni trago ni bocado, aunque llevaba ya muchas horas sin comer, y una vez más vagabundeó por el brezal sin saber adónde ir.

Erró por millas y millas de terreno y sin embargo volvía al punto de siempre. La mañana y las primeras horas de la tarde habían pasado y el día estaba ya en su ocaso, pero él seguía vagando de un lado para otro, de arriba para abajo y dando vueltas y más vueltas, y rondando siempre el mismo lugar. Finalmente se marchó y enderezó sus pasos hacia Hartfield.

Eran las nueve de la noche cuando el hombre, totalmente agotado, y el perro, renqueando y cojo por el desacostumbrado ejercicio, bajaban la cuesta junto a la iglesia de la callada aldea y, avanzando trabajosamente por la callecita aquella, se acercaron hasta una pequeña taberna cuya escasa luz los había guiado hasta allí. Había lumbre en el cuarto de dentro y unos peones estaban bebiendo junto a ella. Hicieron sitio al desconocido, pero él se sentó en el rincón más alejado y comió y bebió solo, o mejor dicho con el perro, a quien echaba un bocado de vez en cuando.

La conversación de los hombres allí congregados trató de las tierras vecinas, de los agricultores y, cuando aquellos temas se agotaron, sobre la edad de algún viejo que había sido enterrado el domingo anterior, a quien los jóvenes presentes tenían por muy viejo y los viejos por muy joven..., no más viejo, dijo un abuelo de pelo blanco, que él mismo..., con diez o quince años por lo menos más de vida..., si se hubiera cuidado, si se hubiera cuidado.

Nada había en aquello que llamara la atención o suscitara la alarma. Tras pagar la cuenta, el ladrón permaneció, callado e inadvertido, sentado en su rincón y casi se había quedado dormido, cuando le despabiló la bulliciosa entrada de un recién llegado.

Era aquél un sujeto pintoresco, medio charlatán medio saltimbanqui, que recorría los pueblos a pie vendiendo piedras de afilar, navajas de afeitar, suavizadores para las navajas, jabón de tocador, grasa para arneses, remedios para perros y caballos, perfumes baratos, cosméticos y otros artículos por el estilo, que llevaba en una caja colgada al hombro. Su entrada dio la señal para una serie de bromas campechanas con los campesinos, que no decrecieron hasta que no terminó de cenar y abrió su caja de tesoros, arreglándoselas ingeniosamente para combinar el negocio con la diversión.

–¿Y qué es la cosa esa? ¿Se pué comer, Harry? –preguntó un sonriente campesino señalando unas pastillas de algún compuesto en un rincón.

–Esto –dijo el individuo sacando una–, esto es el compuesto infalible e inestimable para quitar toda clase de manchas, herrumbre, suciedad, moho, manchitas, manchas, manchones y manchurrones de la seda, satén, lino, batista, paño, crespón, estambre, felpa, merino, muselina, bombasí o tejido de lana. Manchas de vino, manchas de fruta, manchas de cerveza, manchas de agua, manchas de pintura, manchas de pez, cualquier mancha, todas desaparecen con un simple frote con el compuesto infalible e inestimable. Si a una señora se le mancha la honra, no tiene más que tragarse una pastilla e inmediatamente le desaparece..., pues es venenoso. Si un caballero necesita poner a prueba la suya, no tiene más que tragarse un cubito y ya no se lo discutirá nadie, pues es tan eficaz como una bala de pistola y mucho más repugnante de sabor, así que más mérito en tomárselo. Un penique el cubito. ¡Con todas estas propiedades, sólo un penique el cubito!

En seguida salieron dos compradores, y otros de los que escuchaban vacilaban abiertamente. Viendo lo cual el vendedor redobló su locuacidad.

–Se vende tan de prisa, que no da tiempo a fabricarlo –dijo el hombre–. Hay catorce molinos de agua, seis máquinas de vapor y una batería galvánica trabajando sin parar en él, y no dan abasto, aunque los obreros trabajan tanto que se caen muertos y a las viudas se les pasa inmediatamente una pensión con veinte libras al año por cada hijo y una prima de cincuenta por mellizos. ¡Un penique el cubito! Da igual si son dos medios peniques y, si son cuatro cuartos, se aceptan con alegría. ¡Un penique el cubito! ¡Manchas de vino, manchas de fruta, manchas de cerveza, manchas de agua, manchas de pintura, manchas de pez, manchas de barro, manchas de sangre! Ahí tenemos una mancha, en el sombrero de este caballero de la concurrencia, que limpiaré perfectamente antes de que le dé tiempo de pedirme una jarra de cerveza.

–¿Eh? –gritó Sikes sobresaltado–. Devuélvemelo.

–Se la limpiaré perfectamente, señor –repuso el hombre guiñando a los asistentes–, antes de que usted pueda atravesar la habitación para cogerlo. Caballeros, observen la mancha oscura en el sombrero de este caballero, no más grande que un chelín, pero más gruesa que media corona. Sea mancha de vino, mancha de fruta, mancha de cerveza, mancha de agua, mancha de pintura, mancha de pez, mancha de barro o mancha de sangre...

No pasó adelante, pues Sikes derribó la mesa, profiriendo una horrible imprecación, le arrancó el sombrero de la mano y se precipitó fuera de la casa.

Con los mismos contradictorios sentimientos e irresolución que muy a su pesar le habían atenazado todo el día, el asesino, viendo que no le seguían y que lo más probable era que le tomaran por un arisco borracho, se volvió hacia el pueblo y, evitando la luz de los faroles de una diligencia que estaba en la calle, iba a pasar adelante cuando reconoció que era el correo de Londres y vio que se hallaba detenido frente a la pequeña estafeta. Casi sabía lo que iba a suceder, pero atravesó la calzada y escuchó.

El valijero estaba delante de la puerta esperando la saca del correo. Un hombre vestido de guardabosque llegó en aquel momento y el otro le dio un cesto que estaba dispuesto en el suelo.

–Esto es pa tu gente –dijo el valijero–. Y abrevia ahí dentro. Maldita saca, que no estaba prepará anteanoche, ¡esto no pué ser así, ya sabes!

–¿Algo de nuevo en la capital, Ben? –preguntó el otro, retrocediendo hasta las contraventanas para mejor admirar a los caballos.

–No, ná que yo sepa –respondió el hombre, poniéndose los guantes–. El grano ha subío un poco. También he oído hablar de un crimen por la parte de Spitalfields, pero no me fío mucho.

–¡Oh!, pues es muy cierto –dijo desde dentro un señor que estaba asomado a la ventanilla–. Y muy horrible crimen que fue.

–¿De verdad? –preguntó el valijero, tocándose el sombrero–. ¿Hombre o mujer, señor?

–Una mujer –repuso el caballero–. Se supone...

– Bueno, Ben –intervino el cochero impaciente.

–Maldita saca esa –dijo el valijero–, ¿te has quedao dormío ahí dentro?

–¡Ya va! –gritó el estafetero, saliendo a toda prisa.

–Ya viene –gruñó el valijero–. ¡Ah! Como la muchachita de parné que se va a prender de mí, pero no se cuándo. Venga, dame. ¡E...so es!

Sonó el cuerno unas cuantas notas alegres y el coche se alejó.

Sikes permaneció parado en la calle, a lo que parece indiferente ante lo que acababa de oír y sin experimentar sensación más fuerte que la de la duda de dónde ir. Al cabo volvió a darse la vuelta y tomó el camino que va de Hartfield a St. Albans.

Siguió adelante decidido, pero, al dejar atrás el pueblo y hundirse en la soledad y negrura del camino, sintió que se apoderaban de él un terror y pavor que le sacudieron hasta la médula. Todo lo que veía, materia o sombra, quieto o en movimiento, se le antojaba cosa espantosa, aunque aquellos temores no eran nada comparados con la sensación de que la horrorosa imagen de aquella mañana le seguía pegada a los talones. Podía distinguir su sombra en la oscuridad, discernir el mínimo detalle de su silueta y percibir cuán rígida y solemnemente parecía avanzar. Podía oír cómo sus ropas rozaban en las hojas, y cada suspiro del viento le llegaba preñado con aquel último grito ahogado. Si se detenía, ella también. Si corría, le seguía..., mas no corriendo, lo cual habría sido un alivio, sino como un cadáver dotado de la simple maquinaria de la vida y llevado por un viento lento y triste que nunca se aceleraba o decaía.

Algunas veces se dio la vuelta con desesperada determinación decidido a espantar a aquel fantasma, aunque le matara de una mirada, pero el pelo se le ponía de punta y la sangre se le cuajaba, pues el fantasma daba la vuelta con él y seguía tras él. Por la mañana lo había mantenido delante, pero ahora estaba detrás..., continuamente. Apoyó la espalda contra un ribazo y sintió que estaba por encima, claramente visible en el frío cielo nocturno. Se arrojó en el camino..., de espaldas en el camino. Seguía en su cabeza, mudo, erguido e inmóvil..., lápida viviente con el epitafio de sangre.

Que nadie diga que los asesinos escapan a la justicia ni insinúe que la Providencia debe de estar dormida. Hubo cuatrocientas muertes violentas en un solo minuto interminable de aquella agonía de terror.

Había una caseta en un campo por el que pasaba, que le ofrecía abrigo para pasar la noche. Delante de la puerta había tres altos álamos que oscurecían sobremanera el interior y el viento gemía entre ellos con lúgubres lamentos. *No podía* continuar caminando hasta que no volviera a ser de día, y allí se echó pegado a la pared..., para sufrir nuevos tormentos.

Pues ahora se le apareció una visión igual de persistente y más terrible que aquella de la que se había desembarazado. Aquellos ojos fijos y desorbitados, tan sin brillo, tan vidriosos, que había soportado mirarlos antes que pensar en ellos, se le aparecieron en medio de la oscuridad, iluminados, pero sin emitir luz alguna. Sólo había dos, pero estaban en todas partes. Si rehuía aquella visión cerrando los ojos, aparecía la habitación con todos los objetos familiares..., algunos que seguramente habría olvidado si los hubiera inventariado de memoria... cada uno en su lugar habitual. El cadáver estaba en *su* lugar y tenía los ojos como él los vio cuando huyó. Se levantó y salió precipitadamente al campo. La figura estaba detrás de él. Volvió a entrar en la caseta y volvió a echarse. Los ojos estaban allí antes de que acabara de tumbarse.

Y allí yacía, presa de terror tal, que nadie más que él podía saberlo, temblándole todos los miembros y un sudor frío manándole de cada poro, cuando de pronto se alzó en el viento de la noche rumor de gritos lejanos mezclados con clamor de voces de alarma y asombro. Cualquier ruido de gente en aquel solitario lugar, aun trayéndole verdaderos motivos de alarma, era ya algo. Recobró la fuerza y la energía ante la perspectiva de peligro para su persona y, poniéndose en pie de un salto, salió corriendo al aire libre.

El ancho cielo parecía arder. Elevándose en el aire con una lluvia de chispas y envolviéndose una sobre otra, veíanse cortinas de llamas que iluminaban la atmósfera millas a la redonda y enviaban nubes de humo en dirección de donde se hallaba. Los gritos crecían al nutrirse el fragor con nuevas voces y podía oír el grito de «¡Fuego!» mezclándose con el toque de rebato de una campana, el derrumbarse de cosas pesadas y el crepitar de llamas entrelazándose con algún nuevo obstáculo y disparándose a lo alto como vigorizadas por el alimento. El ruido seguía aumentando mientras miraba. Había allí gente, hombres y mujeres, luz, agitación. Fue como nueva vida para él. Salió corriendo hacia allá en línea recta, impetuosamente, atravesando por zarzales y matorrales y saltando portillos y cercados no menos loco que el perro, que corría por delante de él dando potentes y resonantes ladridos.

Llegó al lugar. Había gente medio vestida corriendo de un lado para otro, tratando algunos de sacar a los aterrorizados caballos de las cuadras, guiando otros al ganado desde corrales y establos, y otros que venían cargados de la mole ardiente, en medio de una lluvia de chispas y el derrumbarse de vigas incandescentes. Por los huecos en los que una hora antes había puertas y ventanas se asomaba una masa de fuego enfurecido, las paredes se estremecían y desplomaban en aquel pozo de fuego, el plomo y el hierro derretidos fluían blancos hasta el suelo. Las mujeres y niños chillaban y los hombres se animaban unos a otros con ruidosos gritos y voces de aliento. El metálico sonido de las bombas de incendio y el chisporrotear y silbar del agua al caer en la madera en llamas se sumaban al tremendo estruendo. También gritaba él, hasta que se quedó ronco y, huyendo del recuerdo y de sí mismo, penetró en lo más nutrido de la muchedumbre.

Por todas partes se metió aquella noche, ya manejando las bombas, ya corriendo por entre el humo y las llamas, sin detenerse jamás allí donde el fragor y el gentío eran más nutridos. Subiendo y bajando por escaleras, encima de los tejados de las casas, en pisos que crujían y temblaban con su peso, bajo la amenaza de ladrillos y piedras que caían: en todos los puntos de aquella enorme conflagración estaba él, pero tenía siete vidas y no sufrió ni un rasguño ni una magulladura, ni cansancio ni preocupación, hasta que volvió a amanecer y sólo quedaron humo y ruinas ennegrecidas.

Pasado aquel loco frenesí, volvió con un ímpetu diez veces mayor la horrible sensación de su crimen. Miraba recelosamente alrededor, pues los hombres hablaban en grupos y temía ser objeto de su conversación. El perro obedeció al significativo gesto que le hizo con el dedo y se retiraron juntos a la chita callando. Pasó cerca de una bomba junto a la que estaban sentados unos hombres y le llamaron para que tomara parte en su refrigerio. Comió un poco de pan y carne y, mientras echaba un trago de cerveza, oyó a los bomberos, que eran de Londres, hablar del asesinato.

–Dicen que se ha ido a Birmingham –dijo uno–, pero le cogerán, pues ya han salido los cuadrilleros y para mañana por la noche ya estará alerta todo el país.

Se marchó apresuradamente y caminó hasta casi caer al suelo, tras lo cual se tumbó en un sendero y durmió un sueño largo pero entrecortado y agitado. Volvió a errar, irresoluto e indeciso, y abrumado por el temor de otra noche solo.

Súbitamente tomó la desesperada decisión de volver a Londres.

«Ayí hay alguien a quien hablar, pase lo que pase –pensó–. Y un buen escondite. Nunca pensarán que puén trincarme ayí, después de haberles dejao el rastro en el campo. ¿Por qué no me puedo encalomar una semana o así y, sacándole guita a Fagin, escapar a Francia? Mecachis, vaya que si lo intentaré.»

Obró sin demora de conformidad con aquel impulso y, optando por los caminos menos frecuentados, empezó el viaje de regreso resuelto a ocultarse muy cerca de la capital y entrar en ella al oscurecer, dando un rodeo para seguir derecho hasta aquella zona que se había fijado como destino.

Pero ¿y el perro? Si se daban señas de él, no olvidarían que faltaba el perro y que probablemente se había ido con él. Aquello podía conducir a que lo detuvieran según iba por la calle. Decidió ahogarlo y continuó adelante mirando por si veía algún estanque, y cogió una pesada piedra y la ató al pañuelo mientras caminaba.

Miraba el animal el rostro de su amo mientras se hacían aquellos preparativos y, fuera porque su instinto captara algo de su propósito o porque la mirada de reojo que el ladrón le dirigía fuera más severa que de costumbre, se hizo el remolón rezagándose algo más de lo que solía y avanzando acobardado y más despacio. Cuando el amo se detuvo al borde de un estanque y se volvió a llamarlo, se detuvo en seco.

–¿No oyes que te estoy yamando? ¡Ven acá! –gritó Sikes.

El animal se acercó movido por la sola fuerza de la costumbre, pero, al inclinarse Sikes a atarle el pañuelo al cuello, lanzó un gruñido sordo y retrocedió de un salto.

–¡Vuelve! –dijo el ladrón.

Meneó el perro la cola, pero no se movió. Sikes hizo un nudo corredizo y volvió a llamarle.

El perro avanzó, retrocedió, se detuvo un instante, dio la vuelta y salió corriendo a toda velocidad.

Silbó el hombre una y otra vez y se sentó esperando que volviera. Pero no volvió perro ninguno y finalmente prosiguió su viaje.

Capítulo 49

Por fin se reúnen Monks y el señor Brownlow.
Lo que hablan y la noticia que les interrumpe

Empezaba a apagarse el crepúsculo cuando el señor Brownlow se apeó de un coche de alquiler delante de su casa y llamó suavemente. Abierta la puerta, bajó del coche un hombre robusto que se colocó a un lado del estribo mientras que otro hombre, que había venido sentado en el pescante, se apeó también y se colocó al otro lado. A una señal del señor Brownlow ayudaron a bajarse a un tercer hombre y, tomándolo entre los dos, lo metieron apresuradamente en casa. Aquel hombre era Monks.

Subieron de la misma manera las escaleras sin decir palabra y el señor Brownlow, que los precedía, llegó hasta una habitación de la parte trasera. A la puerta de aquella estancia, Monks, que manifiestamente había subido sin querer, se detuvo. Los dos hombres miraron al anciano caballero como esperando instrucciones.

–Ya sabe la alternativa –dijo el señor Brownlow–. Si vacila o mueve un dedo en contra de lo que le manden, sáquenlo a rastras a la calle, pidan ayuda a la policía y denúncienlo por criminal en mi nombre.

–¿Cómo se atreve a decir eso de mí? –preguntó Monks.

–¿Cómo te atreves a incitarme a ello, joven? –repuso el señor Brownlow, encarándose con él con firme mirada–. ¿Eres lo suficientemente loco para marcharte de esta casa? Suéltenlo. Eso es. Eres libre de marcharte y nosotros de seguirte. Pero te advierto, por todo lo que considero más serio y sagrado, que en el momento en que pongas los pies en la calle, en ese mismo momento haré que te detengan bajo la acusación de fraude y robo. Ésa es mi inflexible resolución. Si tu resolución es también inflexible, ¡que tu sangre caiga sobre tu cabeza!

–¿Con qué derecho me secuestran en la calle y me traen aquí estos mastines? –preguntó Monks, mirando uno tras otro a los dos hombres que le flanqueaban.

–Con el mío –repuso el señor Brownlow–. Yo respondo de estas personas. Si te quejas de que se te priva de libertad (poder y ocasión tuviste de recuperarla al venir, pero consideraste aconsejable mantenerte quietecito), te lo repito, ponte al amparo de la ley. Yo también apelaré a la ley, pero, cuando hayas ido demasiado lejos para volverte atrás, no me supliques clemencia, pues el poder habrá pasado a otras manos; y no digas que yo te arrojé al abismo al que tú mismo te precipitaste.

Monks estaba a todas luces desconcertado y además asustado. Titubeó.

–Decide en seguida –dijo el señor Brownlow con absoluta firmeza y serenidad–. Si deseas que opte por hacer mis acusaciones en público y entregarte a un castigo cuyo alcance puedo con un escalofrío imaginar, pero no limitar, una vez más te digo que ya sabes el camino. Si no, y te encomiendas a mi indulgencia y a la misericordia de aquellos a quienes has perjudicado gravemente, siéntate sin decir palabra en esa silla. Lleva dos días enteros esperándote.

Monks dijo entre dientes algunas palabras ininteligibles, pero todavía vacilaba.

–Date prisa –dijo el señor Brownlow–. Una palabra mía y la segunda alternativa desaparece para siempre.

El hombre seguía indeciso.

–No soy muy inclinado a parlamentar –dijo el señor Brownlow– y, como defiendo los más entrañables intereses de otros, no tengo derecho a ello.

–¿No hay... –preguntó Monks con voz desfallecida– no hay... una solución intermedia?

–Ninguna.

Monks miró al anciano caballero con ojos de inquietud, mas, no leyendo en su semblante más que severidad y determinación, penetró en la habitación y, encogiéndose de hombros, se sentó.

–Cierren la puerta por fuera –dijo el señor Brownlow a los acompañantes– y vengan cuando me oigan tocar la campanilla.

Los hombres obedecieron y quedaron solos los dos.

–Viniendo del más viejo amigo de mi padre –dijo Monks, arrojando al suelo el sombrero y la capa–, sí que es ésta bonita manera de tratarme.

–Lo es porque sí que fui el más viejo amigo de tu padre, joven –repuso el señor Brownlow–, lo es porque las ilusiones y los deseos de mis jóvenes y felices años estuvieron ligados a él y a aquella hermosa criatura de su sangre y linaje que regresó a Dios en su juventud y me dejó aquí solo y solitario, lo es porque estuvo arrodillado conmigo junto al lecho de muerte de su única hermana cuando era todavía un muchacho la mañana que la habría visto convertirse (pero el Cielo lo quiso de otro modo) en mi joven esposa; lo es porque mi corazón destrozado se aferró a él de allí en adelante a través de todos sus sufrimientos y errores hasta que murió, lo es porque me llenaron el corazón viejos recuerdos y reminiscencias e incluso el verte evoca en mí viejas memorias de él; y por todas estas cosas me siento inclinado a tratarte amablemente ahora..., sí, Edward Leeford, incluso ahora..., y me ruboriza tu indignidad en llevar ese nombre.

–¿Qué tiene que ver el nombre con esto? –preguntó el otro tras contemplar entre embargado y vivamente asombrado la agitación de su interlocutor–. ¿Qué me importa el nombre?

–Nada –repuso el señor Brownlow–, a ti nada. Pero era el *de ella*, e incluso a esta distancia evoca en mí, un viejo, el ardor y la emoción que una vez sentí, sólo de oírselo pronunciar a un extraño. Me alegro mucho de que te lo hayas cambiado..., mucho..., mucho.

–Todo eso está muy bien –dijo Monks (conservemos su supuesto apelativo) tras largo silencio, durante el cual no paró de agitarse de un lado para otro con hosco desafío, mientras el señor Brownlow permanecía sentado cubriéndose los ojos con la mano–. ¿Pero qué quiere usted de mí?

–Tienes un hermano –dijo el señor Brownlow, saliendo de su ensimismamiento–, cuyo nombre sólo casi bastó, cuando me acerqué a ti por detrás en la calle y te lo susurré, para hacer que me acompañaras hasta aquí asombrado y asustado.

–Yo no tengo hermano ninguno –replicó Monks–. Usted sabe que fui hijo único. ¿Por qué me habla de hermanos? Usted lo sabe tan bien como yo.

–Escucha lo que yo sé y tú quizá no –dijo el señor Brownlow–. Pronto empezaré a interesarte. Yo sé que del desventurado matrimonio al que el orgullo familiar y la más sórdida y torpe ambición forzaron a tu infeliz padre cuando sólo era un muchacho tú fuiste el único y desnaturalizado vástago.

–No me molestan los insultos –interrumpió Monks con risa burlona–. Usted conoce el hecho y con eso tengo de sobra.

–Y también sé –prosiguió el anciano– cuáles fueron las miserias, la lenta tortura y la prolongada angustia de aquella unión dispareja. Yo sé con cuánto desafecto y hastío arrastró cada uno de aquellos dos desdichados su pesada cadena por un mundo envenenado para los dos. Yo sé cómo a los fríos formalismos les siguieron las pullas descaradas, cómo la indiferencia dio paso a la antipatía, la antipatía al odio y el odio al aborrecimiento, hasta que finalmente hicieron saltar violentamente aquel férreo vínculo y, dejando un vasto espacio de por medio, se llevó clavado cada uno un trozo, del cual sólo la muerte arrancaría los remaches, para ir a ocultarlo con nuevas compañías bajo las más alegres apariencias que pudieron adoptar. Tu madre lo consiguió, pues lo olvidó pronto. Pero se aherrumbró y gangrenó en el corazón de tu padre durante años.

–Bueno, se separaron –dijo Monks–, ¿y qué?

–Cuando llevaban separados algún tiempo –replicó el señor Brownlow–, y tu madre, entregada plenamente a las frivolidades de Europa, se había olvidado totalmente del joven esposo a quien sacaba más de diez años, él, que arrastraba una vida de truncadas ilusiones en Inglaterra, entabló nuevas amistades. *Esta* circunstancia, al menos, ya la sabes.

–Yo no –dijo Monks, volviendo los ojos y golpeando el suelo con el pie como cuando uno está resuelto a negarlo todo–. Yo no.

–Tu actitud, no menos que tus obras, me asegura que nunca lo olvidaste o que hayas dejado de pensar en ello sin amargura –repuso el señor Brownlow–. Hablo de hace quince años, cuando tú no tenías más de once y tu padre sólo treinta y uno, pues repito que era un muchacho cuando *su* padre le ordenó casarse. ¿Tengo que remontarme a acontecimientos que ensombrecen la memoria de tu padre o me lo ahorras revelándome la verdad?

–No tengo nada que revelar –dijo Monks–. Siga usted hablando, si quiere.

–Aquellos nuevos amigos, pues –dijo el señor Brownlow–, fueron un oficial de marina retirado del servicio activo, que se había quedado viudo cosa de medio año antes, y las dos hijas que ella le había dejado. Habían tenido más hijos, pero de toda la familia sólo dos, afortunadamente, sobrevivían. Las dos, hembras. Era la una una hermosa criatura de diecinueve y la otra una chiquilla de dos o tres años.

–¿Y a mí qué me importa todo eso? –preguntó Monks.

–Vivían –dijo el señor Brownlow como sin advertir la interrupción– en un lugar en el campo adonde tu padre había ido a parar en sus vagabundeos y fijado su residencia. El trato, la familiaridad y la amistad se sucedieron de prisa. Pocos tienen las virtudes de tu padre. Tenía el genio y la figura de su hermana. Según fue conociéndole, el viejo oficial fue cogiéndole cariño. Ojalá hubiera quedado todo en eso. A su hija le pasó lo mismo.

El anciano se detuvo. Monks estaba mordiéndose los labios con los ojos clavados en el suelo. Viendo aquello, inmediatamente prosiguió:

–Al cabo de un año se hallaba prometido, solemnemente prometido a aquella hija, pues era objeto de la primera, verdadera, ardiente y única pasión de una cándida muchacha.

–Largo es el cuento –señaló Monks, agitándose en la silla con desasosiego.

–Es un auténtico cuento de penas y sufrimientos, y de aflicción, joven –replicó el señor Brownlow–, y este tipo de cuentos suelen serlo; si fuera de puro gozo y felicidad, sería muy breve. Al final, uno de aquellos ricos parientes para el fortalecimiento de cuyos intereses e importancia había sido inmolado tu padre, como a menudo lo son otros, pues no es fenómeno raro, murió y, para reparar la desgracia que había contribuido a ocasionar, le legó lo que para *él* era la panacea de toda pesadumbre: dinero. Fue necesario que acudiera inmediatamente a Roma, donde aquel hombre se había apresurado a ir por razones de salud y donde había muerto dejando sus asuntos en gran confusión. Allá fue, contrajo mortal enfermedad, fue a unírsele tu madre en cuanto la noticia llegó a París, llevándote a ti con ella, y al día siguiente de su llegada murió él sin dejar testamento..., *ningún testamento...*, de modo que todos sus bienes recayeron en ella y en ti.

Durante aquella parte del discurso Monks contenía la respiración y escuchaba con cara de profunda ansiedad, aunque los ojos no miraban al hablante. Como el señor Brownlow hiciera una pausa, cambió de postura con cara de quien experimenta un alivio repentino y se enjugó la cara y las manos, que le ardían.

–Antes de marchar al extranjero y de paso por Londres –dijo el señor Brownlow lentamente y clavando los ojos en el rostro del otro– vino a verme.

–Nunca oí nada de eso –interrumpió Monks con un tono calculado para que pareciera de incredulidad, pero que más bien tenía un deje de desagradable sorpresa.

–Vino a verme y me dejó, entre otras cosas, un retrato..., un retrato que él mismo había pintado..., imagen de aquella pobre muchacha, que no quería dejar atrás y no podía llevarse en su apresurado viaje. El desasosiego y los remordimientos lo habían consumido hasta dejarlo en una sombra de lo que era, habló loca y confusamente de la ruina y la deshonra que él mismo había labrado, me confió la intención que tenía de transformar todas sus propiedades en dinero, perdiera lo que perdiera, y, tras asignar a su esposa y a ti una parte de sus recientes adquisiciones, abandonar el país (adiviné perfectamente que no huiría solo), y no volver a verlo nunca. Incluso a mí, su viejo amigo de siempre, cuyo profundo afecto se enraizaba en la tierra que cubría a un ser queridísimo de los dos..., incluso a mí me negó toda otra confesión más detallada, prometiendo que me escribiría contándomelo todo y que luego volvería a verme por última vez en esta vida. ¡Ah! *Aquélla* fue la última vez. No recibí carta alguna ni volví a verlo nunca... Fui –dijo el señor Brownlow tras breve pausa–, fui, una vez que todo hubo acabado, al escenario de su..., utilizaré el término que el mundo utilizaría abiertamente, pues la reprobación o el favor del mundo le son igual ahora..., de su amor culpable, decidido a que, si mis temores fueran realidad, aquella joven encontrara un corazón y un hogar que la ampararan y compadecieran. La familia había abandonado la región una semana antes; habían pedido que les hicieran la cuenta de las pocas deudas que tuvieran pendientes, las habían saldado y habían salido del lugar de noche. Por qué o adónde, nadie puede decirlo.

Monks respiraba ya más tranquilo y miró alrededor con una sonrisa de triunfo.

–Cuando tu hermano –dijo el señor Brownlow, acercándose a la silla del otro–, cuando tu hermano, niño débil, andrajoso y abandonado, fue arrojado en mi camino por una mano más poderosa que la del azar y yo lo rescaté de una vida de vicio e infamia...

–¿Cómo? –exclamó Monks.

–Sí, yo –dijo el señor Brownlow–. Te dije que pronto empezaría a interesarte. Digo que fui yo..., ya veo que tu astuto cómplice te ocultó mi nombre, aunque, por lo que él sabía, sería totalmente ajeno a tus oídos. Cuando le rescaté, pues, y estaba recuperándose de su enfermedad en mi casa, su gran parecido con el retrato del que he hablado me dejó asombrado. Incluso cuando lo vi por vez primera, cubierto de suciedad y de miseria, había en su cara una expresión persistente que me impresionó como le impresiona a uno el vislumbrar fugazmente a algún viejo amigo en un vívido sueño. No necesito contarte que le secuestraron antes de que pudiera enterarse de su historia...

–¿Por qué no? –se apresuró a preguntar Monks.

–Porque ya lo sabes tú bien.

–¿Yo?

–Es inútil negármelo a mí –replicó el señor Brownlow–. Te mostraré que sé más aún.

–Usted..., usted..., no puede probar nada contra mí –tartamudeó Monks–. ¡Le desafío a que lo haga!

–Ya veremos –repuso el anciano con penetrante mirada–. Perdí al muchacho y todos mis esfuerzos para recuperarlo fueron inútiles. Como tu madre había muerto, yo sabía que si alguien podía resolver el misterio eras sólo tú y, como cuando había oído de ti por última vez te encontrabas en tu hacienda en las Antillas..., adonde, como bien sabes, te retiraste a la muerte de tu madre para evitar las consecuencias de tus disipadas correrías por aquí..., hice el viaje allá. Te habías marchado meses antes y se suponía que estabas en Londres, pero nadie podía decir dónde. Regresé. Tus agentes no tenían idea de tu paradero. Dijeron que ibas y venías de la misma extraña manera de siempre, apareciendo a veces por varios días y a veces ni en meses, frecuentando según todas las apariencias las mismas sórdidas guaridas y mezclándote con la misma gentuza infame que habían sido tus cómplices cuando eras adolescente violento e ingobernable. Los aburrí con nuevas pesquisas. Recorrí las calles de día y de noche y todos mis esfuerzos resultaron inútiles, sin conseguir verte ni un instante, hasta hace dos horas.

–Y ahora me ve –dijo Monks, levantándose resueltamente–, ¿y qué entonces? Fraude y robo son palabras mayores..., justificadas, cree usted, por un imaginario parecido entre un pillastre y el pintarrajo que hizo sin ganas un muerto. ¡Hermano! Usted ni sabe que de aquella pareja naciera un niño, no sabe ni eso.

–*No lo sabía* –repuso el señor Brownlow, levantándose también–, pero en los últimos quince días me he enterado de todo. Tienes un hermano, tú lo sabes y lo conoces. Había un testamento, que tu madre destruyó, dejándote el secreto y el beneficio a su muerte. Contenía una alusión a algún niño que podría resultar de aquella infeliz relación, niño que nació y que tú encontraste casualmente cuando su parecido a su padre despertó tus primeras sospechas. Fuiste al lugar donde nació. Había pruebas, pruebas largo tiempo ocultas, de su nacimiento y parentesco. Tú destruiste las pruebas y ahora, en tus propias palabras a tu cómplice el judío, «las únicas pruebas de la identidad del muchacho están en el fondo del río y la vieja bruja que las recibió de la madre está pudriéndose en el ataúd». Hijo indigno, cobarde y mentiroso..., tú, que tienes conciliábulos con ladrones y asesinos en lóbregas habitaciones por la noche...; tú, cuyos complots y artimañas han causado la muerte violenta de quien valía millones de individuos como tú...; tú, que desde la cuna fuiste hiel y amargura en el corazón de tu padre, y en quien se cebaron todas las malas pasiones, el vicio y el desenfreno hasta que hallaron salida en una espantosa enfermedad que ha hecho de tu cara escaparate de tu alma...; tú, Edward Leeford, ¿tú te atreves a desafiarme todavía?

–¡No, no, no! –repuso el cobarde abrumado bajo aquel cúmulo de acusaciones.

–¡Cada palabra! –gritó el anciano–. Cada palabra entre tú y ese detestable canalla me es conocida. Una sombra en la pared captó tus susurros y los trajo a mis oídos, y la visión del niño perseguido transformó al vicio mismo, dándole el ánimo y los atributos casi de la virtud. Se ha cometido un asesinato del que eres moral si no físicamente cómplice.

–No, no –interrumpió Monks–. Yo..., yo..., no sé nada de eso. Yo iba a preguntar sobre la verdad de la historia cuando usted se me echó encima. Yo no conocía el motivo. Creí que era una vulgar pelea.

–Se debió a la revelación parcial de tus secretos –repuso el señor Brownlow–. ¿Los revelarás íntegramente?

–Sí, lo haré.

–¿Y firmar una declaración verdadera de los hechos y repetirla ante testigos?

–Lo prometo también.

–¿Y quedarte aquí quieto hasta que se redacte tal documento y luego ir conmigo al lugar que a mí me parezca más aconsejable con el fin de dar fe de él?

–Si insiste en ello, también lo haré –repuso Monks.

–Tendrás que hacer más aún –dijo el señor Brownlow–. Restituir lo suyo a un niño inocente e inofensivo, pues eso es lo que es, aunque fruto de un amor culpable y calamitoso. Tú no has olvidado los términos del testamento. Cúmplelos en la medida en que afectan a tu hermano y luego márchate adonde desees. No necesitáis volver a veros en este mundo.

Mientras Monks paseaba de un lado para otro cavilando con sombría y torva mirada sobre aquella propuesta y las posibilidades de eludirla, desgarrado por sus temores por un lado y por su odio por otro, la puerta se abrió precipitadamente y un caballero, el señor Losberne, entró en la habitación presa de violenta agitación.

–Lo cogerán –gritó–. ¡Lo cogerán esta noche!

–¿Al asesino? –preguntó el señor Brownlow.

–Sí, sí –repuso el otro–. Han visto al perro rondando por una vieja guarida y hay pocas dudas de que también su amo anda o andará por allí al abrigo de la oscuridad. Hay vigilantes al acecho por todas partes. He estado hablando con los hombres encargados de su captura y me han dicho que no podrá escapar. El gobierno anuncia esta noche una recompensa de cien libras.

–Yo daré cincuenta más –dijo el señor Brownlow– y la anunciaré de viva voz en el lugar mismo, si puedo llegar allá. ¿Dónde está el señor Maylie?

–¿Harry? En cuanto vio a este su amigo seguro en un coche con usted, se fue corriendo adonde oyó esto –respondió el doctor– y, montando a caballo, se puso en marcha para ir a reunirse a la primera partida en alguna parte de las afueras acordada entre ellos.

–Y Fagin –dijo el señor Brownlow–, ¿qué es de él?

–La última vez que oí de él no lo habían detenido, pero lo harán, o ya lo han hecho a estas horas. De él están seguros.

–¿Estás decidido? –preguntó el señor Brownlow a Monks en voz baja.

–Sí –respondió–. ¿Usted..., usted..., me guardará el secreto?

–Sí. Quédate aquí hasta mi regreso. Es tu única esperanza de salvarte.

Abandonaron la habitación y volvieron a candar la puerta.

–¿Qué ha hecho usted? –preguntó el doctor en voz baja.

–Todo lo que podía haber esperado e incluso más. Combinando la información de la pobre muchacha con lo que ya sabía y el resultado de las averiguaciones de nuestro buen amigo en el lugar mismo, no le he dejado posibilidad de escapatoria y le he expuesto toda la canallada, que con tantos datos aparecía más clara que la luz del día. Escriba usted y fije la tarde de pasado mañana a las siete para la reunión. Nosotros llegaremos unas horas antes, pero necesitaremos descansar, especialmente la joven, que *puede que* necesite más energía de la que usted o yo podamos prever en este momento. Pero la sangre me hierve por vengar a esta pobre criatura asesinada. ¿Por dónde han ido?

–Vaya directamente a la comisaría y le dará tiempo –repuso el señor Losberne–. Yo me quedaré aquí.

Se separaron apresuradamente los dos caballeros, poseídos los dos por una febril excitación totalmente incontrolable.

Capítulo 50

La persecución y la fuga

Cerca de aquella parte del Támesis sobre la que se avanza la iglesia de Rotherhithe, donde los edificios de las orillas están más sucios y los navíos del río más negros del polvo de los barcos carboneros y del humo de las casas bajas y apiñadas, se halla el más inmundo, extraño y singular rincón de los muchos que esconde Londres, totalmente desconocido, incluso de nombre, para la gran mayoría de sus habitantes.

Para llegar a este lugar el visitante debe atravesar un laberinto de calles apretadas, estrechas y llenas de barro, atestadas de los más groseros y pobres ribereños, dedicados a los negocios que se supone generan. Los comestibles más baratos y menos delicados se amontonan en las tiendas, las prendas de vestir más bastas y corrientes cuelgan a la puerta del comerciante y rebosan por encima de barandillas y ventanas. Abriéndose paso a codazos entre peones parados de la clase más baja, cargadores de lastre, descargadores de carbón, mujeres sin vergüenza, niños harapientos y la hez y morralla del río, avanza trabajosamente el visitante, asaltado por escenas y olores repugnantes procedentes de los angostos callejones que se abren a derecha e izquierda y ensordecido por el estrépito de los pesados carros que transportan grandes cargas desde los enormes montones de mercancías de los almacenes que se levantan en cada esquina. Llegado por fin a calles más alejadas y menos frecuentadas que aquellas por las que pasó, camina bajo ruinosas fachadas que se inclinan sobre la acera, paredes semiderruidas que parecen tambalearse según pasa, chimeneas medio hundidas medio desplomándose, ventanas protegidas por rejas herrumbrosas que el tiempo y la suciedad han ido devorando, y todos los vestigios imaginables de la desolación y el abandono.

En estos parajes, más allá de Dockhead en la barriada de Southwark, se halla la isla de Jacob, rodeada de un foso de lodo de seis u ocho pies de profundidad y quince o veinte de anchura cuando la marea está alta, llamado en un tiempo Estanque de la Fábrica, pero en la época de esta historia Foso de la Locura. Es una caleta o brazo del Támesis que puede llenarse con marea alta abriendo las compuertas de la fábrica de plomo, de donde tomara su antiguo nombre. En tales ocasiones un forastero que mire desde uno de los puentes de madera que lo cruzan desde la ribera de la fábrica, verá cómo los habitantes de las casas a ambos lados descuelgan desde puertas y ventanas de la trasera cubos, baldes y toda suerte de utensilios domésticos con los que suben agua hasta arriba, y, cuando traslade los ojos de estas operaciones a las casas mismas, será presa del máximo asombro ante el espectáculo que se le ofrece. Desvencijadas galerías de madera comunes a la trasera de media docena de casas y llenas de huecos por donde mirar al cieno de debajo, rotas y remendadas ventanas con palos en saledizo para secar una ropa que nunca está allí, habitaciones tan pequeñas, tan sucias, tan cerradas, que se diría que el aire está más corrompido que la suciedad y la miseria que albergan, garitas de madera suspendidas sobre el cieno y amenazando caer en él –como ha sucedido con algunas–, paredes embadurnadas de suciedad y cimientos desmoronándose, y todos los repugnantes síntomas de la pobreza y todas las nauseabundas muestras de la asquerosidad, de la podredumbre y de la inmundicia: tal es el ornamento de las orillas del Foso de la Locura.

En la isla de Jacob los almacenes están destechados y vacíos, las paredes se desmoronan, las ventanas ya no son ventanas, las puertas se caen a la calle, la chimeneas siguen ennegrecidas, pero no echan humo. Hace treinta o cuarenta años, antes de que las pérdidas y los pleitos del Tribunal de justicia se cernieran sobre ella, era lugar próspero, pero ahora es una isla verdaderamente asolada. Las casas no tienen dueño, quien tiene valor para ello rompe la puerta y entra, y allí vive y allí muere. Poderosos motivos tienen que tener para ocultar su domicilio, o hallarse en situación de auténtica miseria, aquellos que buscan refugio en la isla de Jacob.

En una habitación alta de una casa de aquellas, casa aislada, de regulares dimensiones, ruinosa en otros aspectos pero fuertemente protegida en puerta y ventanas, y desde cuya trasera se dominaba el foso como queda descrito, estaban reunidos tres hombres que, mirándose unos a otros de vez en cuando con cara de perplejidad y expectación, permanecieron sentados un rato en profundo y fúnebre silencio. Uno de ellos era Toby Crackit, otro el señor Chitling y el tercero un ladrón de cincuenta años con la nariz casi hundida en alguna lejana pelea y una tremenda cicatriz en la cara cuyo origen probablemente pudiera rastrearse hasta la misma ocasión. Era aquel hombre un deportado de vuelta y se llamaba Kags[1].

---

1. La deportación (por lo general a Australia) era una forma de pena capital, pues la sociedad se deshacía físicamente del reo y por el resto de sus días. De ahí que se castigara con la muerte a aquel que volvía, como Kags, a la metrópoli.

–Ojalá –dijo Toby, dirigiéndose al señor Chitling– hubieras elegío otro queli cuando se calentaron los otros dos y no hubieras venido por aquí, tronco.

–¿Por qué no lo has hecho, cabeza de chorlito? –dijo Kags.

–Hombre, pensé que os habíais alegrao un poco más de verme –repuso el señor Chitling con melancólico gesto.

–Pos mira tú, cabayerete –dijo Toby–, cuando un tío se hace tan selezto como yo, y de esa manera se consigue una casa guay pa encima la chola, sin que nadie ande fisgando y oliendo en eya, es cosa de mucho susto tener el honor de recibir la visita de un cabayerete que está en tus circustancias, por mu respetable y agradable persona que sea pa jugar a las cartas cuando convenga.

–Especialmente cuando el selezto joven tiene a un amigo de visita que ha yegao más pronto de lo que se esperaba del estranjero y es demasiao modesto pa desear que le presenten a los jueces a su regreso –añadió el señor Kags.

Hubo un breve silencio, tras el cual Toby Crackit pareció renunciar a hacer más vanos esfuerzos por continuar sus temerarios fanfarroneos habituales y se volvió a Chitling diciendo:

–¿Y entonces cuándo cogieron a Fagin?

–Esaztamente a la hora de comer..., a las dos de la tarde. Charley y yo conseguimos najarnos por la chimenea del lavadero arriba y Bolter se metió en la tina, que estaba vacía, con la cabeza pa abajo, pero tié las patas tan largas y sobresalían tanto por arriba, que le cogieron también.

–¿Y Bet?

–¡Pobre Bet! Fue a ver el cadáver, pa edintificarlo –repuso Chitling con el semblante cada vez más descompuesto– y se volvió loca gritando y desvariando y dándose con la cabeza en el entarimao, y la pusieron una camisa de fuerza y se la yevaron p'al hospital... y ayí está.

–¿Y qué ha pasao con el pequeño Bates? –preguntó Kags.

–Se quedó colgao por ayí, pa no venir p'acá antes del oscurecer, pero pronto yegará –respondió Chitling–. No hay aónde ir ahora, pues los de Los Patacones están tós arrestaos y el bar del tugurio..., yo estuve ayí y lo vi con mis propios ojos..., está yeno de maderos.

–Esto es una escabechina –señaló Toby, mordiéndose los labios–. Hay más de uno que desaparece con esto.

– Ya ha empezao la audiencia –dijo Kags–, y si terminan el sumario y Bolter se pone del lao del fiscal, cosa que seguro que hará, por lo que ya ha dicho..., probarán que Fagin es cómplice por istigación, le pondrán el juicio el viernes, y seis días después estará columpiándose, ¡la h...!

–Teníais que haber oído a la gente gruñendo –dijo Chitling–; los policías luchaban como diablos, que, si no, se lo habían arrancao de las manos. Se cayó una vez, pero eyos le hicieron corro y se abrieron paso a empeyones. Teníais que haber visto cómo miraba alrededor tó yeno de barro y sangrando, y se agarraba a eyos como si fueran sus amigos más queridos. Toavía los estoy viendo, tós sin poder tenerse en pie con el empuje de la chusma y arrastrándolo en medio de eyos. Y la gente saltando en alto, unos detrás de otros, y sacándole los dientes y tirándose a él. Y le veo con sangre en los pelos y la barba, y oigo los gritos de las mujeres afanándose pa yegar al centro del gentío en la esquina de la caye y jurando que le arrancarían el corazón.

El horrorizado testigo de aquella escena se llevó las manos a las orejas y, con los ojos cerrados, se levantó y se puso a pasear agitadamente de un lado para otro como trastornado.

Mientras así hacía y los dos hombres seguían sentados en silencio con los ojos clavados en el suelo, se oyó corretear en las escaleras y el perro de Sikes entró en la habitación. Corrieron a la ventana, abajo y hasta la calle. El perro había saltado por una ventana abierta y no hizo intención de seguirlos ni se veía a su amo por ninguna parte.

–¿Qué significa esto? –dijo Toby cuando regresaron–. No pué venir aquí. Espero..., espero... que no.

–Si fuera a venir, habría venío con el perro –dijo Kags, agachándose a inspeccionar al animal, que jadeaba echado en el suelo–. ¡Anda! Trae que le dé un poco de agua, que está medio mareao de correr.

–Se la ha tragao toda, hasta la última gota –dijo Chitling tras contemplar al perro en silencio un momento–. Yeno de barro..., cojo..., medio ciego... Tié que venir de mu lejos.

–¿De ónde va a venir? –exclamó Toby–. Pos de los otros quelis y, viéndolos yenos de estraños, se ha venío p'acá, que ya ha estao aquí muchas veces. Pero ¿de ónde pué haber salío y cómo es que viene solo y sin el otro?

–Ése... –ninguno llamaba al asesino por su nombre–, ése no se habrá quitao del medio. ¿No creéis? –dijo Chitling.

Toby negó con la cabeza.

–Si así fuera –dijo Kags–, el perro querría yevarnos aonde lo hizo. No. Yo creo que ha salío del país dejando el perro atrás. Le habrá dao esquinazo de alguna manera, pos si no, éste no estaría tan tranquilo.

Pareciendo la más probable, se aceptó aquella solución como la verdadera y el perro se metió bajo una silla, hizo la rosca y se echó a dormir sin que nadie volviera a prestarle atención.

Como ya había oscurecido, cerraron la contraventana y encendieron una vela, que colocaron encima de la mesa. Los terribles acontecimientos de los dos últimos días habían causado una profunda impresión en los tres, acentuada por el peligro y la incertidumbre de su propia situación. Acercaron las sillas para estar más juntos y se sobresaltaban a cada ruido. Hablaban poco y esto en voz baja, y estaban tan mudos y amedrentados como si los despojos de la mujer asesinada estuvieran en la habitación de al lado.

Llevaban sentados así un rato cuando de pronto se oyeron unos golpes apresurados abajo en la puerta.

—El pequeño Bates —dijo Kags, mirando airadamente alrededor para espantar el miedo que él mismo sentía.

Volvieron a oírse los golpes. No, no era él. Él nunca llamaba así.

Crackit fue a la ventana y, temblando de pies a cabeza, asomó ésta. No hizo falta decirles quién era: la palidez de su cara bastaba. El perro también se puso alerta en un instante y corrió gañendo hasta la puerta.

—Hay que dejarle entrar —dijo cogiendo la vela.

—¿No se *pué* evitar de alguna manera? —preguntó el otro hombre con voz ronca.

—No. *Tié que* entrar.

—No nos dejes a oscuras —dijo Kags, y cogió una vela del manto de la chimenea y la encendió con mano tan temblorosa, que los golpes se repitieron dos veces antes de que hubiera terminado.

Crackit bajó a la puerta y volvió seguido por un hombre con la parte inferior de la cara oculta tras un pañuelo y otro atado a la cabeza debajo del sombrero. Se los quitó despacio. Tez blancuzca, ojos hundidos, mejillas macilentas, barba de tres días, consumido de carnes, respiración entrecortada y jadeante: era el mismísimo espectro de Sikes.

Puso la mano en una silla que estaba en medio de la habitación, pero, estremeciéndose al ir a dejarse caer en ella y como mirando por encima del hombro, la arrastró hasta la pared..., todo lo cerca que pudo..., hasta hacerla rechinar contra ella..., y se sentó.

No se había pronunciado ni una palabra. Los miró uno tras otro en silencio. Si un ojo se alzó furtivamente y encontró los suyos, en seguida se apartó. Cuando su cavernosa voz rompió el silencio, los tres se sobresaltaron. Parecía como si nunca antes hubieran oído aquellos acentos.

–¿Cómo yegó aquí este perro? –preguntó.

–Solo. Hace tres horas.

–El pediórico de esta tarde dice que han cogío a Fagin. ¿Es verdá o mentira?

–Verdá.

Hubo otro silencio.

–¡Malditos tós! –dijo Sikes, pasándose la mano por la frente–. ¿No tenéis ná que decirme?

Hubo un movimiento de desasosiego entre ellos, pero nadie habló.

–Tú que vives en esta casa –dijo Sikes, volviendo la cara a Crackit–, ¿tiés intención de venderme o de dejarme esconder aquí hasta que se pase la búsqueda?

–Pués quedarte aquí, si crees que es seguro –respondió el destinatario de la pregunta tras alguna vacilación.

Sikes alzó los ojos lentamente hasta la pared que tenía detrás, en realidad más tratando de volver la cabeza que consiguiéndolo, y dijo:

–¿Lo... el... el cuerpo... lo han enterrao?

Negaron con la cabeza.

–¿No está enterrao? –replicó con la misma mirada hacia atrás–. ¿Pa qué dejan esas cosas tan feas fuera de la tierra? ¿Quién yama?

Crackit salió de la habitación, indicó con un gesto de la mano que no había nada que temer y en seguida volvió con Charley Bates detrás. Sikes estaba sentado frente a la puerta, de manera que en el momento de entrar en la habitación el muchacho se encontró con su persona.

–Toby –dijo el muchacho, retrocediendo al dirigir Sikes los ojos hacia él–, ¿por qué no me dijiste esto abajo?

Había habido algo tan tremendo en la manera de rehuirle los otros tres, que el desdichado estaba dispuesto incluso a atraerse a aquel chico. En consecuencia hizo un gesto con la cabeza y fue como a darle la mano.

–Déjame ir a otra habitación –dijo el muchacho, retrocediendo aún más.

–¡Charley! –dijo Sikes, adelantándose–. ¿No... no me conoces?

–No te acerques –respondió el muchacho, retrocediendo todavía y mirando con horror en los ojos a la cara del asesino–. ¡Monstruo!

El hombre se detuvo a medio camino y los dos se miraron, pero los ojos de Sikes se volvieron poco a poco hacia el suelo.

–Testigos vosotros tres –exclamó el muchacho, agitando el puño y acalorándose más y más a medida que hablaba–. Testigos vosotros tres... No tengo miedo de él... y si vienen aquí por él, yo le entregaré. Yo. Os lo digo claro ya. Puede matarme por eyo si quiere o si se atreve, pero, si estoy aquí, le entregaré. Le entregaría aunque fuera pa que le cocieran vivo. ¡Socorro! ¡Al asesino! Si vosotros tres tenéis agayas de hombre, me ayudaréis. ¡Al asesino! ¡Socorro! ¡Muera!

Profiriendo aquellos gritos y acompañándolos con violentas gesticulaciones, el muchacho se lanzó efectivamente, él solo, hacia el fortachón y, entre lo impetuoso de su energía y lo inesperado del asalto, lo arrojó pesadamente al suelo.

Los tres espectadores se quedaron totalmente perplejos. No intervinieron para nada y el muchacho y el hombre rodaron juntos por el suelo, el primero sin hacer caso de los golpes que sobre él llovían, apretando cada vez más las manos en las ropas del pecho del asesino y sin dejar de pedir socorro con todas sus fuerzas.

Mas la lucha era demasiado desigual para durar mucho. Sikes lo tenía en el suelo y la rodilla en la garganta cuando Crackit tiró de él para atrás con una mirada de alarma y señalando a la ventana. Había luces que brillaban debajo, voces en bulliciosa discusión y ruido de pasos apresurados..., innumerables según parecía..., que atravesaban el puente de madera más cercano. Entre la multitud parecía que había un hombre a caballo, pues se oía batir de cascos sobre el irregular pavimento. Aumentaba el brillo de luces, los pasos se acercaban más nutridos y ruidosos. Luego se oyeron unos violentos golpes en la puerta y luego el bronco clamor de una multitud de voces enfurecidas que habrían acobardado al más valiente.

—¡Socorro! —chillaba el muchacho con voz que hendía el aire—. ¡Está aquí! ¡Tiren la puerta abajo!

—¡En nombre del rey! —gritaban las voces fuera, y el bronco griterío volvió a elevarse, pero más potente.

—¡Tiren la puerta abajo! —gritó el muchacho—. Les digo que no abrirán. Vengan derechos a la habitación donde hay luz. ¡Tiren la puerta abajo!

Golpes pesados y nutridos cayeron sobre la puerta y las contraventanas de abajo cuando dejó de hablar, y la multitud estalló en un ¡hurra! atronador que por vez primera daba una idea adecuada de sus vastas dimensiones.

–¡Abre la puerta de algún sitio donde pueda encerrar a este mocoso del infierno! –gritaba Sikes ferozmente, corriendo de una parte a otra y arrastrando ahora al muchacho como si fuera un saco vacío–. Esa puerta. ¡Venga! –lo arrojó dentro, echó el cerrojo y dio una vuelta a la llave–. ¿Está la puerta de abajo bien cerrá?

–Con dos vueltas dás y la cadena –respondió Crackit que, como los otros dos, continuaba totalmente sobrecogido y perplejo.

–Y los cuarterones, ¿son fuertes?

–Forraos de chapa.

–¿Y las ventanas también?

–Sí, también las ventanas.

–¡Malditos! –gritó el desesperado rufián, abriendo la ventana y amenazando a la multitud–. ¡Hacez como queráis! ¡Ya veréis qué planchazo!

De todos los terribles chillidos que jamás llegaron a oídos mortales ninguno podía superar al alarido de la enfurecida turbamulta. Algunos gritaban a los que estaban más cerca que prendieran fuego a la casa, vociferaban otros a los policías que le mataran a tiros. De entre todos ellos ninguno mostraba más furia que el hombre a caballo, que se arrojó de la silla y, lanzándose por medio de la muchedumbre como si apartara agua, gritó debajo de la ventana con una voz que se elevó por encima de todas las demás:

–¡Veinte guineas a quien traiga una escalera!

Las voces más cercanas recogieron el grito y cientos lo repitieron. Unos pedían escaleras, otros mazas, corrían algunos con antorchas de acá para allá como a buscarlas, pero volvían a gritar de nuevo; se desgañitaban algunos profiriendo maldiciones e imprecaciones estériles, otros empujaban con frenesí de locos, impidiendo así actuar a los que estaban debajo, y otros entre los más valientes trataban de trepar por el canalón y las grietas de la pared, mientras que vistos desde arriba se movían todos en vaivén y en la oscuridad como un campo de mies agitado por un furioso viento, y de vez en cuando lanzaban a coro un potente y furibundo rugido.

–La marea –exclamó el asesino, cerrando la ventana ante aquellas caras y tambaleándose mientras retrocedía–, la marea estaba alta cuando subí. Dazme una cuerda, una cuerda larga. Tós están ahí delante. Puedo tirarme en el Foso de la Locura y largarme así. Dazme una cuerda o hago otras tres muertes y me mato.

Presas de pánico, señalaron los hombres el lugar donde se guardaban aquellas cosas, y el asesino, tras elegir la cuerda más larga y fuerte, subió corriendo al tejado.

Todas las ventanas de la trasera de la casa habían sido tapiadas hacía mucho tiempo, excepto un ventanuco de la habitación donde el muchacho estaba encerrado, que era demasiado pequeño incluso para que pasara su cuerpo. Pero por aquella abertura no había cesado de llamar a los de fuera para que vigilaran la trasera, de modo que, cuando el asesino salió finalmente al tejado por la trampilla en el techo, un potente grito anunció el hecho a los que estaban en la parte delantera, que en seguida empezaron a dar la vuelta apretándose unos a otros en ininterrumpido torrente.

Asentó un madero que subió consigo para tal fin contra la trampilla y tan sólidamente, que tenía que ser cosa harto difícil poder abrirla desde dentro, y luego, deslizándose sobre las tejas, se asomó por encima del antepecho.

La marea había bajado y el foso era un lecho de lodo.

La multitud se había acallado durante aquellos breves momentos contemplando sus movimientos e incierta sobre sus intenciones, pero en el momento en que las entendieron y vieron que no podían realizarse, lanzaron un alarido de odio triunfante que redujo a meros susurros toda su anterior gritería. Tronaba una y otra vez. Los que estaban demasiado lejos para entender qué significaba repetían el clamor, que se repetía y repetía, y parecía como si la ciudad entera hubiera sacado a toda su población para maldecirlo.

La gente de la delantera apretaba más y más y más... en un poderoso y tumultuoso torrente de caras enfurecidas, iluminadas aquí y allá por alguna antorcha deslumbrante que mostraba toda su ira y cólera. La muchedumbre había invadido las casas de la orilla opuesta del foso: abría las ventanas o las arrancaba a cercén, y en cada ventana aparecían filas de caras unas detrás de otras, y en cada tejado se apiñaban grupos y más grupos de gente. Todos los puentecillos –y podían divisarse tres– se resentían bajo el peso del gentío que sostenían. Y el torrente seguía hinchiéndose, buscando algún resquicio o agujero por donde dar rienda suelta a sus gritos y ver por un solo instante al miserable.

–Ya lo tienen –gritó un hombre desde el puente más cercano–. ¡Viva!

Arreció el alborozo de la multitud con la cabeza descubierta y volvió a alzarse el griterío.

–Doy cincuenta libras –gritó un anciano desde aquel mismo sitio– a quien lo coja vivo. Aquí me quedo hasta que venga a pedírmelas.

Otro bramido. En aquel momento se corrió la voz entre la muchedumbre de que finalmente se había forzado la puerta y que el que había pedido una escalera había subido a la habitación. El torrente se volvió bruscamente al correrse aquella noticia de boca en boca, y la gente en las ventanas, viendo que los de los puentes volvían, abandonaron su puesto y corriendo hasta la calle se unieron al tropel que ahora se precipitaba sin orden ni concierto al lugar que había abandonado, cada cual aplastando y desafiando al vecino y todos jadeando con impaciencia por llegar cerca de la puerta y mirar al criminal cuando lo sacaran los guardias. Los gritos y chillidos de los que casi se asfixiaban por los apretones o eran pisados y pisoteados en la confusión eran espantosos, los estrechos callejones estaban completamente bloqueados, y en aquel momento la precipitación de algunos por recuperar el lugar frente a la casa y los vanos esfuerzos de otros por conseguir salir de la masa desviaron la atención inmediata de todos hacia el asesino, aunque aumentó, si cabía, la ansiedad general por capturarlo.

El hombre se había achicado, completamente intimidado por la fiereza de la multitud y la imposibilidad de escapar, pero, viendo aquel súbito cambio con no menos rapidez que se produjo, se puso en pie de un salto, resuelto a hacer un último esfuerzo por su vida arrojándose al foso y, con riesgo de ahogarse, tratar de escabullirse en la oscuridad y confusión.

Animado con nueva fuerza y energía y azuzado por el ruido dentro de la casa, anunciador de que habían conseguido entrar en ella, puso el pie contra el cañón de las chimeneas, ató un extremo de la soga alrededor y la apretó bien, y en el otro hizo un fuerte nudo corredizo con manos y dientes casi en un segundo. Podía descolgarse hasta una altura del suelo menor que la de su cuerpo, y llevaba la navaja lista en la mano para luego cortarla y saltar.

En el mismo instante en el que se pasaba el lazo por la cabeza para deslizarlo luego bajo los sobacos y el anciano ya mencionado (que se había aferrado tan fuerte a la barandilla del puente, que pudo resistir el ímpetu de la multitud y mantenerse en su sitio) advertía vivamente a los que le rodeaban que el hombre iba a descolgarse, en aquel mismo instante el asesino, mirando hacia atrás en el tejado, echó los brazos por encima de la cabeza y lanzó un grito de terror.

—¡Otra vez los ojos! —gritó en un alarido aterrador.

Tambaleándose como si le hubiera alcanzado un rayo, perdió el equilibrio y cayó por encima del antepecho. Tenía el nudo al cuello. Se cerró con el peso, tirante como la cuerda de un arco y rápido como la flecha que impulsa. Cayó de treinta y cinco pies. Un brusco tirón, una tremenda convulsión de los miembros, y allí quedó colgado con la navaja abierta apretada en la mano agarrotada.

La vieja chimenea se estremeció con el golpe, pero lo aguantó valerosamente. El asesino colgaba sin vida contra la pared, y el muchacho, empujando a un lado el cuerpo que se bamboleaba quitándole la vista, pedía a la gente que por Dios fueran y le sacaran.

Un perro que había permanecido oculto hasta entonces corría de un lado para otro sobre el antepecho con gañido lastimero y, tras encogerse para tomar impulso, saltó a los hombros del muerto. No acertó y cayó hacia el foso dando una vuelta completa en su caída, y, golpeándose la cabeza contra una piedra, se despachurró los sesos.

Capítulo 51

Que aclara más de un misterio y contiene
una propuesta de matrimonio sin mención
alguna de dote ni de dinero para gastos
menudos

No hacía dos días que habían sucedido los acontecimientos narrados en el capítulo anterior, cuando Oliver, a las tres de la tarde, se hallaba en un carruaje que corría presuroso hacia su ciudad natal. La señora Maylie y Rose y la señora Bedwin y el buen doctor iban con él, y el señor Brownlow los seguía en una silla de posta acompañado de otra persona cuyo nombre no había sido mencionado.

No hablaron mucho por el camino, pues Oliver se hallaba en un estado de agitación e incertidumbre que le privaban de la facultad de coordinar las ideas y casi del habla, y parecía que en sus acompañantes, que lo compartían al menos en igual medida, producía prácticamente los mismos efectos. Con mucho tiento el señor Brownlow le había puesto al corriente, a él y a las dos señoras, de la naturaleza de las confesiones que había logrado extraer a Monks y, aunque sabían que el objeto de aquel viaje era rematar la operación que tan bien había comenzado, todo aquello aparecía envuelto, sin embargo, en duda y misterio suficientes para mantenerlos sumidos en la más profunda ansiedad.

El mismo bondadoso amigo, con ayuda del señor Losberne, había obstruido prudentemente todos los canales de comunicación a través de los cuales hubieran podido recibir noticias de los espantosos acontecimientos que tan recientemente habían tenido lugar. Se dijo que, aunque era perfectamente cierto que dentro de poco llegarían a conocerlos, seguramente sería en mejor momento que el presente, y en ningún caso en peor. Así que continuaban el viaje en silencio, cada cual dando vueltas a sus ideas sobre el asunto que los había reunido y ninguno dispuesto a expresar pensamientos que se agolpaban en todos.

Pero si, influido por todas aquellas cosas, Oliver permaneció callado mientras se dirigían hacia su lugar de nacimiento por un camino que nunca había visto, ¡cómo el caudal todo de sus recuerdos se remontó a los viejos tiempos y qué multitud de emociones no brotaron en su pecho cuando desembocaron en aquel que él había hollado, cuando era muchacho pobre, sin hogar y vagabundo, sin un amigo que le ayudara o un techo que le cobijara!

–¡Mire, allí, allí! –gritó Oliver, apretando anhelosamente la mano de Rose y señalando fuera de la ventanilla del carruaje–. Aquella escalerilla en la cerca es por donde salté y aquellos los setos detrás de los que me escondí temiendo que alguien me alcanzara y me forzara a volver. Más allá está el sendero que atraviesa los campos y lleva a la casa donde estuve de pequeño. ¡Oh, Dick, Dick, mi querido viejo amigo, si sólo pudiera verte ahora!

–Pronto lo verás –repuso Rose, tomándole suavemente las manos juntas entre las suyas–. Le dirás lo feliz que eres y lo rico que te has hecho, y que en toda tu felicidad no tienes otra más grande que la de volver para hacerle feliz también.

–Sí, sí –dijo Oliver–, y nos lo... nos lo llevaremos de aquí, y le vestiremos y educaremos, y le mandaremos a algún sitio tranquilo en el campo donde se ponga fuerte y bueno, ¿eh?

Rose dijo sí con la cabeza, pues el muchacho sonreía con tales lágrimas de alegría, que le cortaba el habla.

–Usted será buena y amable con él, pues lo es con todo el mundo –dijo Oliver–. Sé que oír lo que él pueda contar la hará llorar, pero no importa, todo se pasará y usted volverá a sonreír..., eso también lo sé..., de pensar lo mucho que cambiará, pues usted hizo lo mismo conmigo. Cuando me escapé me dijo: «Que Dios te bendiga» –exclamó el muchacho en un impulso de tierna emoción–, y yo le diré ahora «Que Dios te bendiga *a ti*», y le mostraré todo lo agradecido que le estoy.

Al aproximarse a la ciudad y recorrer al cabo sus angostas calles, se hizo cosa harto difícil mantener al muchacho dentro de los límites de lo razonable. Allí estaba la tienda de Sowerberry el de la funeraria, exactamente igual que era, sólo que más pequeña y menos imponente que lo que él recordaba..., allí todas las tiendas y casas que tan bien conocía y en relación con casi todas las cuales había tenido algún ligero percance..., allí la carreta de Gamfield, la misma carreta que usaba antaño, parada a la puerta de la vieja taberna..., allí el hospicio, la tétrica prisión de sus días infantiles, con aquellas ventanas que fruncían su siniestro ceño hacia la calle..., allí el mismo portero esquelético a la puerta, a cuya vista Oliver se echó atrás instintivamente y luego se rió de sí mismo por ser tan tonto, y luego lloró y volvió a reír..., allí, en las puertas y ventanas, montones de caras que conocía perfectamente... allí todo casi como si lo hubiera dejado atrás la víspera y como si toda su vida reciente no hubiera sido más que un feliz sueño.

Pero era la pura, auténtica y gozosa realidad. Fueron directamente hasta la puerta del hotel principal (aquel que Oliver solía quedarse mirando con respetuoso temor, considerándolo palacio imponente, pero que de algún modo había menguado en magnificencia y dimensiones), y allí estaba el señor Grimwig listo para recibirlos, y besar a la joven, y a la anciana también, cuando se apearon del coche, como si fuera el abuelo de todo el grupo, deshaciéndose en sonrisas y atenciones, y sin amenazar con comerse la cabeza..., no, ni una sola vez, ni siquiera cuando se puso a discutir con un viejísimo postillón sobre el camino más corto para Londres, manteniendo que él lo sabía mejor, aunque sólo lo había recorrido una vez y profundamente dormido. La cena estaba preparada y los dormitorios dispuestos, y todo arreglado como por ensalmo.

A pesar de todo lo cual, cuando pasó el ajetreo de la primera media hora, volvió a reinar el mismo silencio y reservas que habían caracterizado el viaje. El señor Brownlow no se unió a ellos para la cena, sino que permaneció en otra habitación. Los otros dos caballeros salían y entraban de prisa con cara de preocupación y, en los breves intervalos en que estaban presentes, se ponían a hablar aparte. Una vez se solicitó la presencia de la señora Maylie y, tras ausentarse casi una hora, volvió con los ojos inflamados de llorar. Todas aquellas cosas exasperaban y desasosegaban a Rose y a Oliver, que no eran partícipes de ningún otro secreto. Seguían sentados, extrañados y en silencio, o, si cruzaban alguna palabra, era en susurros, como temerosos de oír el sonido de su propia voz.

Al cabo, después de que dieran las doce y empezaran a pensar que no iban a enterarse de más aquella noche, el señor Losberne y el señor Grimwig entraron en la habitación seguidos por el señor Brownlow y un hombre ante el que Oliver casi chilló de sorpresa al verlo, pues le dijeron que era su hermano, y era el mismo hombre que había encontrado en el pueblo y asomándose con Fagin a la ventana de su cuartito. Monks lanzó una mirada de odio, que ni siquiera entonces pudo disimular, al atónito muchacho y se sentó cerca de la puerta. El señor Brownlow, que tenía unos papeles en la mano, fue a una mesa cerca de donde Rose y Oliver estaban sentados.

–Es éste doloroso deber –dijo–, pero estas declaraciones firmadas en Londres delante de muchos caballeros deben ser repetidas aquí en sustancia. Habría preferido ahorrarte la humillación, pero debemos escucharlas de tus labios antes de que nos separemos y tú sabes por qué.

–Continúe –dijo el aludido volviendo la cara–. De prisa. Creo que ya he hecho más que suficiente. No me entretenga.

–Este niño –dijo el señor Brownlow, atrayendo a Oliver hacia sí y poniéndole la mano en la cabeza– es tu hermanastro, hijo natural de tu padre, mi amigo querido Edwin Leeford, y de la desgraciada joven Agnes Fleming, que murió al darle a luz.

–Sí –dijo Monks con una ceñuda mirada al tembloroso muchacho, cuyo corazón podría haber oído palpitar–. Ése es su hijo bastardo.

–El término que usas –dijo el señor Brownlow severamente– es un reproche a aquellos que ha tiempo traspasaron la frágil censura del mundo. No deshonra a viviente alguno, excepto a ti, que lo utilizas. Pero pasemos. Nació en esta ciudad.

–En el hospicio de esta ciudad –fue la arisca réplica–. Ahí tienen la historia –dijo, señalando nerviosamente a los papeles.

–También tengo que oírla aquí –dijo el señor Brownlow, echando una mirada circular a los presentes.

–¡Escuchen entonces! ¡Va para ustedes! –replicó Monks–. Su padre cayó enfermo en Roma, se le unió su esposa, mi madre, de quien llevaba separado mucho tiempo, que fue desde París y me llevó con ella... para hacerse cargo de sus bienes, pues, que yo sepa, no le tenía gran afecto, ni él a ella. No se enteró de nuestra presencia, pues había perdido el conocimiento y estuvo en coma hasta el día siguiente, en que murió. Entre los papeles en su escritorio había dos fechados la noche en que por primera vez le atacó la enfermedad, con sus señas –se dirigía al señor Brownlow–, y junto a unos renglones dirigidos a usted y la indicación en el sobre de que aquello no debería enviarse hasta después de su muerte. Uno de aquellos documentos era una carta a esa muchacha, Agnes, el otro un testamento.

–¿Qué pasó con la carta? –preguntó el señor Brownlow.

–¿La carta...? Una hoja de papel llena de tachaduras con una confesión arrepentida y súplicas a Dios para que la socorriera. Había endilgado a la muchacha el cuento de que un misterioso secreto, que le explicaría algún día, le impedía casarse entonces con ella, y por eso ella había continuado fiándose pacientemente de él, hasta que se fió demasiado y perdió lo que nadie podía restituirle. Por aquel entonces a ella le quedaban pocos meses para el parto. Le decía todo lo que pensaba hacer para ocultar su deshonra si vivía, y le rogaba que si moría no maldijera su memoria ni pensara que las consecuencias de su pecado recaerían en ella o en su hijito, pues toda la culpa era de él. Le recordaba el día en que le había regalado el pequeño guardapelo y la alianza grabada con el nombre de ella y un espacio en blanco para el que él esperaba darle..., le rogaba lo guardara y lo llevara junto al corazón como había hecho hasta entonces..., y luego seguía de manera incoherente, repitiendo las mismas palabras una y otra vez, como si hubiera perdido el juicio. Creo que así era.

–¿Y el testamento? –dijo el señor Brownlow mientras las lágrimas de Oliver corrían a raudales.

Monks permaneció callado.

–El testamento –dijo el señor Brownlow hablando por él– estaba redactado en la misma vena que la carta. Hablaba en él de los padecimientos que su esposa le había acarreado, del carácter rebelde, vicio, maldad y precocidad en las malas pasiones de su único hijo, tú, que había sido adiestrado a odiarle, y os dejaba a cada uno, a ti y a tu madre, una renta de ochocientas libras. El grueso de su fortuna lo dividía en dos partes, una para Agnes Fleming y la otra para el hijo de ambos, si naciera vivo y llegara a la mayoría de edad. Si era niña heredaría el dinero sin condiciones, pero si era varón, sólo bajo la condición de que en su minoría de edad no manchara su nombre con ningún acto público de deshonra, infamia, cobardía o maldad. Hacía esto, decía, para poner de relieve su confianza en la madre y su convicción (fortalecida aún más por la muerte próxima) de que el niño heredaría su tierno corazón y su nobleza de carácter. Si le defraudara en tales expectativas, entonces el dinero pasaría a ti, pues entonces, cuando los dos hijos fuerais iguales, y no antes, te reconocería él prioridad sobre su bolsa, que no tenías ninguna sobre su corazón, puesto que desde muy pequeño le habías rechazado con frialdad y aversión.

–Mi madre –dijo Monks en tono más alto– hizo lo que una mujer debía hacer. Quemó aquel testamento. La carta nunca llegó a su destino, sino que la guardó con otras pruebas en caso de que alguna vez trataran de tapar aquella mancha con mentiras. La muchacha le contó la verdad a su padre junto con todas las agravantes que su virulento odio (ahora la admiro) pudo añadir. Hostigado por la vergüenza y la deshonra huyó con sus hijas a un remoto rincón de Gales y se cambió el nombre para que sus amigos no pudieran conocer su paradero, y allí, no mucho después, apareció muerto un día en la cama. La muchacha había abandonado el hogar en secreto unas semanas antes, él la había buscado a pie por todos los pueblos y aldeas cercanas, y fue la noche en que volvió a casa convencido de que se había suicidado para ocultar su vergüenza y la de él, cuando su viejo corazón cedió.

Hubo un breve silencio hasta que el señor Bownlow cogió el hilo de la narración.

—Años más tarde —dijo— la madre de este hombre, Edward Leeford, vino a verme. La había abandonado cuando sólo tenía dieciocho años, robándole joyas y dinero, y luego jugó, derrochó, falsificó y huyó a Londres, donde durante dos años anduvo mezclado con la gentuza más baja. A ella la devoraba una dolorosa e incurable enfermedad y deseaba verlo antes de morir. Se emprendieron indagaciones y se realizaron búsquedas minuciosas. Por largo tiempo resultaron infructuosas, pero culminaron con éxito, y volvió con ella a Francia.

—Allí murió —dijo Monks— tras una prolongada enfermedad, y en el lecho de muerte me comunicó estos secretos junto con su odio insaciable y mortal a todos con quienes tenían que ver, aunque eso no hacía falta que me lo legara, pues lo había heredado mucho antes. Se negaba a creer que la muchacha se hubiera suicidado, junto con el niño, y estaba plenamente convencida de que un varón había nacido y que estaba vivo. Le juré que si jamás se cruzaba en mi camino lo acosaría sin darle tregua jamás, lo perseguiría con la saña más enconada e implacable para desahogar en él el odio que profundamente sentía y escupir sobre la hueca pedantería de aquel ultrajante testamento, llevándolo a rastras, si me fuera posible, hasta el pie mismo del patíbulo. Ella tenía razón. Al final se me cruzó en el camino. Empecé bien y, si las furcias no se fueran de la lengua, ¡habría terminado como empecé!

Mientras el canalla se cruzaba de brazos apretándolos fuertemente y barbotaba maldiciones contra sí mismo ante la impotencia de su frustrada malicia, el señor Brownlow se volvió al aterrorizado grupo que tenía delante y explicó que el judío, que había sido antiguo cómplice y confidente suyo, recibió una generosa recompensa por mantener a Oliver en sus redes, de la cual tenía que devolver una parte en el caso de que fuera liberado, y que una controversia sobre este detalle los había conducido a efectuar una visita a la casa de campo con el fin de identificarlo.

–¿Y el guardapelo y la alianza? –dijo el señor Brownlow, volviéndose a Monks.

–Los compré al hombre y a la mujer que le dije, que los robaron de la enfermera que los había robado del cadáver –respondió Monks sin levantar los ojos–. Ya sabe lo que pasó con ellos.

El señor Brownlow se limitó a hacer una seña al señor Grimwig, que desapareció prontamente y volvió en seguida empujando a la señora Bumble y tirando de su renuente consorte.

–¿Me engañan los ojos? –exclamó el señor Bumble con mal disimulado entusiasmo–, ¿o es éste el pequeño Oliver? ¡Oh, Oliver, si supieras lo que he sufrido pensando en ti...!

–Calla la boca, imbécil –le susurró la señora Bumble.

–¿La naturalicidad no es ya la naturalicidad, señora Bumble? –replicó el superintendente del hospicio–. ¿No puedo emocionarme... yo, que le crié tan porroquialmente..., al verle aquí entre damas y caballeros de la más afabilísima categoría? Siempre quise a este muchacho como si hubiera sido mi..., mi..., mi propio abuelo –dijo el señor Bumble, que hubo de hacer una pausa para encontrar comparación apropiada–. Señorito Oliver, querido, ¿recuerdas al bendito señor del chaleco blanco? ¡Ah! Se fue al cielo la semana pasada en un ataúd de roble con asas doradas, Oliver.

–Vamos, señor –dijo el señor Grimwig cáusticamente–, controle sus sentimientos.

–Haré mis tentativas, caballero –replicó el señor Bumble–. ¿Cómo está usted, señor? Espero se encuentre bien.

Aquel saludo se dirigía al señor Brownlow, que se había acercado a corta distancia de la respetable pareja y, señalando a Monks, preguntó:

–¿Conocen ustedes a esta persona?

–No –respondió la señora Bumble categóricamente.

–¿Quizá *usted* tampoco? –dijo el señor Brownlow, dirigiéndose a su esposo.

–No le he visto en mi vida –dijo el señor Bumble.

–¿Ni le han vendido algo, tal vez?

–No –repuso la señora Bumble.

–¿Acaso no tuvieron nunca en su poder algún guardapelo y una alianza de oro? –dijo el señor Brownlow.

–Seguro que no –replicó la gobernanta–. ¿Nos han traído aquí para contestar a tales tonterías?

Volvió el señor Brownlow a hacer una seña al señor Grimwig y volvió este caballero a salir cojeando con singular presteza. Pero no regresó con un marido y una mujer robustos, pues esta vez traía a dos mujeres con perlesía que vacilaban y se tambaleaban al andar.

–Cerraste la puerta la noche que murió la vieja Sally –dijo la primera, alzando una mano marchita–, pero no pudiste apagar las voces ni tapar las rendijas.

–No, no –dijo la otra, mirando alrededor y agitando sus desdentadas mandíbulas–. No, no, no.

–La oímos tratando de decirte lo que había hecho y te vimos cogerle un papel de la mano, y te vimos también ir al día siguiente a la casa de empeños –dijo la primera.

–Sí –añadió la segunda– y era un «guardapelo y una alianza de oro». Lo averiguamos nosotras y vimos que te lo daban. Andábamos cerca. ¡Vaya que si andábamos cerca!

–Y sabemos más aún –prosiguió la primera–, pues ella solía decirnos, hace mucho tiempo, que la joven, la madre, le había dicho que, sintiendo que nunca conseguiría superarlo, iba de camino, cuando se puso enferma, para morir cerca de la tumba del padre del niño.

–¿Les gustaría ver al encargado de la casa de empeños? –preguntó el señor Grimwig con un gesto hacia la puerta.

–No –respondió la mujer–, si ése –señalaba a Monks– ha sido suficientemente cobarde para confesar, y ya veo que sí, y ustedes han sondeado a todas aquellas brujas hasta encontrar las que buscaban, no tengo más que decir. Yo los *vendí* y están donde nunca los encontrarán. ¿Y qué?

–Nada –replicó el señor Brownlow–, excepto que es nuestro deber encargarnos de que a ninguno de ustedes se le vuelva a emplear en un puesto de confianza.

–Espero –dijo el señor Bumble, mirando a su alrededor muy pesaroso, al desaparecer el señor Grimwig con las dos viejas–, espero que este desafortunado detallito no vaya a privarme de mi cargo porroquial.

–Desde luego que sí –repuso el señor Brownlow–. Puede ir acostumbrándose a la idea y considerar que sale bien parado además.

–Fue todo cosa de la señora Bumble. Se *empeñó* en hacerlo –insistió el señor Bumble, volviéndose primero para cerciorarse de que su compañera había abandonado la habitación.

–Eso no es excusa –repuso el señor Brownlow–. Usted se hallaba presente en el momento de hacer desaparecer aquellas alhajas, y en realidad es el más culpable de los dos a los ojos de la ley, pues la ley da por supuesto que la esposa obra según las instrucciones del marido.

–Si la ley da eso por supuesto –dijo el señor Bumble, estrujando enérgicamente el sombrero con ambas manos–, la ley es una borrica... idiota. Si tales son los ojos de la ley, la ley es soltera, y lo peor que puedo desearle es que ojalá abra los ojos por experiencia..., por experiencia.

Subrayando la repetición de aquellas dos palabras, el señor Bumble se caló a fondo el sombrero, se metió las manos en los bolsillos y siguió a su esposa escaleras abajo.

–señorita –dijo el señor Brownlow, dirigiéndose a Rose–, déme la mano. No tiemble. No tiene por qué temer oír las pocas palabras que quedan por decir.

–Si se refieren... no sé cómo, pero si se refieren... a mí de alguna manera –dijo Rose–, permítame oírlas en otro momento. No tengo ni fuerza ni humor ahora.

–¿Cómo que no? –repuso el anciano, poniendo el brazo por debajo del suyo–, usted tiene más fortaleza que cree, estoy seguro. ¿Conoces a esta señorita, muchacho?

–Sí –respondió Monks.

–Yo no le he visto nunca –dijo Rose débilmente.

–Yo te he visto muchas veces –replicó Monks.

–El padre de la infeliz Agnes tenía dos hijas –dijo el señor Brownlow–. ¿Cuál fue la suerte de... de la otra?

–A la pequeña –respondió Monks–, cuando el padre murió en lugar extraño, con nombre extraño, sin ninguna carta, libro, o trozo de papel que ofreciera el más vago indicio por el que llegar a sus amigos o parientes..., a la pequeña la recogieron unos míseros labradores, que la criaron como suya.

–Continúe –dijo el señor Brownlow, indicando a la señora Maylie que se acercara–. ¡Continúe!

–Usted no pudo encontrar el lugar adonde esta gente se había retirado –dijo Monks–, pero allí donde la amistad no puede, el odio suele abrirse paso. Mi madre dio con él tras un año de ingeniosa búsqueda..., sí, señor, y encontró a la niña.

–Y se la llevó, ¿no?

–No. La gente aquella era pobre y empezaban a estar hartos, o por lo menos el marido, de su mucha generosidad, así que mi madre se la dejó, regalándoles un poco de dinero, que no duraría mucho, y les prometió más sin intención de enviarlo. No se fió sin embargo de que su descontento y pobreza bastaran para asegurar la infelicidad de la niña, y les contó la historia de la deshonra de la hermana con tantas variantes como le convino, les instó a que tuvieran mucho cuidado con la niña, pues era de mala sangre, y les dijo que era ilegítima y que seguro que se echaría a perder antes o después. Las circunstancias sustentaban todo aquello, la gente aquella lo creyó, y allí arrastró la niña una existencia suficientemente miserable para contentarnos hasta que una señora viuda que residía entonces en Chester vio a la muchacha por casualidad, se compadeció de ella y se la llevó a su casa. Había algún maleficio contra nosotros, creo, pues a pesar de todos nuestros esfuerzos se quedó allí y fue feliz. La perdí de vista hace dos o tres años y no he vuelto a verla hasta hace unos meses.

–¿La ve usted ahora?

–Sí. Apoyada en su brazo.

–Pero no por eso es menos mi sobrina –exclamó la señora Maylie, estrechando a la desfallecida muchacha en sus brazos–, no menos, hija mía. No me la dejaría quitar ahora por todos los tesoros del mundo. ¡Mi dulce compañera, mi hijita del alma!

–La única amiga que jamás tuve –gritó Rose, abrazándose a ella–. La más buena, la mejor amiga. Va a estallarme el corazón. No puedo resisitirlo.

–Más que esto has resistido y en medio de todo ello has sido la mejor y más amable criatura que jamás derramara tanta felicidad entre todos los que la conocían –dijo la señora Maylie, abrazándola tiernamente–. Vamos, vamos, cariño, recuerda quién es ese que espera para estrecharte en sus brazos, ¡pobre niño! Ven acá..., ¡mira, mira, querida!

–Tía no –gritó Oliver, echándole los brazos alrededor del cuello–. Nunca la llamaré tía..., hermana, mi propia hermanita, a quien algo en el corazón me enseñó a querer tan tiernamente desde el principio. ¡Rose, querida, mi querida Rose!

Benditas las lágrimas derramadas y las palabras entrecortadas de los dos huérfanos en aquel largo y entrañable abrazo. En aquel único instante encontraron y perdieron a un padre, una hermana y una madre. La alegría y la pena se mezclaban en la misma copa, mas no eran lágrimas amargas, pues la pena misma se dejaba sentir tan atenuada y envuelta en tan dulces y tiernos recuerdos, que se mudaba en solemne deleite y perdía toda su dolorosa naturaleza.

Permanecieron solos un rato largo, muy largo. Unos golpecitos a la puerta anunciaron al cabo que había alguien fuera. Oliver la abrió y se retiró discretamente, dejando el sitio a Harry Maylie.

–Lo sé todo –dijo, tomando asiento junto a la encantadora muchacha–. Querida Rose, lo sé todo. No estoy aquí por casualidad –añadió tras prolongado silencio–, ni he oído todo eso esta noche, pues me enteré ayer..., sólo ayer. Adivinas que he venido a recordarte una promesa, ¿no?

–Espera –dijo Rose–. ¿Lo *sabes* todo?

–Todo. Me diste permiso para que en cualquier momento en el plazo de un año volviera a tocar el tema de nuestra última conversación.

–Así fue.

–No para instarte a modificar tu decisión –prosiguió el joven–, sino para oírtela repetir, si así te parecía. Y yo tenía que poner a tus pies la posición y la fortuna que pudiera haber adquirido, y si aún seguías apegada a tu antigua decisión, me comprometí a no intentar cambiarla por palabra u obra.

–Las mismas razones que me impulsaron entonces me impulsan ahora –dijo Rose firmemente–. Si alguna vez tuviera que considerarme sujeta a un estricto e inquebrantable deber hacia aquella cuya bondad me salvó de una vida de indigencia y sufrimiento, ¿cuándo debería sentirlo sino esta noche? Es un esfuerzo enorme –dijo Rose–, pero estoy orgullosa de hacerlo; es una tortura, pero mi corazón la soportará.

–Las revelaciones de esta noche... –empezó Harry.

–Las revelaciones de esta noche –repuso Rose suavemente– me dejan en la misma situación, en lo que a ti se refiere, en la que me hallaba antes.

–Endureces tu pecho contra mí, Rose –insistió el enamorado.

–Oh, Harry, Harry –dijo la joven, prorrumpiendo en lágrimas–. Ojalá pudiera, y me ahorraría este dolor.

–¿Entonces, por qué te lo infliges tú misma? –dijo Harry, tomándole la mano–. Piensa, querida Rose, piensa en lo que has escuchado esta noche.

–¿Y qué he escuchado? ¡Qué he escuchado! –exclamó Rose–. Que la idea de su terrible deshonra le trabajó tanto a mi padre, que huyó de todo... Basta, hemos dicho bastante, Harry, hemos dicho bastante.

–Todavía no, todavía no –dijo el joven, deteniéndola al ir a levantarse–. Mis ilusiones, mis deseos, perspectivas y sentimientos, todos los pensamientos de mi vida excepto mi amor por ti han sufrido un cambio. Ahora no te ofrezco distinción dentro de una agitada multitud, ni trato con un mundo de malicia y vilipendio en el que la sangre sube a las mejillas honestas por cualquier cosa menos por auténtica deshonra y vergüenza, pero un hogar..., un corazón y un hogar..., sí, queridísima Rose, eso, eso es lo único que puedo ofrecerte.

–¿Qué quieres decir? –balbució ella.

–Quiero decir sólo esto: que cuando me separé de ti la última vez fue con la firme determinación de allanar todas las barreras imaginarias entre los dos, resuelto a que, si mi mundo no podía ser tuyo, yo haría el tuyo mío, y a que nadie orgulloso de su cuna torciera el labio al verte, pues yo me apartaría de él. Eso he hecho. Aquellos que se han alejado de mí a causa de esto, se han alejado de ti y han demostrado que estás en lo cierto. Los poderosos que me protegían, los parientes influyentes y linajudos que me sonreían, me miran ahora fríamente, pero hay campos sonrientes y árboles que se mecen acogedores en el condado más rico de Inglaterra, y junto a una iglesia de pueblo... la mía, Rose, la mía..., hay una casita rústica de la que me puedes hacer sentir más orgulloso que todas las ilusiones a las que he renunciado multiplicadas por mil. Ése es *mi* rango y situación ahora, y ¡aquí te lo ofrezco!

* * *

–Cosa irritante es tener que esperar por unos enamorados para cenar –dijo el señor Grimwig, despertándose y retirando el pañuelo que le cubría la cabeza.

A decir verdad la cena llevaba esperando un rato más que razonable. Ni la señora Maylie ni Harry ni Rose (que entraron todos juntos) pudieron ofrecer palabra alguna de disculpa.

–Esta noche he pensado seriamente en comerme la cabeza –dijo el señor Grimwig–, pues empezaba a creer que no me darían nada más de cena. Me tomaré la libertad, si me lo permiten, de dar la enhorabuena a la futura novia.

El señor Grimwig no perdió tiempo en ejecutar aquel propósito haciendo sonrojar a la muchacha y, como fuera contagioso ejemplo, lo siguieron el doctor y el señor Brownlow; dicen algunos que se vio a Harry Maylie haberlo sentado el primero en una habitación oscura contigua, pero las mejores autoridades consideran esto auténtico chismorreo, siendo él joven y clérigo.

–Oliver, chiquillo –dijo la señora Maylie–, ¿dónde has estado y por qué estás tan triste? Todavía te corre alguna lágrima por la cara. ¿Qué te pasa?

Mundo de desengaños el nuestro, que a menudo trunca nuestras más entrañables ilusiones, aquellas que más honran a nuestra naturaleza.

¡El pobre Dick había muerto!

Capítulo 52

La última noche de Fagin vivo

La sala del tribunal era un mar de cabezas humanas que subía hasta el techo. Ojos inquisitivos y ansiosos miraban atentamente desde cada pulgada de espacio. Desde la barandilla del banquillo de los acusados hasta el mínimo resquicio del último rincón de las galerías, todas las miradas estaban clavadas en un hombre: el judío. Por delante y por detrás, por encima y por debajo, por la derecha y por la izquierda estaba rodeado como por un cielo encendido de ojos relucientes.

Allí estaba, de pie, atravesado por todos aquellos rayos de luz viviente, con una mano apoyada en el travesaño de madera que tenía delante, la otra puesta en la oreja, y la cabeza adelantada para poder captar con más nitidez cada palabra pronunciada por el presidente, que estaba exponiendo su acusación a los miembros del jurado. A veces volvía repentinamente los ojos hacia ellos para calibrar el efecto del más ligero atisbo favorable y, cuando los cargos contra él se exponían con terrible claridad, miraba hacia su defensor en muda súplica de que aun así alegara algo en su favor. Aparte de estas manifestaciones de preocupación, no movía ni pie ni mano. Apenas si se había movido desde el inicio del juicio y, ahora que el juez terminaba de hablar, permaneció todavía en la misma actitud tensa de profunda atención, con la mirada clavada en él como si siguiera escuchando.

Una ligera agitación en la sala le hizo volver a la realidad. Volviendo la cabeza vio que los miembros del jurado se habían agrupado para deliberar sobre su veredicto. Al pasear los ojos por la galería pudo ver a la gente alzándose unos por encima de otros para verle la cara, llevándose unos apresuradamente los lentes a los ojos y cuchicheando otros a sus vecinos con caras que expresaban aborrecimiento. Algunos había que parecían ignorarle y miraban sólo al jurado, preguntándose impacientes cuánto tiempo podrían tardar. Mas en ningún rostro..., ni siquiera entre las mujeres, que había muchas..., pudo leer la más tenue simpatía para con él o sentimiento alguno que no fuera un vivísimo interés en que fuera condenado.

Mientras contemplaba todo aquello de una perpleja ojeada, volvió a producirse un silencio de muerte y, mirando para atrás, vio que los miembros del jurado se volvían hacia el juez. ¡Chist!

Era sólo para pedir permiso para retirarse.

Según iban pasando frente a él para salir los miró ansiosamente en la cara uno a uno, como para ver de qué lado se inclinaba la mayoría, pero en vano. El carcelero le tocó en el hombro. Siguió maquinalmente hasta el extremo del banquillo y se sentó en una silla. El hombre se la indicó, que, si no, ni la habría visto.

Volvió a mirar a la galería. Algunos comían y otros se daban aire con el pañuelo, pues hacía mucho calor en aquel abarrotado lugar. Había un joven que le bosquejaba la cabeza en una libreta. Se preguntó si le salía bien y, cuando al dibujante se le rompió la punta del lápiz y se puso a sacarle punta con una navaja, se quedó mirando como lo hubiera hecho cualquier espectador ocioso.

De igual manera, cuando volvió los ojos hacia el juez, la mente empezó a ocupársele en la forma de su indumentaria, y en lo que costaba y cómo se la ponía. También había en el estrado un señor viejo y gordo, que había salido media hora antes o así y ahora volvía. Se preguntó si aquel hombre se había ido a almorzar, qué habría comido y dónde; y así seguía hilvanando distraídos pensamientos hasta que sus ojos tropezaban con otra cosa que le suscitaba otros.

No es que en todo aquel tiempo se hallara su mente libre ni un instante de la agobiante y abrumadora sensación de la tumba que se abría a sus pies, pues no se le quitaba de delante, pero era de una manera tan vaga y general, que no podía fijar en ello sus pensamientos. De modo que, incluso temblando y ardiendo del sofoco ante la idea de una muerte pronta, se daba a contar los barrotes de hierro que tenía delante, preguntándose cómo la cabeza de uno de ellos se habría roto y si lo arreglarían o lo dejarían como estaba. Luego pensó en todos los horrores de la horca y del patíbulo... y luego se detuvo a observar cómo un hombre rociaba el suelo para refrescar el ambiente... y luego volvió a pensar otra vez.

Al cabo se oyó un grito ordenando silencio y todo el mundo miró hacia la puerta conteniendo el aliento. Los miembros del jurado volvían y pasaron junto a él. No pudo colegir nada de sus caras, que igual podían haber sido de piedra. Se siguió un silencio absoluto... Ni un rumor..., ni un respiro... Culpable.

El edificio entero retumbó con un tremendo grito, y otro, y otro, que el eco transformaba en potentes rugidos, cada vez con más fuerza según llegaban al exterior aumentando como el trueno enfurecido. Era la explosión de alegría del populacho de fuera, saludando la noticia de que moriría el lunes.

Amainó el clamor y le fue preguntado si tenía algo que decir para que no se le aplicara la pena de muerte. Había vuelto a adoptar su actitud de escucha y estaba mirando atentamente a quien le hacía la pregunta, pero hubieron de repetírsela dos veces antes de que pareciera que oía, y entonces solo farfulló entre dientes que era un viejo..., un viejo..., un viejo..., y así fue diciendo cada vez más bajo hasta callarse del todo.

Se puso el juez su birrete negro y todavía seguía el reo con la misma expresión y actitud. Una mujer de la galería lanzó no sé qué exclamación provocada por aquel terrible ceremonial, levantó él los ojos rápidamente como enojado por la interrupción, y volvió a inclinarse hacia adelante todavía más atento. La alocución fue solemne e impresionante, la sentencia espantosa de oír. Pero, cual estatua de mármol, se mantuvo él en pie sin mover una pestaña. Su rostro macilento seguía inclinado hacia delante, la mandíbula inferior colgando y los ojos clavados de frente en el vacío, cuando el carcelero le puso la mano en el brazo y le indicó que saliera. Miró un instante alrededor con cara de estúpido y obedeció.

Por una habitación enlosada le llevaron bajo la sala del tribunal, donde algunos reos esperaban que les llegara el turno y otros hablaban a sus amigos apiñados a una reja que daba al patio abierto. No había allí nadie que le hablara *a él*, pero, al pasar, los presos se retiraron para dejar que lo viera mejor la gente pegada a los barrotes, que le colmó de injurias y le abucheó y le silbó. Los amenazó con el puño y les habría escupido, pero sus guardianes se lo llevaron de prisa por un lóbrego pasillo, iluminado por unas cuantas pálidas lámparas, hasta el interior de la prisión.

Allí le registraron, no fuera a tener encima con qué anticiparse a la ley y, cumplido aquel requisito, lo condujeron a una celda de condenado, y allí lo dejaron... solo.

Se sentó frente a la puerta en un banco de piedra que servía de asiento y de cama y, fijando en el suelo sus ojos inyectados de sangre, trató de coordinar las ideas. Al rato empezó a recordar algunos fragmentos deshilachados de lo que el juez había dicho, aunque en aquel momento le había parecido no haber oído palabra alguna. Empezaron luego a encajar en su sitio y a dar lugar poco a poco a otros, de manera que en poco tiempo lo tuvo todo, casi como había sido pronunciado. A ser colgado del cuello hasta morir..., ése era el final. A ser colgado del cuello hasta morir.

Según caían las tinieblas empezó a pensar en todos los hombres que había conocido y que habían muerto en el patíbulo, alguno de ellos a cuenta suya. Surgían en tan rápida sucesión, que apenas podía contarlos. A algunos los había visto morir... y se había burlado porque morían con una oración en los labios. ¡Con qué chasquido caía la trampilla bajo sus pies, y qué súbitamente pasaban de hombres fuertes y vigorosos a un bulto de ropa colgando!

Puede que algunos de ellos hubieran ocupado aquella misma celda... y hubieran estado sentados en aquel mismo lugar. Estaba muy oscuro, ¿por qué no le traían una luz? La celda había sido construida hacía muchos años. Montones de hombres tenían que haber pasado allí sus últimas horas. Era como estar sentado en un panteón sembrado de cadáveres... La caperuza, el nudo corredizo, los brazos atados, las caras que reconocía incluso bajo aquel horrible velo... ¡Luz, luz!

Al cabo, cuando ya tenía las manos despellejadas de golpear contra la pesada puerta y las paredes, aparecieron dos hombres, uno con una vela, que clavó en una palmatoria de hierro fija en la pared, y el otro arrastrando un jergón para pasar la noche, pues el reo ya no debía quedarse más solo.

Luego llegó la noche..., noche oscura, siniestra, silenciosa. Otros que velan se alegran de oír sonar las campanadas de los relojes de las iglesias, pues hablan de la vida y del día que se acerca. Al judío le traían desesperación. El retumbar del bronce de cada campana llegaba a él cargado de un sonido único, profundo y hueco: muerte. ¿De qué le servía el ruido y ajetreo de la alegre mañana, que penetraba hasta allí, hasta él? Era otra forma de tañido fúnebre en el que la burla se añadía a la llamada.

El día pasó. ¿Día? No hubo día, se pasó nada más llegar... y la noche cayó otra vez, noche tan larga, y sin embargo tan breve, larga por su terrible silencio y breve por la fugacidad de sus horas. Ahora deliraba y blasfemaba, luego aullaba y se mesaba el cabello. Hombres venerables de su credo llegaron a rezar junto a él, pero los hizo salir con maldiciones. Renovaron ellos sus esfuerzos caritativos y los echó a golpes.

Noche de sábado ya. Sólo le quedaba una noche de vida. Y, mientras pensaba en esto, rompió el día: domingo.

No fue hasta la noche de aquel último y horrendo día que no se le grabó con toda intensidad en su alma marchita la aplastante sensación de su situación de impotencia y desesperación, y no es que hubiera abrigado nunca esperanza clara o segura alguna de clemencia, sino que jamás había sido capaz de considerar más que la vaga probabilidad de morir tan pronto. Había hablado poco a los dos hombres que se turnaban en vigilarlo, y ellos, por su parte, no hicieron ningún esfuerzo por despertar su interés. Había estado sentado, despierto, pero soñando. Ahora, a cada momento, se levantaba sobresaltado y, con boca jadeante y piel ardiente, corría de un lado para otro en tal paroxismo de pánico y furia, que incluso ellos, acostumbrados a tales escenas, retrocedieron aterrorizados. Las muchas torturas de su mala conciencia acabaron poniéndole tan fiero, que un hombre solo no podía soportar estarse allí sentado vigilándolo, y por eso los dos montaban la guardia juntos.

Se acurrucó en su lecho de piedra y pensó en el pasado. El día que lo cogieron, algunos proyectiles lanzados por la multitud le habían herido y llevaba la cabeza vendada con tela de hilo. El pelo bermejo le caía sobre el rostro falto de sangre, la barba aparecía arrancada a trozos y retorcida en nudos, los ojos le brillaban con terrible luz, la piel sin lavar se le agrietaba con la fiebre que le abrasaba. Ocho..., nueve..., diez. Si no era una artimaña para atemorizarle y aquellas eran las horas verdaderas, pisándose los talones unas a otras, ¿dónde se hallaría cuando volvieran a sonar? ¡Once! Faltaba otra campanada, antes de que la voz de la hora anterior cesara de vibrar. A las ocho sería el único acompañante de su propio cortejo fúnebre; mas a las once...

Aquellos horribles muros de Newgate, que han ocultado tantas miserias y angustias tan inenarrables, no sólo a los ojos sino demasiado a menudo y por demasiado tiempo a las mentes de los hombres, jamás contemplaron espectáculo tan espantoso como aquél. Los pocos viandantes que aflojaban el paso preguntándose qué estaría haciendo el hombre que iban a ahorcar al día siguiente habrían dormido muy a disgusto si le hubieran visto.

Desde el atardecer hasta casi medianoche grupitos de dos y tres personas llegaron a la portería a preguntar con cara de preocupación si se había recibido algún aviso de indulto. Se les respondía que no y pasaban la grata noticia a los grupos en la calle, que se señalaban unos a otros la puerta por donde debería salir y el lugar donde se levantaría el patíbulo y, alejándose sin ganas, se volvían para imaginarse la escena. Poco a poco fueron dispersándose uno tras otro y, por una hora en mitad de la noche, la calle quedó abandonada a la soledad y a las tinieblas.

Ya se había despejado el espacio delante de la prisión y se habían colocado unas fuertes vallas pintadas de negro a través de la calle para contener el empuje de la multitud que se esperaba, cuando el señor Brownlow y Oliver aparecieron en el postigo y presentaron un permiso para visitar al preso firmado por uno de los magistrados. Inmediatamente se les permitió pasar a la portería.

–¿Va a entrar también el mocito, señor? –dijo el hombre encargado de acompañarlos–. No es espectáculo para niños, señor.

–Verdad que no, amigo –dijo el señor Brownlow–, pero mis asuntos con ese hombre están íntimamente relacionados con él y, como este niño le ha conocido en pleno ejercicio de sus éxitos y maldades, creo que es mejor..., aunque le cueste algún dolor y miedo... que lo vea ahora.

Aquellas breves palabras se pronunciaron en un aparte, de modo que Oliver no pudo oírlas. El hombre se tocó el sombrero y, mirando a Oliver con cierta curiosidad, abrió otra puerta frente a aquella por la que habían entrado y los condujo por pasajes oscuros y tortuosos hacia las celdas.

–Éste –dijo el hombre, deteniéndose en un lóbrego pasadizo en el que un par de obreros estaba haciendo algunos preparativos en profundo silencio–, éste es el lugar por donde pasará. Si me siguen por aquí, verán la puerta por donde saldrá.

Los condujo a una cocina de piedra, equipada con calderas para preparar la comida de la prisión, y señaló una puerta. Había encima de ella una rejilla abierta por la que llegaba ruido de voces de hombres mezcladas con ruido de martillazos y caída de tableros. Estaban levantando el patíbulo.

Abandonando aquel lugar franquearon varias puertas gruesas que abrieron desde dentro otros carceleros, y, llegados a un patio abierto, subieron un tramo de angostas escaleras y llegaron a un pasillo que tenía una serie de sólidas puertas a mano izquierda. Indicándoles con un gesto que se quedaran donde estaban, el carcelero golpeó sobre una de ellas con el manojo de llaves. Tras susurrar algo, salieron los dos vigilantes al pasillo, estirándose como contentos del momentáneo relevo, e hicieron señas a los visitantes de que siguieran al carcelero al interior de la celda. Así hicieron.

Estaba el criminal condenado sentado en el lecho, moviéndose en vaivén y con una cara más de fiera atrapada que de hombre. Era evidente que su mente erraba por su antigua vida, pues continuó musitando cosas sin parecer consciente de su presencia sino como pertenecientes a su visión.

–Buen chico, Charley..., bien hecho... –masculló–. Oliver también, ¡ja, ja, ja!... Oliver también..., todo un señor ahora..., todo un... ¡llevaos a ese muchacho a la cama!

El carcelero tomó la mano que Oliver tenía libre y, susurrándole que no se alarmara, continuó mirando sin hablar.

–¡Lleváoslo a la cama! –gritó Fagin–. ¿Me oís, uno de vosotros? Él ha sido la... la... de algún modo la causa de todo esto. Merece la pena el gasto de llevarle a... la garganta de Bolter, Bill; no te preocupes de la muchacha..., la garganta de Bolter todo lo hondo que puedas cortar... ¡Siégale la cabeza!

–Fagin –dijo el carcelero.

–¡Soy yo! –gritó el judío, adoptando inmediatamente la actitud de escucha que había tenido durante el juicio–. Un viejo, señoría, un viejo, ¡muy viejo!

–¡Ea! –dijo el carcelero, poniéndole la mano en el pecho para calmarlo–. Aquí hay alguien que quiere verle para hacerle unas preguntas, creo. Fagin, ¡Fagin! ¿Está usted bien?

–No lo estaré mucho –respondió, mirando con una cara a la que no le quedaba otra humana expresión que la rabia y el terror–. ¡Que se mueran todos! ¿Qué derecho tienen a matarme?

Esto decía cuando advirtió la presencia de Oliver y del señor Brownlow. Retrocediendo hasta el más lejano rincón del asiento, preguntó qué buscaban allí.

–Calma –dijo el carcelero, sujetándole otra vez–. Venga, dígale lo que quiere, señor. Rápido, si le parece, pues cada vez se pone peor.

–Tiene usted unos papeles –dijo el señor Brownlow acercándose–, que puso en sus manos un tal Monks para que estuvieran más seguros.

–Es todo una mentira –replicó Fagin–. No tengo ninguno... ni uno.

–Por el amor de Dios –dijo el señor Brownlow con tono solemne–, no hable así ahora, en el umbral mismo de la muerte, y dígame dónde están. Usted sabe que Sikes ha muerto, que Monks ha confesado, que no hay esperanza de beneficio alguno. ¿Dónde están esos papeles?

–Oliver –gritó Fagin, haciéndole señas–. ¡Ven, ven acá! Deja que te diga algo al oído.

–No tengo miedo –dijo Oliver en voz baja, soltándose de la mano del señor Brownlow.

–Los papeles –dijo Fagin, acercando a Oliver hacia sí– están en un talego de lona en un agujero no muy alto de la chimenea en la habitación de arriba del lado de la fachada. Necesito hablarte, querido. Necesito hablarte.

–Sí, sí –respondió Oliver–. Déjeme rezar una oración. ¡Por favor! Déjeme rezar una oración. Rece sólo una de rodillas conmigo y hablaremos hasta mañana.

–Vamos fuera, vamos fuera –repuso Fagin, empujando al muchacho hacia la puerta con la mirada perdida por encima de su cabeza–. Di que me he ido a dormir..., *a ti* te creerán. Tú puedes sacarme, si me llevas así. Venga, ¡venga!

–¡Oh! Que Dios perdone a este desgraciado! –exclamó el muchacho, prorrumpiendo en lágrimas.

–Eso es, eso es –decía Fagin–. Eso nos ayudará. Primero esta puerta. Si tiemblo y me estremezco al pasar junto al patíbulo, no te preocupes, y sigue adelante. ¡Vamos, vamos!

–¿No tiene usted nada más que preguntarle, señor? –preguntó el carcelero.

–No más preguntas –respondió el señor Brownlow–. Si quedaran esperanzas de hacerle entrar en razón sobre su situación...

–No hay nada que hacer, señor –repuso el hombre, meneando la cabeza–. Es mejor que lo deje.

La puerta de la celda se abrió y los vigilantes entraron.

–Date prisa, date prisa –gritaba Fagin–. Despacio, pero no tan lento. ¡Más de prisa, más de prisa!

Los hombres le agarraron, soltaron a Oliver de sus manos y lo apartaron. Forcejeó él un momento con la energía de la desesperación y luego soltó un grito, y otro, y otro, que traspasaron incluso aquellos macizos muros y les resonaron en los oídos hasta que salieron al patio abierto.

Pasó algún tiempo antes de que salieran de la cárcel. Oliver casi se desmayó tras aquella horrible escena y se sintió tan débil, que durante una hora o más no tuvo fuerzas para andar.

Amanecía cuando volvieron a salir. Una gran muchedumbre se había congregado ya, las ventanas estaban llenas de gente fumando y jugando a las cartas por matar el tiempo, y el gentío empujaba, reñía, hacía chistes. Todo hablaba de vida y animación, excepto un oscuro cúmulo de objetos en el centro de todo: el sombrío tablado, la horca, la soga y todo el espantoso aparato de la muerte.

Capítulo 53

Y último

El destino de todos quienes han figurado en este cuento se halla casi cumplido. Lo poco que le queda por relatar al narrador se dice en breves y sencillas palabras.

Antes de que transcurrieran tres meses Rose Fleming y Harry Maylie se casaron en la iglesia del pueblo, que desde aquel momento iba a ser escenario de los afanes del joven sacerdote, y el mismo día entraron en posesión de su nuevo y venturoso hogar.

La señora Maylie se instaló con su hijo y su nuera para disfrutar durante el resto de sus tranquilos días la mayor felicidad que los años y la dignidad pueden conocer: la contemplación de la felicidad de aquellos sobre quienes se han prodigado ininterrumpidamente el cariño más cálido y las más tiernas atenciones de una vida bien empleada.

Tras exhaustiva investigación se averiguó que, si los restos del patrimonio que quedaban bajo la custodia de Monks (que nunca prosperaron ni en sus manos ni en las de su madre) se dividían entre él y Oliver, corresponderían a cada uno poco más de tres mil libras. Según las disposiciones del testamento de su padre, Oliver habría tenido derecho a todo, pero el señor Brownlow, no deseando privar al hijo mayor de la oportunidad de enmendar sus antiguos vicios y seguir una honrada carrera, propuso aquel modo de reparto, a lo que su joven protegido accedió gozoso.

Portador todavía de este nombre, Monks se retiró con su parte a un lejano lugar del Nuevo Mundo, donde, tras derrocharla rápidamente, volvió a las andadas y, tras sufrir larga prisión por algún otro acto de superchería y granujería, sucumbió finalmente a un ataque de su vieja dolencia y murió en prisión. Lejos de su país murieron también los miembros restantes de la banda de su amigo Fagin.

El señor Brownlow adoptó a Oliver. Mudándose con él y la anciana ama de llaves a menos de una milla de la casa parroquial en la que residían sus queridos amigos, satisfizo el único deseo que quedaba en el cariñoso y ardiente corazón de Oliver, formando así una pequeña sociedad cuyo estado se acercaba tanto a la dicha perfecta como jamás podrá conocerse en este mudable mundo.

Poco después de la boda de los jóvenes, el distinguido doctor regresó a Chertsey, donde, privado de la presencia de sus amigos, habría conocido el descontento si su temperamento hubiera tolerado tal sentimiento y se habría vuelto un cascarrabias si hubiera sabido cómo. Durante dos o tres meses se contentó con insinuar que se temía que el aire empezaba a sentarle mal; luego, viendo que aquel lugar ya no era lo que solía ser para él, traspasó el negocio a su ayudante, alquiló un hotelito de soltero fuera del pueblo del que su amigo era pastor, y en un instante se recuperó. Allí se dedicó a la jardinería, a la plantación, a la pesca, a la carpintería y a varias otras ocupaciones por el estilo, emprendiéndolas todas con su característica impetuosidad. En todas y cada una de ellas es ya una gran autoridad con fama en todo el vecindario.

Antes de mudarse había conseguido desarrollar un profundo sentimiento de amistad por el señor Grimwig, al que este excéntrico caballero cordialmente correspondía. En consecuencia el señor Grimwig le visita muchísimas veces a lo largo del año. En todas estas ocasiones el señor Grimwig planta, pesca y hace de carpintero con gran entusiasmo, haciéndolo todo de manera muy peculiar y nunca vista, y manteniendo siempre con su frase favorita que su manera de hacer es la buena. Los domingos nunca se le olvida criticar el sermón en presencia del joven sacerdote, tras lo cual comunica siempre al señor Losberne, de manera estrictamente confidencial, que lo ha hecho estupendamente, pero que también considera que es mejor no decirlo. Es broma constante y favorita del señor Brownlow tomarle el pelo con su antigua profecía sobre Oliver y recordarle la tarde que estuvieron sentados con el reloj de por medio esperando que regresara, pero el señor Grimwig sostiene que en lo principal tenía razón, y en prueba de ello observa que Oliver *no regresó* después de todo, lo cual provoca siempre una carcajada por su parte y aumenta su buen humor.

El señor Noah Claypole, absuelto por decisión de la Corona como consecuencia de haberse constituido en testigo probatorio contra Fagin, y juzgando su profesión no del todo tan segura como le hubiera gustado, pasó algún tiempo sin saber cómo encontrar un medio de ganarse la vida libre de la carga de tener que trabajar demasiado. Tras pararse a considerarlo, decidió dedicarse al negocio de confidente de la policía, profesión esta con la que logra subsistir decentemente. Su tarea consiste en salir una vez por semana a la hora de ir a la iglesia, acompañado por Charlotte en atuendo respetable. La señora se desmaya a la puerta de taberneros caritativos y, tras hacerse despachar el caballero tres peniques de brandy para reanimarla, da la información al día siguiente y se guarda la mitad de la multa. Algunas veces es el señor Claypole quien se desmaya, pero el resultado es el mismo[1].

El señor y la señora Bumble, privados de sus cargos, fueron sumiéndose poco a poco en la indigencia y la miseria y al final acabaron de pobres en aquel mismo hospicio en el que una vez habían reinado sobre otros. Se ha oído decir al señor Bumble que en este revés y degradación no le quedan ni ánimos para sentirse agradecido por estar separado se su mujer.

En cuanto al señor Giles y a Brittles, todavía siguen en sus antiguos puestos, aunque el primero está calvo y el último tiene el pelo todo cano. Duermen en la casa parroquial, pero dividen sus atenciones por igual entre sus moradores y Oliver y el señor Brownlow y el señor Losberne, sin que hasta el día de hoy los del pueblo hayan podido averiguar a qué casa propiamente pertenecen.

El señorito Charley Bates, horrorizado por el crimen de Sikes, se hundió en una serie de reflexiones sobre si después de todo no sería mejor una vida honrada. Llegado a la conclusión de que ciertamente lo era, dio la espalda a los acontecimientos del pasado resuelto a enmendarlo en algún nuevo campo de acción. Luchó duramente y sufrió mucho por algún tiempo, pero, como fuera contentadizo de su natural y de buenas intenciones, al final triunfó y, de ser esclavo de un labrador y mozo de un carretero, ha llegado a ser el ganadero joven más alegre de todo el condado de Northampton.

Y ahora la mano que traza estas líneas flaquea al acercarse a la conclusión de su tarea y quisiera tejer un poquito más todavía la hebra de estas aventuras.

Me quedaría un poco más con algunos de aquellos entre quienes me he movido tanto tiempo y compartiría

---

1. Estaba prohibido vender alcohol en domingo.

su felicidad tratando de describirla. Mostraría a Rose Maylie en todo el esplendor y gracia de su joven feminidad,
derramando por su apartado sendero en la vida una luz
suave que caía sobre todos los que caminaban con ella y
brillaba en sus corazones. La describiría como vida y deleite del corro en torno a la chimenea y del alegre grupo
veraniego, la seguiría por los campos en el bochorno del
mediodía y escucharía los graves tonos de su dulce voz en
el paseo vespertino bajo al claro de luna, la observaría
en todas sus buenas obras y limosnas fuera de casa y en el
cumplimiento, sonriente e infatigable, de los deberes domésticos en casa. La pintaría a ella y al niño de su hermana difunta dichosos en el amor de uno por el otro y pasando horas enteras juntos recordando a los parientes
que tan tristemente perdieron, evocaría también aquellas
caritas gozosas que se pegaban a sus rodillas y escucharía
sus alegres parloteos, recordaría los matices de aquella
risa clara y rememoraría las lágrimas compasivas que re-
lucían en sus dulces ojos azules. Estas y mil miradas y
sonrisas y mil ideas y palabras evocaría yo una por una.

Y cómo el señor Brownlow continuó día a día llenando el entendimiento de su hijo adoptivo con infinidad de
conocimientos y apegándose a él más y más según se desarrollaba su naturaleza y mostraba los vigorosos brotes
de todo lo que deseaba que llegara a ser..., cómo descubría en él nuevos rasgos de su viejo amigo que despertaban en su propio pecho lejanos recuerdos, llenos de melancolía pero dulces y reconfortantes..., cómo los dos
huérfanos, puestos a prueba por la adversidad, recordaban sus lecciones con compasión hacia el prójimo y amor
mutuo y gracias fervorosas a Aquel que los había protegido y amparado: éstas son las cosas que no es necesario
contar. He dicho que eran verdaderamente felices y, sin
profundo cariño ni generosidad de corazón ni gratitud

hacia aquel Ser cuyo código es la clemencia y cuyo gran atributo es la benevolencia hacia todos los seres que respiran, la felicidad nunca puede alcanzarse.

Cerca del altar de la vieja iglesia del pueblo hay una lápida de mármol blanco que hasta ahora sólo tiene una palabra: AGNES. No hay ataúd en aquella tumba, y ojalá pasen muchos, muchos años antes de que encima se ponga otro nombre. Mas, si es cierto que las almas de los muertos vuelven a la tierra a visitar lugares santificados por el amor —amor de ultratumba— de aquellos a quienes en vida conocieron, creo que la sombra de Agnes flota a veces por aquel solemne rincón. Lo creo sobre todo porque este rincón está en una iglesia y ella fue débil y erró.

Índice